Arie van d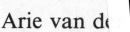

Eilanden van de hartstocht

De vrouwen van Arnefjord

De laatste kolonie

'Westfriesland' - Helmond/Hoorn

Eerste druk in deze uitvoering 1991

CIP-GEGEVENS KONINKLIJKE BIBLIOTHEEK, DEN HAAG

Lugt, Arie van der

Eilanden van de hartstocht / Arie van der Lugt. - Helmond
[etc.] : Westfriesland. - (Gouden-greep-roman)
Bevat: De vrouwen van Arnefjord. - Oorspr. uitg.: Den Haag
[etc.] : De Nederlandse Boekenclub, 1975 ; De laatste
kolonie. - Oorspr. uitg.: Hoorn : Westfriesland, 1979
ISBN 90-205-2137-3 geb.
NUGI 342/331
Trefw.: romans ; oorspronkelijk.

ISBN 90.205.2137.3
NUGI 342/331

Omslagillustratie: Reint de Jonge
Copyright © 1991 by 'Westfriesland' - Helmond/Hoorn

DE VROUWEN VAN ARNEFJORD

Dit fictieve verhaal over de ondergang van Skard is gebaseerd op historische feiten. Ook de personen zijn fictief of van andere namen voorzien, en de Gardar was zelfs een naamloze schuit. Maar zij verging wèl tijdens een vliegende storm aan het begin van deze eeuw, en al de zeven opvarenden vonden de dood in het wijde watergraf.

Zo werd Skard over de hele Faröer bekend als „het dorp zonder mannen". De ruïnes liggen er nog aan de voet van de genadeloze bergen als een toeristische bezienswaardigheid. Zo werden ze mij destijds getoond door die formidabele oude Viking, Joan F. Kjölbro, aan wie ik dit boek in bewondering opdraag.

Luyksgestel,
Arie van der Lugt

I

De heidenen van Skard

Eydbjörg was amper dertien en een bijna rijpe vrucht, toen de zeeman met het houten been zijn oog op haar liet vallen en haar allerlei dingen begon te leren. Helgi heette hij, en hij kwam misschien van IJsland, of van Denemarken, wat doet het ertoe. In ieder geval had hij de grote zeeën bevaren en hij kende de bewoonde wereld, waar hopen mensen bij elkaar leven en waar je te paard of met de postkoets van plaats tot plaats kunt reizen om je familie te bezoeken. Eydbjörg had nooit een postkoets gezien en maar éénmaal een echt paard.

Dat paard zou zij nooit vergeten, want het hield verband met de vloek die dominee Rasmussen over haar vader en over alle heidenen van Skard had uitgesproken.

Het gebeurde in die hete zomer van 1903, juist na de *grindedrab*, waarin de mannen van Skard alléén meer dan dertig walvissen hadden afgeslacht.

De nieuwe dominee, die aan de overkant van de Arnefjord in Klaksvig woonde, had het in zijn hoofd gezet om te paard zijn afgelegen parochianen in Koningsdal te bezoeken – waar hij zeker met open armen en gelovig gemoed zou worden ontvangen – en dan tevens op zijn missiereis even over de Murgandyr te trekken, om de heidenen van Skard te bekeren.

Zo'n geleerde mens had beter moeten weten, maar hij kende de grimmige Murgandyr niet, die altijd zijn kruin in het lage wolkendek verbergt, en nog minder wist hij van het ruwe volkje van Skard. Hij blaakte van geloofsijver en de heidenen waren hem een doorn in het oog.

Zijn parochianen in Klaksvig hadden hem nog zo gewaarschuwd dat er met die duivels van Skard geen land te bezeilen viel, dat zij nog leefden als de oude Vikingen en dat er trouwens geen gebaande weg naar hun dorp voerde. Einar Leif, die dit jaar ouderling was geworden en bij de nieuwe dominee een goede beurt wilde maken, had nog aangeboden hem met zijn boot om de zuidkaap van het eiland en zo door de Arnefjord naar Skard te varen, een tocht van een paar uren bij gunstige wind, maar de eerwaarde heer Rasmussen wist het natuurlijk beter en bovendien werd hij altijd kotsmisselijk in een zeilboot. Dus zadelde hij op die mooie zomermorgen zijn paard en trok over de Nordöre naar Koningsdal, waar hij tegen de middag bezweet maar ongedeerd aankwam. Zijn paard was op de Nordöre slechts eenmaal gestruikeld en het trouwe dier zou hem morgen even veilig over de Murgandyr dragen.

Die van Koningsdal ontvingen hem met gejuich en hallelujagezang. Zij bewezen hem alle eer die een gezant Gods toekomt en zij trachtten hem de gevaarlijke tocht over de Murgandyr uit het hoofd te praten. Te voet zou het nog gaan, meenden zij, en een paar stevige kerels waren bereid hem tot het dorp der heidenen te vergezellen, maar het kostbare paard zou bij de afdaling zeker zijn poten breken en dat waren die rabauwen van Skard toch niet waard...? Joan Olsen, de vogeljager, stelde nog voor, hem met paard en al over de fjord te varen, als het arme dier per se mee moest, maar dominee wuifde met een minzaam gebaar het voorstel af en vertrok de volgende morgen voor zijn roekeloze tocht over de Murgandyr, hoofdschuddend nagestaard door de gelovigen van Koningsdal, die hem een heilig man en een weergaloze stijfkop vonden.

Een bergrug van niks, de Murgandyr, amper zevenhonderd meter boven de baai, en dan kom je aan de brokkelige kruin, waar zich de trollen en de kadodders ophouden. Dan kun je, als je tot zo ver geluk gehad hebt, aan de andere kant al weer afdalen naar de Arnefjord en langs de trollekop het bergnest Skard bereiken. Maar het ongeluk wil dat weinigen vanuit Skard ooit de kruin van de berg gezien hebben. De mist, die elke nacht uit de fjord komt aangedreven, spreidt zich als een grauwe mantel over de bergflank, en als de wind later op de dag de mistflarden heeft weggevaagd, blijft een kraag van stapelwolken rond Murgandyrs nek hangen. Je ziet zelden zijn kruin vanuit het dal, maar je kunt natuurlijk de zee opvaren, zó ver dat de eilanden van de Norderöer als naakte keien in de horizon liggen. Dan zie je dat de Murgandyr een sjaal om zijn hals draagt, terwijl zijn verweerde kop zich koestert in de zon.

Schele Eiki, de zoon van de heks, had de blote kruin van de berg gezien toen hij met Olaf de reus achter de walvissen aanging. Hij vertelde het aan de mannen van Skard, die met hem rond de tapkast stonden, en Eydbjörg luisterde gretig toe; zij vond alles zo wonderlijk, wat haar vader vertelde. De mannen van Skard knikten ernstig. Zij geloofden Eiki wel; zij waren zelf vissers en ver genoeg op zee geweest om de kruin van hun berg te zien. Maar de vrouwen en de kinderen dachten dat de Murgandyr tot in de hemel reikte, omdat zij altijd tegen die kraag van lage wolken aankeken, of ingekapseld waren in de mantel van de mist.

Het zijn gruwelijke eilanden, die zes van de Norderöer. Daar groeit geen boom en geen struik. De wind staat het niet toe; de wind, die zonder ophouden langs de grimmige bergflanken jaagt, waarop magere schapen en bontgevlekte geiten het droge helmgras zoeken. Slechts in Klaksvig en Torshavn staan houten huizen, waarvoor iedere badding, elke plank uit Noorwegen is aangevoerd, want de Faröer-eilanden zijn naakt uit de zee opgerezen en zullen even bloot in het watergraf verdwijnen, als wind en corrosie hun werk hebben voltooid.

De wind, die op de Faröer eeuwig is...

De kruinen van de Murgandyr, en van de Burhella en van al de bergen op de Norderöer, zijn gespleten en verbrokkeld; een maanlandschap, even wreed gecorrodeerd door de wisseling der seizoenen. Gigantische rotsblokken scheuren los wanneer de sneeuw begint te smelten en donderen neer langs de bergflanken onder de wolkenkraag. Soms rollen zij door tot in het dal en sleuren en passant een hut mee en een handvol magere schapen.

Daarom gaat geen zinnig mens daar wonen, aan de voet van de Murgandyr of aan de westkant van de Burhella.

Alleen de heidenen van Skard tarten het noodlot. Die hebben hun huisjes opgebouwd uit de steenklompen die zij op de bergflank verzamelden en een dorpje gesticht rond de kroeg van Sigga de heks.

Een boot en een kroeg, meer is niet nodig om een gemeenschap als Skard, met nog geen vijftig inwoners, in stand te houden. De boot heette Gardar, een onooglijke kotter die het hele seizoen op haring en kabeljauw, en tijdens de bloedige grindedrab op kleine walvissen jaagde. Op de Gardar voeren al de negen mannen van Skard die ouder dan vijftien en jonger dan zestig waren.

Vroeger voeren zij uit onder Olaf de reus, die met de heks was gaan samenwonen, omdat hij de enige kerel was die haar niet vreesde. Maar niemand zal beweren dat hij het vinnige wijfje heeft weten te temmen... Tijdens zijn korte perioden aan de wal vochten die twee als valse prairiewolven en hun groot geschreeuw drong door tot in de hutten rond „De Zeemeermin". Tussen die bedrijven door wist Olaf de valse feeks nog vijfmaal zwanger te maken, maar er werd beweerd dat hij zijn zaad in een slechte akker zaaide. Alleen Eiki kwam tot wasdom, een slungelige jongen, die in geen enkel opzicht op Olaf de reus leek. Eiki had rooie haren en hij keek scheel. Hij was zo tenger, dat Olaf zich schaamde voor het produkt van zijn vreemde liefde, maar Sigga was zeer aan hem gehecht; zij wist hem op de een of andere manier in leven te houden, wat haar bij de vier meisjes niet gelukt was.

Toen de last der jaren op de machtige schouders van Olaf begon te drukken, had hij zijn zoon alles geleerd wat er over de zee en de stromingen, over de trek van het aas en over de jaarlijkse slachting van de walvissen te leren valt. Toen was Eiki volwassen en voorbestemd om zijn vader als schipper van de Gardar op te volgen. Maar het ongeluk met Olaf de reus was, dat hij zijn gezag niet wilde overdragen, hoezeer hij ook naar de aarde gebogen ging. Daarom maakte Sigga er op zekere nacht een eind aan.

Olaf begreep niet wat zijn minnig wijfje bezielde toen zij zo vredig bij hem lag en de lust in zijn lende wekte. Nog eenmaal verschoot hij zijn zaad in haar onvruchtbare akker, een oud spel, dat zij bijna verleerd hadden. Daarna schonk zij hem een kroes van haar zelfgestookte jenever en zocht aarzelend naar tedere woorden, die onwennig over haar lippen kwamen.

„Wij hebben het samen goed gehad," zei ze, „wij zijn samen een lang eind gegaan, Olaf, maar hier scheiden zich onze wegen." Doch de klanken drongen nauwelijks meer tot hem door. De reus lag achterover met half geloken ogen en half open mond. Hij lag daar zeer stil, alsof hij luisterde naar de wind die om het huis rende, maar hij hoorde de eeuwige wind van de Faröer niet meer en niet de woorden uit haar stroeve mond. Zij streelde zijn gelaat, zij streelde zijn groot naakt lichaam tot hij koud begon te worden. Toen legde zij twee bronzen munten op zijn ogen, die haar verwijtend aanstaarden, en bond een schoteldoek rond zijn kin. Zij blies de kaars uit en ging liggen peinzen over de veertig jaren die zij met Olaf Koyring had doorgebracht. Bittere herinneringen, met nauwelijks enig lichtpunt rond de geboorte van haar kinderen. Alleen Eiki was blijven leven, schele Eiki, die boven haar hoofd op de vliering lag te snurken en nog niet wist dat hij voortaan de schipper van de Gardar was.

Schele Eiki mocht dan al een onooglijke kerel zijn, maar met de vrouwen was hij even fel als zijn vader. En even onfortuinlijk. In Skard woonden geen huwbare dochters die hem een blik waardig keurden; daarom ontvoerde hij een maand na zijn vaders dood, op de eerste reis die hij als schipper van de Gardar maakte, de mooie Myrna Sörensen uit Koningsdal en bracht haar op zijn schuit over de Arnefjord. Die van Koningsdal noemden het een grof schandaal, maar zij durfden niets tegen de duivels van Skard te ondernemen en eer de twee dienders van Klaksvig de zaak kwamen onderzoeken, had Eiki mooie Myrna zwanger gemaakt. Toen wilde zij niet meer bij hem weg en de dienders konden onverrichterzake naar Klaksvig terugkeren.

Daar is veel om gelachen onder het ruige volkje; dat hun schipper zich zo'n vrome maagd uit Koningsdal had toegeëigend, en dat het gezag daar niets tegen kon beginnen. Het maakte de Vikingen alleen maar driester, zodat de vaders van Koningsdal voortaan hun dochters opsloten zodra de Gardar hun haventje aandeed.

Intussen kwijnde mooie Myrna weg in het dorp der heidenen, maar zij schonk Eiki toch nog snel achtereen drie dochters, eer zij haar vrome ziel aan de Heer gaf.

Nauwelijks drie jaren nadat hij Myrna had geroofd, voer de schipper haar in een eikehouten kist terug over de Arnefjord, want zij had hem bij elke zware bevalling gesmeekt toch in Koningsdal begraven te worden, en nu was het dan zover.

„Nou zijn we weer met eigen volk onder elkaar," zei Sigga tevreden toen haar zoon die avond een beetje neerslachtig „De Zeemeermin" binnenkloste.

Eiki vloekte binnensmonds.

„Zo gauw had ik er niet van af gewild; waar vind ik een andere?" Hij zette zich op de bank bij het klotvuur en dronk gulzig het slappe bier dat zij hem over de geschuurde tafel toeschoof. Hij veegde zijn brede mond af met de rug van zijn hand; de baardstoppels knisterden op zijn kin, zijn ogen waren bloeddoorlopen.

„Ik had haar zo gauw niet kwijt gewild," klaagde hij, „ze was góéd in bed, al zeverde zij dan wel es over de Herejezus."

De heks zweeg. De wind rende over het dak en deed de vlammen opflakkeren in het haardvuur. De wind kroop door de raamkieren en blies zijn adem onder de deur door. De kaarsevlam wierp groteske schaduwen op de muur, een dansende heks en een dansende trol, maar Sigga en Eiki dansten niet; zij zaten zeer stil bijeen, als toen zij de nachtwake hielden bij het lijk van Olaf de reus en terugblikten in het verleden.

„Ik had je vader óók niet kwijt gewild," zei de heks, „maar die dingen gebeuren."

Eiki keek haar misprijzend aan vanonder zijn rooie kuif en hij snoot zijn neus tussen duim en wijsvinger.

„*Hij* was oud en eigenwijs," zei Eiki, „hij diende nergens meer toe, maar Myrna... En hoe moet het nou met de kinderen...?"

„Alsof *jij* je daarom bekreunt!" snoof de heks. „Ik heb ze al zo lang verzorgd, ik zal ze best groot krijgen! Je zoekt maar een ander voor je lust; de lasten zal *ik* wel dragen."

De wind kreunde in de schouw. De korte golfslag van de Arnefjord liep zich op de rotsen te pletter. De Gardar lag aan haar trossen te rijden in de baai. Een kokmeeuw krijste boven het dak van „De Zeemeermin", de kreet van een dwalende ziel. Op de donkere vliering sliepen de twee oudste meisjes samen in hun krib. In de bedstee van Sigga begon de kleinste te huilen.

„Ik heb jou groot gekregen," zei de oude vrouw, „ik zie niet in waarom ik je kinderen niet éven groot en brutaal zou krijgen." Zij hing een potje geitemelk boven het vuur en begon er met een houten spaan in te roeren. „Alles heeft zijn tijd nodig, Eiki Koyring, we moeten de dingen niet forceren." Terwijl zij de melk roerde, zag zij het grauwe gelaat van Olaf de reus, met twee munten op zijn oogleden. „Nou ja, je moet de dingen soms een beetje naar je hand zetten," giechelde zij, en Eiki begreep niet wat er opeens te lachen viel.

Die dochters van schele Eiki, wat werden dat evengoed een wilde meiden! Zij groeiden op zoals alleen de heidenen van Skard opgroeien: zonder zich om God of gebod te bekreunen, zonder ooit een andere wet te erkennen dan die van vader Eiki.

Maar schipper Koyring was tien maanden van het jaar met de mannen van Skard op zee en als zij van hun reizen thuiskwamen, de paar dagen die de kerels van de Gardar aan de wal doorbrachten, wilden zij geen gezeur aan hun kop. Zij waren nauwelijks uit hun oliejassen of zij legden de vrouwen te kooi alsof het de laatste kans van hun leven was, en als die storm eenmaal was uitgeraasd, verdeden zij de rest van hun verlof in „De Zeemeermin",

waar schipper Koyring met dubbel krijt de besomming opmaakte en de traktementen uitbetaalde. Sigga was er meteen bij om
de rekening te presenteren voor alles wat de vrouwen intussen bij
haar hadden gepoft, want behalve kroeg en rederskantoor was
„De Zeemeermin" tevens het enige warenhuis van Skard.
Zo bleef er voor de mannen weinig tijd om zich met hun kinderen
te bemoeien. Waarom zouden zij...? De vrouwen waren er om
hun kerels te gerieven; de kinderen die er soms uit resulteerden,
waren eveneens een zorg voor de vrouwen, tot zij groot – of in
elk geval sterk genoeg werden geacht om hun eigen weg te gaan.
De meisjes, vanaf twaalf jaar, hoedden de magere schapen op de
flank van de Murgandyr. De jongens bouwden zich een vlot en
leerden vissen in de Arnefjord, of zij staken de Kvannesund over
en gingen vogels jagen tegen de steile rotsen op Viderö.
Als een knaap zestien werd, kon hij misschien aanmonsteren op
de Gardar, maar dan moest er wèl eerst een oude kerel worden
afgeschreven, want de Gardar bood slechts plaats aan negen
koppen. Iedere kleine jongen droomde ervan, later onder schipper Eiki te varen; rond hèm en de heks draaide het hele leven van
Skard.
Als de meisjes al dromen hadden, dan spraken zij daar toch niet
van; hun lot werd bepaald door zoveel toevallige omstandigheden. Zij waren fel van zinnen en al te gretig in de omgang; dat
schiep soms problemen. Vijftien jaar geleden, toen schele Eiki
zich een vrouw zocht, moest hij die gaan roven in Koningsdal,
want Skard telde maar één huwbare dochter en die wilde hem
niet. Nu liepen er drie meisjes rond in de staat die door sommigen „gezegend" wordt genoemd, doch er was slechts één jong-
gezel voorhanden, die daar vrijelijk zijn keus uit kon maken. De
overige jongens van Skard waren kinderen, nog niet in staat om
hun eigen nest te bouwen.

Het was in die hete zomer, juist na de slachting van de walvissen,
dat rooie Eiki zich een beetje zorgen begon te maken om dat
vrouwenoverschot, want spoedig zouden zijn dochters daar ook
toe behoren. Silvurbjörg, de oudste, was al bijna vijftien en flink
uit de kluiten gewassen, een wilde kat, die alle jongens te vlug af
was. Zij had harde, sterke handen van het roeien op de Arnefjord en van het klauteren langs de steile rotsen wanneer zij op
vogeljacht ging. Feilloos hanteerde zij de oude dubbelloops van

Olaf de reus en Sigga ging er prat op dat geen kerel haar klein-dochter in schotvaardigheid kon overtreffen. Silvurbjörg had de rooie haren en de fletse blauwe ogen van haar vader, maar voor het overige leek zij op Myrna, die zo'n grote schoonheid was geweest.

De heks had haar kleindochters de dingen geleerd die een meisje weten moet, en dat is in Skard niet veel, maar zij wisten tenminste hoe de kindjes gemaakt worden en wat je moet vermijden om niet ontijdig bij dat proces betrokken te raken. Een belangrijke wetenschap, want iedere jongen wilde wel graag een schoonzoon van schipper Eiki worden, al was het alleen om tot de vaste bemanning van de Gardar te behoren, en iedereen met twee ogen in zijn kop kon zien hoezeer de dochters van mooie Myrna op hun moeder begonnen te lijken.

Kristianne met haar vurige aard hing het liefst in de kroeg rond wanneer de mannen er het slappe Faröerbier kwamen drinken. Zij hielp ook in de winkel, want zij kon lezen en haar naam schrijven. Zij hield voor Sigga nauwkeurig de lat bij, waarop ieders schulden werden gekerfd tot de mannen hun gage ontvingen. Bij de afrekening schoten er altijd een paar öre voor Kristianne over, die zo'n pronte lachebek was en van de goorste moppen niet bloosde. Niemand beschouwde Kristianne als een kind; de ouderen zeiden dat zij op Olaf de reus straalde, maar de jonggezellen begonnen haar al met mooie Myrna, de geroofde maagd uit Koningsdal, te vergelijken.

Dat was een verhaal waarover zij nooit uitgefantaseerd raakten en waar menigeen pikante details aan toevoegde die nooit plaatsgevonden hadden. Schipper Eiki was er een legendarische figuur om geworden, en Myrna Sörensen niet minder; zij moet de mooiste vrouw van heel de Faröer zijn geweest en, maagd of niet, haar vormen tartten iedere beschrijving. Geen wonder dat de schipper van de Gardar door deze sirene was aangelokt en na haar dood geen heul meer kon vinden bij de vrouwen van Skard...

Soms kwamen die verhalen ook de schipper ter ore. Dan vloekte hij binnensmonds om het geluk dat hem zo kort gegund was, en hij keerde meer en meer in zichzelf. Hij was nu met de Gardar getrouwd, een oud karonje van een schuit, die elke teelt meer gebreken begon te vertonen. Het water stond een voet diep in de ruimen, wanneer de kerels uitvoeren voor een nieuwe trek. De bakboordslenspomp was volkomen versleten en het hart van de

Gardar ging amechtig tekeer bij elke oplopende zee. Kakker-
lakken en pissebedden ondermijnden de kribben van de bemanning, en de vleet was zo vaak gerepareerd, dat soms de helft van
de trek verloren ging. Slechts de saamhorigheid van de heidenen
hield de oude tobbe op de golven, want elk van hen wist dat het
met Skard gedaan zou zijn zodra de Gardar uit de vaart moest
worden genomen.
Schipper Eiki had waarachtig wel wat anders te doen dan achter
een nieuwe vrouw aan te jagen.

2

Eydbjörg

Het was in dat zorgelijke jaar dat Eydbjörg het paard zag en de
vloek vernam van de eerwaarde heer Rasmussen...
Zij was de vorige maand twaalf geworden en had daarmee de
episode van haar onbezorgde jeugd achter zich gelaten. Al was
zij de jongste dochter van schipper Eiki, dan ontsloeg dat voorrecht haar nog niet van haar aandeel in de zorg voor de gemeenschap, en daar was zij trots op. Zij mocht de schapen gaan hoeden op de dorre weiden van de Burhella. Haar eerste seizoen
maakte zij onder leiding van Hanna Wadslund, die dertien was
en al veel ervaring had met de eenzaamheid.
Wadslund, de vogeljager, was vier jaar geleden van de rotsen op
Fuglö gestort en lag sedertdien verlamd in zijn krot aan de rand
van het dorp.
Vrouw Wadslund draaide hem soms op zijn linkerzij, zodat hij
het water van de Arnefjord kon zien en in de verte de kade van
Koningsdal, waar altijd wel iets te doen was. Zo wachtte Tor
Wadslund verbitterd op de dood, die zich over hem niet wilde
ontfermen.
Eydbjörg en Hanna waren die morgen de bergweide opgedwaald
tot waar het gras schaars wordt en de naakte rotswand zich verheft. Daar hadden zij hun geliefkoosde plekje in de luwte van de
trollekop, een immens rotsblok, van de top van de Murgandyr

neergedonderd tot in de bergweide. Hier konden zij de rustig grazende schapen overzien en de Arnefjord, die in de diepte lag te blinken als puur zilver.

Hanna zat haar zoveelste wollen sjaal te breien, op dikke houten naalden. Haar lenige vingers bewogen zich vliegensvlug, de naalden kletterden tegen elkaar en kaatsten de zonnestralen vonkend terug, maar Hanna zag dat niet; haar ogen dwaalden onophoudelijk naar Koningsdal, het dorp aan de overzijde van de fjord.

„Ik zou tot daar wel es willen gaan," hunkerde zij, „m'n vader zegt dat er meer dan honderd mensen wonen, en er zijn drie winkels, en..."

„Meer dan twééhonderd!" verbeterde Eydbjörg. „En de kinderen gaan er naar school; ze kunnen daar allemaal lezen en hun naam schrijven, en nog veel meer. Mijn moeder kwam daar vandaan..."

„Moet je *mij* vertellen!" grinnikte Hanna. Als alle kinderen kende zij het opgesmukte verhaal. „Je vader heeft 'r gestolen omdat er hier niks te krijgen was, en die bangeriken van Koningsdal durfden met z'n allen niks tegen hem te beginnen."

De naalden kletterden in eendere regelmaat. De kinderen staarden met vroegwijze gezichtjes naar het verre dorp, het enige dat zij ooit hadden gezien.

„Toch wil ik er een keer heen," peinsde Hanna, „ik zou de school willen zien, en... en de kerk. Onze Joan is er een keer geweest toen de Gardar averij had. Hij zegt dat ze zondags allemaal in de kerk gaan, en dan zingen ze."

Met grote ogen keek Eydbjörg haar aan en richtte dan weer haar blik op het ranke torentje, dat als een wijzende vinger boven de minuscule huisjes uitstak.

„Zingen...?" echode zij. „Waaròm, als ze toch zo bang zijn...? Mijn vader zegt dat ze allemaal hun deuren dicht houden als de Gardar aan de kade ligt."

„Geloof er maar niks van!" zei Hanna eigenwijs. „Onze Joan heeft er door de straten gelopen en sommige deuren waren gewoon open, maar van dat zingen, dat is echt waar. Onze Joan is er zelf bij geweest op een zondag, helemaal *in* de kerk, en als ze gezongen hebben, komt er een oude man en die leest voor uit een boek. Ouderling noemen ze hem, en hij vertelt hoe het is als je doodgaat; mijn vader is daar erg nieuwsgierig naar, want hij wacht er al zo lang op. Die oude man zei dat je dan gewoon weer verder leeft, maar zonder ziekte en al die narigheid. Zo heeft die oude man het allemaal verteld. Maar toen is jouw vader ineens de kerk komen binnenstuiven en hij vloekte dat het knetterde, en toen heeft hij onze Joan aan zijn haren eruit gesleurd, en hij heeft hem nog gemeen geschopt ook! Nou, en de volgende reis mocht Joan niet meer mee op de Gardar."

„Eigen schuld," zei Eydbjörg genadeloos, „had ie maar aan boord moeten blijven; mijn vader is de baas over het schip en wie niet gehoorzamen wil..."

De kinderen werden opgeschrikt doordat de lome schapen plots mekkerend naar alle kanten uiteenstoven. Pas daarna hoorden zij het geraas waarmee een steen langs de bergwand kwam gedonderd en in duizend scherven uiteenspatte op de trollekop. Een schaap bleef met opengereten buik en stuiptrekkende poten in de wei liggen. Daar staarden zij naar met schrikgrote ogen, hoe het beest zich met een dwaze sprong weer oprichtte en al zijn ingewanden verloor, eer het opnieuw omviel en kermde als een bang kind. Zij drukten zich tegen de trollekop, die hen beschermd had tegen de neerdaverende steen, en zij wachtten angstig of er nog meer zou volgen. Doch alles bleef rustig. De domme schapen graasden al weer verder en sloegen geen acht op de stervende soortgenoot.

Hanna was de eerste die de zwarte man zag...

Zij had zoveel meer ervaring dan Eydbjörg met de eenzaamheid van de Murgandyr en zij wist dat de berg in deze tijd van het jaar geen scherven van zijn kruin liet vallen, tenzij er domme mensen daar boven waren. Achterdochtig gluurde Hanna om het geweldige rotsblok heen en liet haar blik omhoog dwalen, oogknipperend tegen het zonlicht.

Het leek een slecht bespeelde marionet, zoals hij daar met krampachtige bewegingen omlaag kwam geklauterd, een scharminkelige zwarte pop tegen het ruige decor van de bergwand.

Eydbjörg wendde haar blik af van het stervende schaap. Zij kwam naast Hanna staan en greep haar hand toen zij de zwarte man gewaar werd. Het was er geen een van Skard, dat zag je bij de eerste oogopslag; die van Skard kunnen klimmen als klipgeiten en zij dragen geen schoenen met zilveren gespen en geen breedgerande hoed.

Terwijl Eydbjörg dat alles overwoog, werden de kinderen opgeschrikt door een luid en klaaglijk gehinnik, dat van hoger op de
bergwand tot hen doordrong, een langgerekte kreet met vibrerende uithalen, alsof een trollemens weende om het gedode
schaap. Maar het wàs geen trollemens die daar zo tekeerging...!
De kinderen zagen het op hetzelfde ogenblik, hoe zich hoog boven de klauterende man een zwarte gestalte oprichtte, een groot
dier, dat zich op de achterpoten verhief en, snuivend uit wijde
neusgaten, met de slanke voorpoten naar de hemel klauwde.
Twee-, driemaal trachtte het dier steun te vinden op de brokkelige rotswand, maar een paar rolkeien bolderden onder zijn
achterpoten weg en vormden een lawine van schuivend, kante-
lend gesteente, dat met oorverdovend geraas langs de flank van
de Murgandyr omlaag kwam.
Met een kreet trok Hanna Eydbjörg mee tot achter de veilige
borstwering van de trollekop. Daar wachtten zij ineengehurkt en
met de handen voor de ogen gedrukt tot het geweld aan hen
voorbijgedaverd was en de laatste stenen met een doffe klap in de
bergweide sloegen. Toen zij weer durfden opkijken, waren de
schapen naar alle kanten uiteengevlucht, allemaal, op een paar
na, die door een bolderende steen verpletterd waren.
„Het paard!" zei Hanna met schrikgrote ogen op de schapen gericht. „Dat is allemaal de schuld van het paard!"
Eydbjörg knikte slechts. Evenmin als Hanna had zij ooit zo'n
groot, wild beest gezien, maar als Hanna zei dat *dit* nu een paard
was, dan zou het wel zo zijn; Hanna wist veel dingen waar *zij*
nooit van gehoord had.
„En die zwarte man," zei ze bedrukt, „wij moeten hem gaan
zoeken, want hij is vast en zeker dood."
Maar de zwarte man bleek ongedeerd. Toen zij zich aarzelend
tot achter de trollekop waagden, stond hij opeens voor hen, hijgend en bezweet, zijn smalle handen ontveld en met een magere
knie door zijn lakense broek, maar overigens ongedeerd.
„Halleluja, prijs de Heer, die zijn dienaar gespaard heeft!" zei
de zwarte man, en hij legde met zegenend gebaar zijn handen op
de blonde haren van de meisjes, die elkaar zenuwgiechelend aankeken. Zij waren nooit op zo'n vreemde wijze begroet.
De stenen zijn langs hem gerold, flitste het door Eydbjörgs hoofd,
al die stenen moeten vlàk langs hem heen gerold zijn, want hij
was recht onder het paard, toen dat begon te trappelen!

Zij keken alle drie tegelijk omhoog langs de bergflank en zij zagen het paard, zwart afgetekend tegen de naakte rotswand. Het lag door de poten geknakt op een klein plateau, de kop omhoog geheven, alsof het de Heer aansprakelijk wilde stellen voor de pijn die door zijn lichaam vlijmde. Nog eenmaal stiet het een hinnikende kreet uit, die nagalmde tot beneden in het dal. Dan liet het de fiere kop zinken en was het niet meer dan een zwarte vlek tegen de bergwand.

„Wie gaat daar nou ook met een páárd overheen!" zei Hanna verwijtend. „Alle stenen liggen daar los, en onze mannen kruipen op handen en knieën als zij per se over de Murgandyr moeten."

De grote man keek bestraffend op haar neer. Zijn donkere ogen drukten minachting uit.

„Het is niet aan jou, om de wegen Gods te beoordelen..." begon hij, maar Hanna viel hem brutaalweg in de rede: „Er is daar helemáál geen weg, dat weet het kleinste kind! De trollen en de alvermannen wonen er boven de wolk. Ben je ze niet tegengekomen?"

De zwarte man schonk geen aandacht aan haar beuzelpraat. Hij wierp nog een spijtige blik op het paard, dat daar boven de afgrond lag, en begon toen met grote passen door de wei te waden naar het dorp van de heidenen. Hij keek naar het schaap dat zijn darmen had verloren en schudde zijn hoofd als om een misplaatste grap, maar hij wachtte zich wel, de Heer iets te verwijten.

„Mijn vader zal je de rekening wel presenteren," zei Eydbjörg, die hem op een drafje achternakwam, „vijf dooie schapen, en we weten allemaal dat de Murgandyr verboden terrein is als de schapen in de bergwei grazen. Wat zonde van dat paardebeest; dat zal ook wel kapot gaan. Je had veel beter over de fjord kunnen varen, als je m'n vader moet spreken, dat doen ze allemaal."

Zij kon zich niet voorstellen dat iemand uit Koningsdal of uit een van de andere stiften naar Skard zou komen, tenzij om Eiki Koyring te spreken, maar de lange man bleef plotseling staan, een vertoornde uitdrukking op zijn gelaat.

„Jouw vader, wie hij ook zijn mag, heeft niets te presenteren! En je spreekt tegen een gezondene des Heren, die geen verboden terreinen kènt, maar die wèl gewend is met eerbied bejegend te worden. Laat dit mijn eerste les zijn, meisje! Je hebt het tegen de eerwaarde heer Rasmussen, die met ú wordt aangesproken, begrepen...?"

Eydbjörg knipperde niet eens met de ogen. Zij wendde zich tot Hanna, die een beetje schuchter achter hen aan kwam. „Hij maakt veel drukte, voor iemand die zijn schuld komt inlossen," lachte zij. „Wedden dat hij zich er onderuit probeert te praten? Maar we hebben zelf gezien dat ie de verkeerde kant van de berg nam, wáár of niet...?"

Hanna wierp een schuwe blik op de magere man, die met grote passen zijn weg vervolgde. „Stil toch!" fluisterde zij. „Als ik hem goed verstaan heb, moet dit de ouderling uit de kerk van Koningsdal zijn, je weet wel, die over de dood gelezen heeft. Ik zal het onze Joan vragen."

Eydbjörg keek met hernieuwde belangstelling naar de man, die wat minder zeker nu de verzameling van armetierige hutten naderde die rond „De Zeemeermin" gestrooid lagen. Voor haar bleef hij niets meer dan een onhandige grote sukkel, die niet eens wist dat geen zinnig mens zich op de Murgandyr waagt zolang de schapen in het dal grazen. Vader zou woedend zijn als hij de schade overzag en als een razende tekeergaan. In haar angst om de schuld van het ongeluk te krijgen, rende zij luid jammerend aan de man voorbij en stoof de kroeg binnen, waar schipper Eiki met zijn crew rond de tapkast zat. Sigga veegde met een houten spaan de schuimkraag van een bierkroes en keek verbaasd op, toen het kind haastig de gelagkamer binnenstruikelde.

„Vader! Vader!" schreeuwde Eydbjörg. „Er kwam een gekke vent van de berg en hij heeft *vijf* schapen gedood! En hij had een páárd! Hanna zegt dat het een paard is, en dat het de ouderling van Koningsdal moet zijn, maar hij kwam van de berg. En *vijf* schapen... één heeft de darmen er helemaal uit, maar hij zegt dat ie niet betalen wil...!"

Dominee Rasmussen, zó blakend van geloofsijver, zózeer vervuld van zijn hoge zending... hij had geen ongelegener moment kunnen kiezen om de kroeg binnen te stappen! De rabauwen van Skard waren juist vloekend overeind gesprongen en eensgezind op weg om die hemeldragonder van Koningsdal mores te leren, toen de eerwaarde heer Rasmussen met een nobele trek op het gelaat zijn intrede deed.

„De vrede zij u, broeders..." begon hij, maar de rest van de blijde boodschap bestierf hem op de lippen toen hij die ongeschoren boevenkoppen tegenover zich zag en door Eiki hardhandig bij zijn bef werd gegrepen.

„Wat hoor ik daar, verdomde pias," beet de schipper hem toe, „heb jij een stel van onze schapen naar de bliksem geholpen?" En met een nijdige hoofdknik naar Eydbjörg, die zich achter Sigga verschool: „Is *dit* hem...?"

Het kind knikte en wierp een angstige blik op de zwarte man. Opeens kreeg zij meelij met hem; hij leek zo broos tussen al die ruige kerels van Skard, die om hem heen drongen alsof zij hem ter plaatse gingen lynchen. Rooie Eiki kwam nauwelijks tot de schouders van de zwarte, maar hij had behaarde knuisten, waarop de aders zwollen. Eydbjörg had haar vader in verschillende graden van razernij gezien en zij wist wat hij met een man doen kon.

„Jja, vader..." beefde zij, „maar misschien kon hij er toch niks aan doen... Hij is zo'n grote dommerik. Hij zegt dat ie van de Heer komt..."

Het bulderend gelach van de heidenen werkte bevrijdend en schipper Koyring liet zijn greep even verslappen. Daar maakte dominee Rasmussen gebruik van om de knuisten van zich af te schudden en op hoge toon te eisen dat men hem met gepaste eerbied zou bejegenen.

„Ik sta hier notabene als uw herder! Heel Bordö behoort tot mijn zendingsterrein. Schànde, zoals gij..."

„Hèrder?" schamperde Koyring, terwijl hij de magere man van het hoofd tot de voeten opnam. „Wij kunnen geen herder gebruiken, zéker niet zo'n idioot die onze schapen naar de bliksem helpt en zich op de Murgandyr waagt terwijl de beesten er grazen!"

„Hij had de kinderen wel kunnen doden!" schreeuwde de heks met overslaande stem, en met een blik op Eydbjörg: „Waar is Hanna? Is die er ook goed afgekomen? Is Hanna Wadslund nog op haar post?"

„Hanna is naar huis," zei het meisje, „zeggen dat de ouderling er is, want haar vader wil nog altijd weten wat er met hem gaat gebeuren na zijn dood."

Waarom lachten al die mannen nu opeens weer zo hard...? Eydbjörg kon niet vinden dat zij iets raars gezegd had, maar de zwarte was behoorlijk in zijn wiek geschoten.

„Jullie dienen eens en voorgoed te weten wie hier voor jullie staat!" bulderde hij. „Ik bèn geen ouderling, maar..."

„Nee, je bent een verdomde lummel!" beet de schipper hem

21

toe. „En wij zullen eerst es gaan kijken welke schade je aangericht hebt, opzij!" Hij stootte de man Gods met een ruk van zijn schouder terzijde en al de kerels van de Gardar dromden achter hem aan naar buiten.

„Mijn paard!" riep de dominee hen na. „Jullie moeten mijn paard van die berg af zien te krijgen; het arme dier heeft geloof ik een been gebroken."

Hij liep met vertoornd gelaat achter de mannen aan, alsof hij zijn kudde voor zich uit dreef, maar hij kende de heidenen van Skard niet. Die laten zich slechts door één man drijven en deze bleef grommend voor hem staan.

„Nou moet jij eens goed luisteren, steenezel! Jij denkt misschien dat wij naar jouw pijpen zullen dansen, omdat die stommelingen van Koningsdal dat doen. Maar je bent hier in Skard, waar *ik* het voor 't zeggen heb! Wij willen hier *niks* met hemeldragonders te maken hebben, en zo gauw je de aangerichte schade hebt betaald, zet ik je over de fjord, begrepen?"

Dominee Rasmussen begreep er niets van. Hij sloeg zijn gekwelde blik ten hemel, eer hij de barbaar van antwoord diende, maar schipper Koyring gaf hem geen tweede kans. „En nou ga je naar binnen en je wacht daar geduldig tot ik terug ben," bulderde hij, „of ik breek al je botten!"

Hoe diep kan de Heer zijn dienaren laten vernederen…? Dominee Rasmussen was geen held, al brandde het heilige vuur in hem. Na nog een schuwe blik op de roverhoofdman draaide hij zich om en schreed zo waardig als de omstandigheden het toelieten naar de kroeg terug. Een paar kinderen keken hem nieuwsgierig aan, terwijl hij langs hen ging. Hij kon de moed niet meer opbrengen om een zegenende hand op hun vlaskopjes te leggen; hij voelde zich door de Heer in de steek gelaten, hij had zich zijn intocht in Skard zo heel anders voorgesteld.

De heks stond in de open deur van de kroeg haar pijpje te roken. Haar sluwe oogjes namen hem spottend op.

„Ik zou maar niet proberen er tussenuit te knijpen eer mijn zoon terug is, jongeman," lachte zij, „want er zijn hier maar twee wegen: over de Murgandyr, of over de Arnefjord, en op allebei is Eiki de baas."

„Ik ben niet gekomen om te vluchten," zei dominee waardig, terwijl hij met pijnvertrokken gelaat op de bank voor het raam neerzeeg. „Ik ben hierheen gezonden om de blijde boodschap te verkondigen en licht te brengen aan allen die nog in het duister dolen."

„We hebben hier licht zat," zei de oude vrouw, „en je boodschappen laten ons koud, zolang je je aanstelt als een rund. Het kleinste kind weet dat het niet boven de bergwei mag komen om deze tijd van het jaar."

Op zoveel onbeschaamdheid had dominee Rasmussen geen antwoord. Hij vouwde zijn smalle handen onder zijn kin en staarde over de Arnefjord naar Koningsdal, waar de gelovigen hem met gejuich hadden ontvangen en de dwaze tocht over de Murgandyr hadden afgeraden. Voor het eerst kwam het in hem op dat het misschien toch verstandiger was geweest te luisteren naar Joan Olsen, die hem met paard en al over de fjord had willen varen.

Het paard...

De Vikingen trokken er schreeuwend op af, alsof zij een wilde beer hadden ingesloten. Beneden in de bergwei hadden zij de verminkte schapen gevonden en de schade geschat die de idioot met zijn paard had aangericht. Eiki Koyring ging als een razende tekeer bij de gedachte dat het schuivend gesteente evengoed de kinderen had kunnen doden, en de mannen van de Gardar sloofden zich uit om hun schipper naar de mond te praten.

„Vijf schapen kapot," gromde Rall Purkhüs, een reus van een kerel, die met kop en schouders boven zijn makkers uitstak, „vijf kostelijke schapen, en ik wed dat die doodbidder geen öre te verteren heeft, dat ie naar Skard is gekomen op bedeltocht. Zo zijn die hemelbestormers, zij beroepen zich op de Heer en ze eisen eerst je geld en daarna nog je ziel. Wèdden dat hij de schade niet betaalt...?"

Zij waren nu boven de trollekop gekomen en van de bergwand weerklonk het droevig gehinnik van het paard.

„Daar is er nòg een die zich op de Heer beroept," grijnsde Eiki met een vals licht in zijn ogen, „wij zullen die schade zelf wel regelen." Hij keek de bezwete kerels een voor een aan. „Hebben jullie wel es paardebief gegeten...? Smaakt beter dan schapebout."

De mannen staarden hem een ogenblik in stomme verbazing aan. Dan sloeg Rall Purkhüs zich kletsend op de dijen. „Verdomd als ik dáár ooit aan gedacht had!" schaterde hij.

Toen begonnen zij als uitgelaten kwajongens gillend en tierend tegen de berghelling op te klauteren, tot waar het paard met angstbolle ogen aan de rand van het ravijn lag. Het dier snoof door wijde zwarte neusgaten en het ontblootte zijn gele tanden toen de wildemannen de een na de ander het kleine plateau bereikten en als hongerige wolven om hem heen drongen. Er lag een plasje donker bloed bij zijn linker voorpoot, waar het bot scherp als een mes door de glanzende huid was gesneden.

Mensen kunnen je genezen, soms. Zij kunnen de pijn bedaren die door je lijf davert. Zij kunnen je al op je gemak stellen door de klank van hun stem, door het kalmerend gestreel van hun handen op je nek, of door een klopje op je voorhoofd.

Maar deze mensen waren zo niet. Hun geschreeuw klonk angstaanjagend en hun ruwe, harde handen verhevigden slechts de pijn.

Daarom keek het paard met bolle ogen naar hen op en het ontblootte zijn tanden als in een valse grijns.

,,Pas op, schipper, die rotknol bijt!'' waarschuwde Rusti Lassen, en Koyring stoof geschrokken een paar meter achteruit, tot hij ruggelings tegen de rotswand stond. Maar Rall Purkhüs, de harpoenier, toonde dat hij van mensen en van beesten niet bang was. Die liet twee-, driemaal zijn mokers van vuisten op de neus van het hulpeloze paard neerkomen, wist de stuipig trappelende poten te ontwijken en ging op de lange kop zitten. Vol verwachting keek hij de schipper aan.

,,Paardebief, zei je... Hoe komen we daaraan?''

Rooie Eiki schatte de afstand tot de bodem van het ravijn.

,,Veertig meter,'' zei hij, ,,dat moet meer dan voldoende zijn.'' Het angstige dier begon pas weer te trappelen toen zij met zes man tegelijk zijn achterpoten omvatten, maar de harpoenier bleef op zijn kop zitten tot zij het lijf een halve slag hadden omgewenteld. Pas op het laatste ogenblik sprong hij terzijde, toen het paard met een hinnikende kreet over de rand van de afgrond tuimelde. Het geluid brak af in de doffe klap waarmee het paardelijf op de rotsen in de diepte terechtkwam. Zij waagden zich allen tegelijk aan de rand van het plateau en keken grijnzend naar beneden. Van het trotse dier was slechts een vormeloos kadaver over, waaruit donker bloed begon te vloeien.

,,Paardebief,'' zei schipper Koyring onbewogen, ,,wij zullen die homp vlees in ruil nemen voor onze kostelijke schapen, en dan mag die doodbidder blij zijn dat hij er zo goedkoop afkomt.''

24

Wat minder luidruchtig dan voorheen klauterden de mannen de berghelling af, toch wel nieuwsgierig hoe de vreemdeling het verlies van zijn paard zou opnemen. Zij kenden geen gevoel voor beesten. De walvissen slachtten zij genadeloos af in de tijd van de grindedrab en de jonge zeehonden knuppelden zij dood onder het wanhopig schor geblaf van de oude robben. Ook hun eigen vee telden zij niet, tenzij om de winst die eraan te behalen viel. Nu constateerde Eiki Koyring tevreden dat de kinderen de schapen weer bijeendreven op de bergwei en hij gelastte zijn mannen de gedode dieren mee te dragen naar de kroeg.

,,Waar is mijn paard?" vroeg dominee Rasmussen gespannen, toen het troepje de gelagkamer binnenstommelde. ,,Hebben jullie het naar beneden weten te krijgen? Ik hoop dat het arme dier niet te veel pijn heeft."
,,Naar beneden gaat altijd makkelijker dan omhoog," zei de schipper met een vals lichtje in zijn fletse ogen. ,,Die knol van jou is uit z'n eigen naar beneden gesprongen en ik denk niet dat ie nog pijn heeft."
Rall Purkhüs scheurde zijn mond open in een daverende lach, maar Eiki legde hem met een driftig gebaar het zwijgen op. Zij keken naar dominee Rasmussen, die plots zeer bleek was geworden.
,,Mijn paard..." sprak hij met verstikte stem, ,,je gaat mij toch niet vertellen dat mijn paard dóód is...?"
,,En wat denk je *hier* dan van?" beet Koyring hem toe, met een nijdige hoofdknik naar de verminkte schapen, die de mannen in een hoek van de gelagkamer op een hoop hadden gesmeten. ,,Wat denk je van mijn kostbare schapen...? Door met je eigenwijze kop over de Murgandyr te klauteren, heb je je paard en vijf van mijn beste schapen verspeeld!"
,,En wat zou je denken van de kinderen?" schreeuwde de heks met haar schelle stem van achter de tapkast. ,,Hij had de kinderen óók wel kunnen vermoorden!" Zij keek met puilende ogen naar de dode schapen en zij huiverde.
De mannen betuigden grommend hun instemming, maar die vijandige houding maakte opeens niet de geringste indruk meer op dominee Rasmussen. Hij zag alleen nog zijn prachtig paard, dat hem zo fier over de Murgandyr had gedragen. Bij de afdaling had hij het dier moeten achterlaten, maar hij geloofde niet dat

het zo maar van de berg was gestort. Hij zag de grijns van Rall Purkhüs en de lepe oogjes van Rusti Lassen en hij wist dat er een smerig spel met hem werd gespeeld.
„Ik ga jullie stuk voor stuk aanklagen..." begon hij op hoge toon, maar zijn blik werd onweerstaanbaar getrokken door de rooie bendeleider, die hem honend aankeek. Hij begreep dat er op dit volk niets te verhalen viel. Zij vreesden de twee onnozele dienders van Klaksvig niet en nog veel minder de rechter, die helemaal in Torshavn zetelde. Zij erkenden geen recht of wet dan die van de bandiet Koyring.
„Met de zegen des Heren ben ik tot u gekomen..." vervolgde hij klagend, „ik heb het licht willen laten schijnen in uw duisternis, maar..."
Schele Eiki maakte een obsceen geluid en op hetzelfde ogenblik spleten al die hatelijke koppen open in een bulderende lach.
Dominee Rasmussen bloosde hevig. Hij keek verwilderd om zich heen. Hij zag niets dan schaterende, wijd open monden. Hij kon hun rotte tanden zien en de drankadem ruiken, die hem tegensloeg. Hij walgde ineens van de mensen die hij gemeend had lief te hebben, en terwijl hij Eiki Koyring in zijn donker keelgat keek, ging het oorverdovend geschater over in het gehinnik van zijn paard. Hij verloor op dat ogenblik zijn laatste restje zelfbeheersing en de man die de blijde boodschap had willen brengen, verlaagde zich tot een getergde onheilsprofeet. Bezwerend hief hij zijn magere armen ten hemel en de muilen klapten dicht, alsof zij tot een veelkoppig monster behoorden. Het paard hinnikte niet meer.
In de abrupte stilte sprak dominee Rasmussen met bevende stem zijn vloek over de heidenen van Skard...
„Wee u, die de gezondene des Heren gehoond en getergd hebt! Gisteren nog heb ik mijn zegen uitgesproken over de gelovigen van Koningsdal. Vandaag spreek ik mijn vloek over u, die Gods dienaar ontvangt als een bedelaar!"
Was dominee Rasmussen maar niet zo breedsprakig geweest, dan hadden zijn woorden misschien indruk gemaakt op het bijgelovige volkje. Maar hij luisterde te graag naar zijn eigen holle retoriek. Daarom werd hij nu onthaald op nieuw hoongelach en kon hij er alleen maar een schepje bovenop doen. Hij dreef zichzelf op tot hittige woede.
„Eer dit jaar ten einde loopt, zal Gods hand u treffen!" schreeuw-

de hij boven het tumult uit. „En gij zult wensen..."
„Dat jij met een rotgang over de fjord gelazerd wordt!" bulderde schipper Koyring hem toe. Hij gaf Rall Purkhüs een nijdige hoofdknik en eer de onheilsprofeet wist wat hem overkwam, had de harpoenier hem over zijn schouder geslingerd en droeg hij hem als een lastig kind de kroeg uit.

Dominee Rasmussen stribbelde tegen en trappelde met zijn magere benen, maar het enige wat hij ermee bereikte, was dat de berepoot zich hechter om zijn lenden klemde, tot hij in ademnood verslapte. Zijn gezicht zag paars, zijn ogen puilden uit, er liep een beetje kwijl uit zijn mondhoek en tranen van machteloze woede sprongen in zijn ogen. Zo droeg de beer hem nauwelijks hijgend naar de Arnefjord, waar de vlet van de Gardar op de korte golfslag lag te dobberen.

„Jouw heer is mijn getuige dat we gastvrije mensen zijn," grinnikte Rall Purkhüs, terwijl hij zijn last in de vlet wierp en de lijn inpalmde, „maar als de schipper je niet mag, kun je beter aan de overkant blijven."

Hij spoog in zijn vereelte knuisten en hij begon te roeien. Dominee Rasmussen deed er verder het zwijgen toe. Hij zat op de bodem van de vlet en hield zich krampachtig aan bakboord vast. Hij staarde in doodsangst naar de massa water tussen Skard en Koningsdal en hij voelde zijn maag worgend in zijn keel omhoog kruipen. Hij werd groen in het gelaat. Hij sloot zijn ogen. Hij bad de Heer dat hij niet zou gaan overgeven, dat hij toch alstublieft niet dieper vernederd zou worden.

Kon de rechtvaardige God met twee maten meten...? De profeet Jona had zich Gods toorn op de hals gehaald omdat hij de zondaars van Ninevé niet wilde bekeren. Moest dominee Rasmussen dan gestraft worden om zijn werk onder de heidenen van Skard...? Hij braakte over bakboord en schudde mistroostig het hoofd.

„Gods wegen zijn onnaspeurbaar," kreunde hij.

„En die van ons zijn doodeenvoudig," grijnsde de harpoenier, „rechttoe, rechtaan over de Arnefjord, een andere *is* er niet, of je moet met je eigenwijze kop over de Murgandyr klauteren, en dan zie je wat ervan komt."

Dominee Rasmussen zag het nu. Hij had een kostbaar paard verspeeld en zich onsterfelijk belachelijk gemaakt in de ogen van de heidenen. Hij betwijfelde zelfs of hij de dienders van Klaksvig hierin kon mengen, nu de Heer hem had laten vallen als een baksteen. In zijn ellende strekte hij zich uit op de bodem van de schommelende vlet en sloot de ogen. Hij vroeg zich af of Jona zó geradbraakt was in de buik van de walvis.

De reus aan de riemen begon schel te fluiten, zo maar een vrolijk wijsje, alsof het roeien hem niet de minste inspanning kostte, alsof er geen doodzieke man aan zijn voeten lag. Meeuwen en lunden scheerden krijsend over het water, zij vingen het zonlicht in hun brede, witte wiekslag, en zij waren misschien nieuwsgierig wanneer Jona eindelijk te water zou worden gelaten. Nee, zij doken in de zilveren spiegel en zij schoten omhoog met een spartelend visje in de snavel. Jona kon hun gestolen worden.

De reus hield op met fluiten. Hij keek minachtend neer op de verfrommelde figuur van de prediker.

„Stel je niet aan als een oud wijf," gromde hij. „Die knol van jou is naar de bliksem en je hebt je longen uit je lijf gekotst, maar er is verder niks gebeurd. Alleen die vloek van je, dat was een grote stommiteit. Wij van Skard laten ons niet bedreigen, niet door jouw heer en niet door zijn clowns."

Dominee Rasmussen richtte zich moeizaam op. Zij naderden de oever van Koningsdal en hij begon weer een beetje praats te krijgen.

„Over een jaar spreken wij elkaar nader," zei hij hooghartig. Hij keek Rall Purkhüs doordringend aan. „Als je dan nog spreken kunt..." voegde hij er dreigend aan toe, „want de Heer laat zijn dienaren niet bespotten."

Ralls gezicht spleet open in een daverende lach, die weergalmde tussen de oevers van de Arnefjord.

3
De vloek van de profeet

Daar is nog lang over nagepraat onder de heidenen. Over de onheilsprofeet, die van de Murgandyr was komen dalen, die vijf van hun beste schapen had gedood en nog brutaal genoeg was om zijn vloek over schele Eiki en over al de mannen van Skard uit te spreken. Daar is om gelachen in de kroeg en in de armzalige hutten, waar de kinderen bijeenzaten in grootogig luisteren. Iedereen wist zich opeens wat grappigs te herinneren, of iets geks...

Hoe die harlekijn gesproken had van het licht dat hij in hun duisternis wilde laten schijnen, en van de ondoorgrondelijke wegen waarlangs zijn heer hem gezonden had...

De heks veegde giechelend de tranen uit haar ontstoken oogjes bij het verhaal over Tor Wadslund, die tot laat in de avond had liggen wachten op de bode des Heren, die hem wellicht iets over het leven na de dood had kunnen vertellen. De vogeljager had gebruld als een aangeschoten beest, toen vrouw Wadslund hem tenslotte bekende dat de profeet al lang door Rall Purkhüs over de fjord was gezet.

De reus sloeg zich op de dijen toen hij dat verhaal hoorde, en hij droeg zijn steentje bij over de kotsende dominee, die kermend zijn god had aangeroepen bij de oversteek naar Koningsdal, maar nauwelijks in het zicht van de haven had hij weer praats voor tien gekregen en zijn vloek herhaald, met nog een paar lugubere bijzonderheden als toegift.

„Hij beloofde godbetert dat ie over een jaar nog es zou terugkomen," schaterde Rall, „maar dat *ik* dan niet meer zou kunnen praten, en dat niemand hem meer bespotten zou!"

Zo maakten de mannen van Skard zich vrolijk om dominee Rasmussen en zijn mislukte zending. Zo lachten zij om de onheilsprofeet, die een beetje kleur in hun eentonig bestaan had gebracht.

Alleen over het paard sprak niemand.

Het werd stilzwijgend uit het verhaal geschrapt, want ergens over de Arnefjord, achter de Nordöre en de Bordövig, wisten zij toch een macht die wellicht groter was dan die van schipper Koyring. De dienders van Klaksvig waren onverrichterzake afgedropen toen hij mooie Myrna had geschaakt, maar dat was vijftien jaar geleden... Je kon nooit weten of misschien een sterkere macht het bewind op de Norderöer had overgenomen, en hoe die zou reageren, wanneer de profeet daar zijn beklag ging doen. De dood van het paard was een geheim tussen schipper Eiki en zijn crew, je kon nooit weten...

Maar toen de volgende dag en de dag daarna geen motorvlet de

Arnefjord was opgevaren, toen de dienders van Klaksvig zich niet in Skard vertoonden, gaf rooie Eiki bevel het paard te slachten. De zwarte pias had zich zeker niet verder belachelijk willen maken, of er wàs geen macht die het tegen de heidenen durfde opnemen.

En zo gebeurde het dat in elke hut van het bergnest die nacht een partij mishandeld vlees werd afgeleverd, waar de vrouwen zo gauw geen raad mee wisten. Zij waren aan een overvloed van vis en tranig spek gewend, maar het vlees was een kostbaar geschenk, een herinnering aan de prediker, die hun een heel paard en vijf schapen naliet in ruil voor zijn licht, dat zij niet hadden aanvaard...

De vrouwen zoutten het sterk riekende vlees en deden het in aarden potten, met een plankje en een zware kei er bovenop. Zo konden zij de winter tegemoet zien in dankbare herinnering aan de zwarte pias van Klaksvig. Tien gezinnen voor een heel paard en vijf schapen... Die grappenmaker mocht best nog eens terugkomen!

Hij kwam niet terug in het dorp van de heidenen, maar hij had er zijn vloek achtergelaten en dat was zeker wel voldoende.

Alles ging scheef, nadat Rall Purkhüs de prediker over de Arnefjord had gezet. Misschien diende hij een vreselijke god, die zijn dienaren niet laat beledigen, hoe dwaas zij zich ook aanstellen. Misschien hadden de mannen van Skard toch niet zo hard moeten lachen...

De eerstvolgende reis van de Gardar verliep zo rampspoedig als men maar denken kon.

Ze zeilden uit, de dag nadat het paard geslacht was, en de biefstuk was die mannen toch niet zo goed bekomen als schipper Eiki had beloofd.

Het dode paard had drie dagen in de zon gelegen, eer de mannen het met bijlen en messen te lijf gingen alsof zij een walvis afslachtten.

Rall Purkhüs had het vilderswerk verricht en zich daarbij met één haal de top van zijn linkerduim gesneden. Terwijl hij godslasteringen uitbraakte, vermengde zijn bloed zich met het koude, donkere bloed uit het paardelijf. Maar schipper Eiki had een reep van zijn hemd gescheurd en de duim vakkundig verbonden.

Zo kon het vilderswerk tenminste doorgaan, al was de lol er voor Rall Purkhüs al lang af. Nog diezelfde nacht had de heks een van haar geheimzinnige zalfjes op de wond gesmeerd, terwijl zij een toverspreuk lispelde om de trollen te bezweren, die het misschien wel op Rall voorzien hadden...

Zo zijn zij die morgen aan boord gegaan, de mannen van de Gardar, stuk voor stuk een beetje slap op de benen, maar dat weten zij aan de doorwaakte nacht en aan Sigga's straffe jenever. En allemaal met een raar, opgeblazen gevoel in de buik, maar dat zou wel komen door de grote lappen paardebief, die zij half rauw hadden verslonden.

Alleen de harpoenier voelde zich echt ziek, maar *die* had dan ook een halve duim verspeeld. Hij ging dadelijk na het uitzeilen te kooi; het klamme zweet parelde op zijn voorhoofd en zijn tanden klapperden alsof hij hevige koorts had.

De Gardar koerste door de Svinöfjord en om de noord naar de visgronden, een oud karonje van een schuit met gelapte zeilen en krakend want.

Toen zij laat in de namiddag het baken van Settorva gerond hadden en Viderö over bakboord vervaagde in de mistflarden, gingen zij de een na de ander te kooi, tot alleen de roerganger en de uitkijk overbleven. Rusti Lassen stond met grauw gelaat te roer en betrapte zich erop dat hij drie streep uit de koers lag, eer hij uit zijn dommel wakker schrok. Hij corrigeerde de koers en omklemde driftig de spaken van het rad, maar even later vielen zijn zware oogleden weer toe. Zij voeren onder half zeil, de kotter voer zichzelf bij de brakke noordwestenwind.

Kleine Frodin Nielsen, die dekwacht had, hing juist over de stuurboordverschansing te braken, toen de harpoenier in zijn baaien onderspullen aan dek strompelde. Zijn ogen waren bloeddoorlopen en zijn groot lijf dampte van het zweet. Zijn mond hing half open, alsof hij naar adem snakte. Hij hield zijn linkerhand in de rechter geklemd, maar dat gaf weinig soelaas voor de pijn die door zijn hele arm vlijmde.

„Jij moet es leren aan lijzij te kotsen," gromde hij bestraffend tegen de scheepsjongen. „We hebben al vuiligheid genoeg; het hele vrondel stinkt als de hel!" Toen begon hij opeens zinloos te lachen en Frodin Nielsen keek angstig naar hem op. Hij wist dat je zo maar een schop onder je achterste kon krijgen, als de bevaren zeelui de smoor in hadden, en Rall Purkhüs lachte echt niet van plezier. „De hel!" grijnsde hij. „Durft er nog een over de hèl te beginnen, en ik sta er met mijn ene poot middenin!" Hij zwaaide zijn vuist met het gore verband erom, alsof hij zijn zwerende duim wilde afschudden. „Komt allemaal door die verdomde pias!" gromde hij en zijn koortsige blik weer op Frodin richtend: „Hoe is jou de paardebief bevallen, kleintje?"

Frodin rilde. Hij klampte zich aan de reling en trachtte oogknipperend zijn tranen te weerhouden. De jongen voelde zich ellendig; nog drie uren dekwacht lopen en turen in de grauwe mistflarden, die laag over het water dreven. „Ik heb net zo lief schapebout," zei hij mat. „Als dàt nou paardebief was... De wurmen vreten me leeg... Ik denk dat die knol zo verrot was als... als..." Hij kon zo gauw geen vergelijking vinden, maar Rall Purkhüs hoorde hem niet meer. Die was naar bakboord gestrompeld en braakte met worgend geluid over de verschansing. „Wat doe jij ook aan dek!" schreeuwde Rusti Lassen van achter het stuurrad. „Ga toch te kooi, man! We porren je wel voor de hondewacht!"

Een tijdlang was er niets te horen dan het gekraak van het want en het gorgelend geluid van het water langs de boorden. Als een rood oog staarde de bakboordslantaren in de dunne mist. Boven hen beschreef het toplicht kleine kringen aan de hemel. De Gardar koerste noordnoordwest en sneed romige schuimsnorren voor de boeg, die breed uitwaaierden in de duisternis.

De reus veegde zijn mond af met de rug van zijn hand. „De hondewacht..." zei hij vol afschuw. „Als ik de hondewacht haal, word ik nog duizend jaar..." Toen strompelde hij naar het vrondel, dat kleine donkere hol, waarin vijf kerels hun roes lagen uit te snurken. De stank sloeg hem tegemoet, terwijl hij op zijn knieën de trap af kroop. Een paar ratten vluchtten langs hem heen, toen hij zich kreunend in zijn kooi hees, maar dat was niets bijzonders. Het vreemde was, dat hij dikke tranen uit zijn oogleden voelde druipen, die zich vermengden met het klamme zweet in zijn stoppelbaard. En dat opeens dominee Rasmussen te paard door het vrondel draafde... „Over een jaar spreken wij elkaar nader!" schreeuwde de zwarte man hem toe. „De Heer laat zijn dienaar niet bespotten...!"

„Als ik de hondewacht maar haal..." hijgde de zieke reus, „als ik de hondewacht maar haal, dan trek ik me van jou niks aan... dan word ik..." De pijn vlamde door zijn hele wezen. Zijn hart bonsde alsof het uit zijn groot lijf ging barsten. En zijn nek werd stijf. Hij kon zijn hoofd niet meer draaien om de profeet in het gelaat te spuwen...

Toen de scheepsjongen hem tegen middernacht kwam porren voor de hondewacht, werd iedereen wakker, behalve Rall Purkhüs. Zijn baaien hemd was doordrenkt van het zweet, maar zijn lichaam was koud nu, en hij hield zijn ogen star omhoog gericht toen de schipper zich met een kaars over hem boog. Met zijn rechterhand had hij de zwerende duim omklemd als trachtte hij nog de pijn te doven, doch schipper Eiki zag meteen dat Rall Purkhüs geen pijn meer kende en geen angst, al puilden zijn ogen zowat uit hun kassen.

De kleine Frodin stond bij het lijk te jammeren, tot een van de mannen hem het vrondel uit schopte. Daarna hing het joch kokhalzend een tijdlang over de verschansing, netjes aan lijzij, zoals de harpoenier hem in zijn laatste uur geleerd had.

De een na de ander kwamen de mannen van de Gardar nu aan dek, allemaal met een air van onverschilligheid. Zij geeuwden luid en zij krabden zich. Zij scholden op de scheepsjongen, die met zijn groot kabaal hun nachtrust had verstoord, maar zij wilden geen van allen bij het lijk in het vrondel blijven. Zij voelden zich ziek en ellendig te moede. Zij zaten bijeen op het voordek en zij wachtten tot de schipper bevel zou geven om de thuisreis te aanvaarden. De Gardar koerste pas luttele mijlen benoorden Kalsö, en vrouw Purkhüs zou haar kerel liever aan de voet van de Burhella onder een zware steen begraven zien dan ergens anoniem in het wijde watergraf.

Maar toen de schipper tenslotte aan dek kwam, begon hij uit te varen tegen stuurman Krambud, die op eigen gezag alvast de koers verlegd had. Eiki was helemaal niet van plan om drie kostbare dagen te verliezen met het afleveren van een waardeloos lijk. Rall Purkhüs was een beste kracht geweest en een trouwe kameraad, maar dood had hij geen enkele waarde. Hij lag daar beneden alleen maar in de weg en de schipper besloot hem zo snel mogelijk overboord te zetten. De luie varkens moesten nou *niet* denken dat het alle dagen feest met paardebief en pure jajem kon zijn! Zij moesten zo snel mogelijk de visgronden halen en vóór die lui van Koningsdal de haven van Klaksvig binnenlopen om de vangst af te zetten.

Dat begrepen de mannen van de Gardar best. Zij lagen met hun oude schuit voortdurend achter op de vissers van Koningsdal, die zoveel beter waren toegerust en aan de vismijn van Klaksvig de beste prijzen maakten. Maar schipper Eiki had niet over het feest-met-paardebief moeten beginnen, want nu rees het beeld van de prediker plots dreigend voor hen op, en zij herinnerden zich waarom Rall Purkhüs daar dood in het vrondel lag. Het was de vloek van dominee Rasmussen, die aan hem vervuld was... Die aan hen allen in vervulling zou gaan... Zij herinnerden zich de uitbundige lol van de reus. Boven het geruis van de zee weerklonk zijn daverende lach: „Die pias beloofde godbetert dat ie over een jaar nog es zou terugkomen, maar dat *ik* dan niet meer zou kunnen praten, en dat niemand hem meer bespotten zou...!"

Nu waren amper vijf dagen verstreken en Rall Purkhüs lag dood in het vrondel. Zijn lach zou niet meer weerklinken over de Arnefjord en langs de flanken van de Burhella. Zelfs zijn lichaam werd niet aan de schoot van het eiland toevertrouwd. Met één gebaar had de profeet hem als een rotte plek uit hun gemeenschap gesneden. Waren er nog méér rotte plekken...? Wie zou de volgende zijn die ten offer viel aan de vloek van de profeet...?

Zij zaten met gebogen hoofden bijeen op het donkere voordek en zij volgden de schipper uit hun ooghoeken, hoe hij tekeerging tegen de stuurman en plots in redeloze woede de kleine Frodin wegtrapte van de reling. „Naar 't vrondel, jij, als je hier alleen maar kan staan janken! Rot naar je kooi; Rall Purkhüs zal je niet bijten!"

De jongen struikelde naar het achterdek, waar hij zich voor de schipper trachtte te verbergen. Voor geen geld ter wereld zou hij in het vooronder durven afdalen, alléén bij de dode met zijn starende ogen. Nog liever sprong hij overboord.

Een kokmeeuw vloog krijsend laag over het schip, steeg klapwiekend langs het toplicht, dat rusteloos zijn kringen aan de hemel beschreef. De mannen keken omhoog, volgden de vogel in zijn vlucht tot alleen het gekrijs nog in het duister werd gehoord. Zij huiverden, en zij waren opgelucht tegelijk. Daar zweefde de geest van de harpoenier, die over de wateren zou dwalen en nergens rust vinden. Wat daar beneden in het vrondel lag, was slechts een groot, dood lichaam, niets meer om angst voor te hebben. Maar de geest van Rall zou rusteloos blijven dolen; zij konden hem nog tegenkomen onder het noorderlicht,

of in een barre storm. Geesten kun je niet ontlopen...
Blaffend klonken Eiki's bevelen over het dek. De mannen kwamen onwillig overeind en struikelden naar hun posten. De stagfok werd bijgezet. De Gardar liep schuin voor de wind onder het gekreun van het want en het amechtig hijgen van de lenspomp benedendeks. Noordnoordwest, zoals rooie Eiki het beval. Geen vloek en geen dode kon daar iets aan veranderen. De heks had hem op slinkse wijze de macht in handen gespeeld. Samen beheersten zij de kleine gemeenschap, ook nu er geen reuzen meer waren in Skard. Daar stond schipper Eiki grimmig over te peinzen terwijl de nacht verstreek, dat er geen reuzen meer waren als vader Olaf, als Rall Purkhüs. Dat de Gardar altijd onderbemand had kunnen varen. Maar nu zou hij twee volslagen matrozen nodig hebben om het werk van Rall over te nemen... Nog afgezien van de gages die hij niet betalen kon, waren er geen twee volwassen kerels meer in Skard te vinden. Tor Wadslund lag sedert jaren verlamd en zijn zoon Joan was op een van de loggers van Koningsdal aangemonsterd, nadat Eiki hem van de Gardar had getrapt. Dan had je in Skard nog Oli Barmur, een seniel oud kereltje, dat giechelend het einde zijner dagen afwachtte. Nee, er waren geen mannen meer in Skard. Als zij uitvoeren, lieten zij wat vrouwen en kinderen achter, die zorgeloos de terugkeer van de Gardar afwachtten, onbewust van de wijde wereld die achter de Burhella en over de Arnefjord lag.
Stuurman Krambud dook op uit het schemerduister voor de mast. Hij stond een tijdlang zwijgend naast de schipper, eer hij aarzelend begon te spreken.
„Ik heb Rusti en Bjarg naar het vrondel gestuurd om eh... om 't lijk in een ouwe presenning te naaien."
Eiki gromde zijn goedkeuring. „En waar dacht je 't mee te verzwaren?"
„Ik heb ze gezegd, dat stuk van die gebroken ankerketting maar te nemen. We gebruiken het al jaren in de ballast en ik dacht..."
„Goed, goed," mompelde de schipper, „we kunnen wel wat ballast missen, zolang die vervloekte lenspomp blijft lekken. Zie erop toe dat ze niet te veel zeil gebruiken; als hij erin past, is 't mooi genoeg."
„'t Zal een hard gelag zijn voor vrouw Purkhüs," waagde de stuur. „Ik weet dat we de dagen niet kunnen missen, maar..."
„'t Zal een hard gelag worden voor ons allemaal," weerlegde de

schipper. „We zullen voorlopig onderbemand blijven varen, Krambud; ik zie nog geen matroos onder de kinderen van Skard en we kunnen geen vreemd volk aanmonsteren."
„Rall verzette het werk van twee bevaren matrozen," wierp de stuurman tegen. „Ik zie niet hoe we het zonder hem zullen klaren... Varen, ja, maar vissen is nog wat anders. Bij het uitzetten van de beug en bij 't halen komen we zó al handen te kort."
„Je hoeft *mij* niet te vertellen waar we handen te kort komen!" beet Eiki hem toe. „Maar als we van dit schip willen blijven leven, zullen we 't met acht man moeten klaren. De kotter zeilt zichzelf. Geef de mannen meer rust als we varen en laten ze hun luie poten uitsteken bij het uitzetten van de vleet! De grindedrab is net achter de rug en tegen volgend jaar hoop ik een andere harpoenier te hebben. Wie dàn leeft, die dan zorgt!"
De stuur keek hem geschrokken aan.
„Wie dan leeft..." herhaalde hij schor.
Eiki's vloeken knetterden in de stilte en deden de mannen schuw opzien. „En ga me nou niet vertellen dat jij in de woorden van die ongeluksprofeet gelooft!" beet hij de stuurman toe. „Rall Purkhüs heeft zich in z'n poot gesneden, goed! Dat is bloedvergif geworden, jammer! Die dingen gebeuren soms! Mijn ouwe was óók in één nacht de pijp uit; zó gezond, en zó naar de haaien, en daar kwam geen hemeldragonder aan te pas!" Hij bracht zijn gelaat vlak voor dat van Lon Krambud en schreeuwde met overslaande stem: „Ik zeg je *dit*, Lon, en geef het door aan de hele crew: de eerste de beste die de dood van Rall Purkhüs in verband durft te brengen met die vervloekte pias, schop ik van boord! Verstaan...?"
Zij hadden het verstaan, allemaal. Zelfs de twee mannen die in het vrondel bezig waren het lijk van Rall Purkhüs in de presenning te naaien, hielden even op om te luisteren naar het hysterisch geschreeuw van de schipper.
„Hij heeft gelijk," mompelde Rusti Lassen. „Rall heeft zich gewoon een jaap in z'n poot gegeven, stom genoeg, maar daar is niks geheimzinnigs aan..."
Bjarg Joensen gromde instemmend.
„Bloedvergif, moet je rekenen, daar gaat een béér nog aan kapot. Maar de schipper hoefde voor mijn part niet zo hard te schreeuwen. Het lijkt wel of hij zelf in z'n stinkerd zit..."
Zij werkten zwijgend verder bij het licht van de flakkerende

kaars. Later kwam daar het vale morgenlicht bij, dat door het koekoeksluik naar binnen droop; de dageraad die Rall Purkhüs niet meer mocht aanschouwen.

De reus lag keurig verpakt op de vloer tussen de kribben en twee matrozen kwamen helpen om hem de smalle vrondeltrap op te sjouwen. Zij hadden er met z'n vieren een hele vracht aan, maar tenslotte lag de harpoenier dan toch op het luik gestrekt voor de mast van de gammele schuit, die hij meer dan twintig jaren had bevaren. Hier had hij nog gediend onder die andere reus, Olaf Koyring, en samen hadden zij gevloekt bij storm en tegenslag. Bulderend had hun lach weerklonken over de vlakke zee en tussen het krakend want, en de mannen van Skard hadden vol ontzag opgezien naar de twee geweldenaren die de Gardar beheersten.

Behalve de roerganger stonden zij nu allen voor de mast en keken met sombere blikken naar de schipper. Rooie Eiki werd er zenuwachtig van; hij had nog nooit een lijk overboord hoeven zetten, maar hij wist dat het scheepsvolk een paar woorden van hem verwachtte, eer het lijk aan de golven werd toevertrouwd.

„Mutsen af!" snauwde hij en zij namen een voor een hun gebreide muts af.

Het duurde lang eer de schipper begon te spreken. Hij stond naar het pakket aan zijn voeten te staren en het leek wel of hij stiekem toch een gebed deed.

„Rall Purkhüs..." begon hij tenslotte moeilijk, „'t is verrot jammer... Van die afgesneden duim, wil ik zeggen, en dat we je nou moeten missen, want zulke verdomd goeie zeelui lopen niet schaloos, vandaag de dag... 't Was zo maar stomme pech, moet je rekenen, 't was bloedvergif en dat kan ons allemáál gebeuren..."
Hij keek woedend de kring van zijn mannen rond en vervolgde op schrille toon: „Daar heeft die zwarte ongeluksprofeet geen dönder mee te maken, verstaan jullie dat...? 't Is maar dat iedereen het weet...!"

De mannen ontweken zijn blik, zij bogen hun hoofd naar de dode op het luik. Zij wisten het nu wel. Tweemaal hadden zij de schipper zijn eigen angst horen uitschreeuwen, alsof hij daarmee het onheil zou kunnen afwenden dat over de Gardar hing.

„Rall Purkhüs is een goeie zeeman en een trouwe kameraad geweest," besloot Eiki schor, „en nou gaan we hem zijn eerlijk zeemansgraf geven. Vort! Pak op!"

Het ging allemaal even stuntelig. Niemand had afgesproken hoe het zou gebeuren. Daarom grepen al die vereelte knuisten tegelijk naar het zware luik en toen zij de baar zo'n beetje ter hoogte van de stuurboordsverschansing hadden getild, haalde de kalme zee nog even een geniepige streek uit. Van ergens uit de diepte rees een krachtige golf, een loodzware hand, die de Gardar in de flank greep en onverwachts deed overhellen. Wie verloor het eerst zijn evenwicht? Er stonden maar twee kerels aan lijzij, en drie aan de hoge kant van het luik. Birgir Kliffell schoof met een verschrikte vloek onderuit, en toen kon Bjarg Joensen alléén de zware last niet meer houden. Er was wat geschreeuw, er werd gevloekt en het lijk van Rall Purkhüs maakte slagzij, rolde over Birgir en Bjarg heen en bleef op het dek liggen, alsof de reus zich voor het laatst wilde verzetten tegen het onafwendbare.

Pas toen de anderen het luik hadden opgetild, kon Birgir Kliffell overeind krabbelen en met pijnvertrokken gezicht zijn schenen gaan wrijven, die door het zware luik tot bloedens toe ontveld waren.

De schipper schold hartstochtelijk op alle stomme honden die zich door zo'n grondzeetje lieten verrassen en in zijn haast om het hele karwei nu maar vlug te klaren, greep hij zelf mee aan.

„Nee! Niet meer op dat luik!" brulde hij. „Zeker om nog méér stomme streken uit te halen! Vort! Kop en kont, en gewoon maar dumpen!"

Met vereende krachten werd het pakket nu aangegrepen en zonder enige plechtigheid over de verschansing getild. Een luide plons, verder niets.

Bruisend sloot zich het water over de laatste reus van de Norderöer.

De paar kerels die over de verschansing hingen, zagen nog wat luchtbellen opborrelen. Daar staarden zij naar, gefascineerd door de traagheid waarmee Rall Purkhüs zijn graf zocht.

„En alle hens aan de zeilen!" schreeuwde Eiki. „Tijd genóég verdaan! Stagfok en kluiver hijsen! Bjarg Joensen, wat is daar te zien over stuurboord...?"

Bjarg wendde zich met een vloek van de verschansing af. Er was daar niets te zien. Alleen maar wat schuim op de golven, en een presenning die veel te langzaam zonk, omdat de schipper van de Gardar zo gierig was met zijn ballast.

De kotter liep schuin voor de wind en maakte, met het gatzeil en

de vlieger bijgezet, bijna zeven knopen.
Die kerels hadden geen enkele reden om zo bezorgd te kijken; zij zouden de visgronden wel halen ter rechter tijd.
Zij moesten nog maar wat rusten voor het uitzetten van de vleet, want zij voelden zich allemaal even slap in de lende.
De kleine Frodin zat in een hoekje van de kombuis stiekem te huilen.
„De Gardar vaart zichzelf," had de schipper gezegd, en wie kon het beter weten...?
Zij mochten de moed niet verliezen; misschien kregen zij tegen de volgende walvistrek wel een nieuwe harpoenier...

4

Houtepoot

Zo lang hoefden zij niet eens te wachten.
Toen zij drie weken later met een schrale vangst en zwaar beschadigde vleet de haven van Klaksvig aandeden, lag daar een kleine Deense logger aan de kade. Het scheepje zag er nog armetieriger uit dan de Gardar, maar het had zeker wel een goede besomming gemaakt, want op de dekwacht na, zat heel de bemanning in de havenkroeg en het dronkemansgelal klonk door tot de jaloerse crew van rooie Eiki.
„Dat Deense tuig is ons vóór geweest," gromde stuurman Krambud. „Die hebben al lang de prijs gedrukt, let op mijn woorden, schipper!"
Eiki knikte slechts. Hij staarde somber naar de kade, waar de kuipers van Ivar Marsten bezig waren de haringvaten uit de veilingloods te rollen. Ivar Marsten had een kleine visconservenfabriek. Hij kocht alles op, wat de vissers van de Norderöer aan de kade brachten, maar hij had op de vismijn geen concurrentie te duchten en bepaalde de prijs naar eigen goeddunken.
Wie het daar niet mee eens was, kon met zijn hele lading naar Torshavn op Strömö gaan en daar een betere prijs zien te bedingen. Geen vrije schipper die dat risico aandurfde. Zij waren van

de oude Marsten afhankelijk voor hun victualiën. Zij leefden van zijn voorschotten en betaalden een genadeloze rente. Ook rooie Eiki ontkwam daar niet aan, als hij zijn oude kotter in de vaart wilde houden.

Stuurman Krambud kreeg gelijk; nu die Deense logger met volle ruimen was komen binnenzeilen, werd Koyring botweg voor de keus gesteld, zijn dertig kantjes haring en een half bun kabeljauw tegen een belachelijke prijs aan Marsten over te doen, of zijn heil in Torshavn te zoeken.

Bleek van woede verliet hij tegen de avond het kantoor van de vishandelaar, met juist genoeg geld op zak om de halve gages van zijn crew uit te betalen en de Gardar toe te rusten voor de volgende reis.

De regen dreinde troosteloos neer, vormde donkere plassen langs de kade en daalde geruisloos op de golven van de Bordövig. Vanuit de havenkroeg klonk het gezang van de Denen, die hun rijke besomming vierden met clandestiene jenever en „Lager-öl".

Toen schipper Koyring met zijn stuur langs de kroeg kwam, viel daar binnen het gelal opeens stil en klonken de ruziestemmen op van twee die elkaar voor onbetrouwbare luie vreetzak en voor stinkende vrek uitmaakten.

Die vrek bleek de Deense schipper te zijn, want het volgend ogenblik vloog de deur wijd open en onder luide toejuichingen van zijn hele crew smeet hij een van zijn mannen de kade op. Dreigend hief hij zijn mokers van vuisten en bezwoer de man, zich nooit meer in de buurt van *zijn* schip te vertonen, of hij zou hem laten kielhalen en aan de schout uitleveren! De zeeman slingerde hem een serie verwensingen naar het hoofd en kwam waggelend overeind, terwijl de schipper zijn tirade besloot met het dichtschoppen van de kroegdeur. Toen pas zagen die twee van de Gardar dat de zeeman een houten been had, en zij besloten uit zijn vreemde tongval dat hij niet van de Faröer en evenmin van Denemarken kwam.

„Een Bergnoor," dacht Eiki. „Die spreken onze taal alsof zij er hun tong aan branden, of zo'n verwaande IJslander, maar zeker geen Deen..."

„Vervloekt," zei Lon Krambud, „dat was een verrekt ongelijke partij; hij had die houten poot wel kunnen breken, en dan was hij nergens meer...!"

De zeeman schreeuwde nog wat schunnigheden in de richting

van de kroeg en keek toen met troebele blik naar de twee vreemdelingen, die hem geringschattend opnamen.

„Ik rijg hem aan m'n mes!" jankte hij onder dronkemanstranen.

„Ik wacht hem straks aan de kade op, en ik drijf mijn dagger in zijn bast! Altijd mijn gage bekorten, omdat ik toevallig een vogelvrije ben, maar ik verzet het werk van twee volmatrozen en ik krijg amper te vreten...!"

Schipper Eiki spitste zijn oren. Hij had op deze rampspoedige reis ervaren dat de Gardar zonder Rall Purkhüs zwaar onderbemand was, maar evenzeer wist hij dat hij geen extra matroos betalen kon.

„Waarom ben jij een vogelvrije?" wilde hij weten.

Houtepoot veegde zijn tranen weg met de rug van zijn hand en snoot zijn neus tussen duim en wijsvinger.

„Daar heb jij niks mee te maken!" zei hij nors, en voegde er gelijk aan toe: „Ik heb op de Hornsirker ting m'n meid de moord gestoken, maar wie bèn jij, om me te veroordelen? De schout zit me met zijn dienders achter de vodden, en daar maakt Oli Jacobsen misbruik van. Ik ben godbetert de beste harpoenier van de Lofoten, maar hij behandelt mij als een lichtmatroos; als de besomming wordt opgemaakt, scheept ie mij af met dertig kronen...!"

Schipper Eiki dacht aan de vijftig kronen die hij kleine Frodin betaalde, een mannenpart, omdat hij zijn moeder onderhouden moest. Maar bij tegenwind moet je weten te laveren, had Olaf de reus hem geleerd, en de Gardar ving niets dan tegenwind, sedert de onheilsprofeet naar Skard gekomen was...

Hij schatte de kracht van houtepoot en besloot de gok te wagen.

„Als ik goed begrijp," teemde hij, „sta je nou op de keien, met één poot en 'n halve stelt... Je hebt je schipper uitgemaakt voor rotte vis en dat kan geen éne ouwe nemen. Je zal een harde dobber hebben om nog ergens aan te monsteren..."

De man keek hem aan als een rog in het bun.

„Allemaal met hetzelfde sop overgoten!" gromde hij. „Zo gauw ze horen dat ik de schout achter m'n vodden heb..."

„Ik knijp hem voor geen éne schout," pochte Eiki, „zéker niet voor die van Hornsirk, maar misschien wil ik je tegen mijn scheepsjongen ruilen, die toevallig óók maar dertig kronen besomt."

Stuurman Krambud keek hem geschrokken aan, maar hij had al lang geleerd zich niet met Koyrings zaken te bemoeien.

„Dat is te zeggen, dertig kronen met vrije kost en afsnij," vervolgde de schipper, „en als je bij de volgende grindedrab kan bewijzen dat je met die houten poot een goeie harpoenier bent, betaal ik je de volle gage. Wat zeg je daarvan?"

„Dat je even gierig bent als Oli Jacobsen," sneerde de zeeman, „maar ik heb geen keus, wel...?"

„Nee, je hebt geen keus," grijnsde Koyring. „Vort! Haal je bullen van die Deense tobbe terwijl Jacobsen nog bezopen is en kom aan boord van de Gardar, de rampzaligste schuit van de Faröer. En maak het kwick, man, want over een uur vallen we voor de wind, met de vlag halfstok voor Rall Purkhüs, die de beste harpoenier van de Norderöer is geweest." Zonder de man nog een blik waardig te keuren draaide hij zich om en slenterde naar de Gardar, die zeilklaar aan de kade lag.

Stuurman Krambud volgde hem met een angstig voorgevoel, maar wat deed dat ertoe? Het liep toch altijd anders dan hij verwachtte...

Zo kwam Helgi Hildurson in Skard, Helgi de leugenaar, die door iedereen houtepoot werd genoemd. Het weinige wat zij van hem wisten, hulde hem in een geheimzinnig waas en vormde stof tot steeds fantastischer verhalen. Olaf de reus was sedert lang een legende geworden, Rall Purkhüs aan de vloek van de profeet ten offer gevallen. Het volk van Skard wierp zich gretig op de antiheld, nu het geen reuzen meer had.

Houtepoot was een beroepsmoordenaar en verkrachter, die door al de dienders van IJsland en Denemarken werd gezocht... Maar zij zochten niet al te hard, omdat hij de beste scherpschutter van de Arctic was...

Hij moest ook de bekwaamste harpoenier van de Lofoten zijn geweest, eer een reuzenhaai zijn linkerbeen had opgeslokt... En had hij bij die gelegenheid niet zèlf de wond met hennep en pek dichtgesmeerd om het bloeden te stelpen...? Nu kon hij op zijn halve stelt de Murgandyr beklimmen en dagmarsen afleggen waar een poolbeer jaloers op zou zijn... En had hij niet alle zeeën van de wereld bevaren?

In het vrondel van de Gardar luisterden de kerels met open mond naar zijn verhalen, en in „De Zeemeermin" hingen de dochters van rooie Eiki aan zijn lippen, wanneer hij van Chinezen en Indianen vertelde, en van heel de wijde wereld, die pas achter de Murgandyr begon. Helgi genoot intens van hun bewondering; hij begon zich bar voornaam te voelen, al diende hij schipper Koyring tegen de gage van een scheepsjongen.

Onder de verbaasde blikken van allen die in „De Zeemeermin" verzameld waren, gespte hij op een avond de riemen van zijn prothese los en daagde iedereen uit om langer dan *hij* op één been door de kroeg te dansen. Een paar brooddronken kerels namen het grinnikend tegen hem op; de schipper was toch niet aanwezig, om hen met zijn schelle stem tot de orde te roepen. Zij struikelden al gauw en lagen uit te hijgen op de lemen vloer, terwijl Helgi onder luide toejuichingen tienmaal de gelagkamer ronddanste, eer hij met zijn houten stomp op de tafel sloeg en luidkeels de premie voor de overwinnaar opeiste.

Sigga kwam mopperend uit de keuken aangesloft. Zij was helemaal niet onder de indruk van zijn prestatie en richtte haar vijandige blik op de held van Hornsirk, die haar nauwelijks hijgend stond aan te grijnzen. Zij plantte haar knokige handen voor zich op de tapkast, de vingers gespreid in een klauwige greep.

„Geen drank meer voor de scheepsjongen van de Gardar," zei ze minachtend, „je staat al voor meer dan je gage bij mij in het krijt." En terwijl zij haar ontstoken oogjes naar haar kleindochters liet dwalen: „Lachen jullie toch niet zo stom! Aan een hinkende clown is niks lolligs te zien!"

„Héja! Héja!" juichten de mannen in koor en Silvurbjörg giechelde achter haar hand. Helgi bloosde tot in zijn nek, maar zijn bravoure liet hem niet in de steek. Met een flitsende beweging plantte hij zijn dolkmes in het harde hout van de tapkast, waar het trillend tussen Sigga's gespreide vingers bleef staan.

Er viel een doodse stilte in de kroeg. Ineens was lollige Helgi weer de gevreesde moordenaar, die je beter uit de weg kon gaan, al stond hij daar op één been.

Stuurman Krambud kwam overeind en scharrelde mompelend naar de deur. „Al zo laat... Morgenvroeg weer varen..."

Hij wilde het mes niet gezien hebben. Hij had de belediging van Sigga niet gehoord. Als je dronken bent, kun je overàl niet op letten. Maar hij hóéfde niet te gaan. Het was Sigga zelf, die het probleem oploste. Zij rukte het mes uit het hout en stootte het over de tapkast heen naar Helgi's keel. Houtepoot liet zich met

een verschrikte kreet achterovervallen, of de heks zou hem door-
stoken hebben. Nu krabbelde hij vloekend overeind en begon
onder de spottende blikken van het scheepsvolk zijn been weer
aan te gespen. Hij had niets heldhaftigs meer, zoals hij daar op de
bank zat, zenuwachtig prutsend aan de riemen en de houten
stomp, die van hem weer een volwaardige mens moesten maken.
In de stilte klonk het gegiechel van de meisjes, die alleen nog
maar een schertsfiguur in hem zagen: Helgi houtepoot, geveld
door één dreigend gebaar van opoe Koyring, door een oud wijf
van zijn voetstuk gestoten ten aanschouwen van de hele crew...
De heks schoof het mes tussen een scheur in de tapkast en ging
met heel haar gewicht op het heft hangen. Het lemmet brak met
een droge knap. „Zo doen wij hier met gevaarlijk speelgoed als
het in handen van een idioot valt," kakelde zij, „en nou mijn
kroeg uit, houtepoot, en nooit meer erin, of ik zeg mijn zoon je
ook nog van boord te trappen!"
De stilte werd beklemmend na haar woorden. Zij keken met z'n
allen naar de moordenaar van Hornsirk, de scherpschutter, die
door de dienders gemeden werd. Hij kon maar niet klaar komen
met het aangespen van zijn halve stelt. Het zweet droop in zijn
stoppelbaard en zijn gezicht zag paars. Hij vloekte niet meer. Hij
hijgde alsof de rondedans hem toch te zwaar was gevallen. Tenslotte, met een eind riem nog langs zijn dijbeen slingerend, kwam
hij overeind. Hij kloste naar de deur, die stuurman Krambud
voor hem openhield. Alsof hij nog niet diep genoeg vernederd
was, knakte zijn beenstomp voorover en de held van Hornsirk
sloeg in zijn volle lengte tegen de vloer.
Kristianne begon te schateren. Daarop ontlaadde de spanning
zich in het bulderend gelach van al die kerels van de Gardar.
Schuim stond op Helgi's lippen toen hij overeind krabbelde. Hij
graaide zijn beenstomp van de vloer en zwaaide ermee rond.
„Jij vuil wijf!" bulderde hij. „Jij smerige ouwe heks! Je zal de
dag betreuren waarop je Helgi Hildurson hebt durven beledigen!"
Sigga wierp haar kreukelhoofdje in de nek en lachte haar tande-
stompen bloot.
„En jullie allemaal!" schreeuwde Helgi stikkend van woede.
„Jullie allemaal...! Ik zal jullie..." Toen begaf zijn stem het en
hij hinkelde de donkere avond in, opdat niemand de tranen zou
zien die in zijn ogen sprongen.

Stuurman Krambud sloot met een klap de deur achter hem. „Dat hebben we weer gehad," grinnikte hij, maar zijn lach had niets plezierigs. Zijn voorgevoel waarschuwde hem dat het nog lang niet voorbij was... dat houtepoot zich wreken zou, al moest hij er een jaar op wachten.

Stuurman Krambud met zijn voorgevoelens...
Toen de Gardar de volgende morgen zeilklaar lag, kloste houtepoot met een schuw lachje aan boord, met zijn waterdichte plunjezak over de schouder en zonder enige bravoure. Hij had zich zeker bedacht; dertig kronen en vrije kost liggen nergens voor het opscheppen en de schipper was bereid een streep door de rekening te halen, nu kleine Frodin tegen volle gage was aangemonsterd bij de vissers van Koningsdal. Ook Joan Wadslund wilde onder Koyring niet meer varen en zeven man is te weinig om de Gardar te runnen. Zo werd houtepoot weer in genade aangenomen, al schreeuwde de heks moord en brand.
Het wachten was nog op de bevoorradingssloep van Ivar Marsten, die pas tegen de middag de Arnefjord kwam binnenvaren met slechts driekwart van de bestelde victualiën aan boord.
Eindelijk, tegen het vallen van de schemer, konden zij uitzeilen, rond de zuidkaap van het onherbergzame Svinö en daarna op de noorderkoers langs het onbewoonde Fuglö-eiland.
Er heerste een gedrukte stemming aan boord. Schipper Eiki zou liever zijn tong afbijten dan de bemanning in zijn beleid te laten delen, maar stuk voor stuk wisten zij dat de Gardar een gedoemd schip was, nu de oude Marsten geen krediet meer gaf. Zij hadden op die rampzalige reis, toen zij Rall Purkhüs overboord moesten zetten, de halve vleet verspeeld, en die was maar ten dele aangevuld. Nu zou de besomming beneden peil blijven, zelfs al hàdden zij geluk op de visgronden.
Helgi Hildurson was niet van plan dat geluk af te wachten. Hij wàs niet aan boord gekomen als de rouwmoedige zondaar, en de dertig kronen van schipper Koyring konden hem gestolen worden, want op de plaats waar hij de schout van Hornsirk ging ontlopen, hadden die geen enkele waarde...
Hij was al weer te lang op hetzelfde schip gebleven; het spoor zou onherroepelijk van de Deense logger naar de Gardar leiden, en op een kwade dag gingen de dienders hem toch vinden.
Tenzij er *niemand* meer te vinden was...

Die hele nacht, na zijn smadelijke aftocht uit de kroeg, had hij zijn plan voorbereid. Hij kende de zwakke plekken van de Gardar en hij wist wanneer die het schip noodlottig zouden worden. De eerste de beste najaarsstorm ging zijn werk voltooien en hem voldoening schenken voor de vernedering in „De Zeemeermin".

Hildurson had dekwacht. Rusti Lassen stond te roer. De anderen waren te kooi gegaan na het wisselen van de wacht. Bij kalme zee liep de Gardar schuin voor de wind en passeerde Fuglö over bakboord.

Scherp tuurde houtepoot over de verschansing. Hij hoorde de golven op de rotsen te pletter lopen en hij schatte de afstand op een halve mijl. Hij zou nog even moeten wachten tot zij boven de Stapi koersten, daarachter was de Skardebaai met het kleine kiezelstrand. Hij zou wat verder moeten zwemmen, maar eenmaal in de baai was dat niet zo vermoeiend meer. Hij voelde de doffe pijn tussen zijn schouderbladen en hij vervloekte die lollige avond in „De Zeemeermin"; hij vervloekte de lange nacht die hij in de ruimen van de Gardar had doorgebracht, want hij was nu zeer moe en hij vroeg zich af of hij de baai wel zou halen...

Als ik aan boord blijf, haalt de duivel mij, overpeinsde hij grimmig, en als *die* geduld heeft, dan wachten de dienders mij in Klaksvig...

Hij loerde achterom, naar de roerganger aan het rad, maar die stond rustig achter het kompas en kon hem in het duister van het kuildek niet onderscheiden. Het geruis van de branding werd heviger; nu was het tijd om te gaan. Houtepoot bond twee kurken zwemvesten rond zijn plunjezak en dumpte het grote pak over bakboord. Zelf ging hij er met een korte plons achteraan; de branding overstemde elk geluid. Hij greep de lussen van het zwemvest en tuurde de Gardar na, die als een spookschip de nacht in gleed. Toen begon hij met brede slagen te zwemmen. Hij hoopte maar dat hij op zijn laatste krachten de baai zou halen...

Zij waren pas enkele mijlen boven Fuglö, toen Rusti Lassen zich begon af te vragen of het roer nu ècht zo trok... Hij wierp een blik op het kompas en moest alweer twee streken bijsturen. Hij keek langs de mast omhoog naar het toplicht, dat rustig zijn kleine kringen aan de inktzwarte hemel beschreef. Hij onderscheidde alleen de vage nimbus van het toplicht, geen enkele ster om je op te oriënteren. De hemel hing laag, regenzwanger over de Gardar, overhuifde het scheepje met een zwartfluwelen stolp. De Gardar liep traag voor de wind, half getuigd, koers noord-noordoost, en mocht bij deze kalme zee zo zwaar niet in de hand liggen.

Rusti begon zich af te vragen of het aan hèm lag... Hij voelde zich ziek en ellendig. Het beven, dat uit zijn knieën optrok, ging door zijn hele lijf, alsof hij koorts had; het klamme zweet droop langs zijn voorhoofd en hij had geen kracht in zijn armen.

„Verdomde foezel," gromde hij, „de heks stookt zulke smerige jenever, en ik had zoveel niet moeten drinken... Veel te laat ge-worden met die lollige houtepoot... Tien keer de kroeg rond, en hij *hijgde* niet eens; de schoft moet zo sterk zijn als een beer... Evengoed lollig, zoals Sigga hem op zijn nummer zette..." Hij genoot nog een poosje bij de herinnering aan het modderfiguur dat houtepoot had geslagen, hoe de dochters van rooie Eiki hem hadden uitgelachen toen hij achteroverviel, met zijn eigen mes bijna in de keel. De heks was een dapper wijfje, niet één van de kerels zou het haar durven nadoen. Nu ja, Rall Purkhüs mis-schien, maar Rall de reus lag met een ankerketting aan zijn be-nen ergens onder Kalsö; de vissen en de krabben zouden wel raad weten met zijn groot lijf.

Toen de spaken weer zo zwaar in zijn handen begonnen te we-gen, vroeg Rusti zich af of hij de maat niet moest roepen, maar hij trof het slecht dat houtepoot dekwacht liep; hij vreesde zijn schampere opmerkingen.

Laat die harlekijn verrekken, dacht hij, die zit natuurlijk voor de mast te slapen en droomt ervan hoe hij de heks haar vet kan geven, de volgende keer. Hij verloor zich weer in mijmeringen en lette niet meer op de afhandsheid van het roer. Tot plots, van ergens uit het duister, een hevige rukwind door het want rende, die de Gardar zwaar over stuurboord deed hellen. Rusti moest alwéér bijsturen, twee strepen bakboord, en het volgende ogen-blik kletterde de regen op het dek neer, alsof de rukwind een gro-te scheur in het fluweel had gemaakt. Geschrokken keek hij om-hoog langs de mast en hij zag hoe traag de Gardar zich herstelde op haar koers.

„Dekwacht!" schreeuwde hij in paniek. „Waar hang je uit? Reef de stagfok! We lopen uit de koers...!" Zijn groot geschreeuw klonk over het verlaten dek, sloeg verloren in het klapperen van de zeilen. Maar niemand antwoordde. Rusti Lassen voelde zich plots zeer eenzaam onder de donkere nachthemel. Niets dan het geruis van de regen, een dicht watergordijn, even aan flarden gereten door een nieuwe rukwind. Daarna tòch bonkende stappen op het achterdek, maar het was houtepoot niet. De schipper kwam in zijn baaien ondergoed, zijn blote benen in de knielaarzen, aangerend.

„Wat doet er òp...? Waarom laat je verdomme die stagfok niet reven? Waar is de dekwacht?"

Rusti maakte een wanhopig gebaar.

„We lopen *uit*, schipper! En houtepoot laat me maar schreeuwen, de zak!"

„We lopen *uit*? We maken slàgzij!" bulderde Eiki geschrokken, en tot stuurman Krambud, die gejaagd uit het vrondel kwam geklost: „Zet er twee aan de lenspomp, stuur! Stagfok en grootzeil reven! Alle hens aan dek!" Hij schopte de ongelukkige roerganger opzij en nam zelf het rad over. „Je ligt een heel eind uit de koers, ellendeling! Aan de lenspomp jij!"

Rusti Lassen vluchtte de hut uit. Hij hoefde de ouwe niets uit te leggen. Hij struikelde over het hellende, spekgladde dek naar het stuurboordsruim, waar Bjarg Joensen al grommend bezig was de keggen uit het luik te slaan. De stuur in zijn roodbaaien hemd stond te schreeuwen boven aan de vrondeltrap, en Joensen vroeg met een wijde geeuw waar die verrekte dekwacht uithing. Toen had hij het gammele luik open en hij dàcht niet meer aan houtepoot.

„Meer dan een váám water in 't ruim!" brulde hij. „Stúúr, we hebben averij...!"

Geschreeuw in het vrondel. Kerels die met een schriksnork ontwaakten uit de loden slaap. Gestommel op de vrondeltrap. Geschreeuw aan alle kanten nu. De stemmen sloegen verloren in de neerkletterende regen, die van ergens uit de zwarte duisterheid op het dek neerdaalde en met bakken tegelijk uit de zwarte hemel viel.

Rusti Lassen en Bjarg Joensen hingen met heel hun gewicht aan de lenspomp, die gorgelend het water trachtte te lozen. Zij dansten hijgend aan de zwengel, tot plots de zuigerstang met een droge knap afbrak en Rusti tegen de verschansing geslingerd werd alsof iemand hem pootje gelicht had. Verbluft zat Bjarg Joensen even naar het breukvlak te staren, eer het tot hem doordrong dat de zuigerstang voor meer dan de helft was doorgevijld... Hij sprong met een wilde kreet overeind; hij wilde de stuurman erbij roepen, maar de wind geselde hem de woorden in zijn mond terug. Het was een heksenketel aan boord. De regen werd nu bij vlagen over het dek geblazen, door harde windstoten, die luid nagierden in het want. De schipper had bijgedraaid; de matrozen waren kreunend in touw om de zeilen te bergen. Alleen de kluiver bleef bijstaan, om het scheepje met de boeg op de golven te houden, maar de mast helde bij iedere windstoot verder over en de Gardar herstelde zich als een aangeschoten beest, richtte zich tenslotte niet meer op en begon steeds meer slagzij te maken. Gorgelend steeg het water in het stuurboordsruim. Twee vaam, schatte Bjarg, twee vaam en een half, het water drong op verscheidene plaatsen binnen, de Gardar was zo lek als een zeef...

Boven het geraas van de aanstormende wind schalden Krambuds bevelen over het dek. Hij liet presennings aanslepen om het lekke ruim te dichten, maar toen de mannen met die vracht zeildoek boven kwamen, deden zij een andere gruwelijke ontdekking... De presennings waren aan repen gesneden...

„Houtepoot!" brulde schipper Eiki. „Waar is die vervloekte houtepoot?"

Toen blies God, of de duivel, zijn machtige adem in het want en legde de Gardar op haar zij. De zee sprong over de stuurboordsverschansing in het open luik en vermengde zich donderend met het water dat daar al binnen was.

Ze hebben niet eens de sloep meer uit zijn keggen kunnen slaan. Zij kwamen met z'n allen in het wielende water terecht, alsof een grote hand het dek schoonveegde.

Zó verging het de heidenen van Skard...

Schipper Eiki – die was met een vloek uit de stuurhut gesprongen, bezeten van één gedachte: houtepoot de keel af te knijpen om wat hij de Gardar had aangedaan. Maar terwijl hij sprong, legde de wind het schip op haar zij en de deur van de stuurhut sloeg rooie Eiki in zijn nek. Als een gedolde stier stortte hij over de stuurboordsverschansing, waar het kolkende water hem genadig ontving.

Eiki Koyring was al z'n leven een slecht zwemmer geweest. Nu hoefde hij zich daar niet meer om te bekommeren. En een slecht verliezer. Nu haalde hij in één slag de volle winst binnen, want hij delgde al zijn schulden en de wijde oceaan opende zich voor hem en al de zilveren vis, waar hij zoveel jaren op had geaasd, lag aan zijn voeten als een geschenk van de nornen, die van eeuwigheid zijn lot hadden bepaald. Alleen, Eiki zàg het geschenk niet meer, want zijn nek was met een droge knap gebroken en zijn ogen staarden in de groene duisterheid. Zijn mond hing nog open in de grote schreeuw waarmee hij houtepoot wilde verdoemen en daar sprong nu de zee in binnen als in het luik van de Gardar. Rooie Eiki liep vol water. Zijn laatste gedachte was voor de moordenaar van Hornsirk geweest.

Stuurman Krambud... Die stond met ongelovige blik naar de vernielde presennings te staren, toen hij het dek onder zijn voeten voelde wankelen. Dit kan niet, flitste het door zijn hoofd, dit kan gewoon niet bestaan... De presennings aan repen snijden... Geen zeeman die zo iets verzint...! Toen sloeg hij overboord, tegelijk met Randi Olsen, de lichtmatroos, en samen kwamen zij in het gretige water terecht. Krambuds ongeluk was, dat hij veel te góéd kon zwemmen; daarom werd hem een lange doodsstrijd beschoren... Hij schopte zijn waterzware laarzen uit en ontdeed zich van alles wat hem hinderde, ook van de lichtmatroos, die zich gillend aan hem had vastgeklampt. Toen begon de stuurman met brede slagen weg te zwemmen van het zinkende schip. Hij kon in het duister geen luik of badding vinden, maar nu hij de jongen en zijn laarzen had afgeschud, was hij vol goede moed, want achter de zwarte einder moest ergens de kust van Fuglö zijn en daarheen stuwde hem de stroom. Vele uren later, toen zijn hart nog enkel pijn was en de adem met stoten door zijn longen vlijmde, heeft hij de grauwe dageraad nog over het massagraf zien rijzen en het eiland zien opdoemen aan de kim. Daarheen trachtte hij nog te zwemmen, met trager wordende slagen, maar zijn kracht reikte niet meer tot de kust. De golven hebben hem genadig verder gedragen toen zijn hart het al begeven had.

En Birgir Kliffell, die met dat klein, onvruchtbaar wijfje was getrouwd... Zij leefden samen aan de voet van de Murgandyr, onder de wolkenkraag waaruit soms grote rotsblokken neerdonderen als de sneeuw begint te smelten. Vrouwtje Kliffell kon daar vol angst naar liggen luisteren in de nacht van de windjammer, en zich afvragen of zij niet al te roekeloos hadden gebouwd, zo recht onder de rolstenen... Birgir niet. Die drieste durver wist dat je noodlot in de sterren geschreven staat, met de dag en het uur.

„Zolang je niet aan de beurt bent, maken de nornen je niets," placht Birgir zijn wijfje te troosten, „maar heeft je uur eenmaal geslagen, dan hoef je ook niet meer te vechten."

Nu had Birgirs uur geslagen, en hij was niet verwonderd en niet bang, toen het water binnensprong en hem begon te overspoelen. „Dit is het," wist Birgir met een zucht van teleurstelling. „Ik had nog zo graag een zoon gehad, om mijn naam verder te dragen, maar we hebben het fel genoeg geprobeerd..." Hij verzette zich niet tegen het noodlot. Hij dacht nog even aan zijn minnig wijfje, en hoe bang zij zou zijn voor de volgende windjammer. Hij vroeg zich af wie de ratten voor haar ging uitroeien, nu er geen mannen meer waren in Skard. Hij kon dat probleem niet meer oplossen, want het water steeg gorgelend boven zijn hoofd en hij verdronk met al de krijsende ratten van de Gardar, berustend, omdat zijn dag en zijn uur in de sterren geschreven stonden.

Zo verging het drieste Birgir.

Zo verging het Rusti Lassen, die te ziek was om weerstand te bieden. Hij vroeg zich nog altijd af waarom het schip zo zwaar in de hand had gelegen; twee streep uit de koers, precies als in die nacht toen Rall de reus zijn bitter einde had gevonden. Twee streep uit de koers, en de schipper had hem uit de stuurhut geschopt... Verdomde foezel... smerige heks... vervloekte houtepoot.

Toen kwam er een geweldige, koude hand, die hem omvatte; die hem naar de oneindige zwarte diepte trok en Rusti liet het met zich doen. Zo was ook *zijn* laatste gedachte voor de moordenaar van Hornsirk, die de beste harpoenier van de Lofoten moet zijn geweest.

Bjarg Joensen en Peder Jacobsen vonden elkaar bij het stuurboordsluik, dat op een hoge golfrug dreef. Het luik was sterk genoeg om een van hen te dragen; daarom zwommen zij er met driftige slagen omheen en zij beloerden elkaar met moordlust in de ogen. Twee beste zwemmers, maar hun krachten reikten niet tot aan de verre kust; het luik zou een van beiden kunnen redden. Peder Jacobsen klampte zich eraan vast en was bezig zich op het vlot te hijsen, toen Bjarg Joensen hem bij zijn voeten greep. Het luik kantelde, het stond verticaal, als de vin van een reuzenhaai, en de mannen verdwenen vechtend in de diepte. Toen Bjarg

eindelijk weer aan de oppervlakte verscheen, in het dal tussen twee golfruggen, kon hij het luik nergens meer vinden. Het gevecht had hem zo uitgeput, dat hij op zijn rug moest gaan drijven om zijn krachten te hervinden. Hij staarde omhoog in het duister, en het water uit de hemel en het water van de zee waren bijna één. Later heeft hij zich omgewenteld, om het grijnzend gelaat van de nornen niet te zien; ze leken sprekend op Peder Jacobsen. Bjarg vloekte, en hij huilde een beetje, hij werd als een kind zo bang. Pas veel later is hij verdronken.
Zo verging het de gevloekte mannen van Skard...

5

Geen ting van de Gardar

Het duurde nog een volle maand eer de onrust begon te knagen. Het had niets te betekenen in het begin, het was al vaker gebeurd. Eens was de Gardar zeven weken uitgebleven.
Maar het lag anders, deze keer... Schipper Eiki liet nooit het achterste van zijn tong zien en de heks was zo gesloten als een pot, maar vrouw Krambud wist te vertellen dat de Gardar was uitgevaren met halve vleet en slechts voor drie weken proviand aan boord...
Tegen november begon de onrust het dorp te besluipen. De vrouwen zongen niet meer. Zij lieten ieder ogenblik het werk in de steek, om met een hand boven de ogen uit te kijken over de Arnefjord. Het kon niet waar zijn. De zware stormen waren nog niet eens begonnen en de fjord lag onder de zon te blikkeren als een spiegel. Het kon gewoon niet waar zijn! Zij spraken elkaar moed in. De kerels van Skard zouden terugkeren en ongeduldig hun vrouwen te kooi leggen, het wilde feest zou herbeginnen, zoals het altijd was gegaan... Ongeschoren, stinkend naar zweet en vis zouden zij „De Zeemeermin" binnenklossen en met galmende stemmen de oorlam opeisen die schipper Eiki hun beloofd had. Pas daarna begon het daverend krakeel om de wééral gekorte gage. Zo was het altijd geweest: het ingeslapen dorp, dat

plots tot woest en hevig leven komt.

Zelfs Tor de vogeljager had er op zijn manier deel aan. Vrouw Wadslund draaide hem kreunend op zijn linkerzij wanneer het schip de fjord binnenliep, en zijn doffe ogen lichtten even op. Dan kon hij vanaf zijn krib het druk gedoe van volwaardige mensen daar beneden aan de steiger gadeslaan. Zij bewogen uit eigen kracht... Zij hadden geen vrouw nodig om hen op hun zij te keren. Zij gingen waar zij wilden gaan en ze deden de dingen die hem onthouden bleven. Tor Wadslund schreide stil in zichzelf, als hij de vrouwen langs zijn hut zag rennen om de kerels van Skard hun lach en hun gretig lichaam te bieden. Dan vervloekte hij zijn hulpeloosheid en hij stelde zich de dingen voor die benedendeks gebeurden. Maar nu lag Tor Wadslund naar de lage zoldering boven zijn krib te staren en hij wist dat de Gardar nooit meer de fjord zou binnenvallen. „Ik ben blij," zei hij tegen zijn vrouw, „voor het eerst ben ik blij dat onze Joan zich misdragen heeft... Dat die rooie donder hem van boord getrapt heeft, vorig jaar..."

Vrouw Wadslund keek hem niet-begrijpend aan. Sedert hun zoon op een logger van Koningsdal was aangemonsterd, mocht hij zelfs geen voet meer in Skard zetten. Schipper Koyring had het hem verboden en niemand zou het in zijn hoofd halen, diens wet te overtreden.

„Ze komen geen van allen weerom," zei de lamme. „Let op mijn woorden, Karen, de Gardar is met man en muis vergaan, ik heb ervan gedroomd..."

Vrouw Wadslund antwoordde niet. Evenals alle vrouwen van Skard had zij haar twijfels, maar je sprak daar niet over; omwille van de anderen niet. Je moest zo lang mogelijk...

„Ik heb het zo lang mogelijk vóór mij gehouden," zei Tor. „Je wilt er niet aan, al zijn er een paar bij die ik het van harte gun..."

„Zwijg toch stil!" schrok vrouw Wadslund. „Als iemand je zou horen..."

„Maar nou heb ik die droom gehad," vervolgde de man onverstoorbaar, „en nou weet ik wat al die anderen niet weten. Rooie Eiki zal nooit meer iemand van boord trappen. Hij zal *mij* niet meer bespotten om mijn lamme lende... Hij is lammer dan ik, de ellendeling!"

Zo sprak Tor de vogeljager over schipper Koyring en de kerels van de Gardar.

53

„Ik heb het al lang zien aankomen," zei hij. „Ik had het de vorige reis al verwacht, want de prediker heeft zijn vloek over het volk van Skard gesproken, dus het kon niet uitblijven."

„Ze zeggen allemaal dat het een gekke vent was," aarzelde vrouw Wadslund. „Je mag aan de woorden van een dwaas geen waarde hechten."

„De vloek van een dwaas kan zwaarder wegen dan de woorden van een wijze," gromde Tor koppig, „want het is de geest die door zijn tong spreekt. Kijk maar naar Oli Barmur, die is hart-stikke kierewiet, maar hij heeft Olaf de reus een schielijke dood toegewenst, en een paar dagen later is hij niet meer opgestaan. Zo dood als 'n pier..."

Vrouw Wadslund huiverde. Zij keek om zich heen, als vreesde zij dat de heks hem zou horen.

„Dat is zestien, zeventien jaar geleden," zei ze zacht, „dat is oud zeer. En bovendien... toen wàs Oli Barmur nog niet kierewiet."

Daar moest de lamme even diep over nadenken. Hij staarde pein-zend naar de zoldering, waar hij elke scheur, iedere knoest van kende. Hij begon plots bitter te lachen, het klonk als het geblaat van een oud schaap.

„Zal ik jou es wat vertellen, Karen...? Straks, als wij zékerheid hebben, dan ben ik met mijn lamme lende de enige volwassen kerel in Skard... Dan blijven er niets dan vrouwen en kinderen over... Nou ja, en gekke Oli," grijnsde hij, „maar die telt niet meer; de dood zit hem op de hielen."

Het bleef lang stil in de hut. Hij poogde vergeefs zijn hoofd te wenden, om de pijn in haar ogen te lezen.

„Bèn je er nog?" gromde hij ongeduldig.

„Ik ben er," zuchtte de vrouw. „Ik ben er al die jaren geweest, Tor Wadslund, ik ben je gevangene..."

Hij verstond niet de bitterheid in haar stem. Het was hem vol-doende haar dag en uur bij zich te weten. Zij was zijn armen en zijn benen, ze was het klankbord van zijn verbittering. Veel meer dan het verlamde lichaam op de krib was vrouw Wadslund de gevangene van Skard.

„Acht man op de Gardar," zei hij, „acht die nooit weerom komen, Karen, mijn lief, denk je dat eens in..."

„Ik wil er niet aan denken!" sprak de vrouw opstandig. „En het lijkt wel of jij er plezier in hebt!" Zij schrok van haar eigen woorden. Ze ging haastig naar het keukentje, waar hij haar luidruchtig bezig hoorde met het vaatwerk.

„Wat heb ik anders te doen?" vroeg hij aan het plafond. „Wachten, en denken, en wachten... Hoeveel jaren lig ik hier al? Ik wacht en ik denk. Nou zijn al die anderen verlamd... Al de kerels die hun wijven te kooi legden... Al die grote bekken zijn voorgoed gesloten. Nou ben ik de enige kerel nog, *ik* en gekke Oli, maar wij kunnen het ook niet meer..."

Tranen welden in zijn ogen. De tranen lekten langs zijn ingevallen wangen en hij had de kracht niet om ze weg te vegen; ze dropen in zijn stoppelbaard. Hij begon aan een moeizame optelsom. Hij liet al de gezinnen aan zijn geestesoog voorbijgaan. Negen. Hij kende ze allemaal, de weduwen en de wezen van Skard.

„Zesendertig," zei hij, „we blijven met zesendertig over... Nee, vierendertig, kloot, want onze Joan vaart nou voor Koningsdal, en dat jong van Nielsen evengoed... De weduwe Nielsen... de weduwe Purkhüs... die wennen er al aan. De weduwe Krambud, de weduwe Lassen, de weduwe Joensen, de weduwe Kliffell... Vervloekt, wat 'n hoop wijven zonder vent...! En dan zijn er nog een paar jonge meiden, en de kinderen... Wie gaat ze allemaal te vreten geven...?"

De tranen waren verdroogd op zijn grauw gelaat en hij lag met starre blik omhoog te staren. Hij hoorde het geknaag aan de zolderbalk boven zijn hoofd. Hij vroeg zich af wie dit jaar de ratten ging uitroeien, nu er geen mannen meer waren.

„Honderd ratten, vorig jaar," zei hij, „misschien een beetje meer... Honderd ratten voor tien hutten, ,De Zeemeermin' niet meegerekend."

Toen moest hij opeens weer bitter lachen. De ratten waren zijn grote zorg, omdat *hij* alleen zich niet bewegen kon wanneer ze aan hem begonnen te knagen. Maar ze waren er altijd geweest. Zij zouden zich wat sneller vermenigvuldigen misschien, nu er geen mannen meer waren om ze uit te roeien. Er was nog nooit een kind door de ratten opgevreten, stelde hij zichzelf gerust. Ze werden altijd doodgeknuppeld aan het einde van de teelt, als de kerels van de Gardar niets anders om handen hadden.

Hij sloot zijn oren voor het geknaag boven zijn hoofd en hij begon weer aan die acht van de Gardar te denken. Zij moesten in een vroege storm geraakt zijn, peinsde hij, misschien ergens om de noord, of boven Fuglö-eiland, waar geen mensen wonen. De

Gardar was zo rot als een mispel, dat wist iedereen, maar je wilde er niet aan, dat zo'n oud karonje een keer uit elkaar kon vallen als een ton met verroeste hoepen. Het moet tòch de vloek van de prediker zijn geweest, besloot hij, die heeft zijn „Mené tekèl" aan de wand van „De Zeemeermin" geschreven, en op de eerste reis de beste is Rall Purkhüs al omgekomen, Rall de reus, die hem heeft uitgelachen en over de fjord gevoerd. Rall Purkhüs, die zijn paard geslacht heeft en het vlees in gelijke parten verdeeld. Geen vloek zo gevaarlijk als de vloek van een dwaas... En dominee Rasmussen wàs een dwaas, om met zijn paard over de Murgandyr te trekken...

De rat boven zijn hoofd knaagde onverdroten voort. Er vielen een paar houtsplinters op zijn gelaat, en vol afgrijzen staarde hij naar het kleine zwarte gat dat plots in de zoldering ontstond. Daardoor staarden hem twee glimmende kraaloogjes aan...

„Karen!" schreeuwde hij in zijn schrille angst. „Karen!"

Vrouw Wadslund kwam het vertrek binnen; zij droogde haar handen af aan haar blauwe voorschoot en keek misprijzend op hem neer.

„Je hoeft niet zo te schreeuwen," zei ze. „Je hoort toch dat ik hiernaast bezig ben? Ik loop heus niet van je weg, al behandel je mij als een vod!"

Hij richtte zijn blik naar de zoldering.

„Ze *zijn* er weer," sprak hij schor. „Dat tuig vreet het dak boven mijn kop weg. Je moet er wat aan doen!"

„Straks worden ze wel uitgeroeid," zei vrouw Wadslund, „als de mannen..." Toen zweeg zij abrupt en staarde hem verschrikt aan. „Goed, Tor," zei ze gedwee, „ik zal zien of ik er wat aan doen kan..." Zij ging met gebogen hoofd naar de keuken. Zij keek rond. Zij nam een grote koekepan en slofte ermee de krakende vlieringtrap op.

Boven hoorde hij haar tekeergaan. De blinkende kraaloogjes verdwenen en het geknaag hield op.

„Een rat als een jonge zeehond," hijgde zij, toen zij de kamer weer binnenkwam. Haar ogen stonden groot van afgrijzen. „Nooit zo'n grote rat gezien... En hij ging er pas vandoor toen ik naar hem sloeg... We kunnen Hanna daar niet meer laten slapen..."

Het waren niet alleen de ratten.

Er was meer.

Je mist een kerel pas als hij lang genoeg wegblijft.

De vrouwen van Skard hielden nog een paar dagen stand. Toen kwam de dag waarop de een de ander niet meer in de ogen durfde zien en iedereen toegaf dat de Gardar moest worden afgeschreven.

Birgir Marsten, de zoon van de vishandelaar op Klaksvig, kwam met zijn witte motorvlet de fjord binnenvaren. Hij was even verwaand als zijn vader, en hij ging regelrecht naar „De Zeemeermin", waar hij de kerels van de Gardar dacht te treffen. Hij kwam eigenlijk namens de oude Marsten informeren waar schipper Eiki de brutaliteit vandaan haalde om zijn vangst op Torshavn aan de vismijn te brengen. Maar eer hij de kroeg genaderd was, werd het hem al duidelijk dat de kotter nog altijd niet was binnengelopen. Vrouwen hielden hem staande. Zij wilden weten of hij tijding van de Gardar had. Zij drongen om hem heen met hun gedoofde blikken en dachten van zijn gelaat het vonnis af te lezen.

„Ik weet niks," zei Birgir Marsten nors, „ik was zèlf gekomen om naar schipper Koyring te informeren."

„Schipper Koyring," zei hij, *niet:* „De Gardar"... Alleen rooie Eiki was hem verantwoording schuldig, want *die* had voorschot op de besomming opgenomen. Hij keek de vrouwen aan, die rond hem verzameld waren. Birgir was geen man van veel gepraat, maar hij wist dat hij zijn schaarse woorden nu op een goudschaaltje moest wegen.

„'t Is gek..." zei hij, „maar we hebben alleen een mak stormpje gehad, zo rond de vierde... Dat mocht geen naam hebben. Hoewel... je weet nóóit, met zo'n vrotte schuit... De Gardar voer op halve vleet; ze had al lang moeten binnenvallen..."

„Op halve vleet..." herhaalden de vrouwen dof. Zij wisten wat dat betekende. Vrouw Krambud ging dus toch gelijk krijgen: de Gardar had onvoldoende victualiën en slechts de helft van de netten aan boord. Ze had weken geleden de fjord moeten binnenvallen...

Kinderen kwamen nieuwsgierig aangedraafd en bleven op een paar passen van de dikke man staan. Zij keken met groot-ernstige ogen naar hem op; hij zou tijding van de Gardar brengen... *Hij* wist hoe lang de vaders nog wegbleven, misschien.

De oude Sigga kwam uit „De Zeemeermin" gestrompeld. Zij steunde op haar knoestige stok, doch haar ontstoken oogjes waren fel op de zoon van Marsten gericht.

„Ting van de Gardar?" kakelde zij. „Breng je ting van de Gardar...? Draai er niet omheen, jonge Marsten, want voor praatjes kopen we niks!"

Kristianne en Silvurbjörg waren met haar uit de kroeg gekomen. Die keken hem aan met hun vroegwijze blikken en zij wisten dat hij een onheilsbode was.

„Als jullie zelf geen ting van de Gardar hebben, hoef ik nergens meer omheen te draaien," zei Marsten nors. „'t Is nou zes weken dat wij ze bevoorraad hebben voor halve vleet, en geen schipper van Klaksvig heeft ze gepeild. Die van ons zijn evengóéd om de noord gekoerst, en die van Koningsdal ook, maar niemand heeft schipper Koyring gepraaid. Dan zijn ze wel naar de haaien."

Hij wendde zich abrupt om en begon achter zijn buik aan te sjouwen naar de fjord. De vrouwen staarden hem na. Zelfs de kinderen spraken geen woord, maar Silvurbjörg bukte zich schielijk en raapte een steen op. Aller ogen waren op haar gericht. Zij mikte secuur, zoals zij het in de schapewei geleerd had, de steen achter haar nek en één oog dichtgeknepen. Zij slingerde de steen. Zij raakte hem met grote kracht tegen zijn achterhoofd en de dikke man zonk langzaam door de knieën. Hij bleef op zijn handen steunend verbaasd naar de grond zitten staren, terwijl het donkerrode bloed in zijn nek begon te druppen. Niemand sprak. Hij kwam pas aarzelend overeind toen een tweede steen rakelings langs zijn oor suisde. Dat was het sein voor de andere kinderen om hem eveneens met keien achterna te gooien. De man zette er een waggelende draf in en bereikte de aanlegsteiger eer ze hem opnieuw konden raken. Pas toen hij na een paar vergeefse pogingen de motor op gang kreeg, durfde hij zijn vuist te ballen naar de vrouwen, die hem langzaam gevolgd waren naar de fjord.

„Tuig...!" schreeuwde hij stikkend van woede. „Smerige teven! Dit zal jullie berouwen! Ik zal zorgen dat je..."

Silvurbjörg slingerde een steen die hem de woorden deed inslikken, en hij moest zich schielijk bukken om niet opnieuw getroffen te worden. De motor loeide nu op volle toeren, en met schuim langs de boorden stoof de witte boot over het blinkende water van de Arnefjord.

Toen pas begon een van de vrouwen zachtjes te schreien.

Er was wat deklast aangespoeld op Fuglö in de Skardebaai, een paar lege vaten en wat houtwerk, maar niemand hoefde daarvan te weten dan alleen Helgi Hildurson. Op het vogeleiland woonden geen mensen; hij was er met zijn geweten en met de honderdduizenden vogels alleen. Papegaaiduikers, en wulpen, en oesterduikers, en meeuwen, die waren veel belangrijker dan zijn geweten, want hij zou geen honger lijden zolang hij het net had en zijn feilloos geweer.

Toch was hij erg blij met de lege vaten, die van de Gardar waren aangespoeld. Hij zou vlees en vis moeten inzouten voor de lange, donkere winter, die zo na ophanden was. In de donkere maanden deed geen enkele vogeljager Fuglö aan; het kon wel een half jaar en langer duren eer ze zijn verblijfplaats gingen ontdekken; ze waren veel te bang voor de trollen en kadodders, die in de spelonken en krochten huisden, en voor de alvermannen, die nu eenmaal op ieder onbewoond eiland verblijven.

Helgi houtepoot had een prachtige spelonk ontdekt aan de voet van de Stapi, landinwaarts en afgekeerd van de ijzige noordenwind. De ingang kon hij afsluiten met het stuurboordsluik van de Gardar, dat reeds een dag na hem de kleine baai kwam binnendrijven. In de grot vond hij een bed van gedroogd zeegras en de resten van een stookplaats, sporen die erop wezen dat hier vogeljagers waren geweest. Kerels van Svinö misschien, waar de brutaalste rovers van de Norderöer woonden. Houtepoot brak er zich het hoofd niet over; hij was blij met het nest, en blij met het hol, en blij met de deklast, die van lieverlee begon aan te spoelen. Hij had geen gunstiger tij en stroming kunnen kiezen om het zinkende schip te verlaten, en de korte storm was hem genadig geweest...

Minder blij was hij met het lijk dat hij een paar dagen later op het smalle kiezelstrand vond. Hij hoopte maar dat ze niet alle zeven hier gingen aanspoelen, want dan kon hij wel aan het begraven blijven. Hij ving met zijn net een paar oesterduikers en roosterde ze boven het vuur in de krocht. Later vond hij de kracht om het lijk van Lon Krambud landinwaarts te slepen. Aan de uitloper van de Stapi lagen stenen genoeg om er de hele crew mee te bedekken.

Stuurman Krambud leverde hem niets op; hij had geen laarzen meer aan en zijn baaien hemd was aan flarden. Houtepoot aarzelde nog even of hij hem zijn broek zou uittrekken, een beste pilose broek, maar hij zag er toch tegenop, en hij bedekte het lijk met helmgras en stenen. Hij kon zich niet herinneren ooit zo moe te zijn geweest. Hij ging op het nest liggen en sliep onmiddellijk in. Toen hij ontwaakte, was het stikdonkere nacht. De storm was uitgeraasd, maar de branding liep met oorverdovend lawaai tegen de rotsen te pletter. Hij hoopte dat er nog wat meer deklast zou aanspoelen, of wat houtwerk voor het vuur, geen grote stukken die maar strandjutters naar Fuglö zouden lokken, en vooral geen lijken!

Hij ging liggen wachten op de dageraad, die veel te traag kwam aangekropen. Tegen het morgengrauwen viel hij weer in slaap, en de korte dag verstreek eer hij met een schriksnork ontwaakte. Helgi Hildurson vloekte vol overgave. Hij wist dat hij dit nog vaak zou doen, om eens een ander geluid te horen dan het gekrijs van de vogels of het geruis van de branding.

„En práten!" zei hij. „Ik zal hard moeten praten, of ik ga het verleren." Toen lachte hij bitter. Hij gaf zich niet veel kans het praten te verleren, want de winter mocht vijf maanden duren, maar daarna zouden weer de vogeljagers komen met hun kleine boten; de brutale schooiers van Svinö, de kerels van Bordö en Viderö, die de eieren roofden en vlees in de pot wilden. Zij zouden zich niet alleen bij de steile vogelrotsen ophouden, maar sommige branieschoppers zouden aan land gaan en in kleine groepjes het eiland doorkruisen tussen de getijden. Die gingen de eenzame mens ontdekken en het over de hele Norderöer rondvertellen, dat niet àlle kerels van de Gardar waren omgekomen... Een tijdje later kon hij de dienders van Klaksvig verwachten. Dan begon de jacht opnieuw; ze lieten een moordenaar nooit lang met rust...

„Dat is dan van later zorg," besloot hij. „Voorlopig denken ze dat ik zo dood ben als Lon Krambud; voorlopig heb ik een lange winter respijt, tenzij de halve Gardar hier aanspoelt."

Toen aarzelend een nieuwe dag aanbrak, nam hij zijn koperen eenoogkijker en begon langs de zuidelijke helling van de Stapi omhoog te klauteren. Hij deed er uren over om de vierhonderd vijftig meter hoge kruin te bereiken, want de naakte berg was glibberglad van de regen, maar het loonde de moeite. Toen hij de bolle kruin bereikte, brak een bleek waterzonnetje door het wolkendek. De zee lag als een verweerde spiegel rond het eiland, met donkere wolkenvlekken en helle plekken zonneglans.

Hij tuurde de einder af naar wrakhout, maar er viel geen spoor meer van de Gardar te bekennen. Geen resten van deklast of vleet, die de jutters naar Fuglö konden lokken. Hij had wel graag wat meer hout geborgen, maar het was beter zo. Hij gespte zijn altijd kwellende beenstomp los en lag een tijdlang uit te hijgen onder de bleke zon, die geen warmte meer gaf. Meeuwen en strandvissers vlogen krijsend over hem heen. Een papegaaiduiker bleef een ogenblik laag boven de bewegingloze mens hangen, om zich te vergewissen dat die niet werkelijk dood was.

„Ik bèn dood!" schreeuwde Hildurson. „Iedere stommeling op de Norderöer weet dat Helgi houtepoot met de Gardar is vergaan! Rot òp, stinkbeesten, en gun mij m'n eeuwige rust; de dienders doen het ook!"

Toen richtte hij zich op en begon zijn beenstomp weer aan te gespen. De zon trok zich terug achter het grauwe wolkendek. Eer hij zijn houten poot gesnoerd had, was de zee een smerige lei en de regen viel bij stromen op hem neer, doordrenkte en verkilde hem tot op het bot.

„Ik verzuip," gromde Helgi houtepoot. „Ik ben verzopen met al het tuig van de Gardar; ik ben zo dood als Lon Krambud daar onder de keien, en het kan me nog niks verdommen ook..."

Maar intussen deed hij zijn uiterste best om niet langs de glibberflanken van de Stapi naar beneden te storten. Hij had de kijker aan een riem over zijn schouder gehangen en hij klauwde zijn beide handen rond iedere steun die de rots hem te bieden had. Toen een rolsteen onder zijn beenstomp wegschoof en met donderend geraas in de diepte verdween, gilde hij als een varken, want Helgi de moordenaar vreesde niets zozeer als de dood. Minutenlang lag hij zijn zenuwen uit te janken op een brede richel, hoog boven het graf van stuurman Krambud. De rolsteen was erop te pletter geslagen en uiteengebarsten; Lon Krambud rustte onder een halve ton steen, vers gestrooid uit Stapi's kruin. Bevend van angst en kou vervolgde houtepoot de afdaling. Hij herademde toen hij halverwege de zuidflank aankwam, waar de helling zo steil niet meer was. Toch durfde hij nog niet op zijn houten stomp vertrouwen, want de regen sloeg hem bij vlagen in de rug.

„Alle tijd van de wereld," hijgde hij, „en maar één leven te verspelen..."

Daarom kroop hij als een aangeschoten beest naar beneden, op twee voorpoten en één knie, de houten stomp als een vreemd-soortige staart achter zich aan slepend. Geen risico voor Helgi Hildurson...!

De vroege schemer hing over Fuglö eer hij zich bewust werd dat hij rechtop kon gaan als een volwaardige mens. Met een scheve grijns aanschouwde hij de keien en scherven, die in de steen-storting op Krambuds graf gebolderd waren.

„Ik had mij heel wat moeite kunnen besparen," grinnikte hij, „als ik daar boven wat rolstenen had losgewrikt, in plaats van mij uit de naad te werken aan zijn graf..."

Toen vluchtte hij zijn hol in en schoorde het luik van de Gardar ervoor, want Helgi Hildurson was niet zo bijgelovig als het volk van de Norderöer, en stuurman Krambud lag veilig onder de keien, maar met trollen en alvermannen moet je toch altijd op-passen...!

6

De ratten

Het gerucht verspreidde zich slechts langzaam over de eilanden van de Norderöer, want de kleine boten voeren niet meer uit in de donkere maanden, en al de vissersschepen lagen binnengaats. De vogeljagers bleven thuis, de dagen waren veel te kort tussen november en april, slechts weinige uren grauw licht, met ijzige regenvlagen om de noord. Later kwam de sneeuw. Het was de tijd van griezelverhalen en angst voor boze geesten. De tijd van de grote stormen brak aan. Varig, de trollenkoning, waarde in het duister rond, en soms kon je Loki horen huilen boven het ge-kreun van de wind. De mensen bleven in hun huizen, zo lang de trollen regeerden...

De vrome burgers van Koningsdal waren de eersten die begon-nen te vermoeden welke ramp het dorp van de heidenen had ge-troffen. Zij konden over het opgezweepte water van de Arne-fjord de steiger van Skard zien, maar die bleef leeg...

„De Gardar houdt het lang uit, zo rond de noord," zeiden zij tot elkaar. „Er ligt al sneeuw op de Murgandyr. Het is de Heer verzoeken, om nu nog buitengaats te blijven..."

Zij wilden de een de ander niet bekennen waar zij in stilte aan dachten. De smaad van mooie Myrna was nooit gewroken. De heidenen hadden haar uit hun midden geroofd en na drie jaren in een eiken kist teruggebracht.

Geen visser van Koningsdal waagde zich in Skard en geen vogeljager zocht zijn geluk op de Burhella of langs de steile rotsen van de Murgandyr.

Maar de heidenen hadden wèl de winkels van Koningsdal bezocht, als dat zo in hun kraam te pas kwam, en onvervaard klonk hun geschreeuw in de smalle straten.

Misschien had de wrekende God eindelijk al die brutale bekken gesnoerd en de vloek van dominee Rasmussen in vervulling doen gaan... Maar zulke dingen zeg je niet luidop, want als het waar is dat de Gardar niet weerom komt, zijn daar aan de overkant van de fjord een handvol vrouwen en kinderen in nood; heidenen weliswaar en onwettig tuig, maar toch... Als de Gardar met man en muis is vergaan...

Kleine Frodin Nielsen, de scheepsjongen die zijn plaats aan houtepoot had moeten afstaan en nu voor Koningsdal voer, kreeg van zijn schipper verlof om eens aan de overkant te gaan kijken, zodra de storm zou zijn uitgeraasd, die nu al dagenlang de Norderöer teisterde. Hij mocht de sloep van de Bordövig lenen, als Joan Wadslund met hem meeging en het verbod van schipper Eiki durfde negeren.

„Als rooie Eiki dood is, hééft hij niks meer te verbieden," zei de jonge Wadslund vol zelfvertrouwen, „en àls de Gardar nog ooit weerkeert, zien wij haar toch zeker wel aankomen en dan zijn wij binnen de kortste keren terug aan de kade van Koningsdal."

Toch wachtte de schipper van de Bordövig nog verscheidene dagen eer hij zijn kleine sloep aan de jongens durfde uitlenen. De storm, die zo lang het water van de Arnefjord tot kolkend schuim had geranseld, was tenslotte uitgewoed en de schipper kon zelf zijn nieuwsgierigheid niet langer bedwingen.

„'t Is nog een beste houten sloep," sprak hij bezorgd, „dus breng hem zonder averij terug, want je kan nooit weten, met dat tuig daar aan de overkant."

„Wij zijn toevallig een beetje familie van dat tuig," zei de jonge Wadslund, „ik wou alleen maar even gaan zien of m'n lamme vader niet door de ratten wordt opgevreten, met al die kerels veel te lang op zee. En kleine Frodin wil weten of hij nog iets voor zijn moeder kan doen." Hij keek de schipper schuins aan van onder zijn wenkbrauwen. „En je brandt zelf óók van nieuwsgierigheid of er ting is van de Gardar."

De schipper spuwde op de kade.

„Je hebt veel praats, voor een lichtmatroos die hier genadebrood eet," sprak hij zuur, „ik zou nu maar gauw gaan, éér ik mij bedenk en m'n kostelijke sloep aan de kade hou!"

De kleine Frodin zat al ongeduldig in de boot en keek bezwerend omhoog naar Joan Wadslund. Wat deed die nou nog op het laatste moment de schipper tegen zich in het harnas te jagen! Daar had je het gedonder al.

„Ik geef jullie een uur..." zei de schipper met een blik op zijn groot koperen horloge, en toen de jonge Wadslund verontwaardigd vloekte: „En géén godslasteringen op de kade van Koningsdal, matroos! Bewaar je vuilbekkerij maar voor de heidenen van Skard."

„Maar we hebben al een uur nodig om met dit weer de fjord over te steken!" protesteerde Joan.

„Heen en terug, ja," beaamde de schipper. „Jullie zijn twee ferme roeiers; heen en terug in een uur!" Hij liet zijn fletse blik over de Arnefjord dwalen, die vol schuimkoppen onder de grauwe hemel lag. „En dàn nog een uur om naar ting van de Gardar te informeren, méér kan ik niet verantwoorden."

„Ai, ai, skipper!" zei de jonge Wadslund opgelucht, en hij berekende alvast hoeveel ratten je in een uur kon doodknuppelen, als je geluk had. Hij sprong in de boot en hij hing al aan de riemen eer kleine Frodin de vanglijn had losgegooid van de bolder. Het bootje begon te bokken op de korte golfslag, maar de jongens zetten zich schrap tegen de doften en rukten de zware riemen door het water om minuten te winnen. Vanaf de kade keek schipper Solstein de kleine sloep na, die in een baaierd van ijskoud schuim over de Arnefjord steigerde.

„Puikbeste roeiers," gromde hij tevreden, „ze gaan er een kwartier op overhouden. Maar dat smerige gevloek zal ik de jonge Wadslund afleren...!"

Tor Wadslund, de vogeljager, kon alleen nog maar schreeuwen als een varken. Dat deed hij dan ook vol overgave zodra hij de ratten gewaar werd. Zij hadden hem twee tenen afgevreten en een oorlel; het bloed droop in zijn nek, eer vrouw Wadslund licht had gemaakt en de zware koekepan gevonden. Kleine kinderen konden trappelen, of krijsend naar hun moeder vluchten wanneer zij de ratten hoorden, maar het grote stuk vlees dat eenmaal de kwieke vogeljager van Bordö was geweest, lag bewegingloos gestrekt onder de binten. Tor Wadslund kon niet om zich heen slaan en niet trappelen als de kinderen; hij moest lijdzaam afwachten of het gebroed ging aanvallen, en zich verzetten tegen de slaap, die hem soms overmande.

Nu bleef het olielampje branden, de hele nacht, en Karen sliep als een trouwe teef op de vloer naast zijn bed. In hetzelfde vertrek lagen de twee meisjes, die niet meer naar de vliering durfden. De vliering was nu het domein van de ratten. Zij trippelden en zij krijsten en zij gingen er tekeer, maar zij vonden geen voedsel meer. Daarom verscheurden zij soms elkaar, en sòms loerden zij met hun blinkende kraaloogjes naar het grote, bewegingloze stuk vlees daar beneden en zij konden nauwelijks hun ongeduld bedwingen.

Tor Wadslund werd er half gek van. Het wachten. Recht omhoog staren naar het gat in de zolderbalk, waar soms de splinters uit vielen. Luisteren naar het treiterende geknaag, en wachten... Hij was verlamd tot in de toppen van zijn vingers, die blauw en doorschijnend waren; tot in zijn aangevreten tenen, waardoorheen de pijn vlamde alsof er voortdurend aan het bot geknaagd werd.

Misschien wáren het niet de ratten. Sigga de heks had een groene trekzalf op de wonden gesmeerd en zijn voeten omzwachteld. Hij was een bewegingloos, ademend lijk. Alleen zijn mond bewoog, en hij had nog zijn grote stem, waar Karen en de kinderen bang van waren, bijna zo bang als van de ratten. En hij kon zijn ogen verdraaien en je verschrikkelijk aanstaren; hij keek dwars door je heen en dan zei hij soms de dingen die je diep in je binnenste had gedacht. Want hij kon nog praten. Hij kon vreselijke dingen zeggen en je vervloeken. Daarom was het maar beter bij hem te blijven en al die dingen precies te doen zoals hij ze beval.

Zo tiranniseerde Tor Wadslund zijn gezin. Tor de vogeljager, die zich nu de enige kerel in Skard waande, want de oude Oli Barmur, die giechelend en kwijlend het einde zijner dagen wachte, telde vanzelf niet mee.

En toch leed zotte Oli aan hetzelfde waanidee als Tor de vogeljager: dat een kudde slechts door de stier geleid kan worden...
Maar Sigga de heks had hem ànders geleerd!
Steunend op zijn knoestige stok was zotte Oli naar „De Zeemeermin" komen strompelen, een paar dagen nadat de vrouwen
en de kinderen Birgir Marsten hadden gestenigd. Dat had hij
grootogig en met bonzend hart aangezien vanuit zijn hut, hoe
de dochter van rooie Eiki de eerste steen tegen het achterhoofd
van de dikke reder slingerde... Hoe de vrouwen het zwijgend
lieten gebeuren... De man was overeind gekrabbeld en op een
sukkeldraf naar de steiger gevlucht, verbijsterd dat zo iets hèm
kon overkomen. Een dun straaltje bloed droop langzaam in zijn
nek, en de kinderen hadden hem zwijgend achtervolgd, hadden
hem een regen van stenen achterna geslingerd, want hij was de
onheilsbode die onbewogen had gemeld dat de mannen van
Skard naar de haaien waren...
„Nou ben *ik* de man van Skard!" giechelde zotte Oli, toen de
omvang van de ramp zo'n beetje tot hem begon door te dringen.
„Sigga, ik ben nou de màn van Skard, want lamme Tor telt vanzelf niet mee! Die kan geneens kakken zonder dat ie erbij geholpen wordt!"
De heks keek hem aan, zoals hij daar in haar kroeg zat, de karikatuur van wat hij beweerde te zijn, een scharminkelig kereltje,
nog ouder dan zij en bibberend naar het graf gebogen.
„Zeg dat wel, Oli Barmur," kakelde de heks, „lamme Tor dient
nergens meer voor; die zullen we met z'n allen te eten moeten
geven, zoals we het al die jaren hebben gedaan... Zoals we jóú
onderhouden hebben, sedert mijn zoon je heeft afgedankt."
In de stilte na haar woorden huilde de wind. Buiten, in het duister, waarde Loki rond, en Varig misschien. Zotte Oli wenste dat
hij maar in zijn hut gebleven was, bij het houtskoolvuur. Hij wist
al lang niet meer waarom hij naar „De Zeemeermin" was gestrompeld.
De heks schonk hem een kroes bier, die hij beverig naar de mond
bracht. „En jij, zotte Oli, wat denk *jij* nog te kunnen doen om
Skard in stand te houden...?" Haar donkere ogen keken minachtend op hem neer. „Ga je schipper Eiki vervangen misschien,
of stuurman Krambud...?" Zij zette haar handen in de zij en ze
trachtte geen meelij te hebben met de oude dwaas, die zich verslikte in zijn bier toen hij verschrikt naar haar opblikte. „Denk

je soms dat je ons van enig nut kan zijn, Oli Barmur, of meen je dat een overjarig mannetjesdier nog voorrechten boven de wijfjes heeft...?"

Zotte Oli keek haar wezenloos aan. Een paar woorden tegelijk kon hij wel verwerken, maar de heks moest het allemaal niet te ingewikkeld gaan maken.

„Ik... ik ben nou de màn, hè...?" zei Oli koppig. „De enige volwassen man van Skard... 't Is dàt maar wat ik zeggen wil."

Silvurbjörg kwam uit het achterhuis en de oude staarde haar aan met een blik van herkenning. Haar rooie haren en fletsblauwe ogen deden hem aan schipper Eiki denken.

„'t Is al goed hoor, Oli," zei het meisje verveeld, „jij bent voortaan de man van Skard. Moeten we daar blij om zijn...?"

„Hij is niks!" beet Sigga haar toe. „Laat de gek geen verbeelding krijgen, want hij is gewoon een blok aan het been, precies als Tor Wadslund, die we óók te vreten moeten geven! Precies als al het klein grut, waar we voor te zorgen hebben, wil het niet creperen!" Zij wendde zich weer tot de oude Barmur. „Dit is voorlopig de laatste kroes die ik je schenk, Oli... Je zult eraan moeten wennen om het water uit de beek te drinken, als je je leven nog een beetje rekken wilt, en het voer te slikken dat de vrouwen je schenken, want de gouden dagen van Olaf de reus zijn lang voorbij! Er is geen schipper meer die afgedankte kerels als jou en lamme Wadslund een mannenpart op de besomming kan toewijzen. Voortaan eten jullie genadebrood zo lang de voorraad strekt. En laat het in dat dwaze hoofd van jou niet opkomen dat een oude stier belangrijker is dan de jonge koe, want het zijn de vrouwen van Skard die voortaan het brood moeten verdienen!"

„Och, láát hem toch!" sprak Silvurbjörg gedempt. „De ouwe gek kan dat allemaal niet meer verwerken."

„Zo is 't maar nèt!" giechelde Oli Barmur tevreden. „*Ik* ben nou de enige kerel van Skard!" En om zijn dankbaarheid te tonen: „Weet je wel dat je sprekend op rooie Eiki lijkt, Silvurbjörg? Maar nog véél meer op mooie Myrna, die we tussen vier planken naar Koningsdal hebben teruggebracht. Wat zullen ze zich dáár nou bezeiken van de lol...!"

Zotte Oli begreep niet waarom de oudste dochter van rooie Eiki hem nu ineens een draai om de oren gaf, zodat zijn muts door de gelagkamer keilde. Hij was zo schamel in haar sterke armen. Terwijl de heks de deur voor hem openstootte, greep Silvurbjörg hem in de kraag van zijn jopper en in zijn kruis. Hij sloeg twee-, drie-maal over kop en kont, eer hij jankend in het duister bleef liggen en in de wind, die van de trollekop kwam aangerend als een woe-dend beest. Hij huilde een beetje, zo maar zacht voor zichzelf; hij voelde de pijn in zijn broze botten, en hij had zijn linker enkel verstuikt. Daarom jankte hij nu zacht als een getrapte hond, om-dat hij de dingen niet begreep en niet wist wat hij verkeerd kon hebben gezegd. Het was opeens niet lollig meer om dè man van Skard te zijn...

Hoe lang heeft hij daar in het duister gelegen onder de woedende stem van de wind...? Hij sloeg zijn bevende handen voor z'n ogen, om Varig niet te zien, die van ergens in het donker op hem loerde.

Later voerde de wind kleffe sneeuwvlokken met zich mee. Zotte Oli probeerde op te staan, maar de wind was sterker dan hij, en zij hadden hem zijn stok niet achterna gesmeten. Toen is hij maar op handen en knieën naar zijn hut gekropen, en die was gelukkig niet zo ver meer.

„De màn van Skard," jankte hij, terwijl hij tastend zijn weg door het duister vond, „de enige èchte man van Skard... En ze hebben geeneens respect voor mij..." Toen was hij bij zijn hut, die daar eenzaam aan de rand van de bergwei stond, en hij blafte als een hond om Loki te bezweren, die hem misschien wel in de nek kon bijten, Loki de wolf, die het evenzeer op de mensen als op Varig voorzien heeft. Maar Loki was niet in zijn hut. Het houtskoolvuur spreidde nog een vaalrosse gloed langs de plavuizen, een weife-lend licht. Daarin zag hij de kleine, zwarte gedaanten wegflitsen, toen hij de kamer binnenkroop. Het wàs Varig niet, stelde hij tevreden vast, en het kon Loki niet zijn, want ze krijsten terwijl zij naar de donkere hoeken vluchtten. Het waren de ratten, die met de dag brutaler werden. Het waren slechts de ratten, en die vreten geen levende mens...

Zo verging het de mannen van Skard.

Later zijn de twee jongens met de sloep gekomen. Zij hadden zich de blaren in de handen geroeid om minuten op de wind en het tij te winnen. Schipper Solstein had goed gegist: zij wonnen een kwartier op de oversteek van de Arnefjord en dat is een mooie prestatie bij noordoostenwind.

Met een grijns van oor tot oor meerde Joan Wadslund de sloep aan de gammele steiger van Skard en hij beval kleine Frodin als de gesmeerde bliksem naar „De Zeemeermin" te rennen om te horen of er ting van de Gardar was. Zelf had hij wel wat anders te doen in de tijd die hem restte. Hij slingerde zijn zeildoekse plunjezak over de schouder en begaf zich met lange stappen naar het huis dat hem door rooie Eiki ontzegd was.

Halverwege de weide kwamen zijn zusjes hem al juichend tegemoet. De kleine Helga vloog hem onstuimig om de nek, kuste hem op beide wangen en constateerde met een vies gezicht dat hij prikkeltjes had, net als va. Lachend zwikte Joan het kind op zijn schouder, en hij gaf Hanna zijn plunjezak te dragen.

„Hoe is 't met va?" wilde hij weten.

„Hoe zóú 't zijn?" mokte Hanna. „Je kent 'm..."

Joan knikte. Ja, hij kènde de huistiran. Het was niet voor zijn plezier, dat hij het huis op de rots bezocht.

„Veel ratten, dit jaar?" vroeg hij met een bezorgde blik op het kleine zusje, dat tegen zijn schouder hing.

„Honderdduizend!" zei het kind grootogig starend. „Kom jij ze wegvangen, Joan?"

„Ik sla ze allemaal te barsten!" beloofde hij gul. „Waar dacht je anders dat ik voor kwam?"

„Je mag nooit meer weggaan!" bedelde het kind.

„Schipper Koyring is er niet meer," hijgde Hanna, die moeite had om zijn lange passen bij te houden, „die kan je alvast niet meer wegjagen uit Skard."

De jonge Wadslund hield even de pas in en keek zijn zusje van terzijde aan.

„Wéten jullie iets...? Is er ting van de Gardar?"

„Marsten is hier geweest," zei Hanna, „de ouwe niet, maar de dikke. Nou, en Silvurbjörg, hè, wat die durft!" lachte het kind. „Die gooide de allereerste steen! Beng! Tegen zijn dikke kop, en er kwam blóéd in zijn nek, en toen ging hij ervandoor, de lafaard! Nou, en toen hebben we met z'n allen stenen naar hem gesmeten, tot ie weer in z'n boot zat! Ik heb hem wel drie keren geraakt, want ik kan goed gooien, hoor! Maar Silvurbjörg, die mikt nog veel beter! Oei, die kan zo mirakels goed gooien; als *die* een steen pakt..."

„Maar waar was dat allemaal voor nodig?" onderbrak de jonge Wadslund haar verbaasd. „De dikke Marsten, notabene...!"

„Nou, da's óók wat!" zei Hanna verontwaardigd. „Die papzak beweerde dat de Gardar naar de haaien is, en dat de mannen van Skard nooit meer terugkomen! Is dat echt waar, Joan? Komen de mannen niet meer terug...?"

„Ik ben bang dat hij gelijk heeft," antwoordde de jongen met een diepe denkplooi in zijn voorhoofd. „Ik denk dat jullie hier een zware tijd gaan beleven, Hanna..."

„O, maar nou de schipper er niet meer is, kan jij hier weer terugkomen," lachte het kind onbezorgd, „dan kan jij weer voor ons zorgen, Joan."

„Ik kan voor jullie alléén maar zorgen zolang ik op een logger van Koningsdal vaar," bromde Joan. „Je weet dat moeder het geld nodig heeft."

„De ratten..." huiverde kleine Helga terwijl zij haar vlasblonde kopje tegen zijn wang vlijde. „Joan vangt al de ratten weg uit ons huis...!"

Zij waren aan de hut van de vogeljager gekomen, en vrouw Wadslund kwam haar zoon bij de deur tegemoet.

„Joan, m'n jong, dat je er toch bènt!" verwelkomde zij hem. „Dat je toch weer bij ons mag komen!"

Uit het huisje klonk de woedende kreet van Tor Wadslund, en de vrouw wierp een schichtige blik over haar schouder.

„Geen land meer met hem te bezeilen..." fluisterde zij. „Hij wordt zó gemeen, de laatste tijd."

„Karen!" klonk het geschreeuw van de lamme. „Alle duivels, Karen, waar hang je nou weer uit? Moet het tuig me dan levend verscheuren? Is dàt waar je op wacht? Kàren!"

„Lo, ouwe!" lachte Joan, terwijl hij het vertrek binnentrad waar Tor Wadslund in de stank van zijn zweet gestrekt lag. „Hoe gaat het ermee?"

Tor de vogeljager wierp een blik vol afgunst op zijn zoon, die met rode wangen en een tinteling van levenslust in de ogen bij zijn bed stond. Deze jongen had alles nog vóór zich; hij kon het leven naar zijn hand zetten, hij was een bewegende, viriele mens. Hij kon staan en lopen, en een vrouw te kooi leggen; hij kon al de dingen doen die hèm onthouden bleven.

„Vang dat tuig weg, ellendeling!" verwelkomde Tor Wadslund zijn zoon. „Waar ben je zo lang gebleven, terwijl je weet hoe ik hier lig te wachten tot ze mij levend verscheuren?" Hij staarde naar de gespleten zolderbalk. „Ze zijn daar boven," klaagde hij,

„de hele bende! Ze wachten gewoon tot ze mij kunnen opvreten! Dóé er wat aan, voor de duivel!"

Joan verloor verder geen tijd aan de klaagliederen van zijn vader. „Ik heb een uur," zei hij, „méér gunt de schipper mij niet. Ik ga zien wat ik eraan doen kan." Hij was het vertrek al uit, waar hij de dood geroken had, die geduldig over de krib van Tor Wadslund leunde. „Geef mij de lamp," zei hij tegen zijn moeder, „en stuur de kinderen zolang naar buiten, want het wordt een rotkarwei." Toen nam hij het vogelnet met de korte steel, dat Tor Wadslund in zijn gloriedagen had gebruikt om de oesterduikers te verschalken, en een korte, zware knuppel, die hij van Koningsdal had meegebracht. Hij sloop de krakende vlieringtrap op, met de lamp boven zijn hoofd. De stank van bloed en rottend vlees sloeg hem tegen zodra hij zijn hoofd boven het zolderluik stak.

Het was nog erger dan hij had verwacht. De ratten vluchtten niet eens voor de mens met de lamp. Zij trokken zich slechts in de duistere hoeken terug, waar zij ongestoord verder gingen met elkaar te bevechten. Overal verspreid op de zoldervloer lagen darmen en rauw vlees. Het gekrijs van een oude rat, die werd uiteengescheurd, klonk hem tegen terwijl hij de lamp voorzichtig midden op de vloer zette en het luik achter zich sloot. Met het vogelnet in de ene en zijn vervaarlijke knuppel in de andere hand sloop hij naar de duistere hoek, waar een aantal grauwe ratten piepend en krijsend aan het vechten waren. Hij viel op de knieën en sloeg het net over hen heen. Drie in één klap. Hij hield het net tegen de grond gedrukt en knuppelde ze dood eer ze aan de mazen konden gaan bijten. Hij smeet de dode krengen midden op de zoldervloer, in het licht van de lamp, waar zich een plasje donkerrood bloed vormde, dat langzaam uitdijde. Nauwelijks had hij zich met het vangnet naar een andere hoek gewend, of achter hem sleepte het brutale tuig de dode krengen weg, vechtend om hun deel in de buit.

De ratten waren overal, in elke duistere hoek van de vliering en in de nok langs de hanebalken. Ze vielen hem aan, hij moest ze dansend en stampend van zijn lijf houden. Hij zwaaide zijn net en hij knuppelde ze dood. Sommige brak hij slechts de lende of hij verbrijzelde hun poten. Die kropen nog over de vloer met verlamd achterlijf, ten prooi aan hun soortgenoten. Een rat als een konijn deed een aanval op het net, eer Joan het over de krijsende, wriemelende troep had kunnen slaan. De rat beet er een stuk uit, maar de jongen kraakte zijn lende. Krijsend tolde het beest nog om zijn as, de gele, vlijmscherpe tanden blinkend in de lampeschijn.

Van beneden klonk het gebrul van Tor Wadslund, die beweerde dat de loeders aan zijn tenen knaagden, maar Joan lette er niet op. Hij had halswerk om zèlf niet vanaf de hanebalken te worden besprongen. Hij zwaaide zijn net en hij hanteerde de knuppel als een dorsvlegel. Hij ving de ratten met twee, drie tegelijk en hij slachtte ze genadeloos af. De beesten hielpen hem, zij stortten zich op de verlamden en de kreupelen, en die beten zij de strot af. Zij sleepten ze stuiptrekkend in het duister, en het werd pas na lange tijd zo stil, dat Joan even hijgend op adem kon komen.

Hij nam de lamp, hij glibberde over de vuiligheid en hij achtervolgde de laatste ratten tot in de nok. Nog twee, nog drie... Zij sprongen uit de hanebalken en ze deden een aanval op zijn gelaat. Hij schopte, en hij sloeg ze van zich af en hij zwaaide het net van Tor de vogeljager, die daar beneden nu lag te huilen als een kind.

Vrouw Wadslund was bij hem. Zij scheurde een oud hemd aan repen, zij verbond zijn aangevreten tenen. Haar ogen stonden wijd van ontzetting toen de jongen bezweet en hijgend de vlieringtrap afkloste en het vertrek binnenkwam.

„We gaan hier dood," zei ze. „We worden hier levend opgevreten door dat tuig, Joan! Je moet bij ons blijven, of we komen allemaal om!"

„Onzin," zei de jongen moe, „ik heb ze uitgeroeid, ik, in m'n eentje... Vroeger deden we dat met drie man tegelijk, maar toen waren het er zo véél niet." Hij blies de lamp uit en zette die op de tafel. „Vervloekt, wat 'n troep! Je mag de vliering wel een keer boenen, want ze rotten daar weg. Je hoeft voorlopig niet bang te zijn, ik heb ze allemaal..."

Op hetzelfde ogenblik hoorden zij boven het bed van de lamme weer het treiterend geknaag beginnen. Tor staarde naar de gescheurde zolderbalk en wierp dan een beschuldigende blik op zijn zoon.

„Nou ja," zei de jonge Wadslund, „een páár hou je er altijd, daar hebben we mee leren leven, nietwaar? Ik heb trouwens ook nog vergif meegebracht; zorg dat de kinderen er niet bij komen." Hij haalde uit zijn plunjezak een blikken trommel te voorschijn en hij ging de trap weer op. Zijn schoenen blonken van het bloed dat eraan kleefde. Boven strooide hij in den blinde de vergiftigde tarwe over de vloer, tussen de rattekrengen. Hij strooide ze uit met de gulle hand van een zaaier.

„Dat was voor de overlevenden," grinnikte hij toen hij weer beneden kwam, „ze gaan er gegarandeerd aan kapot. Wacht nog maar een paar dagen met de vliering te schrobben, moeder, laten ze eerst maar creperen, die paar die er nog over zijn, en hou de kinderen daar vandaan."

„Alsof die naar boven zouden durven!" zuchtte vrouw Wadslund. „Wij slapen al weken met ons vieren hier in de kamer. Het is geen léven zo."

Joan ledigde de inhoud van zijn plunjezak op de keukentafel, bruine bonen en grauwe erwten, een harde worst en een stuk spek. Begerig keek de vrouw toe. Hij diepte uit zijn broekzak dertig kronen op.

„M'n gage en de afsnij," zei hij tegen zijn moeder. „Jullie zullen het kunnen gebruiken, deze winter, want als de Gardar verloren is..."

Op dat ogenblik kwam kleine Frodin, de scheepsjongen van de Bordövig, hijgend aangerend.

„Joan...! De heks...! Vrouw Koyring komt eraan...! Zij zegt dat je niet in Skard mag komen!"

Geërgerd keek de jonge Wadslund hem aan.

„De heks kan barsten!" grinnikte hij. „Als ik terugga, dan is het omdat de schipper op ons wacht, niet om die ouwe toverkol!"

„Laten we tòch maar gaan," drong kleine Frodin aan met een angstige blik over zijn schouder. „Het uur is om, weet je, en schipper Solstein heeft gezegd..."

„Ik weet goed genoeg wat de schipper gezegd heeft!" onderbrak de jonge Wadslund hem. Hij wilde door de scheepsjongen niet gecommandeerd worden, maar de schipper, dat was wat anders...

Hanna en Helga kwamen aangelopen uit de geitewei.

„Joan moet hier blijven!" bedelde Helga. „Joan vangt alle ratten weg!"

„Ze zijn al tot de laatste uitgeroeid," lachte de jonge Wadslund, terwijl hij de lege plunjezak over zijn schouder slingerde. „Ik moet nu weer gaan, kleintje, want de schipper heeft ons nodig, hè, Frodin?"

„Kan niet buiten ons," zei Frodin trots. Toen wierp hij een blik achterom en de woorden bleven hem in de keel steken.

Rond de hoek van het huis kwam Sigga de heks aangestrompeld, steunend op haar stok, en de oude dubbelloops van Olaf de reus aan een riem over haar magere schouders. Zij bleef op een paar passen van de jongens staan en liet haar koolzwarte ogen op Joan rusten.

„Dit is wel de laatste keer dat ik jou in Skard aantref, jonge Wadslund!" kakelde zij. „Je weet dat het hier verboden terrein voor jou is, sedert de schipper je van boord heeft getrapt, of ben je zó hardleers...?"

„Maar hij is mijn zóón!" kreet vrouw Wadslund verontwaardigd. „Mag hij alsjeblieft zijn zieke vader bezoeken? Wie geeft jou het recht..."

„Rooie Eiki zal nooit meer iemand van boord trappen!" hoonde Joan. „Als ik naar Koningsdal terugga, dan is dat omdat de schipper van de Bordövig op ons wacht. 't Is maar dat je 't wéét, Sigga! Ik heb evenveel recht om hier te komen..."

Als enig antwoord leunde de oude vrouw tegen de muur, om haar stok te kunnen ontberen, en zij richtte het geweer, dat veel te zwaar leek voor haar magere handen.

„Stel je niet aan met dat kanon," spotte de jonge Wadslund. „Ik ga omdat m'n schipper op mij wacht, en nergens anders om."

Op dat ogenblik flitste de blauwe vlam uit de dubbelloops en de kogel floot rakelings over zijn hoofd. De echo's van het schot daverden door het dal, ratelden na op de flanken van de Murgandyr.

Vrouw Wadslund stootte een krijsende gil uit en de kinderen begonnen luid te huilen. Vanuit het huisje klonk de stem van Tor de vogeljager, maar niemand schonk aandacht aan hem.

„Jij gaat omdat mijn zoon je hier weggejaagd heeft!" schreeuwde de heks. „En om geen andere reden, jonge Wadslund! Jij maakt als de bliksem dat je over de fjord komt, omdat ik hier de wet voorschrijf, begrepen?" Zij legde opnieuw aan.

De kinderen begonnen te schreien en Frodin Nielsen zette het bleek van schrik op een lopen. Woedend volgde Joan Wadslund hem naar de aanlegsteiger, langzaam, om nog iets van zijn figuur te redden, maar het hart bonsde hem in de keel.

„Voor een toverkol met een geweer gaat ieder verstandig mens wel even opzij!" riep hij over zijn schouder. „Hou je haaks, moeder; ik kom terug als ik dat wil; zal je zien!"

Het tweede schot daverde in de middagschemering, die als een gore deken over de Norderöer hing, en het lokte de nieuwsgierige vrouwen en de kinderen naar buiten. De jongens liepen geen gevaar meer, maar vrouw Wadslund en de meisjes waren hevig ontdaan.

„Dat zal de schooier léren wie het hier voor 't zeggen heeft!" kakelde de heks, met haar koolzwarte ogen op vrouw Wadslund gericht. En tot de vrouwen, die verbaasd rond de hut van de lamme samendrongen: „Ik heb Olaf de reus er weten onder te houden, met heel zijn grote bek...! Ik zei schipper Eiki wat ie te doen had, en hij danste braaf naar mijn pijpen... Denk niet dat Skard heeft afgedaan omdat er geen manvolk meer is...!"

„Maar onze Joan wou ons alleen maar hèlpen!" kreet vrouw Wadslund schreiend. „Hij kwam alleen 't rattetuig uitroeien. Wat is daar op tegen?"

„Niks!" antwoordde Sigga stug. „Als mijn zoon hem niet uit Skard gejaagd had. Nou wil ik hem hier niet meer zien." Zij keek dreigend het kringetje van de vrouwen rond. „En dat geldt voor dikke Marsten ook, 't is maar dat jullie 't weten, en voor die Jezusspringer uit Klaksvig evengoed, die zijn vloek over de mannen van Skard heeft gesproken!" Zij kwijlde een beetje uit haar ene mondhoek; het tabakssap liep langs haar verkreukelde kin. „En àl dat vrome tuig van Koningsdal!" krijste zij. „We gaan hier *niemand* dulden die met Olaf de reus of met rooie Eiki overhoop lag!"

Malena Jörleif, die Malena de hoer werd genoemd, stond vooraan in de kring. Zij was een potige jonge meid van rond de twintig. Iedereen kon zien dat Malena een kind verwachtte, maar zij wist zelf niet precies van wie. Het deed er zo weinig meer toe, nu al de mannen op de Gardar gebleven waren.

„Jij hebt makkelijk praten," zei Malena zuur, „maar het wordt dan wel verrekte moeilijk voor ons jonge meiden, om een kerel te vinden."

„Kerels genoeg op de Norderöer!" kreet de heks, terwijl zij in een gewoontegebaar het sap van haar kin veegde. „Kerels te véél, in Helledal, en Tjörndal, en in de stiften van Bordö. Wacht maar tot de winter voorbij gaat; ze zullen van heel de Norderöer naar Skard komen, zo gauw ze weten dat hier geen mannen meer zijn! Jij, Malena Jörleif, bent nooit zo kieskeurig geweest, en de anderen moeten óók maar water bij de wijn doen, als ze met alle geweld met een kerel te kooi willen. Mijn eerste zorg is hoe we met z'n allen de winter gaan doorkomen, en de rest regelt zich wel."

Het begon weer te sneeuwen met grote, trage vlokken. De vrouwen dropen af. Zij bleven niet langer staan trantelen van de kou, de moeders met hun kinderen aan de hand, de weduwen van Skard. Zij wilden helemaal niet met een kerel te kooi, voorlopig toch niet. Zij zagen in de lijkwade die over Bordö daalde nog de gestalten opdoemen van Rall Purkhüs, de laatste reus van de Norderöer, van Lon Krambud, en Bjarg Joensen, en Rusti Lassen, en Peder Jacobsen. Van rooie Eiki ook, en Helgi Hildurson houtepoot. Van al die kerels van Skard, die nu verstild lagen onder de kille deken van de oceaan. Nee, zij hoefden voorlopig niet met een kerel te kooi, maar zij misten de veilige geborgenheid en zij vroegen zich angstig af hoe zij de donkere maanden daarna zouden doorkomen. Zij waren nog verdoofd door de slag, maar reeds groeide de verbittering, omdat zij met de kinderen waren achtergelaten, en de haat, omdat de hemeldragonder zijn vloek over het volk van Skard had gesproken. Misschien was het tòch verkeerd geweest wat de mannen met het paard hadden gedaan...

Rall de reus... rooie Eiki... Lon Krambud... Hun brutale bekken waren voor eeuwig verstild. In de grote stem van de wind, langs de flanken van de Murgandyr kon je Loki horen huilen...

7

De zendelingen

Die nacht kromp de wind naar het oosten en zelfs Loki huilde niet meer. Eerst waren er nog de sterren boven de Stapi en de Burhella. Zij fonkelden blauw en wit en goud boven Murgandyrs kruin. Later werden de sterren uit de hemel geveegd; toen begon uit de duisternis weer de trage sneeuw te dwarrelen, grote vedervlokken, wit in het licht dat door de kleine vensters naar buiten straalde, want overal brandden nu de olielampen. In iedere hut waakte een van de vrouwen over haar kinderen, of zij dommelde in op een stoel, de koekepan of een knuppel op de schoot. Een kleine jongen nam de nachtwake van moeder over, zijn oogjes gezwollen van de slaap en meer schrik dan vastberadenheid in zijn blik, maar hij was nu de man in huis en hij moest de ratten verjagen.

Sommige lampen begonnen te stomen en te roeten in de nacht, als de moeders en de kleine mannen waren ingedommeld, en een paar doofden er vanzelf uit. Daar dwarrelde de sneeuw langs duistere vensters, ongeweten en ongezien. Maar de grote witte vlokken daalden in gestage stroom langs de flanken van de Bur-hella en vlijden zich om Murgandyrs nek. De sneeuw daalde eerst geruisloos en later met zacht geritsel neer over het dorp van de heidenen, over het dal van de Glögvar en over de hele Nor-deröer.

Pas later begon het fijne getinkel, dat op strenge vorst duidde. Het begon te vriezen, maar de sneeuw bleef in al zijn ongeweten witheid neerdalen over de Arnefjord en de Bordövig, die nacht en de volgende morgen, die dag en nog een nacht en de volgende dag. Toen was de witte wade een halve meter dik op de flanken van de Burhella, maar dikker in het dal van Skard, waar acht armetierige hutten stonden rond „De Zeemeermin".

De hut van Tor de vogeljager stond apart, een eind lager aan de boord van de Arnefjord, waar je de kade van Koningsdal kon overzien. En de hut van Oli Barmur stond helemaal bij de trollekop, waar de schapewei begon.

Die twee mannen hadden in de kracht van hun leven steen op steen gestapeld met hun vereelte knuisten, en de leem gemengd met hun zweet. Zij hadden een eigen huis gebouwd, want zij wilden niet leven in de schaduw van „De Zeemeermin" en zij tartten Olaf de reus met hun eigengereidheid. Daar is in die jaren veel over te doen geweest...

Maar nu was Olaf de reus een schim uit het verleden en Tor de vogeljager een lamme pop, behoeftiger dan een kind. En Oli Barmur werd nog slechts gekke Oli genoemd, omdat hij grinni-kend en kwijlend het einde zijner dagen wachtte.

Voor gekke Oli kwam de dood wreder dan voor de mannen van de Gardar, want Oli was geheel uitgeblust toen hij aan zijn laatste reis begon; hij maakte geen schijn van kans... Oli Barmur was altijd een kleine, bange man geweest. De angst voor Varig, en Loki en al het trollengespuis had zijn hele leven beheerst. Nu waren daar nog de ratten bij gekomen, die hij geen baas meer kon. Ze hadden zijn brood en zijn vlees opgevreten en het weinige waar een oude vent nog behoefte aan heeft. Zij lieten hem een kale, leeggevreten hut, toen hij die avond op handen en knieën over de drempel kroop.

Had Silvurbjörg hem in haar woede zijn stok maar achterna gesmeten, dan had hij misschien zijn leven nog een beetje kunnen rekken, maar zijn stok lag in „De Zeemeermin" en zijn muts ook. Als een oud, moe beest was hij naar huis gekropen en onder de trollekop had hij een poosje liggen uitrusten. De wind riep toen nog met zijn vreselijke stem en Loki had er tegenin gehuild als een vrouw in barensweeën.

Later, in de hut, was alles stil geworden om hem heen, alsof zelfs Loki de adem inhield bij wat daar stond te gebeuren. De wind kromp naar het oosten en verloor zijn luide stem. Het was de nacht waarin de geruisloze sneeuw haar witte wade spreidde.

Oude Oli was nu in zijn hut met de ratten alleen, doch die boezemden hem niet meer angst in dan gisteren, dan al de dagen voordien, want zij hadden hem nog nooit aangevallen. Ze zouden een levende, bewegende mens wel met rust laten.

Zittend op de lemen vloer, in het laatste schijnsel van de sintels, trok hij kreunend zijn laarzen uit. Hij schoof een stoel bij de hoge krib en hij slaagde er met veel moeite in, zich op te trekken en in het stro te duikelen, geheel gekleed en bibberend van de kou.

„Ik had daar bij de trollekop niet mogen rusten," jankte hij zacht voor zich heen. „Misschien heb ik er wel geslapen onder het oog van Varig..."

Hij trok de deken over zijn gelaat en hij voelde de kou langs zijn voeten opkruipen, maar hij kon de moed niet opbrengen om ze te gaan toedekken. Hij had overal pijn en hij vroeg zich bezorgd af hoe dat nu met zijn verstuikte enkel moest, als de heks hem niet wilde genezen... Hij peinsde over Silvurbjörg, en wat hij verkeerd kon hebben gezegd om het meisje zo boos te maken... Zotte Oli kon het zich niet herinneren. Hij dommelde zo'n beetje in, en hij schokte weer wakker. De stilte beklemde hem. Varig waarde niet meer om het huis met de stem van een reus, en zelfs Loki durfde niet te huilen. Sneeuw ritselde langs de kleine ruiten en op het dak van de hut. De wind, die dagenlang had geloeid en gekreund, lag verstild onder de hemel.

Zelfs de ratten roerden zich niet. Daarom dommelde zotte Oli weer in, hij zakte mummelend weg in een dromeloze slaap, waaruit hij met een gil ontwaakte, toen de ratten hun aanval begonnen...

Zij waren er plots met een hele troep tegelijk. Zij stoven krijsend door zijn krib, ze renden over zijn borst en ze krielden in het stro, en zij doken nauwelijks weg, toen hij gillend om zich heen begon te slaan. Hij zag slechts hun felle oogjes oplichten in het duister. Een paar deden er een aanval op zijn tenen en hij kon zijn verstuikte voet niet bewegen.

Oli Barmur gilde luid, toen een van de beesten hem in zijn kruis beet. Hij liet zich in paniek over de rand van de krib vallen en hij hoorde zijn broze botten kraken. Nu was hij ook met zijn stok niet meer in staat om te vluchten, want de pijn schoot vlijmend door zijn lenden en de hongerige ratten volgden hem vanuit de krib. Ze roken zijn bloed en zijn angstzweet. Zij waren op en over en rondom hem. Zij beten hem in zijn oren en ze konden niet wachten tot hij stil bleef liggen. Toch wist hij op handen en knieën tot aan de deur te kruipen terwijl de bijtebekken hem besprongen. Hij struikelde overeind, hij sloeg de grendel terug, die de trollen moest buitensluiten. Hij viel in de serene witte sneeuw, die even kraakte onder zijn schamel gewicht. Het mocht niet baten...

Hij kroop nog een eindje voort. Niet ver. De ratten waren over hem en in zijn vale jopper. Ze scheurden zijn kleren. Ze scheurden zijn vlees. Zijn bloed verfde de sneeuw donkerrood, maar de witte veren bleven uit de hemel dwarrelen, die ganse nacht. En de volgende dag, en de nacht daarna. Een halve meter dik op de flanken van de Burhella, en dikker in het dal van Skard...

Pas enkele dagen later ontdekte een van de kinderen dat de deur van gekke Oli wijd openhing.

De vrouwen hadden zich in de kroeg verzameld om met Sigga te overleggen wat hun te doen stond. Nu de hele Norderöer lag ingesneeuwd, mochten zij geen hulp van buiten verwachten. De heks was altijd het baken geweest waarop de kerels hadden gevaren; zij moest nu ook maar weten hoe zij de restanten van schipper Koyrings kleine rijk door de barre winter ging slepen, en wat er te doen viel aan de rattenplaag... Buiten klaterden schelle stemmetjes in de stilte die zich met de witte deken over het eiland had gespreid, want voor het eerst mochten de kinderen weer gaan spelen. Zij gingen een sneeuwfort bouwen bij de trollekop. Daar zag Eric Joensen de deur van Oli's hut openstaan en hij ging erheen, om gekke Oli te vragen of hij zijn schop mocht lenen. Vlak voor de hut struikelde het kind; het viel languit in de opgetaste sneeuw en het lachte onbezorgd. Maar het vólgende ógenblik begon de kleine Joensen hysterisch te gillen. Zijn kameraadjes kwamen door de kniehoge sneeuw gewaad en even later vluchtten zij bevend naar „De Zeemeermin", alsof zij Varig zèlf waren tegengekomen.

Het was bepaald niet prettig om te zien wat de ratten van Oli Barmur hadden overgelaten...

Zo verging het de laatste man van Skard, want de lamme vogeljager kon je geen man meer noemen, al had die nog zo'n hoge dunk van zichzelf. Vrouw Wadslund verzorgde hem zoals zij het nu al vier lange jaren had gedaan; ze was zijn armen en zijn benen, zij was de enige gevangene van Skard en zij benijdde in stilte de vrouwen die hun kerels aan de Gardar verloren hadden. Soms draaide zij hem op zijn linkerzij, zodat hij over de Arnefjord kon uitkijken en de besneeuwde kade van Koningsdal zien. Daardoor was lamme Tor tòch nog de eerste die het schip ontdekte dat onder de grauwe hemel de fjord kwam binnenvaren...

Ze waren er allemaal, die op de Norderöer wat te vertellen hadden, of die meenden dat zij een verlengstuk vormden van het gezag... Zij voeren de fjord binnen onder het vaan van de liefde. Daarom droegen zij de brede glimlach der milddadigheid op het gelaat en de sluwe blik der berekening in hun ogen. Zij kwamen Skard van de ondergang redden, want nu de heidenen zo schielijk verzopen en verdoemd waren, zouden hun nazaten zich wel gretig laten kerstenen. Deze simpele gedachte speelde door het brein van de eerwaarde heer Rasmussen, die de expeditie had uitgerust zodra hij van de ramp vernam. Blakend van het heilige vuur trok hij de arme donders tegemoet, als een zendeling naar de kannibalen. Hij had geen spiegeltjes en kralen aan boord, dat niet, maar met tien mud tarwe doe je een heleboel.

De voornaamste in zijn gevolg was de oude Ivar Marsten in hoogsteigen persoon. Die was door de ondergang van de Gardar wel het zwaarst getroffen, want hij had het schip bevoorraad op halve vleet. En wat kreeg hij voor dank...? De wijven hadden zijn zoon met stenen uit Skard verjaagd als de eerste de beste deugniet! Toch had de oude Marsten zich laten overhalen om aan de expeditie deel te nemen, want hij was een gelovig christen, en hij had een nijpend gebrek aan arbeidskrachten in zijn conservenfabriekje. De vrouwen van Skard zouden zelf de handen uit de mouwen moeten steken, nu er geen mannen meer waren, en Ivar Marsten ging ze met alle liefde te werk stellen; zó haatdragend was hij nu ook weer niet...

En dan had je nog de lange Ivarson, een van de twee dienders uit Klaksvig, als vertegenwoordiger van het gerecht, want je kunt met die heidenen nooit weten... Er moest trouwens een deugdelijk proces-verbaal van de scheepsramp worden opgemaakt en onderzocht of een zekere Hildurson op de Gardar had aangemonsterd; dat zou de arm der gerechtigheid een hoop last besparen.

Was dominee Rasmussen nu maar niet de leider van de expeditie geweest, of zijn zielenijver minder groot, dan was het allemaal heel anders verlopen. Maar de eerwaarde heer had zèlf die tien mud tarwe betaald. Mocht hij alsjeblieft beslissen wanneer hij zijn kralen voor de heidenen ging werpen...?

„Paarlen voor de zwijnen!" zei de oude Marsten grof. „Laten we eerst maar es zien dat er te onderhandelen valt."

Maar dominee Rasmussen was het daar niet mee eens.

„De kost gaat voor de baat," sprak hij, en hij gaf de matrozen opdracht de tien mud tarwe op de steiger van Skard te sjouwen eer de zendelingen het binnenland in trokken.

„Die arme zielen moeten éérst overtuigd worden van onze goede bedoelingen," legde hij geduldig uit. „Vergeet niet dat zij nog in de duisternis wandelen, en dat ze bovendien honger hebben."

Knarsend draaide de winch en even later lagen de twintig jutezakken op de steiger. De oude Marsten stond de verkwisting hoofdschuddend aan te zien, maar toen de matrozen ook de lading bevroren kabeljauw van boord wilden gaan sjouwen, kwam hij in opstand.

„Eérst bekeren, dàn vreten!" schreeuwde hij. „Die vis is mijn aandeel en ik moet zelf weten wanneer ik die schenk!"

81

En weer bleek zijn scherpe kijk op de heidenen, want juist op dat ogenblik kwamen de arme zielen aangewandeld uit de duisternis... Zij kwamen onder de beproefde leiding van Sigga de heks, en aan haar zijde schreed Silvurbjörg van rooie Eiki met de dubbelloops van Olaf de reus over haar schouder. De weduwen kwamen er achteraan, alle zes, en zij maakten op dominee Rasmussen niet de indruk van wenende vrouwen, rijp voor de genade der vertroosting. Zij schenen eerder vervuld van wrok jegens de Allerhoogste en zijn afgezant, hetgeen een veeg teken was. De eerwaarde heer Rasmussen werd een beetje bleek om de neus. Hij maakte nog een zegenend gebaar in de richting van de tien mud tarwe, en hij bad de Heer dat de arme zielen hem voor één keer zouden aanhoren, doch zelfs de Heer bleef doof voor zijn smeken, want achter de weduwen volgde Malena Jörleif met haar dikke buik trots vooruit, en de twee jongere dochters van rooie Eiki, en al de zielige kinderen met keistenen in hun vuile knuistjes. Het hele dorp was uitgelopen om de zendelingen te verwelkomen, maar er heerste bepaald geen hallelujastemming. Eer dominee Rasmussen een woord van troost tot de weduwen en wezen van Skard kon richten, schreeuwde de heks hem toe dat hij één minuut kreeg om met al zijn volgelingen de steiger van de Gardar te verlaten.

„Ho es even! Hó es even!" bulderde lange Ivarson. „Ken je *mij* niet, vrouw? Ik vertegenwoordig notabene het gezàg op heel Bordö, en als zodanig..."

„Krijg je nog precies een halve minuut om de plaat te poetsen!" krijste de heks met overslaande stem. „Ik kèn geen gezag op Bordö!" Zij wendde zich kwijlend tot haar kleindochter. „Silvurbjörg, laat het gezag van Skard spreken!"

Rustig richtte het meisje de oude dubbelloops en doorboorde met één schot de hoge pet van Ivar Ivarson. De echo's ratelden na langs de boorden van de Arnefjord.

Het gezag van Skard had gesproken en het werd niet misverstaan. De eerwaarde heer Rasmussen vluchtte in galop de steiger af, op de voet gevolgd door de lijkbleke diender, die zo iets voor onmogelijk had gehouden. Hij hield zijn pet in de ene hand en betastte met de andere zijn geschroeide haardos, maar hij kon geen bloed vinden.

De arme weeskindertjes juichten luid en slingerden hun stenen naar de matrozen, die zich bij de loopplank verdrongen. De enige die waardig de aftocht blies, was de oude Marsten. Die schreed als laatste over de loopplank, met een smalende grijns op zijn gelaat.

„Daar gáán je arme zieltjes!" grinnikte hij dominee Rasmussen toe. „Heb ik het niet gezegd? Eérst bekeren, dàn vreten! Wie gaat je die tien mud tarwe nou terugbetalen?"

„De Heer!" zei dominee Rasmussen vol vermetel vertrouwen, terwijl de boot langzaam terugweek van de kade. „Hònderdvoudig! Want wat gij aan de minsten der mijnen hebt gedaan..."

„Het *zijn* de zijnen niet eens!" schamperde Marsten. „Het zijn verdomde heidenen, en ze lachen zich te barsten om de goeie mop! Kijk, die wijven slepen de buit al naar huis, en als ik zo woedend niet was, zou ik me nou óók 't lazerus lachen."

Dominee Rasmussen sloot vol walging de ogen. Hij voelde zijn maag weer worgend in zijn keel omhoog kruipen. Hij voelde zich door de Heer in zijn hemd gezet ten aanschouwen van gelovigen en heidenen. Slechts één schrale troost restte hem: het wereldlijk gezag had het er geen haar beter afgebracht, want lange Ivarson hing lijkbleek over bakboord te kotsen en hij bazelde dat het van woede was, dat hij die vervloekte heidenen wel mores zou leren, en dat hij zijn beklag ging doen bij de schout in Torshavn, zo waar als hij Ivar Ivarson heette!

En zo mislukte de tweede missiereis van dominee Rasmussen...

Daarna bleef het lange tijd stil rond de vrouwen aan de Arnefjord. Het leek wel of de christenen het voorval met de mantel der liefde wilden bedekken. Of missschien heeft Ivar Ivarson de schout van Torshavn zo vlot niet weten te bereiken, nu heel de Norderöer lag ingesneeuwd. In ieder geval heeft de gulle gift van de eerwaarde heer Rasmussen het dorp voor de ondergang behoed, en dat is een schoon voorbeeld van naastenliefde.

De vrouwen en de juichende heidenkindertjes sleepten met vereende krachten de twintig zakken naar „De Zeemeermin", waar de buit veilig werd opgeslagen. Niemand hoefde deze winter honger te lijden, want na het vlees van zijn paard had de goede dominee hun nu ook nog de tarwe van zijn zielenijver geschonken; misschien was het zaad niet op de rots gevallen deze keer en ging het duizendvoudig vrucht voortbrengen...

Voorlopig konden de vrouwen van Arnefjord hun kinderen gratis te eten geven.

En de ratten ook...!

Die vraten zich te barsten aan het halve mud tarwe, dat Sigga listig had afgezonderd en met strychnine vergiftigd onder het uitspreken van duivelse bezweringen. Daar kregen de vrouwen elk een halve schepel van mee naar huis om het kwistig uit te strooien op de vliering, en in de kelder, en waar het rattetuig zich maar ophield. Zij vielen erop aan alsof het manna uit de hemel was, doch het bekwam ze slecht. Een paar dagen later kon je overal de krengen bij elkaar vegen, met wijd gesperde kaken en opgezwollen buik, en de volgende week werd er geen rat meer gevonden.

De heks had haar zoveelste wonder gewrocht, en de vrouwen van Skard voelden zich veilig onder haar beproefde leiding.

's Avonds legden de moeders hun kinderen te bed, die geen angst voor de ratten meer hadden, en zij gingen achterna wat buurten in „De Zeemeermin", waar altijd de kachel brandde. Dan schonk de heks hun een kroes van het slappe Faröerbier, zolang de voorraad strekte, of een halve pint geitemelk, en Kristianne van rooie Eiki tekende secuur de kruisjes op de lat. Zij bespraken met gedempte stemmen de dingen van de dag, de kleinigheden, want het leven had zijn trage loop hernomen en er gebeurde zelden iets dat de gemoederen in opstand bracht.

Nu ja... Op een avond trok vrouw Purkhüs de weduwe Krambud een pluk haren uit de kop, omdat die van de stuurman geklaagd had dat de reus het paardevlees bedorven zou hebben. Maar onder krijsende bedreigingen van de heks werd de ruzie weer bijgelegd en daarna durfden ook de andere vrouwen aanmerkingen op het vlees te maken.

Het stonk de pot uit, zei vrouw Lassen, en het stikte van de maden. De weduwe Joensen viel haar bij; de kleine Eric had er wurmen van gekregen, zei ze, en zelf was ze zowat leeggelopen na het eten van de paardebief! Kon die smerige hemeldragonder zijn paard misschien betoverd hebben nadat het van de rotsen was gestort...?

Aan al die praatjes maakte de heks een einde door te verklaren dat Rall Purkhüs er geen schuld aan had, want hij was al z'n leven een goeie vilder geweest en de beste walvisslachter van de Norderöer. En wat die blikken dominee uit Klaksvig betrof, die kon evenmin toveren als wonderen doen, wat eigenlijk op hetzelfde neerkwam. Maar Sigga raadde de vrouwen aan, het vlees twee keer te wassen en het nog eens opnieuw te zouten, want het was wel erg warm geweest, die dagen en nachten dat het beest onder aan de Murgandyr had gelegen, en dan wil het bèste paard weleens een beetje gaan stinken. Daarmee was het probleem van de paardebief opgelost; de anderen durfden niet bekennen dat zij hun bedorven voorraad al lang in de Arnefjord gedumpt hadden, want je kon nooit weten hoe de heks dat zou opvatten...

Malena Jörleif begon op een avond hysterisch te gillen dat zij een vader voor haar ongeboren kind wilde hebben, doch daar wist zelfs de heks zo gauw geen oplossing voor.

„Wacht maar tot de winter over is," troostte zij het meisje, „dan komen er hier vaders te véél! De vogelvangers van Viderö, en die rabauwen van Svinö, en het jongvolk uit Helledal en Tjörndal. Wij zullen ze allemaal in ‚De Zeemeermin' toelaten, zolang het maar geen christenen uit Koningsdal zijn. Krijg jij eerst je kindje maar; later vind je wel een geschikte vader, dat beloof ik je."

De vrouwen van de Arnefjord zaten rond de gloeiende potkachel en keken peinzend naar zwangere Malena. Hun gedachten waren bij de mannen van de Gardar... Als die jongen van Wadslund de vader niet was, dan moest het Helgi houtepoot zijn, of een van hun eigen kerels... Niet dat dat er veel toe deed, want ze waren allemaal dood en ze hadden hun pleziertjes gehad. Maar die dikke meid moest niet zo tekeergaan achteraf, en niet zo geheimzinnig doen, want nu kon elke weduwe zich bedrogen voelen.

Eydbjörg, Eiki's jongste dochter, zat er nogal dromerig bij. Zij had samen met Hanna Wadslund de schapen verzorgd in de stal en zij was zeer moe. Zij wilde wel graag naar bed, maar zolang Kristianne en Silvurbjörg nog in de kroeg bleven, durfde zij niet naar de zolder. Daar sliepen zij gedrieën in de brede krib die Eiki vroeger met mooie Myrna gedeeld had. Kristianne was altijd zo lekker warm; Eydbjörg mocht haar koude voeten in haar baaien nachthemd steken en zo sliep zij in, veilig tussen haar twee oudere zusters.

Maar nu zat Silvurbjörg de dubbelloops te poetsen tot het lamplicht er vonken in ketste, en Kristianne bleef maar met de vrouwen aan het woord, lachend en gekscherend, zoals zij gewend was.

Eydbjörg vroeg zich af of haar zusters vader Eiki niet misten... Zij hadden met geen woord meer over hem gerept, sedert zij met z'n allen dikke Marsten hadden gestenigd. Eydbjörg had heel erg gehuild, die avond toen het tot haar doordrong dat zij haar vader nooit meer zou terugzien, maar Kristianne had er geen traan om gelaten en bezorgd aan haar oudste zuster gevraagd hoe het nou met de ratten moest, als de kerels niet terugkwamen. „Die schiet ik stuk voor stuk kapot," had Silvurbjörg beloofd, „maar er zal geld moeten komen... We zullen zelf moeten gaan verdienen, als er geen mannen meer zijn..."

Kristianne sprak over de kerels, die altijd de ratten hadden uitgeroeid aan het einde van de teelt, en Silvurbjörg over de mannen, die geen geld meer zouden verdienen... Geen woord over schipper Eiki, die toch hun vader was geweest... Alleen Eydbjörg schreide om hem, tot Kristianne verveeld zei dat zij moest ophouden met janken, want daarmee verander je toch niets aan de zaak.

Nu zaten ze met z'n allen rond de potkachel, de vrouwen van Arnefjord en de jonge meiden. Zij luisterden naar de wind, die rondom het huis en over het dak rende, en zij voelden zich behaaglijk. Zij spraken over de mannen als over goeie kennissen uit het verleden. Van iedereen wisten zij zich nu ineens iets goeds of wat lolligs te herinneren, zelfs van Helgi Hildurson, die toch een moordenaar en een verkrachter moest zijn geweest. „Maar alles bij elkaar was hij toch een èchte kerel, wáár of niet?" Zij keken allemaal naar Malena's buik, doch het meisje begon smadelijk te lachen.

„Jullie willen mij uit m'n tent lokken, maar je denkt allemaal verkeerd! Ik zou met die houtepoot niet te kooi willen, al was hij de laatste kerel van Skard!"

„De laatste man van Skard ligt bij mij thuis," zei vrouw Wadslund bitter. „Je kan 'm van mij cadeau krijgen!"

Eydbjörg begreep niet hoe al die vrouwen daar zo hard om konden lachen. Zij was met Hanna vaak genoeg in de hut van de vogeljager geweest en zij had nooit angst gehad voor zijn groot geschreeuw, maar toen leefden de andere mannen nog. Toen kon zij de lamme Wadslund verachten. Nu waren Hanna en de kleine Helga de enige meisjes in Skard die een vader hadden, en dat maakte hen bar voornaam in Eydbjörgs ogen.

„Cadeau krijgen hoeft nou óók weer niet," schaterde vrouw

Purkhüs met haar rauwe stem, „maar misschien kom ik hem wel
es even van je lenen. Hij zal toch nog wel wàt kunnen? Of niet,
soms?"
De vrouwen sloegen zich op de dijen van de pret.
„Schreeuwen en janken," zei vrouw Wadslund, „dat is alles wat
hij zelf nog kan; met heel de rest moet ik hem helpen."
„Nou, maar dan kom ik hem wel es helpen, hoor!" schaterde
vrouw Purkhüs rood van opwinding, en weer hadden de vrouwen onbedaarlijk plezier.
„Kristianne, ga nog een keer met de kruik rond," kakelde de
heks. „Ik geloof dat er hier wat te blussen valt!"
En tot Eydbjörgs teleurstelling kwam Kristianne opnieuw de
kroezen vullen. Nu zou het nog een hele tijd duren eer de zusters
met haar naar boven gingen, en zij was zo moe...
Zij trok haar knieën op en zij leunde haar blonde hoofdje tegen
de muur. Als die vrouwen maar niet zo tekeergingen, met telkens
gierende uithalen om een grap die zij niet vatte, dan zou zij
wel kunnen slapen, zo maar wegdoezelen in de warmte die haar
omhulde. Maar zij mocht niet slapen. Zij moest proberen haar
ogen open te houden, anders zou grootje haar naar boven sturen,
en zij dùrfde niet alleen... De wind rukte aan de vensterluiken.
De wind loeide in de schouw. Zijn grote stem was rond het huis
en over de besneeuwde daken van Skard. Varig de trollenkoning
was daar buiten in het duister, en Loki de wolf. Ze had intens
meelij met vrouw Wadslund, die straks nog dat hele eind door
de sneeuw moest, maar wat deed zij de enige man van Skard
ook in de steek te laten...? En Hanna en de kleine Helga, die nu
weer op de vliering sliepen...? Gelukkig maar dat er geen ratten
meer waren... Joan Wadslund had ze doodgeknuppeld, en het
vergif had de rest gedaan.
Als ik groot ben, trouw ik met Joan Wadslund, nam Eydbjörg
zich voor. Hij is best wel aardig, al vaart hij voor Koningsdal...
Ik zal het morgen tegen Hanna zeggen, maar verder mag niemand het weten; er zijn tòch al zo weinig mannen tegenwoordig... Met die gedachte sliep het kind in, een duim in haar rooie
mond, en haar blonde krullen over de ogen gespreid.
Zij merkte niet eens dat vrouw Purkhüs haar in haar sterke
armen nam en zachtjes de zoldertrap op droeg.
Later kwamen Kristianne en Silvurbjörg; die waren al bijna
volwassen, veertien en vijftien... Die waren al rijp voor de man-

nen. Zij kropen in de krib van rooie Eiki, elk aan een kant van het zusje, en zij trokken het dek op tot aan hun ogen. Kristianne had stiekem van de brandewijn gedronken, telkens een slokje, als ze weer achter de tapkast kwam. Nu straalde de warmte van haar uit en zij lag met hoogrood gelaat de gekste dingen in Silvurbjörgs oor te fluisteren. Over de laatste man van Skard, en wat vrouw Purkhüs allemaal met hem wilde gaan doen, als ze hem te leen kreeg... Plotseling, zonder overgang, begon zij te huilen en Silvurbjörg legde een koele hand op haar voorhoofd. „Je moet van de brandewijn afblijven. En geduld hebben," fluisterde zij. „Er zijn nog wel *duizend* mannen op de Norderöer..."

8

Het tuig van Svinö

En de mannen kwamen. Een paar van de duizend mannen die Silvurbjörg had beloofd, maar het waren niet de beste...
Langzamerhand begon het gerucht zich toch over de Norderöer te verspreiden, en over de eilanden van de Faröer, dat er op Bordö, ergens langs de Arnefjord, een dorp zonder mannen moest zijn, een gemeenschap van enkel vrouwvolk; stel je dat eens voor...!
En het jongvolk begon het zich voor te stellen. De jonge kerels begonnen ervan te dromen in de lange winter, die zo traag over de Faröer kruipt.
In de boetschuren en in de verwarmde kroegen zaten zij bijeen, en zij vertelden elkaar over de vrouwen van Arnefjord, die zo schoon moesten zijn van lijf en leden, en zo gretig in de omgang. Allemaal bevallig jong vrouwvolk, dat in één rampzalige stormnacht hun kerels verloren had, en nu zaten ze daar in dat dorp te hunkeren. Of misschien hunkerden zij niet zozeer, maar laat deze winter eerst eens voorbijgaan, dan komt het wel! Zij hadden toch van alles te bieden en zij vormden een prachtig doelwit voor een handvol ondernemende kerels. Of wáren er geen echte Vikingen meer op de Norderöer...?

Op Viderö, achter de Kvannesund, kon je ze nog vinden. Daar leefden de vogeljagers in het bergnest Murnafjall. Maar die hadden zelf vrouwen en een bende kinderen. De vogeljagers van Murnafjall spraken die winter vaak over de vrouwen van Skard, maar alleen wanneer hun eigen vrouwen niet in de buurt waren. Zij wisten het dorp te liggen, aan de voet van de Murgandyr, en sommigen hadden rooie Eiki gekend, die een vrouw geroofd had uit Koningsdal.

Daar waren er ook die zich Olaf de reus nog wisten te herinneren, oudere kerels, die zeiden dat het zo'n vaart niet liep met die schoonheid van de vrouwen in Skard. Zij hadden Sigga de heks gezien, en vrouw Purkhüs, die zo sterk was als twee kerels.

Maar de jonge mannen bleven hun dromen dromen. Zij beloofden elkaar dat zij ná de barre winter toch eens om de zuid naar de Arnefjord zouden varen; je kon nooit weten.

Zo spraken de vogeljagers van Viderö, als hun vrouwen er niet bij waren...

Die van Svinö waren van een heel ander slag.

Svinö was nagenoeg onbewoond, maar wàt er nog huisde, was het rauwste tuig, het gemeenste rapalje dat de Faröer had voortgebracht. Gedroste matrozen van een walvisvaarder, en een paar kerels die hier de schout van Torshavn ontvluchtten, en oproerkraaiers van Sandö en Syderö, die de linkse revolutie hadden zien mislukken. Er waren ook twee gezochte moordenaars bij en een handvol afgedankte hoeren uit Vestmanhavn. Deze kleine gemeenschap had jarenlang stand weten te houden op Svinö, dat officieel als onbewoond gold. Zij hadden hun kleine, ranke boten, waarmee zij ter visvangst trokken langs de kust, of op vogeljacht op de rotsen van Fuglö en Viderö. De vogeljagers en de kustvissers meden hen als de pest, want die van Svinö waren erom bekend dat zij hun geschillen uitvochten met harpoenen en spekhaken. Misschien rekende de schout van Torshavn er wel op dat zij van lieverlee elkaar zouden uitroeien. In ieder geval was de sterfte groot onder het tuig van Svinö, al kon dat ook wel liggen aan de methyl, die zij stookten in roodkoperen ketels, en waaraan zij zich hun roes dronken...

De eerste mannen kwamen in zo'n soort kajak, waarmee alleen die van Svinö zich hartje winter op zee wagen. Het was eind november en bitter koud.

Lamme Tor zou hen zeker het eerst gezien hebben, als de ijsbloemen niet zo dik op zijn ruiten hadden gestaan. Vrouw Wadslund had trouwens vergeten hem op zijn linkerzij te keren, want hij schreeuwde nu elke dag een beetje minder, en zij begon de laatste man van Skard te verwaarlozen.

Zo kon het gebeuren dat de twee kerels van Svinö hun kajak ongemerkt aan de steiger meerden en zich door de krakende sneeuw naar het dorp begaven. Eerst dachten zij dat heel Skard was uitgestorven, want nergens roerde zich iets en de sneeuw had volledig bezit genomen van de Norderöer. De wind was geruimd. Die had zijn kille adem over de kruin van de Murgandyr geblazen en langs de flanken van de Burhella. Nu lag de stuifsneeuw hoog opgetast tussen de hutten en op de lage daken en op de open plek voor „De Zeemeermin". Maar uit de schoorstenen krinkelde rook naar de grauwe hemel. In die huizen moesten de vrouwen van Skard zich ophouden.

Ergens, in een van de gesloten hutten, blafte een hond, maar de twee mannen hadden niets te vrezen; zij kwamen met goede bedoelingen en zij droegen hun zware harpoenhaken over de schouder en hun messen in de schede. Zij wilden maar een beetje terrein verkennen en zien of er iets te ruilen viel. Daarom droeg de oudste twee kruiken jenever aan zijn gordel en zijn makker had vijf zeehondehuiden in een groot pakket. Zij wilden wel graag wat meel, want het verhaal van de gulle zendeling was tot op Svinö doorgedrongen, en wat moet zo'n handvol vrouwen met tien mud tarwe...?

Toch was hun komst niet onopgemerkt gebleven. Die stomme hond moest hen verraden hebben, of misschien had de heks wel een zesde zintuig, je weet dat nooit met heksen. Toen het tweetal de gelagkamer binnenkloste met de ijzige kou van de Arnefjord nog in hun bonkers, zat het oude wijf bij de kachel en staarde hen met haar koolzwarte ogen misprijzend aan.

„Laarzen afstampen en de deur achter je gat sluiten!" beet zij de mannen toe. „Wij stoken hier niet voor niets!"

Achter haar stonden twee blonde Vikingdochters, bijna kinderen nog, maar zo mooi, dat de kerels van Svinö ze met open mond aangaapten, en in een hoek van het vertrek stond een jonge vrouw met vlamrooie haren peinzend de dubbelloops te bekijken, die zij losjes onder de arm hield. Dat kon alleen de dochter van rooie Eiki zijn, die er in de wijde omtrek om bekend was dat zij schieten kon als de beste. Had zij de diender van Klaksvig niet de haren van zijn kop geschroeid en al de zendelingen over de Arnefjord gejaagd met dat geweer...? De mannen keken naar haar, en dan weer naar de twee blonde schoonheden, en tenslotte naar de heks, die haar stramme vingers naar de kachel gestrekt hield.

De mannen mompelden hun groet. Zij waren Tor Heinesen en Ewald Djurhüs van Svinö, zeiden zij, en zij kwamen kijken of hier iets te handelen viel. Zij smeten hun harpoenhaken op de tapkast, binnen het bereik van de jonge vrouw met het geweer. Tor gespte zijn gordel los en droeg de twee kruiken naar de heks. „Puurbeste jenever," grijnsde hij, „zo stoken ze die op de hele Norderöer niet."

Zijn makker plofte het pakket op de lemen vloer.

„Vijf zeehondevellen," zei hij, „zonder één schotgat."

Sigga stak haar pijpje op. Zij blies de rook uit haar ene mondhoek en zij keek de mannen peinzend aan.

„De diender van Klaksvig, die heeft een schotgat in zijn muts," kakelde zij, „maar dat komt omdat ik hem hier niet duldde. Iedereen is hier welkom, die met goeie bedoelingen komt en niet van Koningsdal is, al verwacht ik geen loslopende kerels vóór de sneeuw gaat smelten."

Daar moesten die twee van Svinö onbedaarlijk om lachen; loslopende kerels, die is goed...! En zij schoven naar de kachel. Zij bleven staan. Ze keken op de heks neer, dat klein, venijnig wijfje met haar boze ogen, en zij waagden een blik aan de blonde Vikingdochters. De ene was een lachebek, rijp in de vormen. Zij deed het bloed in je aderen versnellen bij de gedachte alleen al... De andere was een groot kind nog, met ogen zo diep als de fjord. Alleen die rooie leek een kreng. Zij bleef de hele tijd met dat geweer staan donderjagen alsof zij nodig op jacht moest, en zij keek je met die fletse ogen dwars door je zondige ziel.

„Zelfs dat rapalje van Svinö mag hier komen," sprak de heks tussen twee trekken aan haar pijpje. „Zolang hij zich weet te gedragen, hoeft geen kerel hier bang te zijn. Ga zitten, want ik wil niet langer tegen jullie opkijken, en vertel mij nou es wat je in dit jaargetij naar Skard voert..."

De mannen wierpen elkaar een snelle blik toe en gingen op de bank tegenover de heks zitten. Zij voelden zich niet erg op hun gemak. Misschien hadden zij hun harpoenen niet met zoveel bravoure op de tapkast moeten smijten, want nu stond die rooie ze kritisch te bekijken en tenslotte borg zij ze achter de tapkast, waar zij niet dadelijk voor het grijpen lagen.

„Nou, eh... zoals ik al zei...” begon Tor.

„Slecht excuus!” viel de oude vrouw hem in de rede. „Jullie zijn hier nooit in de korte dagen heen gekomen, niet toen de mannen er nog waren.”

„We hebben ook nooit zo'n gebrek geleden,” hernam Tor, „en we hadden gehoord dat er hier tarwe te veel was... Ik geef tien liter jenever voor een half mud, als je het missen kan...”

„En ik vijf beste huiden,” viel zijn dikke makker hem bij, „van doodgeslagen robben; niet de kleinste beschadiging!”

Buiten klonk het verwoede geblaf van een hond. De deur kletterde open en vrouw Purkhüs kwam hijgend de gelagkamer in met een Deense dog zo groot als een kalf aan de ketting.

„Dat monster zou me nog verscheuren, als ik hem geen baas kon!” zei ze tegen niemand in het bijzonder. Zij stampte de sneeuw van haar grove laarzen en haar blik bleef bijna vertederd op de twee mannen rusten. De hond vulde de gelagkamer met zijn woedend geblaf, tot de vrouw hem een klap met de ketting gaf, eer zij hem vastlegde aan een poot van de tapkast. Daar bleef het beest met blikkerende tanden naar de vreemdelingen staan grommen, tot het blonde meisje hem achter de oren kwam strelen.

„Ah...! Mànnen!” zei vrouw Purkhüs met haar zware stem. Zij plantte haar vuisten in de zij en keek het tweetal zo begerig aan, alsof zij zich onmiddellijk aan hen zou vergrijpen. „Dat soort hebben we hier in lang niet gezien, Sigga! Zijn ze ècht?”

De blondjes giechelden en die met de rooie haren hing eindelijk haar geweer achter de tapkast.

„Ligt eraan wat je echt noemt,” zei de heks. „Voorlopig zitten ze om de pot te draaien... Willen me laten geloven dat ze in dit weer over de Svinöfjord gevaren zijn om hun smerige methyl tegen onze kostelijke tarwe te ruilen.”

„Ik mag op slag doodvallen...” bezwoer Tor, maar vrouw Purkhüs lachte haar daverende lach en sloeg hem dreunend op de schouder, waarop de hond weer aan zijn ketting begon te rukken en het vertrek vulde met zijn woedend gebas.

„Je moet hier nooit lichtvaardig zweren,” grinnikte weduwe Purkhüs nadat zij het monster tot zwijgen had gebracht, „want je wens gaat gauwer in vervulling dan je denkt. Kijk maar naar mijn arme Rall; van de ene dag op de andere een vrolijke vrijbuiter en 'n dood lijk... En àl die flinke kerels van Skard, stuk voor stuk naar de haaien. En waaròm...?"

„Nèrgens om!" zei de heks scherp. „Ik wil er niks meer over horen, noodlot is noodlot!"

Er kwamen wéér vrouwen de gelagkamer binnen. Zij waren opgeschrikt door het blaffen van de hond. Zij hadden vrouw Purkhüs naar „De Zeemeermin" zien gaan en nu waren zij nieuwsgierig wat daar op het middaguur te beleven viel. Vrouw Lassen was er, en vrouw Joensen met de kleine Eric aan de hand. En Malena Jörleif, hijgend achter haar dikke buik. Malena bloosde hevig, toen zij de mannen zag. Zij dacht zeker dat ze speciaal voor háár over de fjord kwamen gevaren.

„Verrekt...! Mànnen!" zei ze. „Ik wist niet eens dat die nog bestonden! En met baarden nog wel!"

Kristianne wierp het hoofd in de nek en zij lachte haar witte tanden bloot. „Ja, mànnen, Malena, is het geen schoon volk?"

De heks stampte driftig met haar stok op de grond en de vrouwen verstomden.

„'t Is tuig van Svinö!" sprak zij schel. „Daar is nog nooit wat schoons aan geweest!" De mannen protesteerden, maar met een nijdig gebaar legde Sigga hun het zwijgen op. De hond, met moeite door Eydbjörg in toom gehouden, stond hoog op zijn poten en gromde tussen blikkerende tanden.

„Tuig van Svinö!" herhaalde de heks. „Ze hebben hier bij mijn weten nog niet de beest uitgehangen, dus ze mogen voor *mijn* part in vrede naar hun hoeren teruggaan." Zij keek naar de hemel, die grauw achter de kleine vensters hing. „Maar het wordt wèl de hoogste tijd, want de dag zal kort zijn en straks begint het weer te sneeuwen."

Onder ijzige stilte van de vrouwen kwam Tor Heinesen overeind. Die wist wanneer hij gegokt en verloren had.

„Maar onze ruil dan...?" gromde dikke Djurhüs ontstemd. „We kwamen toch..."

„Jullie kwamen alleen om poolshoogte te nemen," zei de heks, „jullie kwamen om de vrouwen van Skard te bekijken en je plan te trekken! Wel, je hebt er nou een paar van gezien. Ga naar je roversnest en vergeet niet aan al het rapalje van Svinö te vertellen dat wij hier góéd op onszelf kunnen passen, als het moet!

Silvurbjörg, geef die kerels hun belachelijke stokken terug en zie erop toe dat ze veilig in de boot komen."

Nu stond ook Ewald Djurhüs overeind. Hij bewoog zich traag, want die lachebek met de parelende tanden had de Deense dog bij de ketting genomen en liep ermee naar de deur.

„Ik ga even mee, Silvurbjörg, ik vind het altijd zo opwindend om kerels hard te zien lopen. Oei! Ik hoop maar dat die gladde ketting me niet door m'n vingers schiet, want Loki is zo hitsig vandaag!"

Loki...! dacht Djurhüs. Ze moesten die bullebijter nog nódig Loki noemen! Hij sloop in een grote boog rond het grommende monster, en hij nam voorzichtig zijn harpoenhaak in ontvangst, die het rooie meisje hem met een triomfantelijke glimlach aanreikte. Ze kan toch nog lachen ook, peinsde hij zuur. Als ik haar ooit alleen tref, zal ik al de dingen doen die haar het lachen zullen verleren. Zijn hand beefde, maar het was niet uit angst voor de hond. De rooie had een jopper aangeschoten en zij slingerde het geweer nonchalant over haar schouder.

„Zullen we dan maar?" vroeg zij.

Bij God! We zùllen een keer, jankte het in hem. Wacht maar, tot ik met jou klaar ben, mooie teef! Doch hij zwikte gehoorzaam het pak zeehondevellen op zijn schouder en hij volgde zijn makker.

„'t Is eigenlijk zonde om ze te laten gaan," zei de vrouw met de mannenstem. „We hadden er best wat plezier aan kunnen beleven." Toen sloeg zij de deur achter hen dicht en de twee mannen waren met de meisjes in de krakende sneeuw.

Zij liepen gebogen tegen de harde wind, die van de Murgandyr op hen aanstormde, en zij peinsden koortsig op al de dingen die zij zouden doen als die vervloekte hond er niet bij was... Die rooie zou tòch niet durven schieten, en die blonde lachebek maakte een kerel gewoon gèk met haar uitdagende vormen. Maar boven het knerpen van hun stappen in de sneeuw hoorden zij het hijgen van de Deense dog, die hen op de hielen volgde.

„Als ze nòg harder gaan, zal ik Loki niet meer kunnen houen!" lachte het blondje.

„Als ze *niet* harder gaan, schiet ik ze een kogel door hun luizenbossen!" antwoordde de rooie stroef, en zij hoorden de grendel van het geweer klikken.

De kerels van Svinö hadden nooit gedacht dat de weg naar de

steiger zó lang kon zijn. Het zweet droop hun in de nek, ondanks de ijzige wind die hen besprong.

„Luister, meisjes," zei Tor zonder om te zien. „Wij hebben helemaal geen kwaad in 't zin... We zijn eerlijk gekomen om een handeltje te..."

De ketting rinkelde zo hevig, dat hij ieder ogenblik de tanden van het monster in zijn nek vreesde. Daarom begaf zijn stem het. Daarom gingen die twee van Svinö nu op een sukkeldraf door de sneeuw. De lach van het blondje klaterde zilverig onder de lage hemel. Het begon weer met grote, broze vlokken te sneeuwen.

Eindelijk was daar die vervloekte steiger. Eindelijk ploften zij neer in hun eigen, betrouwbare kajak. Zij namen niet eens de tijd om met verkleumde vingers de vanglijn los te knopen. Tor kapte de lijn met één haal van zijn vildersmes en Ewald brak bijna zijn peddel bij het driftig afstoten. Hij vloekte zacht voor zich heen. Hij keek verbijsterd naar de mooie wezens daar boven op de steiger, en hij vloekte opnieuw. De wind en de golfslag dreven hen naar het midden van de Arnefjord. Pas toen Tor begon te hoesten, merkte hij dat die zich te buiten ging aan zijn eigen methyl. Over het water van de Arnefjord klonk een klaterende lach. Het blonde meisje zwaaide hen na, alsof zij de beste vrienden waren, maar de rooie legde aan en rakelings voor de boeg spatte het ijskoude water omhoog. Pas daarna ratelden de echo's langs de boorden van de Arnefjord. De loebas, hoog op de poten, hief zijn kop naar de hemel en blafte de longen uit zijn lijf.

„Vervloekt..." hijgde Tor tussen twee slokken methyl, „zo mooi... en zó smerig...!" Toen reikte hij de kruik aan Ewald en die zag hoe de tranen in zijn baard bevroren. Het zou een bittere tocht worden, terug naar het tuig van Svinö...

„Nou leef ik nog maar voor één ding," jankte Tor, „nou zal ik nergens anders meer van dromen..."

Ewald nam een grote slok en boerde. Hij stelde zich de dingen voor.

„Die róóie," zei hij plechtig, „die rooie, en anders geen, al moest het 't laatste zijn wat ik nog uithaalde."

„Nee, kloot! De blònde!" griende Tor. „Als ik *die* ooit in m'n kluivers krijg... Ik wist niet dat zó iets kon bestaan...! Hé! Ewald! Wist jij dat er zo iets op de wereld bestond...?"

Ewald verslikte zich in de methyl, die de longen uit zijn lijf brandde. Nu huilden zij samen, van verdriet en bronstig begeren. Later hebben zij toch de peddels gegrepen, want de wind blies hen uit de Arnefjord. De sneeuw begon steeds dichter te vallen, en het was nog een heel eind tot de Svinövig...

9
De boeren van Oyri

Toen de wind omliep naar het westen en over de kruin van de Nordöre begon te blazen, wisten zij dat de lente niet ver meer kon zijn. Later ging de sneeuw smelten op de flanken van de Burhella en de wolkenkraag herstelde zich rond Murgandyrs nek. Toen begonnen de grote rolstenen los te komen van de bergflanken. Zij donderden neer in het dal van de Arnefjord en in Helledal, en in Tjörndal. Daar namen de rolstenen een armzalige hut mee in hun daverende vaart en de bewoners werden met één klap in de Svinöfjord begraven. Toen dat alles voorbij was, dreven de vrouwen van Arnefjord de schapen uit hun stallen, en de kinderen werden naar de bergweiden gestuurd om ze te hoeden. Nu wisten de vrouwen dat zij het gehaald hadden. Zij waren de eindeloze, barre winter doorgekomen en de rest kon zo zwaar niet meer wegen.

Lamme Tor, de laatste man van Skard, had vanuit zijn hoge krib de vissers van Koningsdal zien uitvaren, want vrouw Wadslund had hem weer eens op zijn linkerzij gekeerd, al kon hij daar zelf niet meer om vragen... Hij wist dat op een van die kleine loggers zijn zoon voer; daarom volgde hij het schip met zijn ogen, tot de zeilen aan de einder oplosten in de dunne nevel die over de Arnefjord hing. Hij had nu alleen zijn ogen nog, en de mateloze pijn die hem verteerde, en de angst voor de duisternis die langzaam nader sloop. In de lange, trage nachten lag hij met groot open ogen op te staren naar de vermolmde balk boven zijn hoofd. Daarin was sedert kort het geknaag weer begonnen, en soms meende hij in het duister de kraaloogjes te zien, die hem kwaadaardig beloerden. Dan wilde hij schreeuwen, maar de ziekte had nu ook zijn stembanden aangetast. Hij was alleen nog ogen, en angst en pijn. Hij zou nu wel graag sterven, als het maar niet door de ratten was...

Vrouw Wadslund heeft dat zeker begrepen. Zij zat aan zijn bed, toen de schrale lentewind langs de vensters pijpte. Hanna was met de kleine Helga naar de schapewei gegaan en zo waren die twee mensen alleen in het huis met de trage dood tussen zich in. Vrouw Wadslund rook de stank, die uit zijn lichaam opsteeg. Zij had hem juist nog gewassen en in een schoon hemd gestoken. Dat was niets. Hij woog als een kind in haar armen, zij kende elke zieke plek van zijn lichaam en zij wist dat hij nu één rottende wonde was. Alleen zijn hart wilde niet vergaan en zijn verbijsterde grijze ogen niet. Daarin las zij de angst, als hij omhoog staarde naar de zolderbalk, en toen de rat weer begon te knagen, begreep zij zijn gedachten.

„Je bent niks meer, Tor, mijn kerel," zei ze aan zijn oor. „Je kan nog horen en zien, je wordt verteerd van angst en pijn, maar je bent verder niks meer. Zou je niet graag willen sterven...?"

De lamme knipperde met zijn ogen. Daarna staarde hij naar de lage zoldering en zij voelde zijn angst.

„Wij zijn twintig jaar samen geweest," zei de vrouw, „en ik zal mij niet beklagen. Je was goed in bed, maar wreed overdag, en ik heb je groot geschreeuw leren vrezen. Nu versta ik je, ook zonder dat je tot mij spreekt. Ik ken je angst en je pijn, Tor. Wil je dat ik Sigga vraag er snel een eind aan te maken, eer de ratten je gaan vinden...? Sluit je ogen, Tor, mijn kerel, als je ,ja' wilt zeggen, maar houd ze wijd open als je de pijn nog rekken wilt."

De lamme sloot zijn ogen en vrouw Wadslund wist dat hij de pijn en de angst niet langer kon verduren. Zij boog zich over Tor de vogeljager, en zij drukte een kus op zijn stoppelige wang. Terwijl zij opstond, vroeg zij zich af hoe lang dit geleden was.

Tor de vogeljager was wreed geweest, voor dieren en voor mensen. Nu vreesde hij de dieren het allermeest, want hij had het verhaal van gekke Oli gehoord en hoe genadeloos die aan zijn eind was gekomen.

Vrouw Wadslund sloeg haar wijde kapmantel om en zij ging door de geitewei naar het dorp. Tor wilde haar terugroepen, want hij was zeer bang nu in zijn hulpeloosheid, maar er kwam geen geluid uit zijn keel, hoe wijd hij zijn mond ook opensperde. Hij staarde met puilende ogen naar het gat in de vermolmde balk. Een zwart gat, zo groot als een vuist. Daaruit beloerden hem de kraaloogjes, terwijl het geknaag voortging. Er vielen een paar houtsplinters op zijn gelaat, hij moest er de ogen voor sluiten, maar hij durfde niet. Het zwarte gat was recht boven zijn ogen en de ràt was daar. Hij voelde steeds meer stof en splinters neerdalen op zijn gelaat, maar hij mocht zijn ogen niet sluiten.

De rat moet zijn angstzweet geroken hebben, of de stank van het half vergane vlees, want plotseling viel het geknaag stil en het spitse grijze kopje kwam te voorschijn. De glinsterende oogjes staarden recht op hem neer, ze vingen zijn verbijsterde blik en zij groeiden, groeiden tot wanstaltig puilende zwarte oogbollen. Het snuitje werd een snuit, een geweldige, grijnzende rattekop met dikke snorharen en blikkerende gele tanden. Het monster was vlak boven zijn angstzweet en Karen was er niet om het te verjagen. Nu ging het beest hem bespringen en zijn puilende ogen uit hun kassen scheuren.

„Karen!" schreide hij. „Karen...!"

Toen doorvlijmde hem een pijn, wreder dan een mens verdragen kan. Hij sperde zijn ogen, maar de duisternis viel al over hem en in de kramp die door zijn lichaam trok, viel het bange hart van Tor de vogeljager stil.

De schrale lentewind pijpte langs het venster. In de vermolmde balk begon de kleine rat weer te knagen. Verwonderd keken de glinsterende kraaloogjes neer op wat daar zo bewegingloos gestrekt lag...

De vrouwen van Arnefjord deden aan God noch gebod, maar zij waren zeer bijgelovig. Zij leefden in hun communistische gemeenschap alsof de profeet nooit zijn vloek over de heidenen had gesproken. Zij wilden niet geloven in zijn macht, maar tòch... Soms galmden de woorden van de eerwaarde heer Rasmussen hen luid in de oren. Zoals toen zij met z'n allen de laatste man van Skard gingen begraven en zijn schamel lijk bedekten met de rolstenen van Murgandyrs kruin.

Nauwelijks een half jaar na de vloek, en àl de kerels van Skard waren uit de tijd... Had die vrome pias niet tegen Rall de reus gezegd: „Over een half jaar spreken wij elkaar nader, als je dan nog spreken kunt..." Rall had er zelf danig over opgeschept in „De Zeemeermin", maar een paar dagen later was hij zo stom als de vissen, en al de kerels van Skard waren nu dood, zelfs gekke Oli en lamme Tor, die zich niet aan het paard vergrepen hadden. Het was de crew van de Gardar die het beest van de rotsen had gedonderd, en Rall de reus die de profeet over de fjord had gezet. Zou de vloek nu eindelijk zijn uitgewerkt, of moesten ook de vrouwen eraan geloven...?

Sigga werd razend, als zij het vrouwvolk zo hoorde praten. Zij bezwoer hen bij alle duivels in de hel dat die harlekijn van Klaksvig geen macht over hen had, dat de nornen hadden beslist wanneer de Gardar zou vergaan; en gekke Oli was al làng afgeschreven, en lamme Tor had vier jaren liggen dood te gaan...!

Zulke woorden monterden de vrouwen weer wat op. Zij zouden dan maar aannemen dat de hemeldragonder geen macht over hen had.

Nu er geen mannen meer waren die hun rechten opeisten, bleken een hoop dingen veel eenvoudiger. Zij vertrouwden onvoorwaardelijk op Sigga de heks, die hen met vaste hand door de barre winter had geleid, die de ratten had uitgeroeid en de zendelingen verjaagd, de rantsoenen verdeeld en hun kinderen genezen van wormen en zweren en buikloop.

Rond Sigga en haar kleindochters draaide heel het leven van Skard. Toen de lente aanbrak, zei Sigga dat de sterkste vrouwen werk moesten gaan zoeken, want de voorraden waren uitgeput en zonder geld kan zelfs een gemeenschap als Skard niet draaien. ,,De sterkste vrouwen," lachte de weduwe Purkhüs met haar rauwe stem. ,,Ik weet best wie je bedoelt, Sigga! Maar vrouw Wadslund is óók geen doetje, al speelt zij nog de treurende weduwe, en vrouw Krambud is ook niet mis. Met hoeveel moeten we gaan?"

Sigga keek het kringetje rond dat daar in ,,De Zeemeermin" bijeen zat, al de vrouwen van Skard, en Malena Jörleif met haar dikke buik. Daarna boog zij zich over de lei, waarop Kristianne allerlei becijferingen had gemaakt, en zij deed wenkbrauwfronsend alsof zij die zat te lezen.

,,Vijf," zei de heks, ,,minstens vijf, maar Malena de hoer blijft hier tot zij haar jong heeft gekregen. Zij kan de meisjes helpen om op de kinderen te passen. De jongens moeten leren vogeljagen met het vangnet, en de schapen hoeden bij de trollekop, en de duizend dingen doen die ik ze zal opdragen. Zij worden de nieu-

99

we mannen van Skard, maar ze zijn er nog lang niet aan toe. Ik heb minstens vijf vrouwen nodig om het geld te gaan verdienen dat we met ons allen nodig hebben. Marsten zal jullie gráág werk geven in de traankokerij en bij het inleggen van de haring. Hij is een ouwe smeerlap, maar zijn geld stinkt niet; hij gaat jullie een mannenpart betalen."

Zo eenvoudig was het allemaal, nu Sigga de gemeenschap bestuurde. Voor dag en dauw stonden de vrouwen voortaan aan de boord van de Arnefjord, nog trantelend van de kou en luid geeuwend van de slaap. De weduwe Purkhüs in haar grote knielaarzen. De weduwe Krambud, de weduwe Joensen, de weduwe Nielsen. Ook de kersverse weduwe Wadslund was erbij. Vijf taaie vrouwen, die het bergnest in stand moesten houden. De weduwe Kliffell hoefde niet mee, want zij was maar zo'n minnig wijfje, zij mocht Malena Jörleif helpen om op de kinderen te passen en het eten bereiden dat in „De Zeemeermin" werd verstrekt. Elke werkmier had haar taak; het nest van Skard zou niet vergaan, tenzij Varig zelf het kwam uitroeien.

Uit het duister dat nog over de Arnefjord hing, kwam de werksloep aangeronkt. Daarop zaten al een paar jonge meiden en kerels van Koningsdal, die eveneens voor Marsten werkten. Voortaan deed de sloep ook de vervallen steiger van Skard aan, en 's avonds werden zij weer teruggebracht door Grimur eenoog, die sedert jaar en dag de werklieden voor Marsten af- en aanvoerde. Twee uren varen in de open sloep, aanleggen bij de steigers van Oyri en van Skälanes, dan naar de kade van Koningsdal en eindelijk dwars over de Arnefjord om thuis te geraken.

Zij wenden eraan op den duur. Zij werkten als kerels en ze werden uitgebuit. Zij kregen nooit een öre in handen, maar die weelde hadden zij vroeger ook nauwelijks gekend. Ivar Marsten, de ouwe vos, verrekende alles met Sigga, die voorraden insloeg voor het kleine mierennest, zodat niemand hoefde honger te lijden. Hij kocht het lamsvlees op dat zij te missen hadden, en de wol van hun schapen, en de kracht van hun gespierde armen. Zij stonden nog altijd bij hem in de schuld, maar hij had aan dikke Birgir een uitmuntende boekhouder. De vrouwen van Skard mochten zelfs kleren en schoenen kopen in de winkel van Marsten, als zij Birgir eerst maar om een briefje vroegen en een kruisje tekenden achter hun naam. Het kwam allemaal wel goed...

Zo ploeterden de vrouwen van Arnefjord zich door de lente heen en er gebeurde zo het een en ander.

Malena Jörleif kreeg haar kindje. Zij wilde het Eiki noemen – het had dezelfde rooie haren en fletse ogen – maar Sigga vond dat niet zo'n goed idee. Daarom noemden zij het Helgi, al kon houtepoot er part noch deel aan hebben gehad. Een naam is een naam, en je moet de heks nooit tegenspreken.

Er gebeurden belangrijker dingen.

De jonge kerels die een lange winter hun dromen hadden gedroomd, kwamen nu toch eens naar Skard om te kijken wat ervan waar was... Zij kwamen van Tjörndal en Helledal, en sommige helemaal van Osterö. Zij droegen het geweer of het vangnet over de schouder, alsof zij op vogeljacht waren, en zij ontdekten toevàllig het dorpje en de kroeg.

In „De Zeemeermin" werden al die dorstige jagers gastvrij ontvangen door Sigga en haar kleindochters, zolang zij zich maar fatsoenlijk wisten te gedragen. Kristianne en Eydbjörg droegen het slappe bier rond, waarvoor zij dubbele prijzen berekenden, maar hun parelende lach was gratis en dat maakte alles weer goed. Alleen die met de rooie haren stond altijd met een stuurs gezicht bij de tapkast en liet haar fletse blik door de gelagkamer dwalen alsof zij geen vent vertrouwde.

Die van Viderö kwamen óók in hun kleine boten de fjord afgeroeid, hoewel er op hun eigen eiland genoeg te jagen viel... Zij hoorden spoedig tot de vaste klandizie van „De Zeemeermin" en zij maakten veel verteer. Zij vergaapten zich aan die prachtige kleindochters van Sigga en zij kochten de kruidenbrouwsels van de heks voor hun drachtige schapen, of voor hun zieke kinderen, of zo maar om weer eens naar Skard te kunnen varen...

Alleen het tuig van Svinö hield zich op een veilige afstand van de Arnefjord. Misschien hadden de twee verspieders wel rondverteld dat heel Skard stikte van de Deense doggen, en dat al de wijven er even lelijk waren als de heks, en dat zij zich met geweren en harpoenen de kerels van het lijf hielden... Je wéét nooit wat er op Svinö gebeurt en de dienders van Klaksvig wilden het ook niet weten, en de schout van Torshavn hield het erop dat Svinö onbewoond was, precies als Fuglö in het noorden, waar alleen de trollen huisden...

Maar het tuig van Svinö meed de Arnefjord als de pest en dat was wel het verstandigste wat zij ooit hadden gedaan. Nu mocht

„De Zeemeermin" zich in een groeiende klandizie verheugen, zodat Grimur eenoog elke zaterdag een heel vat bier moest afleveren, bij al het andere waar zo'n kleine gemeenschap behoefte aan heeft. En de weduwe Kliffell hoefde niet meer op de kinderen te passen, nu Malena Jörleif weer op de been was. Sigga had in vrouw Kliffell een kostbaar talent ontdekt: het minnige wijfje kon betere jenever stoken dan de heks zelf ooit gedaan had, en zo verdiende zij méér dan een mannenpart in de kelder van „De Zeemeermin". Zij had er het beheer over Sigga's koperen ketels, retorten, gistbakken en de hele rataplan. Vrouwtje Kliffell liep nu met rood ontstoken oogjes rond en met een eeuwige zenuwgrijns op haar magere gelaat; meestal was zij zelf half teut, maar de jenever die zij stookte, was van echte niet te onderscheiden. Die vond gretig aftrek bij de zwervende jagers, die van heinde en ver naar de Arnefjord kwamen om Sigga's kleindochters en de andere wilde schoonheden te bewonderen, en zich een roes te drinken aan de beste methyl van de Norderöer.

Want ook Malena Jörleif kwam zich op ongeregelde tijden in de kroeg vertonen... Die voelde zich niet geroepen om de godganse dag op andermans jong te passen. Als de mannenstemmen steeds luider door de ramen van „De Zeemeermin" klonken, kreeg Malena de kittel in het bloed. Dan liet ze de kindertroep aan de zorgen van Hanna Wadslund over, die al vijftien was en geen schapen meer hoedde.

„Let op die rotkinderen," zei ze tegen Hanna, „en hou vooral dat kreng van Joensen in de kieren; ik ben met een uurtje wel weer terug."

Soms wàs ze met een uurtje terug, maar het duurde meestal langer, want ook Malena Jörleif begon zich een zekere faam te verwerven onder de vogeljagers van de Norderöer. Zij was bij lange zo mooi niet als de kleindochters van de heks, maar *die* waren er alleen om je aan te vergapen en om ervan te dromen. Malena was gereed voor het gebruik en de kerels stonden soms voor haar huisje op hun beurt te wachten; vooral 's middags hadden zij haast, want om vijf uur viel het schot...

Dat was weer zo'n slimmigheid van de heks. Iedere vreemdeling, zolang hij zijn handen thuishield en zijn verteer betaalde, was welkom in „De Zeemeermin" en in het bed van Malena Jörleif. Vanaf tien uur of daaromtrent werden het bier en de borrel en de liefde geschonken, alles met mate en tegen vastgesteld tarief.

Maar 's middags tegen vijven maakte de heks een einde aan het feest; dan sloeg zij met haar stok op de tapkast en zij schreeuwde: „We sluiten de kroeg en het dorp! Afrekenen, en allemaal naar huis!" Dan kwamen de nuchteren overeind; zij betaalden hun verteer aan de lieve lachebekken en zij trokken op de boten aan, die aan de gammele steiger in de Arnefjord dobberden. Een enkele zatlap werd door de meisjes overeind geholpen en van zijn verteer ontdaan. Zij namen nooit een öre te veel, al viel het tòch nog tegen.

Nauwelijks drie minuten later was het dorp van mannen gezuiverd, want die met de rooie haren verscheen aan de deur van de kroeg. Zij droeg de oude dubbelloops van Olaf de reus over haar schouder en zij keek met haar fletse ogen de laatste treuzelaar aan alsof zij een vies beest zag. Zij hoefde geen woord te spreken; de kerels kenden het verhaal van lange Ivarson met zijn verschroeide haren, en hoe hard de verspieders van Svinö hadden moeten lopen om hun boot te halen, en wat de twee boeren uit Oyri was overkomen...

Nu bleef de hond nog aan de ketting, maar klokke vijf daverde het schot uit Olafs geweer, ten teken dat de vrouwen van Arnefjord geen kerel meer wensten te zien vóór de volgende morgen.

Zo liet Silvurbjörg iedere middag klokke vijf het gezag van Skard spreken en zij hoefde nooit het tweede schot te lossen. Wel maakte Kristianne een kwartiertje later de vervaarlijke Deense dog los, die bassend rondom het dorp bleef rennen tot de laatste feestganger zijn bootje had gevonden. Want het was een keer gebeurd, aan het begin van Malena Jörleifs carrière, dat een van haar klanten zich bedrogen voelde, Jens Poul Högnesen, een niet al te snuggere schapeboer uit Oyri.

Samen met Torgeir Olafson, zijn beste kameraad, was hij om de zuid naar Skard geroeid, want ook die twee mannen hadden een winter lang hun dromen gedroomd en nu kwamen zij om te zien wat ervan waar was... De dochters van rooie Eiki overtroffen hun stoutste verwachtingen, doch zij maakten een vent alleen maar hittiger dan hij al was en er viel niets met hen te beginnen, dat zag je zo. Daarom dronken die twee van Oyri meer methyl dan goed voor hen was, en zij lieten zich door een andere klant de hut van Malena Jörleif wijzen, die zo zacht moest zijn als boter.

103

Nu wilde het geval dat Malena het nogal druk had die dag, en zo moesten zij tot half vijf op hun beurt wachten.

Het meisje ontving hen met haar professionele, maar wat vermoeide glimlach.

„Eén kan ik er nog wel hebben," zei ze vriendelijk, „maar het loopt al tegen sluitingstijd; het wordt dus een vluggertje."

Daar hadden die twee mannen nog nooit van gehoord. Kon de liefde aan tijd en uur gebonden zijn? En rammelden de zilveren munten niet in hun beurzen, en waren zij niet de schoonste kerels van de Norderöer...?

Een beetje beneveld gingen zij samen de hut binnen en grendelden de deur achter zich.

„Ja, wie was nou de eerste?" vroeg het meisje verwonderd. „En opschieten, zèg, want ik ben als de dood voor de heks!"

„Wij ook," gromde Torgeir. „Daarom komen wij bij jou, omdat we die blonde lachebek tòch niet kunnen krijgen, en die rooie evenmin."

Malena voelde zich in haar beroepseer aangetast, maar dienst is dienst, en zij besloot dit karweitje nog even gauw te klaren.

„Eén betaalt," zei ze stroef terwijl zij haar hand ophield, „en de ander kan opkrassen; morgen is het wéér feest."

Maar nu gunden die twee trouwe makkers elkaar ineens de voorrang niet. De een keek de ander aan alsof hij hem verscheuren wilde en zij wierpen tegelijk het geld in Malena's schoot, maar Torgeir Olafson had het eerst zijn wapen gereed. Met weinig enthousiasme liet het meisje hem begaan. Zij had zich aangewend intussen aan prettiger dingen te denken. Hoe zij morgen weer met kleine Helgi zou spelen in de zon, en dat hij met de dag meer op rooie Eiki ging lijken...

Zij hoorde het geroffel van Sigga's stok op de tapkast en zij vond dat zij weer behoorlijk haar brood had verdiend.

„Tijd om op te krassen," zei ze tegen de boeren van Oyri. „Direct komt Silvurbjörg met haar kanon en dan staan jullie voor schut."

Torgeir Olafson wurmde zich haastig in zijn kleren, maar slome Jens Poul Högnesen had er zich juist uitgewurmd en die voelde er weinig voor om in het zicht van de haven te stranden.

„Ik heb evengoed betaald!" schreeuwde hij. „Je denkt toch zeker niet dat ik gek ben?"

„Als je wijs was, dan maakte je dat je weg kwam," zei Malena terwijl zij zich haastig aankleedde. „Over drie minuten valt het schot; ik heb je gezegd dat wij de tent gingen sluiten."

Zij wierp hem het geld voor de voeten en was opeens niet vriendelijk meer. Zij schoof de grendel van de deur en duwde Torgeir Olafson naar buiten, die het verder wel geloofde.

Maar Jens Poul Högnesen was dronken en bloot, bovendien was hij de meest eigenwijze schapeboer van Oyri.

„Betaald is betaald," zei hij, „en ik heb met jouw sluitingstijd niks te maken!"

Op dat ogenblik daverde het schot over de daken van Skard, en Malena Jörleif glipte achter haar laatste klant de deur uit.

„Ik heb er nog een binnen, die geen afscheid kan nemen," zei ze tegen Silvurbjörg, die juist haar geweer over de schouder slingerde en fronsend rondkeek.

„O, dat is niets," zei het meisje, „ik zal Loki wel even sturen."

Malena keek haar aan met schrikgrote ogen.

„Nee," fluisterde zij, „dat kan je niet doen; die laat geen draad aan hem heel. Dan ga ik die vent nog wel gauw even waarschuwen."

Zij draaide zich om en wilde naar haar hut teruggaan, maar de stem van Silvurbjörg was koud als ijs.

„Er wordt hier maar één keer gewaarschuwd, Malena Jörleif! Laat de rest aan mij over!"

Met een ongelukkig gezicht keerde Malena terug.

Loki was een vals kreng geworden, sedert de meisjes hem tegen het tuig van Svinö hadden opgehitst. Nu beschouwde hij elke vreemdeling als zijn persoonlijke vijand. Toen weduwe Purkhüs in de traanfabriek ging werken, had zij hem aan Sigga overgedaan. Nu lag hij dag en nacht aan de ketting op het erf van „De Zeemeermin" en alleen de dochters van rooie Eiki konden hem ongestraft naderen. Als de brooddronken kerels handtastelijk dreigden te worden, bracht Eydbjörg het beest met lieve woordjes in de gelagkamer, en de vreemdelingen werden op slag nuchter genoeg om hun handen thuis te houden.

Was die boer van Oyri nu maar niet zo koppig geweest, dan had hem dat heel wat last kunnen besparen. Maar Jens Poul Högnesen had altijd en overal zijn zin gekregen. Nu lag hij op Malena's krib ongeduldig te wachten tot het meisje hem waar voor zijn geld kwam leveren. Hij kwam met een triomfantelijke grijns half overeind, toen hij zo spoedig reeds de deur van de hut hoorde openen, maar de lach bestierf hem op de lippen bij het zien van de hond aan de ketting.

„Dit is een bráve man," zei Silvurbjörg sussend tegen de grommende dog, „brááf, Loki! Je mag hem alléén een stuk uit zijn reet bijten als hij niet hard genoeg loopt." Zonder de brave man een blik waardig te keuren maakte zij de ketting los van de halsband en het monster sprong met blikkerende tanden op zijn prooi af.

Silvurbjörg deinsde opzij, want Jens Poul Högnesen had opeens méér haast dan zij verwachtte. Hij was in één vloeiende duik uit de krib en op het pleintje. Hij rende voor zijn leven, in één magistrale spurt van het liefdespaleisje tot aan de boord van de Arnefjord, en dat is een heel eind. De mannen die rustiger op weg waren naar hun boten, riepen hem nog na dat hij wat vergeten had en dat zijn vrouw dat niet zo leuk zou vinden, maar met de Deense dog op zijn hielen had Jens Poul Högnesen wel andere zorgen.

Hij heeft zeker toch niet hard genoeg gelopen, want juist toen hij in zijn boot zou duiken, maakte het monster een reuzensprong en hapte een stuk uit Jens Poul Högnesens bil. Zijn kreet klonk tot op de kade van Koningsdal, waar de christenen het schouwspel gadesloegen. Daar hebben zij hem voorlopig gerepareerd, want hij had nogal veel bloed verloren, en hem wat kleren geleend voor de thuisreis. Later werd er verteld dat Jens Poul Högnesen van Oyri een beetje kreupelde en slechts staande zijn maaltijden tot zich nam, maar die praatjes zijn nooit bewezen...

10

De vrouw zonder ogen

Er werd in die dagen beweerd dat Varig, de trollenkoning, zich had teruggetrokken in de grotten van Fuglö... Niet dat hij op àndere plaatsen geen macht meer had, maar trollen en alven en heel het griezelige dwergenvolkje scheen zich toch liever schuil te houden in onbewoonde streken... Het tuig van Svinö beweerde dat vooral, en daarom gingen ze dit jaar niet naar Fuglö om er de strandskaden of kramsvogels te vangen, en de lunden konden er nu broeden naar hartelust, en de meeuwen werden niet meer verstoord.

De boeven van Svinö hadden geen contact met het volk op de andere eilanden en tòch drong het gerucht ook tot de vogeljagers op Viderö door, dat ze niet meer naar Fuglö konden gaan, want de vogelrotsen waren behekst en in de krochten onder de Stapi had zich een gruwelijk monster gevestigd; Varig zelf misschien, die soms de gestalte van een mens aanneemt, of de weerwolf Fenrir, die in de oudheid Loki verkracht heeft...

Hoe komen die geruchten in omloop? Niemand weet het. Misschien heeft een van die boeven zich op de noordpunt van Svinö gewaagd, vanwaar je Fuglö kunt zien liggen over de fjord. Die vent moet de rosse gloed van een vuur gezien hebben bij de krochten van de Stapi, en gedacht: Daar zijn Fjalar en Galar bezig het toverzwaard van Varig te smeden...! Iemand moet wat wonderbaars gezien hebben op dat eiland in de verte en het tuig van Svinö, dat van God of duivel niet bang is, waagde zich niet meer op het vogeleiland.

Schipper Solstein van de Bordövig koerste op een avond met zijn schuit langs Fuglö, omdat hij rond de noord naar de visgronden wilde. De schipper was een gelovig mens; die van Koningsdal zijn sedert lang tot het christendom bekeerd, dus zij vrezen de boze geesten alléén als het stormt, of in de lange, donkere winternachten, als Loki zo akelig tekeergaat rond het huis... Maar nu was het zomeravond en blakke zee. Met de schemer daalden wat mistflarden over het water; daarom had de ouwe al vroeg de boordlichten laten ontsteken en Joan Wadslund bij de kluiver op de uitkijk gezet; die jongen had tenminste een paar heldere ogen in zijn kop.

Juist toen zij dwars van Fuglö koersten, meende de dekwacht iets te zien in de wazige nevel recht voor de boeg, een kleine witte sloep... Misschien een kustvisser, of een vogeljager die te ver uit de koers was geraakt. Joan waarschuwde met een schreeuw de roerganger en die liet tweemaal de misthoorn loeien. Het geluid scheurde rauw over het water en de ouwe, altijd op zijn qui-vive, kwam snel naar voren geklost.

„Wat doet er òp, jonge Wadslund...?" Hij tuurde in de vale

schemer. Het water kabbelde zilverig voor de boeg. „Ik zie niks; waarom ging je zo tekeer...?"

„Dacht dat ik een sloep zag, recht vooruit," zei Joan gedempt, „dacht verdòmd dat ik een sloep zag, schipper!"

„Op mijn schip wordt niet gevloekt!" beet de ouwe hem toe. „Hoe dikwijls moet ik je dat nou nog..."

„Dáár!" kreet Joan Wadslund. „Daar is hij weer, over bàkboord nou!"

De schorre roep van de misthoorn klonk in de vallende duisternis en nu zagen zij het alle drie: een kleine sloep, die dwars van de Bordövig uit het nevelgordijn te voorschijn gleed, geruisloos als een schim uit het verleden. Maar de roeier was zèlf een schim. Hij liet de riemen in de dollen rusten en zat diep voorover gebogen, zijn gelaat van het passerende schip afgewend, alsof hij niet herkend mocht worden. Hij gaf geen antwoord, toen de ouwe hem door de scheepsroeper praaide, en hij werd even geheimzinnig opgenomen in de volgende mistflard.

Zacht stampend vervolgde de Bordövig haar koers, noordnoordoost naar de visgronden. Een tijdlang zei de schipper niets; toen schraapte hij zijn keel en spoog een straal tabakssap over de reling.

„Een van die boeven van Svinö," gromde hij. „Wil door een christenmens niet herkend worden... Was trouwens wèl een flink eind uit de koers, met zo'n snertbootje..."

Joan Wadslund knikte, maar het beven wilde niet ophouden in zijn knieën. Hij had zojuist een schim uit het verleden ontmoet, maar ga dat zo'n vrome schipper eens aan zijn verstand praten.

„De geesten komen niet terug," zei de schipper even later. „Het móét er een van dat tuig van Svinö zijn geweest, al gebruiken die àndere boten..."

Toen wist Joan Wadslund dat ook de ouwe die houten poot had gezien, die juist even te voorschijn stak onder een van de doften.

„Ai, ai, skipper," sprak hij met onvaste stem, „de geesten komen niet terug..."

Later, bij het wisselen van de wacht, tikte de roerganger hem op de schouder.

„Ik wil weten of jij gezien hebt wat ik meende te zien, jonge Wadslund." Hij keek rond en hij dempte zijn stem. „Je kan tegen zo'n vrome zak niet gaan zeggen dat er een geest aan bakboord was, maar ik had durven zweren dat ik houtepoot zag,

daar in die sloep..."
„Vervloekte onzin!" zei Joan Wadslund. „Straks denk je rooie Eiki nog te zien in de mist. Geesten komen niet terug."
Daar hielden zij het voorlopig maar op. Al de kerels van Skard waren zo dood als een pier. Wat zouden ze dan nog op de Norderöer komen spoken...?

Na het scheren van de schapen ging Silvurbjörg op vogeljacht langs de steile rotsen aan de Svinöfjord en zij kwam elke avond thuis met een net vol oesterduikers. Zij kon in „De Zeemeermin" best gemist worden, nu Loki erop was afgericht om zelf het vertrek van de klanten te regelen, zodra Kristianne hem losliet. Er kwamen steeds minder kerels om zich aan de mooie kleindochters van de heks te vergapen; het nieuwtje was eraf, de droom bleef een droom en de jonggezellen van Bordö hadden wel wat anders te doen nu de grindedrab naderde...

Malena Jörleif genoot nog slechts een matige klandizie, sedert die boer uit Oyri een lap van zijn vlees had moeten offeren. Zo hernam het leven op de Norderöer zijn normale gang en het werd stil rond de vrouwen van Arnefjord.
De kleine jongens hoedden de schapen op de bergweiden en sommigen waagden zich op de hellingen van de Murgandyr om vogels te verschalken met het net, maar zij maakten daarbij zoveel lawaai dat de buit gering bleef. Toen Eli Lassen van de rots stortte en zijn ribben brak, maakte Sigga voorgoed een einde aan dat gevaarlijke spel. De jongens moesten maar gaan vissen aan de boorden van de Arnefjord, of de ratten doodslaan, die zich nooit geheel lieten uitroeien.
Nu was de kleine gemeenschap voor vers vlees op Silvurbjörg aangewezen, want de lammeren werden aan Marsten geleverd of ingezouten voor de komende winter, als de vrouwen niet meer naar de fabriek konden gaan.
's Morgens voor dag en dauw trok Silvurbjörg er op uit, met het zware geweer van Olaf de reus over haar schouder en zijn koperen eenoog aan haar gordel. Zonder de zeekijker ging zij nooit van huis, want zij jaagde meestal langs de steile rotsen juist onder de wolkenkraag van de Murgandyr, vanwaar zij de Arnefjord en de Svinöfjord en de Kvannesund kon overzien. Diep beneden zich, als zwarte kevertjes in al dat groen, zag zij de kinderen die

de schapen hoedden. Aan de andere kant, op het diepe blauw van de Svinöfjord, dreven de gekke kleine bootjes waarmee het tuig van Svinö langs de steile rotsen op vogeljacht ging. Silvurbjörg hield ze allemaal in de gaten met haar koperen eenoog. Zij zag hoe handig de vogelvrijen zich met hun kajaks over de fjord bewogen, en steeds heviger verlangde zij óók zo'n vederlichte boot te bezitten.

Soms waagden die kerels zich aan de oostkust van Bordö, op de rotsen van de Burhella, of aan de steile kant van de Murgandyr. Daar maakte Silvurbjörg geen herrie om, zolang zij maar op veilige afstand van Skard bleven. Zij waakte over Skard, niet over het eiland... Zij ging het tuig van Svinö tegemoet, als iemand toevallig naar het westen dwaalde. Dan keek zij met één geknepen oog over de korrel van haar geweer, en zij schoot een vogel die juist boven de schouder van de indringer zeilde. Zij demonstreerde haar macht en haar bekwaamheid: er was op heel de Norderöer geen scherpschutter te vinden als de dochter van rooie Eiki. Zo'n afgedwaalde jager vloekte alle duivels uit de hel, wanneer hij van zijn eerste schrik bekomen was, maar als hij achteromkeek, lag daar steevast een getroffen vogel; kon dat rooie loeder er wat aan doen, dat hij precies in haar schotveld liep...? Zij sloeg geen acht op de schunnige taal die hij haar nariep, ze lachte niet om zijn schrik; zij toonde slechts een hautaine minachting voor het tuig van Svinö.

En toch begeerde zij een van hun boten...

Zij droomde ervan, hoe snel zij zich zou kunnen verplaatsen over de Arnefjord en rond de zuidkaap naar de vogelrotsen. Zij zou Grimur niet meer nodig hebben om de winkels van Klaksvig te bezoeken en zelfs Lervig lag bij kalme zee binnen haar bereik.

De boten van Svinö werden haar een obsessie. Eénmaal zou zij zo'n lichte kajak bezitten, al moest zij hem op het tuig veroveren...

Zij had nooit kunnen dromen dat het zó eenvoudig zou gaan. En zo triest.

Op een van die warme zomerdagen waar de Faröer zo gierig mee is, zat Silvurbjörg uit te rusten op een rots aan de steile kant van de Burhella.

Zij kwam hier vaak de laatste tijd, omdat zij er een ruim zicht had over de Svinöfjord en op de massieve rotsen die het eiland der vogelvrijen aan het oog onttrokken. Je wist nooit wat daar gebeurde achter het ongenaakbare rotsmassief en niemand wilde het weten dan Silvurbjörg, die haar zinnen op een van hun boten had gezet.

Soms kwam het tuig ineens de fjord afgeroeid in twee, drie bootjes tegelijk, woest uitziende kerels met luizenbaarden en blonde haren in vlechten geknoopt, of in een wrong met een leren vetertje. Zij droegen schaarse kleding van zeehondevel en 's zomers waren er die naakt in hun kajak zaten, maar aan hun voeten droegen zij altijd de wanstaltige laarzen die zij net als hun boten van de Eskimo's hadden afgekeken. In stilte bewonderde Silvurbjörg die kerels, ondanks de verhalen die over hen de ronde deden. Dit waren nog echte Vikingen, die hun eigen wetten maakten en zich alleen wisten te handhaven door hun vindingrijkheid en meedogenloze wreedheid.

Silvurbjörg wilde juist overeind komen en haar tocht langs de Burhella voortzetten, toen zij in de diepte beneden zich twee van die kleine boten zag komen aanvaren. Zij staken schuin de fjord over en hielden aan op de vogelrotsen van de Burhella.

Mij een zorg! dacht het meisje. Zolang ze mij niet in de weg lopen...

Toch nam zij de eenoog en volgde nieuwsgierig de bewegingen van de kajaks daar in de diepte van de fjord. Zij stelde verbaasd de kijker bij, toen zij ontdekte dat in een van de boten twéé personen zaten, een zongebruinde kerel en een vrouw... Dat was niets bijzonders eigenlijk. Silvurbjörg had gehoord dat er ook vrouwen leefden bij het tuig van Svinö, maar deze vrouw was geblinddoekt... Zij droeg een smalle zwarte lap voor haar ogen gebonden, maar zij scheen zich volkomen op haar gemak te voelen. Zij zat voor de man die de peddels hanteerde en zij lachte met wijd open mond om iets dat de andere roeier haar toeschreeuwde. Silvurbjörg kon hen op die afstand niet verstaan, maar de oude eenoog haalde hun beeltenis vlakbij en met een schok herkende zij de mannen. Het waren de twee die zich hartje winter om de zuidkaap naar Skard hadden gewaagd. Ewald en Tor, zij herinnerde zich hun namen nog, en die twee zouden nooit hun smadelijke aftocht vergeten...

Nu hielden zij op het smalle kiezelrif aan, dat aan de voet van de Burhella lag te dampen in de zomerzon. De man die zich Tor genoemd had, zat in zijn boot met ontbloot bovenlijf en de vrouw voor hem droeg weinig méér. Zij begon met rauwe stem een oud skaldenlied te reciteren. Silvurbjörg kon het refrein verstaan, dat de mannen zongen op de maat van hun roeislag. Nu waadden zij door het ondiepe water naar het rif. Zij trokken de lichte boten achter zich aan, maar de vrouw bleef in de grootste kajak zitten tot een van de kerels haar bij de hand nam en haar naar de smalle oever leidde. Daar zat zij neer, luid zingend, tot de man haar te drinken gaf uit een kroes.

De andere man had de boten gemeerd en kwam nu eveneens bij haar neerknielen. Hij had een kleine kruik meegebracht uit zijn boot en hij vulde opnieuw haar kroes.

De vrouw zong niet meer. Zij dronk met het hoofd achterover en haar blinddoek naar de zon geheven. Daarna strekte zij zich op het dampende wier en liet de mannen begaan.

Onbewust van het meisje met de kijker pleegden zij daar de liefde onder de milde stralen van de zomerzon, en de vrouw maakte geen onderscheid, zij onderwierp zich aan de een na de ander als een willig wijfjesdier. De golfjes kabbelden tegen het rif en blanke vogels scheerden met wijde wiekslag over de aardmensen. Het had alles iets vredigs.

Silvurbjörg zou er niet door geschokt geweest zijn, als die vrouw maar niet geblinddoekt was, als de mannen haar later niet eenzaam hadden achtergelaten op het rif...

Zij roeiden weg, zonder een woord, ieder in zijn eigen boot. Zij hadden hun vangnetten bij zich en ze zetten koers naar de vogelrotsen onder Tjörndal, alsof de vrouw hun niet aanging, die daar naakt en zeer stil in de zon bleef liggen.

Misschien was zij in slaap gevallen, hoopte Silvurbjörg, maar zij leek wel dood... Zij had zich al een hele tijd niet bewogen, terwijl de golfjes steeds hoger kwamen bij het klimmen van het tij. Straks gingen zij het rif overspoelen, dan móést de vrouw wakker worden en een veilig heenkomen zoeken op de rotsen van de Burhella.

Vogels vlogen krijsend laag over haar, alsof zij die mens daar op het rif nog waarschuwen wilden, maar de vrouw bleef onbeweeglijk liggen, gestrekt zoals zij de mannen had ontvangen en haar geblinddoekt gelaat naar de hemel geheven.

Silvurbjörg spiedde met haar kijker de fjord af. Geen spoor meer van de mannen met de boten. De stilte van de zomermiddag, die slechts verbroken werd door het gekrijs van de azende vogels en de golfslag die hoger tegen het rif opklom.

Silvurbjörg kwam overeind.
Je hebt met dat wijf daar beneden niks te maken, hield zij zichzelf voor. Het is gewoon een van hun hoeren, je hebt het zelf gezien. Misschien is zij dood, misschien verdrinkt zij met het klimmen van de vloed, maar je hebt er niks mee te maken. Doch zij hing haar geweer over de schouder en bevestigde de kijker aan haar gordel. Zij begon langs de vogelrots naar beneden te klauteren en ze bereikte na een kwartier het rif, hijgend en bezweet, want zij had meer risico's genomen dan ooit tevoren.
De vrouw lag daar nog precies eender, maar toen Silvurbjörg aarzelend naderbij kwam, bleek het dat zij met half open mond lag te snurken, zo vast in slaap alsof zij in geen uren zou ontwaken. De geur van slechte jenever sloeg het meisje in het gelaat, toen zij zich over de vrouw boog.
„Stomdronken!" zei Silvurbjörg geërgerd. „Daar doe ik al die moeite voor, om een bezopen hoer te vinden, en als het tuig straks terugkomt, kan ik nog maken dat ik weg kom." Zij nam haar geweer onder de arm en spiedde de fjord af. Zo ver haar blik reikte viel geen boot te bekennen. Wel spoelde het water nu tot aan de voeten van de slapende vrouw. Het meisje keek minachtend op het schaamteloos gestrekte lichaam neer, vervallen en aangetast door de zweren.
„Hoer," zei ze, „smerige hoer, sta op, of je gaat verzuipen! Trek je paar vodden aan en zie dat je hier weg komt." Maar de vrouw snurkte verder met vochtige snottergeluiden. Silvurbjörg keek naar het ontluisterde lichaam en dan naar het water, dat bruisend over het rif spoelde. Toen stootte zij de vrouw aan met haar voet en het gesnurk viel stil. „Kom overeind!" zei ze. „Zie je dan niet dat je verdrinken gaat?"
De vrouw smakte met de lippen en stootte een paar onverstaanbare klanken uit. Zij rekte zich, zij trok een been op en zij wentelde zich op haar zij, om verder te slapen. Nu werd Silvurbjörg zo kwaad dat zij haar een schop gaf. De vrouw kwam met een verschrikte vloek half overeind en tastte om zich heen. Met haar voet schoof het meisje de vodden tot bij de zoekende handen.
„Veel te vroeg..." mompelde de vrouw. „Ik voel de zon nog." Toen boerde zij. Ze propte de kleren tot een kussen onder haar hoofd en dacht weer te gaan slapen. „Laat me met rust," zei ze, „of geef me nog een slok, je kent mijn prijs... "
Silvurbjörg wierp een snelle blik om zich heen, dan knielde zij

bij de vrouw neer en schudde haar bij de arm.

„Over een paar minuten krijg je alle rust van de wereld!" kreet zij. „Wil je zo graag dood?"

Met een schok zat de vrouw overeind, klaar wakker opeens. Het was niet de dood die haar schrik aanjoeg, maar de vreemde stem. „Wie ben jij, en wat doe je hier?" vroeg zij wantrouwig. Zij tastte naar de vodden en begon ze aan te trekken.

„Doet dat er iets toe?" vroeg het meisje. „Ik zag je hier liggen en ik ben van de Burhella geklommen om je te waarschuwen. Het water gaat over het rif spoelen; straks kun je hier niet meer liggen. Komen die kerels je niet ophalen?"

„Vanzèlf wel!" giechelde de vrouw. „Zullen ze mooie Gudrid vergeten? Ik ben niet meer wat ik ben geweest, maar de wijven zijn schaars op Svinö, als je dàt maar weet!"

„Ik weet alleen dat we hier weg moeten," zei Silvurbjörg. Zij nam de vrouw bij de hand en leidde haar naar een hoger gelegen rots, waar het water niet komen kon. „Ben je... ben je blind?"

De vrouw lachte schamper.

„Nee, ik loop voor de lol met die lap om m'n kop! Kan ik hier zitten? Ik ben zo bezopen als een beer." Zij tastte naar de bodem en ze ging zitten. Toen knoopte zij de zwarte lap los en wendde haar gelaat naar waar zij het meisje vermoedde. „Zie je wat er-van geworden is?" giechelde zij. „En dit waren de mooiste ogen van de wereld."

Silvurbjörg keek neer in de rood ontstoken holten, die eens de mooiste ogen van de wereld hadden omsloten.

„Methyl," zei de vrouw, en zij toonde weer haar dwaze grijns. „Methyl, en de ziekte. Het duurt nou niet lang meer... Ze zullen me missen, want ik ben altijd de mooiste hoer van Vestmanhavn geweest." Zonder overgang begon zij te schreien, zo maar zacht voor zich heen.

Silvurbjörg wendde zich geërgerd af, om de tranen niet te zien die uit de gebluste ogen dropen. Zij tuurde de fjord af. Veel liever zou zij de kerels van Svinö uit de weg gaan, maar als de vrouw hier met opzet was achtergelaten om op het rif te verdrinken...

„Kèn je Vestmanhavn?" vroeg de vrouw hunkerend. Zij had met geroutineerde bewegingen de vuile lap weer voor haar ogen geknoopt. „Als je ooit in Vestmanhavn komt, moet je naar ‚Het houten Anker' gaan en dan moet je mijn dochter de groeten doen... Zeg haar dat ik nog altijd de mooiste ben, maar dat ze van de foezel af moet blijven, want die maakt je stekeblind. Zul je dat zeggen...?"

„Ik ken Vestmanhavn niet," zei Silvurbjörg zacht. „Ik ben nooit verder dan Klaksvig geweest, omdat ik zo'n lichte bóót niet bezit." Zij slingerde het geweer over de schouder. „Ik moet nu gaan. Blijf hier rustig zitten, dan kan je niets gebeuren. Ik hoop dat ze je straks weer komen ophalen..."

„Daar kan je gif op nemen!" lachte de vrouw. „Ze halen mooie Gudrid altijd weer op, zolang ze nog bruikbaar is! Ze betalen hun hele rantsoen om een keer te mogen."

„Rantsoen...?" vroeg Silvurbjörg.

„De foezel," verduidelijkte de vrouw. Zij wilde het meisje aan de praat houden, om niet zo lang alleen te zijn. „Bokum verdeelt de foezel, want hij is de baas over de koperen ketels. Bokum is over alles de baas en hij geeft elke kerel één kroes per dag."

„En de vrouwen?" vroeg Silvurbjörg om toch maar iets te zeggen. Gudrid wierp het hoofd in de nek en lachte al haar rotte tanden bloot. „De vrouwen! Die is goed...! Wij moeten ze verdienen, vanzelf! Hoe dacht je anders dat de kerels ons konden betalen?" Zij zweeg plotseling en stak een waarschuwende vinger omhoog. „Begin er nooit aan, lieve kind... Je bènt toch nog een kind? Je klinkt niet ouder dan veertien, vijftien..."

„Bijna zeventien," zei Silvurbjörg trots, „en ik ben van alle kerels niet bang."

„Maar begin voor de duivel nooit aan de foezel," zeurde de vrouw, „of je krijgt hetzelfde als ik... Eerst gaan je ogen ontsteken, en ineens, op een kwaaie dag, zie je niks meer... En dan te weten dat ik de mooiste ogen van de wereld had, dat ik de duurste hoer van Vestmanhavn ben geweest..." Zij begon weer zachtjes te schreien.

Silvurbjörg keek verveeld naar het rif, dat nu geheel door het water van de Svinöfjord werd overspoeld.

„Hebben de kérels er dan geen last van," wilde zij weten, „en de andere vrouwen...?"

„Die drinken veel minder dan ik," zei de vrouw kleintjes. „Ik kom met drie rantsoenen niet toe, en ik kan ook nog meer verdienen, maar er is nooit genoeg om te vergeten wat ze me hebben aangedaan."

Silvurbjörg keek peinzend op de vrouw neer, die wanhopig het hoofd schudde.

„Je hebt me helemaal geen dienst bewezen," klaagde zij. „Had me m'n roes maar lekker laten uitslapen!"

„En verzuipen..." zei het meisje nuchter.

„En verzuipen," echode de blinde, „maar zo duurt het ook niet lang meer. Ik weet zeker dat ze mij de slechte methyl brengen en zelf de goeie foezel houden; het brandt mij de strot af, maar ik word er evengoed lekker bezopen van, en dan ben ik weer mooie Gudrid uit Vestmanhavn. Zul je er een keer naar toe gaan...?" bedelde zij. „Zul je aan Joanna gaan zeggen dat ze dáár nooit aan beginnen moet...?"

Het wijf is nog gek bovendien, dacht Silvurbjörg, maar kribbig zei ze: „Ik heb je toch gezegd dat ik geen bóót heb? Wij in Skard hebben geen boten, en misschien ligt Vestmanhavn wel veel te ver."

„Nee... vèr is het niet," zei de vrouw dromerig, „je moet langs Torshavn, en om de kaap van Kirkebö... en dan komt de Hestöfjord, en de Vestmannasund..." Zij schokte plotseling overeind, alsof zij een goede inval kreeg, maar zij was zo dronken dat zij op de tast weer ging zitten. „Skard, zei je, hè...? Jij bent er een van Skard...!"

„Ja, wat zou dat?" vroeg het meisje nors. „Het tuig van Svinö mag er niet komen, of ik schiet ze overhoop."

„Dan ben jij de rooie met het geweer," stelde de vrouw vast. „Ik heb erover gehoord. Jullie wilden onze foezel niet, omdat je ze zelf veel beter maakt." Zij knikte nadrukkelijk met het hoofd. „Ja ja... ik heb ervan gehoord... Ewald en Tor, hè...?" Zij giechelde als een verlegen meisje. „Als je wist wat die twee rondvertellen, dan stond je hier niet, rooie! Of... zit je?" vroeg zij met gespitste oren.

„Ik sta," zei Silvurbjörg bits, „ik sta hier met het geweer van Olaf de reus in de holte van mijn arm, mooie Gudrid! Zo kan ik beter op mijzelf passen."

„'t Zal nodig zijn!" grinnikte de vrouw. „Want Ewald en Tor vertellen aan ieder die het horen wil dat ze je uit elkaar zullen rammen zo gauw ze je zonder de hond tegenkomen." Zij hief haar gelaat in de richting van het meisje. „Die weerwolf... die heb je niet bij je, hè...?"

„Die heb ik niet bij me," zei Silvurbjörg stroef en zij spiedde de fjord af.

„Nou ja," giechelde Gudrid, „ze zeggen het al meer dan een half jaar, dus ze zoeken je zeker niet al te ijverig. Tor heeft het trouwens meer op je zuster begrepen, dat moet een blondje zijn, zo'n echte Vikingdochter en... bijna zo mooi als ik vroeger was... O ja, ik heb jullie in alle termen horen beschrijven, en gelóóf me dat je die weerwolf beter mee kan nemen, als je zo ver van huis gaat...!"

Silvurbjörg was al lang van plan om het dronken wijf vaarwel te zeggen, maar nu won de koppigheid het van haar nuchter verstand.

„Ik heb Loki niet nodig, zolang ik mijn geweer heb," zei ze. „Ik ben het tuig van Svinö al vaak genoeg tegengekomen, en réken maar dat ze op een veilige afstand blijven!"

„Ik weet het," giechelde Gudrid, „ik ken àl die verhalen. Je schiet onze kerels een strandskade van de schouder! Maar los nooit je twééde schot zolang onze mannen in de buurt zijn, rood meisje, want je zou wel es tijd te kort kunnen komen om te herladen..."

„Ik vind dat je aardig nuchter begint te worden," zei Silvurbjörg. „Ik denk dat ik je verder wel alleen kan laten tot het tuig je komt halen."

Zij draaide zich om en wilde langs de brede richel omhoog klauteren, maar de vrouw uitte een verschrikte kreet.

„De bóót!" zei ze. „Wij moeten nog over de boot praten."

Verbaasd keek het meisje haar aan.

„Ik heb zojuist een heel slim plannetje bedacht," zei de mooie Gudrid geheimzinnig. „Zou je die boodschap voor mij doen als ik je een boot bezorgde...?"

Gespannen keek Silvurbjörg op haar neer. Wat had dat gekke wijf gezegd...?

„O ja, ik kan jou best een boot bezorgen," kakelde Gudrid, „maar we moeten het samen slim spelen, rood meisje, misschien mijn laatste slimmigheid, maar als jij belooft die boodschap aan mijn dochter te brengen, dan heb ik het ervoor over!"

Silvurbjörg hield de adem in. Vestmanhavn leek opeens niet zo ver meer... Gewoon langs Torshavn en om de kaap van Kirkebö... Nou, en dan nog een eindje, de Hestöfjord en de Vestmannasund...

„Natúúrlijk doe ik het!" beloofde zij lichtzinnig. „Maar hoe wil je mij een boot leveren, blinde hoer?"

De vrouw toonde zich niet beledigd; evenzeer als het meisje vervuld was van de boot, mocht zij toch zeker van die dwaze boodschap aan haar dochter dromen? Zij kwam duizelig overeind, geheimzinnig gebarend, en Silvurbjörg, met een snelle blik over de fjord, ging haar popelend tegemoet.

Met gedempte stem, alsof iemand hen kon afluisteren, zette Gudrid haar plan uiteen... Stookten ze in Skard niet de beste jenever van de hele Norderöer? Dat was zelfs tot de vogelvrijen doorgedrongen. En kon rood meisje dan geen beslag leggen op een pint of tien...? Voor goeie foezel is àlles te koop, zelfs wel zo'n lichte kajak, waar ze er op Svinö toevallig een paar van over hadden sedert Leifi en Tjaldur elkaar hadden uitgeroeid. Gudrid zou er eens stiekem met Bokum over praten, die alles voor het zeggen had, en die even begerig naar de vrouwen als naar goeie foezel was, maar wijselijk zijn eigen brouwsel niet aanraakte...

Met grote ogen keek Silvurbjörg de vrouw aan. Zij kon nauwelijks geloven dat het allemaal zo eenvoudig zou zijn, maar evenals de blinde had ook zij haar droom, waarvoor geen moeite te veel was. Die tien pinten jenever, daar kon zij wel voor zorgen, al zou het veel overredingskracht vergen, maar hóé ging de ruil tot stand komen? Of dacht Gudrid misschien dat de dochter van rooie Eiki zich liet bedriegen...?

„Breng je kanon en de weerwolf mee," lachte de vrouw, „dan zal je niks gebeuren. Als jij zo graag die boot wilt, en Bokum de foezel, dan hóéft er niemand verlinkt te worden."

Silvurbjörg staarde peinzend over de fjord. Zij was opgewonden bij de gedachte aan de boot, doch zij berekende koel haar kansen; het tuig van Svinö ging háár niet in de val lokken!

„Goed," zei ze tenslotte, „zeg aan Bokum dat ik over drie dagen hier zal zijn, mèt mijn geweer."

„En met de weerwolf," waarschuwde Gudrid, „vergeet de wéérwolf niet!"

Het meisje gaf daar geen antwoord op. Loki zou haar van weinig nut zijn langs de steile rotsen van de Burhella, maar kon de blinde vrouw dat begrijpen? Dit werd een zaak tussen haar en de vogelvrije.

„Zeg dat Bokum alléén komt, met de boot die hij wil ruilen, *hij* alleen, en ongewapend. Ik zal een halve pint van onze beste jenever meebrengen. Pas wanneer wij allebei de waren hebben gekeurd, valt er over de prijs te onderhandelen. Probeer hem dit aan zijn verstand te pompen, Gudrid, en laat al die anderen er buiten."

De blinde lachte sluw.

„Jij bent een slim meisje... Nou begrijp ik waarom je zo goed op jezelf kunt passen..."

Pas later merkte zij dat het slimme meisje daar al druk mee bezig was, want de rotsen gaven geen antwoord. Silvurbjörg had tijdens het gesprek haar schoenen uitgetrokken en was muisstil in een scheur tussen de rotsen verdwenen. Een heel eind verder begon zij naar de bolle schouder van de Burhella te klimmen, buiten gehoorsafstand van de blinde. Zij hoopte maar dat de vrouw nuchter genoeg zou zijn om rustig op haar plek te blijven. De vogeljagers moesten nu spoedig terugkeren. Zij zouden het vreemd vinden dat Gudrid zelf die veilige plaats op de rots gevonden had, of misschien waren zij teleurgesteld haar nog levend aan te treffen... Je weet nooit hoe het tuig van Svinö denkt. Silvurbjörg zou er het beste maar van hopen.

„Tien pinten foezel," zei ze bij zichzelf, „het is een hele plas, en ik ben benieuwd hoeveel die hoer daarvan krijgt..." Terwijl zij haar schoenen weer aantrok, bekeek zij de schamele buit in haar net. Ze bracht niet veel thuis, deze keer, maar de dag was goed geweest. Haar droom begon gestalte te krijgen.

„Nog éven, rood meisje," beloofde zij zichzelf, „nog een paar dagen misschien, en je bezit zo'n lichte boot... Als die hoer nu maar niet van de rotsen valt, want dan kan ik helemaal opnieuw beginnen..."

II

Het klein verraad

De vrouwen van Arnefjord bogen zich niet allemaal even willig onder het juk van de heks. Zij vreesden en respecteerden haar, dàt wel, maar vrouw Wadslund kon het niet verkroppen dat haar zoon Joan niet meer in Skard mocht komen, louter omdat hij met rooie Eiki overhoop gelegen had. En vrouwtje Kliffell begon zich een rat in haar hol te voelen, dag aan dag in de dompige kelder van „De Zeemeermin". Zij had rood ontstoken ogen en ze was zelden meer nuchter, maar zij had een kwade dronk die haar vals maakte.

Zeker, Sigga had hen behouden door de eerste, barre winter geloodst, toen ze nog verdoofd waren van de slag. Ze zouden het nooit vergeten. Maar nu was het zomer en de vrouwen bleven lange dagen van huis. Ze werkten met de jonge meiden van Klaksvig in Marstens traankokerij en zij deden het zwaarste werk, zij werden uitgebuit, maar zij hadden nooit een halve kroon op zak. Dat zette kwaad bloed op den duur.

Als zij 's avonds doodmoe thuiskwamen, dan sliepen de kleine kinderen, te bed gelegd door de groteren, of zo maar in een hoek weggekropen. Zij kenden nauwelijks hun eigen kinderen meer. Op de zondagavonden kwamen zij bijeen in „De Zeemeermin"; dan kregen zij allemaal hun part van de jenever die vrouwtje Kliffell gestookt had en onder het langzaam genieten brachten zij verslag uit van het leven over de Arnefjord. Zij scholden op de uitbuiters in Klaksvig, en op Grimur eenoog, die veel te lang talmde aan de steigers van Oyri en Skälanes, zodat ze later dan nodig in Skard terugkeerden. Zij vertelden ook al de nieuwtjes die zij in Klaksvig hadden vernomen en de grotere kinderen zaten begerig te luisteren; die hunkerden naar de tijd dat *zij* over de Arnefjord mochten gaan.

Ook Eydbjörg had haar kinderdromen, al behandelde men haar als een jonge vrouw, nu zij geen schapen meer hoefde te hoeden bij de trollekop. Zij was deze zomer flink uit de kluiten gewassen en zij deed in schoonheid voor Kristianne niet onder. Zij greep elke gelegenheid aan om met Hanna naar het huis van de Wadslunds te gaan en zij hoorde het meisje uit over haar broer Joan. „Onze Joan vaart nou om de noord," vertelde Hanna, „onze Joan is al stuurmansleerling, hij zal wel ooit schipper worden..." „Als ik groot ben, tróúw ik met jullie Joan," had Eydbjörg zich eenmaal laten ontvallen, maar Hanna had haar van terzijde aangekeken en gezegd dat haar broer al een meisje in Koningsdal had, de dochter van schipper Solstein, die hem 's zondags mee naar de kerk troonde.

Nu hield Eydbjörg haar dromen maar voor zichzelf en zij voelde zich soms diep ongelukkig; die nieuwtjes over de jonge Wadslund vervulden haar met trots en deden haar hevige pijn tegelijk, want zij begreep dat de jongen van Skard zijn snelle promotie slechts aan schipper Solstein te danken had, omdat hij met zijn dochter verkeerde.

Hanna en Eydbjörg hadden samen al de geheimpjes van hun kinderjaren gedeeld. Nu bewaarden zij een groot geheim, waar de heks nooit achter mocht komen: zij wisten dat de jonge Wadslund soms zijn moeder bezocht... Nu Silvurbjörg bijna dagelijks de bergen in trok met het enige geweer van Skard, was het gevaar niet zo groot meer. Restte nog het probleem van de Deense dog, die nu dag en nacht vrij rondliep en zich met luid gebas tegen elke vreemdeling keerde. Loki gehoorzaamde slechts aan de dochters van rooie Eiki; zelfs vrouw Purkhüs kon hem geen baas meer, sedert hij door de meisjes was afgericht. Zij hadden eindeloze uren aan hem besteed en nu was hij even vals als betrouwbaar. De magere schapershonden op de bergwei lieten de kudde in de steek zodra in de verte het gebas van Loki weerklonk, en hysterisch blaffend snelden zij de leider te hulp. Zo was de veiligheid van Skard verzekerd, zelfs al dwaalde Silvurbjörg met het geweer in de bergen.

Hoe listig kan een meisje van veertien zijn... Hanna Wadslund rekende op Eydbjörgs vriendschap en speculeerde op haar verloren droom... Zij begon kwaad te spreken van schipper Solsteins dochter, die een vroom en bloedeloos wezen was, zo koud als een vis.

„Onze Joan mag haar niet eens aanraken, en ze hebben al dikwijls ruzie gehad... Het wordt tòch niks tussen die twee."

En zo kwam Eydbjörg tot haar klein verraad.

Op een zondagavond, toen al die vrouwen zich in „De Zeemeermin" ophielden, sloop Eydbjörg het achterhuis uit en wandelde door de schemeravond in de richting van de fjord. Loki kwam kwispelstaartend achter haar aan. Zij klopte hem op zijn brede kop en fluisterde hem toe dat hij zich stil moest houden en braaf met het vrouwtje meegaan. Fier liep Loki aan haar zijde, zijn oren gespitst op ieder gerucht en fel rondspiedend naar kwaad volk. Niemand zou er iets achter zoeken; het meisje ging zo vaak naar de hut aan de fjord en de dog week nimmer van haar zijde wanneer zij er op uit trok. Maar bij de hut van de Wadslunds gekomen keek Eydbjörg rond.

Niemand was haar vanuit het dorp gevolgd, een paar van de

grotere kinderen zaten bij de vrouwen in de kroeg en de kleintjes waren allemaal in huis. Dit was het uur waarop geen sterveling wat te zoeken had aan de Arnefjord.

Zij ging het huisje van de Wadslunds voorbij en slenterde langzaam de helling af naar de steiger. Achter het kerkje van Koningsdal hing nog wat rossig schijnsel van de stervende dag. Met de schemer daalde een wazige mistflard over de fjord. Daaruit schoof geruisloos als een zwaan de kleine witte boot te voorschijn. Eydbjörgs hart begon hevig te bonzen... De droomboot... de prins van haar kinderdromen... de wreed verstoorde droom...

De prins had zijn roeiriemen met oude lappen omwonden, maar het monster op de steiger hoorde hem tòch wel en diep in zijn keel begon een donker gegrom. Driftig fluisterend moest Eydbjörg de hond tot kalmte manen: „Koest, Loki! Goed volk...! Goed volk...!" Zij gaf hem een venijnige tik op zijn natte neus en het beest legde zich aan haar voeten, het volgde met felle ogen de nadering van de kleine sloep, het gromde zacht tussen zijn blikkerende tanden, maar het vrouwtje had „goed volk" gezegd en dan ben je bij al je zenuwen machteloos.

Langzaam gleed de boot naar de steiger. Ze spraken geen woord. De jonge Wadslund stak zijn hand op en Eydbjörg, met vuurrood gelaat, groette op dezelfde wijze terug. Zij blikte vanaf de steiger op hem neer, hoe hij de vanglijn aan een schoeiingpaal bevestigde. Zij keek vol verering naar zijn sterke bruine handen, zijn haren, zijn rechte rug, en zij trachtte het beven te bedaren dat in haar knieën opklom. Gelukkig dat de hond er was, om zacht en dreigend tegen te praten: „Koest, Loki...! Zie je dan niet dat dit goed volk is? Dit... dit is onze bèste... dit is Hanna's broer, die even op bezoek komt..." En met haar strenge blik op de hond gericht: „Je... je hoeft voor Loki niet bang te zijn, Joan... zolang ik erbij ben."

De jonge Wadslund kwam aarzelend naderbij, zijn ogen op de dog gericht.

„Ik kèn dat stuk ellendeling! Weet je zeker dat je hem zo maar in bedwang houdt?"

Nu pas durfde zij hem in de ogen te kijken, maar zij wendde gelijk haar blik weer af naar de hond, die hoog op zijn poten stond te grommen.

„Er is niemand aan wie hij zó gehoorzaamt als aan mij," zei ze trots, „kom maar mee, dan gaan we door de geitewei naar je

huis; langzaam lopen alsjeblieft, anders vertrouwt Loki het niet."
Zij gingen traag door de geitewei naar het huisje op de rots, en
de hond volgde hen met onderdrukt gegrom. Eydbjörg peinsde
op al de dingen die zij hem kon zeggen tussen de fjord en het
huis, maar de geitewei was slechts klein, en er wilde haar niets te
binnen schieten.

„Je bent al een grote meid geworden," zei de jonge Wadslund
terwijl hij geamuseerd op haar neerkeek. Hij sprak tot haar als
tot een kind; het deed haar pijn.

„Bijna vijftien," loog zij gebelgd, „màg het onderhand?" Zij
keek schuins naar hem op, hij stak wel een hoofd boven haar uit.
„Jij trouwens ook... Hanna zei dat je... dat je een meisje hebt,
zo'n vrome flut uit Koningsdal!"

Geërgerd hield Joan de pas in, maar de hond begon nijdig te
grommen en zij liepen weer door.

„Hanna zou zoveel niet moeten kletsen; Sillia is een lief meisje."
„Sillia!" proestte Eydbjörg. „Wat een gekke naam! Ze is vàst
zo koud als een vis!"

Verbaasd keek de jonge Wadslund haar aan.

„Je bènt groot geworden..." zei hij geamuseerd, „verdomd, je
bent al bijna volwassen!"

Toen waren ze bij het huis, waarvan de deur op een kier stond
en Joan ging binnen. „Ik vind het geweldig, dat je dit voor ons
doet," zei hij dankbaar, terwijl hij de deur voor haar openhield.
„Kom je erin?"

Eydbjörg schudde het hoofd.

„Ik wacht buiten wel. Stel je vóór dat ze mij komen zoeken, dan
moet ik braaf op weg zijn naar huis. Trek het niet te lang, hè! Ze
zullen zich tòch al afvragen waarom je moeder zo laat komt,
vanavond."

Joan Wadslund sloot de deur.

Eydbjörg hoorde de stemmen van Hanna en vrouw Wadslund, die
hem uitbundig verwelkomden. Zij klopte Loki op zijn harde kop.
„Braaf beest! Kom, bij het vrouwtje blijven en stil zijn!"

Met de hond aan haar zijde ging zij terug naar de aanlegsteiger.
De nevelflarden hingen nu dicht over de fjord; het laatste avond-
rood was opgelost achter het kerkje van Koningsdal, er roerde
zich niets in de wijde omgeving. Zij was daar zeer eenzaam, met
het gemurmel van het water rond de schoeiingpalen en het
hijgen van de reusachtige hond aan haar zij. Zij krauwde hem

123

tussen zijn gespitste oren, zij klopte eens liefkozend op zijn brede borst.

„Brave Loki," zei ze met een dun stemmetje, „mijn grote, sterke kameraad." Driftig dwong zij de tranen terug, die in haar ogen sprongen, zo maar van weemoedig verlangen naar iemand die ook haar eens zou liefkozen, en al de dingen doen die zij zich slechts in verwarde beelden voor kon stellen.

Zij keek om zich heen met grote wanhopige ogen. Achter haar lag het huisje op de rots. Er scheen een kier geel licht door de gesloten blinden. Daar binnen wist zij de gelukkige mensen onder het licht van de lamp. Vrouw Wadslund, die nieuwsgierig naar alles zou vragen wat haar zoon had meegemaakt. En Hanna, grootogig luisterend naar zijn verhalen. Nu sprak hij misschien over die vrome flut, die meid met haar vissebloed, die niets beters wist te verzinnen dan met de énige kerel van Skard naar de kerk te sjouwen...! De geméénheid van dat loeder...! Misschien waren er wel dèrtig jonge kerels in Koningsdal, maar op de enige vent van Skard moest zij beslag leggen met haar schijnheilige streken! Eydbjörg raapte een schiffelsteen op, die bij haar voeten lag, en zij keilde hem laag over het water. Drie keer stuiterde de steen op, eer hij met een zachte plons in de fjord verdween. Zij vocht tegen de melancholie, die uit de donkere hemel op haar drukte, die tot haar opsteeg uit de nevelflarden boven de fjord. Zij zocht een schiffelsteen, en nòg een, en nòg... Zij scheerde uit alle macht de stenen over het water en zij werkte zich op tot een bevrijdende woede. Haar ogen waren droog nu, groot en droog. Haar wangen gloeiden. Zij keilde de ene platte steen na de andere over het kabbelende water van de Arnefjord, en zij wenste dat ze dóór mochten keilen, tot die kouwe flutmeid in Koningsdal!

Loki raakte ook al opgewonden door haar driftig bewegen; die dacht dat het vrouwtje een spelletje speelde. Kon hij weten dat zij er zelf de regels niet van kende? Hij sprong op zijn sterke poten heen en weer langs de oever, en hij rende achter de stenen aan, die als zwarte vogels langs hem scheerden, suizend in hun vlucht. Hij volgde ze met zijn felle ogen, hoe zij opstuitten over het water, een... twee... drie... en in de nevelflarden verdwenen. Maar ineens had het vrouwtje er genoeg van en ze zei een paar woorden, harde, bittere klanken, die Loki's haren in zijn nek deden overeind staan. Er moest onraad zijn, kwaad volk! Een donker gegrom welde in zijn keel, hij ontblootte zijn tanden en

maakte zich op, om luid bassend achter het kwaaie volk aan te gaan. Maar nu keerde vrouwtjes woede zich plots tegen hèm en hij werd met sissende bevelen aan haar voeten gedwongen. Loki begreep er niets meer van... Ergens piepte een deur. Er klonken onderdrukte stemmen, maar het vrouwtje hield haar hand op zijn nek en hij mocht er niet eens op af rennen om haar te verdedigen. Voor al zijn goede bedoelingen kreeg hij een klap op zijn natte neus, van de enige die zich dat ongestraft kon veroorloven...
„Ik heb doodsangsten uitgestaan," zei Eydbjörg zacht. „Als Loki was gaan blaffen, hadden wij de poppen aan het dansen!"
„Als hij gaat bijten, ben ik nog veel verder van huis," grinnikte de jonge Wadslund. „Ik zou die ellendeling niet graag alléén tegenkomen! Kan je hem geen gebakken spons voeren?"
„Voor jóú zeker!" snoof ze verontwaardigd. „Ik hou duizend-maal meer van Loki dan van... Ik vind het smerig wat je daar zegt! Voer die flùtmeid maar gebakken spons!"
Zij gingen als schaduwen door de geitewei, twee kibbelende kinderen. Loki gromde nu met al zijn scherpe tanden bloot. Hij had de boze toon van het vrouwtje verstaan, maar hij durfde nog niet aan te vallen, hij wist niet meer hoe zij het zou opvatten. Goed volk, had zij gezegd en daarmee sta je als trouwe hond machteloos. Hij loerde naar de traag bewegende benen vóór hem, hij trok zijn lippen terug als in een grijns, maar hij was helemaal van de wijs gebracht. Smekend keek hij op naar het vrouwtje, maar zij schonk geen aandacht aan hem.
„Ik ben eigenlijk gek," zei Eydbjörg, „dat ik dit voor jou doe."
„Ik wist niet dat je het voor mij deed," zei de jonge Wadslund geamuseerd. „Ik dacht dat jij en Hanna vriendinnen waren..."
Daar had Eydbjörg geen antwoord op; als die grote lomperik zelf niet inzag hoeveel risico zij zich voor hem op de nek haalde, dan was de zaak tòch hopeloos.
„Maak maar gauw dat je aan de overkant komt," snoof zij ver-achtelijk, „daar zal juffrouw flut wel op je staan wachten! Kom, Loki, vlug met het vrouwtje mee!" Zij greep de hond bij zijn halsband en dwong hem terug in de richting van het dorp.
„Nog bedankt!" riep de jonge Wadslund haar zacht na. „De volgende keer breng ik wat voor je mee."
Zij veegde driftig de tranen uit haar ogen. Zij hoorde het zachte geplas van de riemen in het water. De hond gromde diep in zijn keel, maar zij legde haar hand op zijn kop en hij jankte onder-

drukt, alsof hij evenveel verdriet had als het vrouwtje...

Toen zij het huisje op de rots voorbijging, kwam vrouw Wadslund haar hijgend achterop gelopen, en Loki gromde alsof hij haar bij het kwaad volk rekende.

„Hou je de weerwolf goed vast?" bedelde zij. „Ik ben als de dóód van hem! Wat hebben jullie toch met het beest uitgevoerd, om hem zo vals te krijgen...?"

„Elke dag in zijn oren gefluisterd wat voor smerig volk er in Koningsdal woont," antwoordde Eydbjörg zuur.

Dat vond vrouw Wadslund niet zo'n goeie mop.

„Je eigen moeder was van de overkant," zei ze bestraffend, „en ik heb nooit een braver mens gekend."

„Vertel me over m'n moeder!" smeekte Eydbjörg. „Er is nooit iemand die over haar praten wil. Alleen de mannen, vroeger, maar die hadden niks dan gekke verhalen, als zij dronken waren."

Zij liepen op een afstandje van elkaar, het meisje en de afgetobde vrouw, en tussen hen in ging Loki met zijn snuit dicht langs de grond.

„Ze was de mooiste jonge meid die ik van m'n leven gezien heb," zei vrouw Wadslund, „en je vader zou haar nooit gekregen hebben, als ie haar niet botweg had geroofd, zó maar, alsof je een schaap steelt uit de wei van je buurman."

„Ik heb gehoord dat moeder het goedvond," wierp Eydbjörg tegen, „grootje zei dat ze niet terug wilde naar Koningsdal..."

Vrouw Wadslund lachte smalend.

„Je grootje en je vader, een mooi span bij elkaar...! Die van Koningsdal waren gewoon te laf om met man en macht over de fjord te komen om het uit te vechten. Nou, en de slome dienders van Klaksvig brandden er hun vingers liever niet aan; toen *die* eindelijk kwamen opdagen, waren ze allang blij met Myrna's verklaring dat zij een kind verwachtte en in Skard zou blijven. Je moet rekenen, de dienders hadden het veel te druk met het tuig van Svinö, dat in die dagen juist een kolonie begon te vormen en langs de kust van Bordö op roof uit trok. Twee dienders voor al die zes eilanden van de Norderöer, begin er maar es aan...! Als wij hier niet zo goed op ons zelf konden passen, als wij Silvurbjörg niet hadden met haar geweer, en dit gevaarlijke beest niet, dan had het tuig al lang onze voorraden geroofd; het zijn barbaren van de ergste soort..."

Eydbjörg luisterde maar met een half oor. De slome dienders

van Klaksvig en zelfs de barbaren van Svinö interesseerden haar niet. Vrouw Wadslund had een handige draai aan het gesprek gegeven en, precies als al die anderen, niets over haar moeder verteld. Nu waren ze bij het dorp en wat kon Eydbjörg anders doen dan vrolijk „De Zeemeermin" binnengaan? Zij was een eindje met Loki wezen wandelen en toevallig vrouw Wadslund tegengekomen. Niemand zocht daar wat achter. Zelfs de heks had geen vermoeden van haar klein verraad. Loki waakte over het dorp... Zolang Loki er was, zou geen kerel het in zijn hoofd halen om zonder toestemming Skard te bezoeken. Daar kon je gif op nemen...!

12

Tien pinten foezel

Loki met zijn vervaarlijke tanden, en Silvurbjörg met haar geweer. De hele krijgsmacht van Skard... De vrouwen van Arnefjord konden rustig slapen.

Zij stapten voor dag en dauw in de sloep van Grimur eenoog en zij keerden niet terug voor de schemer over de Norderöer hing. Zij lieten de kinderen in de hoede van Sigga en haar kleindochters, van vrouwtje Kliffell en Malena de hoer.

Waar heeft Skard een krijgsmacht voor nodig? Er valt niets te halen. De vogeljagers verdwalen niet meer op de Burhella en de kustvissers dromen nog alleen van de grindedrab, nu de kleine walvissen weer komen afzakken uit het noorden. De kinderen spelen rond de trollekop en in de vervallen hut van gekke Oli, en de jongens bouwen een vlot, waarmee zij aan een lange lijn voor het eerst de Arnefjord bevaren... De heks kan niet àlles zien en verbieden, en vrouwtje Kliffell zit als een rat in de kelder van „De Zeemeermin", een half bezopen rat met rood ontstoken oogjes.

Malena Jörleif heeft eindelijk weer eens een klant, een nette vent uit Tjörndal, en zij is bereid hem waar voor zijn geld te geven.

Silvurbjörg vond dat het een uitgelezen dag was voor haar plan. De zon hing zo warm over de Burhella en de lucht was zo klaar, dat zij van haar hoge schuilplaats tussen de vogelrotsen de hele Svinöfjord kon overzien, en vèrder reikte haar blik, tot aan de Klubbin op Fuglö. Zij wachtte hier nu al een paar uren, want dit was de dag die zij met de blinde vrouw had afgesproken. Zij lag op de brede richel, een dertig meter boven het rif. Zij had op alles gerekend; aan de noordkant liep de richel trapsgewijs naar de kloof die bij het rif uitmondde, en naar het zuiden begon de smalle pas, die tussen rotsen en kloven naar de schouder van de Burhella leidde. Ze konden haar nooit verrassen. Bokum zal begrepen hebben dat zij de hond niet kon meenemen op de klauterpartij langs de vogelrotsen. Zij mocht alleen op zichzelf vertrouwen en op de dubbelloops van Olaf de reus. Zij vroeg zich af hoe de onderhandelingen zouden verlopen, en wat voor kerel die Bokum zou zijn... Een vent die het tuig van Svinö onder de knoet wist te houden en met hoeren leefde van wie Gudrid zich „de mooiste" noemde...

Toen de zon al hoger aan de hemel klom, begon zij de moed niet te verliezen. Er was de hele morgen geen boot op de Svinöfjord verschenen en dat was een goed teken. Zij had de eis gesteld dat Bokum alléén zou komen, daarom hield hij zijn mannen misschien weg van de fjord, hij wilde haar niet kopschuw maken.

Zij richtte haar kijker op de vogelrotsen aan de overkant, want het was best mogelijk dat het tuig óók over kijkers beschikte en haar trachtte te peilen op de rotsen van de Burhella. Zij zouden weten waar zij in het ravijn was neergedaald en langs welke kloof zij het rif bereikte; ze kenden de Burhella even goed als zij. Maar misschien waren zij naar Viderö vertrokken, of naar Kalsö, waar de walvissen verwacht werden. Bij de grindedrab is zelfs het tuig van Svinö welkom, want er zijn altijd bijlen en kapmessen te kort en de dienders van Klaksvig doen aan de slachting niet mee.

Het begon nu toch wel lang te duren... De zon had haar baan over Murgandyrs wolkenkraag beschreven en was op weg naar Myggenaes in het westen. De rotsen van de Burhella lagen in diepe schaduw en het rif begon weer onder water te lopen.

Silvurbjörg dronk een paar slokken bier en zij kauwde op een stuk brood. Voor haar op de richel stond het kruikje foezel, één halve pint, om Bokum te verleiden, maar Bokum liet op zich wachten... Misschien lachte hij zich ziek, daar op de andere oever van de fjord. Misschien had hij niet eens een boot te missen, of de blinde vrouw had de boodschap niet overgebracht... Hadden die kerels haar wel van de rots gehaald nadat zij...

Plots veerde Silvurbjörg op uit haar somber gepeins. Aan de overkant, achter de vooruitspringende vogelrots, gleden traag twee kajaks te voorschijn; de voorste werd omzichtig, bijna geruisloos geroeid door een grote blonde kerel. De andere volgde op een paar meter daarachter, en Silvurbjörgs hart begon fel te bonzen; de achterste kano was léég, die werd aan een dunne lijn gesleept...!
Verrukt liet zij haar blik over de sierlijke vormen gaan; dit was de boot waar zij van had gedroomd, licht op het water en uiterst wendbaar. Zij hielden haar het aas voor en Silvurbjörg zou bijten. In haar vreugde vergat zij bijna haar achterdocht. Zij sprong overeind en een snelle beweging verried dat de man in de boot haar gepeild had, maar hij boog het hoofd weer over zijn peddel, alsof hij zwaar werk had om de twee ranke kano's naar het rif te roeien.
Silvurbjörg dook ineen achter de rotswand, spiedde door haar kijker de wijde omgeving af. Nergens een teken van leven te bespeuren, de hele fjord lag verlaten en op de rotsen aan de overzij bleven de vogels zo rustig, dat zich daar ook geen mens kon ophouden. Nu richtte zij de eenoog weer op de man daar beneden bij het rif en verbaasd stelde zij vast hoe jong hij nog was. Kon dàt Bokum zijn, de wrede leider die het tuig van Svinö onder de knoet wist te houden? Nog geen dertig schatte zij hem, breedgeschouderd en krachtig van gestalte, maar hij leek helemaal niet op de woeste roverhoofdman die zij zich had voorgesteld.
Bokum stuurt zijn knechtje, besloot zij schamper. Hij laat zich niet uit zijn tent lokken, maar het is mij even goed; ik kan op mijzelf passen.
De man had de boten nu over de fjord geroeid en hij meerde ze aan een rotspunt boven het rif, precies op de plek waar zij drie dagen geleden blinde Gudrid ontmoet had. Het leed geen twijfel, de vrouw had haar boodschap goed overgebracht, alleen verwaardigde Bokum zich niet om zelf zo'n bagatel te gaan regelen; zou wel beneden zijn waardigheid zijn, òf hij vreesde dat zij de dienders van Klaksvig in haar gevolg had...

Silvurbjörg ging languit op de richel liggen en zij keek vanuit de hoogte neer op de man die op de smalle oever naast de boten rustig zat af te wachten tot zij het initiatief zou nemen. Dat deed zij dan maar. Zij richtte secuur en de kogel floot akelig dicht langs zijn oor, sloeg zinderend in het water vlak voor zijn voeten. Het schot ratelde duizendvoudig tussen de steile rotswanden, maar toen de echo's waren weggestorven, had de man zich nog niet bewogen.

„Ik wéét dat je een goeie schutter bent," sprak hij in de stilte die volgde na het gekrijs van de opgeschrikte vogels.

„De beste van de Norderöer," riep Silvurbjörg, „als je dàt maar nooit vergeet!"

„Er is nog één betere," zei de man zonder het hoofd te heffen, „maar dat doet hier niet ter zake. Kom naar beneden, rood meisje, ik ben ongewapend, zoals je ziet."

„Wij verstaan elkaar goed genoeg op deze afstand," aarzelde Silvurbjörg, doch haar blikken werden onweerstaanbaar naar de kajaks getrokken, die als lokaas lagen te dobberen boven het rif.

„Ik heb veel over de dochter van rooie Eiki gehoord," zei de man, „maar niet dat zij bang was als zij het geweer van Olaf de reus droeg..."

In de stilte na zijn woorden tuurde het meisje nog eenmaal de fjord af.

De vogels waren weer neergestreken op hun rotsen. Niets bewoog, zo ver haar kijker reikte.

„Even herladen," zei Silvurbjörg, „en we zullen *zien* wie hier bang is."

Zij schoof een nieuwe patroon in de loop en ze begon langzaam de richel te volgen in de richting van de kloof. Met het geweer losjes onder haar rechterarm stond zij even later voor de man.

„Durft Bokum zelf niet te komen," spotte zij, „of stuurt hij zijn loopjongen omdat het niet de moeite waard is?"

Verbaasd keek de kerel op, en Silvurbjörg werd getroffen door de felle blik in zijn ogen, donkerblauw glas, waardoorheen de kracht van zijn wezen straalde.

„Je hebt veel praats voor zo'n klein meisje," lachte hij, „maar wie heeft je wijsgemaakt dat ik Bokum niet ben?"

„Op jóúw leeftijd zeker!" hoonde Silvurbjörg. En met zo'n schoon gelaat, zei ze bij zichzelf, maar zij wachtte zich wel, haar bewondering te laten blijken.

Bokum kwam langzaam overeind, zijn ogen op de twee zwarte vuurmonden gericht.

„Het spijt me als je een ouwe zak had verwacht met gluipoogjes en littekens over zijn smoel," grinnikte hij, „maar ik kon er niks anders van maken. Mooie Gudrid zei me trouwens dat je om een bóót kwam, en dat je verdomd goed spul in ruil had te bieden..." Zijn spottende ogen monsterden haar van top tot teen en Silvurbjörg voelde zich naakt onder de blikken van de jonge god. Zij voelde het bloed naar haar wangen stijgen terwijl zij steviger het geweer omklemde.

„Ja... je hebt héél wat te bieden," grinnikte hij, „hou dat geweer maar goed vast, kleintje, of er vàlt niks meer te ruilen..." Hij kwam onbezorgd op haar toe.

Silvurbjörg week twee stappen terug, zo onverschillig mogelijk, alsof zij de boot wilde gaan keuren.

„Blijf waar je bent," zei ze, maar haar stem klonk zo ijl alsof zij de sterke dochter van rooie Eiki niet meer was, „geen stap dichterbij, man, dit geweer gaat heel licht af!"

De kerel bleef staan; hij monsterde haar met zijn felle ogen en een brede lach plooide zijn gelaat.

„Godallemachtig," zei hij, „ik was bijna vergeten dat er zó iets nog bestond! Leg dat vervloekte geweer even neer en je krijgt die kano helemaal voor niks."

„Ik leg jóú neer, als je nog een stap nader komt!" dreigde Silvurbjörg. Zij wierp hem het kruikje toe, dat hij met één hand opving. „Hier, proef dàt maar eens en haal geen gekke streken uit, of je krijgt geen tijd meer voor berouw!" Zij schuifelde ruggelings naar het rif, de dubbelloops losjes in de ronding van haar arm, haar ogen op de jonge man gericht, die zij vreesde en hevig bewonderde tegelijk. „Ga met je rug naar de fjord zitten terwijl je de foezel keurt," beval zij, „want ik wil op mijn gemak die boot bekijken en de ruil gaat niet door als je het niet speelt op *mijn* manier."

De man haalde zijn brede schouders op, maar hij keerde zich van haar af en liep terug naar de rotskloof. Daar ging hij demonstratief met zijn rug naar de fjord zitten, maar hij vervolgde het gesprek alsof zij de beste vrienden waren.

„Die achterste is voor jou, rood meisje," riep hij over zijn schouder, „de beste die ik heb! Probeer hem maar eens, en leg je geweer vóór je neer, dan kan je niks gebeuren."

„Ik heb jouw goeie raad niet nodig," zei Silvurbjörg gespannen. „Ik kan heel goed op mijzelf passen, of hebben Tor en Ewald je dat niet verteld?"
Even zweeg de man, alsof hij zich beraden moest.
„Zorg dat je die twee niet zonder de weerwolf tegenkomt," sprak hij tenslotte. „Zij vergeten je nooit, laat je dàt gezegd zijn!"
Na deze goede raad dacht hij zich wel enige vrijheid te kunnen veroorloven. Hij draaide zich om met zijn vriendelijkste lach, maar hij keek recht in de dubbelloops. De lach verbreedde zich op zijn gelaat.
„Eigenlijk ben je een rotmeid," zei hij gemoedelijk, „maar als je het zó wilt spelen, ga je gang. Ik zal niet meer kijken eer je er-om vraagt." Hij keerde haar onbezorgd de rug toe en beet met zijn sterke tanden de kurk van het kruikje.
Nu trok Silvurbjörg de kleinste kajak op de oever en bekeek hem kritisch van alle kanten. Zij bewonderde de sierlijke vorm en zij betastte de bekleding van robbevel, op zoek naar slechte plekken. Zij vond er geen. Zij wierp een blik op de man, die de foezel keurde alsof hij nergens anders aan dacht, en achter zijn rug schoof zij voorzichtig de kajak te water. Met haar geweer in de ene en de peddel in haar andere hand liet zij zich stilletjes op de bodem neer. Zij duwde zich af, het bootje werd gegrepen door de stroming, het begon naar het midden van de Svinöfjord te drijven. Nu schoof zij het geweer tussen haar knieën, de loop schuin omhoog gericht, en zij hanteerde de peddel, die gemak-kelijk in haar sterke handen lag. Het duizelde haar. Dit was de vervulling van haar dromen, zo'n lichte, wendbare kano, die alleen het tuig van Svinö scheen te kunnen bouwen. Zij wendde de steven tegen de stroom op; de korte golfslag liep langs de boorden van de kleine boot, die in volmaakt evenwicht de stroom nam. Zij streek de peddel, legde die dwars over de boorden en greep met een bruuske beweging haar geweer. Zij legde aan op een papegaaiduiker die laag over bakboord scheerde; zij had hem in het vizier, maar zij schoot niet; in dezelfde vloeiende be-weging richtte zij op een meeuw over stuurboord. De lichte boot had nauwelijks geschommeld en de peddel was op de boorden in evenwicht gebleven. Dit was een droom van een boot om mee op vogeljacht te gaan tussen de steile wanden van de fjord!
Silvurbjörg was opgetogen. Zij merkte niet eens dat Bokum van-af de oever haar capriolen lachend stond aan te zien en toen zij

hem in het oog kreeg, lachte zij terug. Hij zwaaide naar haar, doch zij liet zich niet verleiden om terug te wuiven, één hand voor de peddel, en één voor het geweer, al deed de kerel nog zo vriendelijk, tuig blijft tuig.

„Heb ik een woord te veel gezegd?" vroeg hij, terwijl zij behoedzaam de oever naderde, en behulpzaam knielde hij langs het rif om de ranke boot te meren, maar Silvurbjörg trapte daar niet in... Met een ruk aan de peddel wendde zij de steven, liet de kajak een wijde boog beschrijven en landde een heel eind achter de verbaasde man, nog eer hij overeind kon komen.

„Vervloekte heks!" lachte hij. „Jij bent van alle markten thuis, hè? Wie heeft je zo leren roeien?"

„Blijf waar je bent," zei Silvurbjörg stroef, „dan vallen er misschien zaken te doen. Hoe was de foezel?"

„Te góéd om er korte metten mee te maken, rood meisje, maar ik neem nog één slok op jouw gezondheid." Bokum hief het kruikje in haar richting, een bijna plechtig gebaar. „Dat je nooit Tor of Ewald tegen het lijf zult lopen," wenste hij, „want die hebben een dure eed gezworen." Daarna nam hij een voorzichtige slok en deed de kurk weer op het kruikje.

„Krijgt de blinde ook haar deel?" vroeg Silvurbjörg nieuwsgierig.

De man veegde zijn mond af met de rug van zijn hand.

„Mooie Gudrid krijgt haar deel," grijnsde hij, „daar kun je gif op nemen!"

Hij begon plots luid te lachen, alsof hij iets heel geestigs had gezegd, maar Silvurbjörg vond hem opeens niet zo aardig meer.

„Tien pinten," zei ze stroef, „meer weet ik niet los te branden. Meer is die kleine rotboot ook niet waard."

De man bleef haar aanstaren, peinzend. „Hij is jou veel meer waard, rood meisje... Ik heb je bezig gezien op de fjord, maar we zullen er niet langer over praten..." Hij bekeek haar met hongerige blikken. „Ik heb je een ander voorstel gedaan..."

Silvurbjörg wierp het hoofd in de nek en lachte honend.

„Zelfs niet al was je de laatste man op de wereld!"

„In jouw kleine wereld zijn geen mannen," grinnikte hij, „en je ziet er niet naar uit dat je er vies van bent, rood meisje!"

„Tien pinten foezel," zei Silvurbjörg koppig, „en stel je niet aan als een ouwe zak, want je begint mij te vervelen!"

Bokum was danig in zijn wiek geschoten, maar hij trachtte het te

133

verbergen achter een brede grijns. Niet te hard van stapel lopen, hield hij zichzelf voor, er komen nog andere kansen, als je het zoetjes speelt met die rooie heks... Eenmaal gaat ze als een rijpe vrucht in je schoot vallen...

„Tien pinten foezel," zei hij bedachtzaam, „akkoord, kleine feeks, je wéét dat je mij het vel over de oren stroopt; ik zou me door geen ander zo laten afzetten, maar jij bent de eerste de beste niet."

„Maak er toch zoveel woorden niet aan vuil," zei het meisje verachtelijk, „het is já, of néé! Morgenochtend ben ik hier met vijf pinten in een grote kruik, en ik neem de boot van je over. Een week later breng ik je de rest, zelfde plaats, en verder geen geouwehoer!"

Eer Bokum van zijn verbazing bekomen was, stond hij alleen. Zij was teruggestapt in de scheur tussen de vogelrotsen en het laatste wat hij zag, was de dreigende loop van haar geweer. Bokum vond het beter haar niet te volgen en haar geen beledigingen meer achterna te schreeuwen. Ze had toch al niet zo'n hoge dunk van hem... Hij herkauwde nog even haar woorden; ze gaven hem een wrange nasmaak. Hij schudde zijn blonde kop. Dan bond hij het lokaas weer achter zijn eigen kajak en hij peddelde traag de fjord over, peinzend op zijn volgende zet. Het zou niet eenvoudig zijn... Die mooie feeks kon hem nog veel leren... Toen hij bij de steile rotsen van Svinö was aangekomen, blikte hij omhoog. Hij zag haar als een klein, zwart figuurtje tegen de schouder van de Burhella. De koperen eenoog aan haar gordel ving fonkelend het licht van de ondergaande zon en haar rooie haren wapperden in de wind.

„Val niet te barsten, rood meisje," verzuchtte hij, „want ik hoop nog meer van je te zien...!" Hij wuifde haar na, al schonk zij geen aandacht aan hem. Hij bleef kijken tot zij zwart tegen de hemel getekend over de schouder van de Burhella ging. „Nog een uur," schatte hij, „nog zeker een uur, eer zij Skard kan halen..." En hij begon zich voor te stellen wat zo'n meisje allemaal kon overkomen tussen de Burhella en Skard...

Nu stond Silvurbjörg alleen nog voor de moeilijke taak om vijf pinten jenever te bemachtigen... Zij was nuchter genoeg om niet met Sigga over de ruil te spreken eer zij haar voor een voldongen feit kon stellen, want de heks zou nooit riskeren dat haar kleindochter met het tuig van Svinö in aanraking kwam.

Voor de tweede maal was Silvurbjörg zonder buit in „De Zeemeermin" teruggekeerd en Sigga had haar nijdig gevraagd wat zij dan wel uitspookte, de hele dag in de bergen.

„Gewoon een misse dag gehad," ontweek het meisje, „vader zal óók wel es gevist hebben zonder te vangen. Morgen breng ik een buit mee waar je nooit van gedroomd hebt!"

De oude vrouw monsterde haar met achterdochtige blik. Er straalde een vreemd vuur in Silvurbjörgs ogen en zij bloosde onder grootjes terechtwijzing. Zij zou toch niet... Met zo'n jongen uit Tjörndal misschien...? Verrek! Zij had er de leeftijd voor en de Koyrings waren van een vurig soort...

„Je blijft morgen thuis," besliste de heks, „er is hier genoeg te doen en wij kunnen het best een paar dagen zonder vlees stellen."

Het meisje keek haar aan met die bleke ogen die zij van haar vader had, en precies als rooie Eiki ging zij rustig haar eigen gang. „Ik zal overmorgen thuisblijven," zei Silvurbjörg kalm. „Morgenochtend ga ik naar de vogelrotsen."

„Je blijft morgen thuis!" krijste Sigga, die haar kleine rijk voelde wankelen. „Wie denk je wel dat je vóór hebt..."

„De slimste, geméénste ouwe heks van de hele Norderöer," lachte Silvurbjörg terwijl zij zich tot het wijfje overboog en haar knuffelde als een klein kind, „maar ik ben juist een beetje slimmer, en véél gemener; daarom ga ik er morgen op uit."

Kristianne schoot in een proestende lach, maar Eydbjörg staarde verschrikt van de een naar de ander. Zij zaten rond de avondpot en zij hadden vol spanning de zoveelste ruzie tussen grootje en hun oudste zuster gevolgd. Wie nú toegaf, zou voorgoed het onderspit delven, want de oude en de jonge vrouw waren even hard. Sigga rukte zich los uit de omhelzing die de bittere pil moest vergulden. Haar zwarte ogen vonkten en het kwijl begon weer langs haar perkamenten kin te druipen. Zij vloekte als een dokwerker. Driftig sloeg zij met haar beide klauwtjes naar Silvurbjörg, die ze in haar sterke handen greep en ze plagend maar onverbiddelijk vasthield.

„Ik heb Olaf de reus getemd!" krijste de heks. „Ik heb je váder klein gekregen, en denk je nou..."

„Ze zijn allebei dood," zei Silvurbjörg met plots een ijskoude stem, „ze zijn allebei op een miserabele manier aan hun einde gekomen, grootje! Zullen wij de schimmen nu maar in vrede laten...?" Zij duwde het wijfje driftig terug op haar stoel, alsof zij ineens genoeg kreeg van de komedie. Zij nam haar lepel op en van over haar bord keek zij de heks aan met een blik die Eydbjörg de adem deed inhouden. „Mij krijg je er tòch niet onder," zei Silvurbjörg brutaal, „of je moet nog wat van die foezel over hebben, waar opa zich de eeuwige rust aan dronk!" Kristianne liet haar lepel kletterend op de tafel vallen. Eydbjörg voelde haar hart in de keel bonzen. Het was ineens heel stil in het vertrek; zij keken alle drie naar de heks, die haar vingers om de tafelrand klemde en haar kleindochter aanstaarde alsof zij de schim van Olaf zag. Haar tandeloze mond viel open, maar de woorden kwamen niet over haar lippen, de adem stootte amechtig uit haar keel.

„Geméén, hè, wat ik daar zei," sprak Silvurbjörg zacht, „maar ik heb het uit de beste bron, dus probeer het niet te ontkennen!" „Bron..." stamelde de heks, en haar ogen stonden dof van angst. „Bron..."

Eydbjörg begon zacht te schreien.

„De enige die ervan wist," zei Silvurbjörg met haar bleke ogen strak op de heks gericht, „de enige die mij ooit in vertrouwen nam. Of wist je niet dat vader soms vertrouwelijk kon zijn...?" „Waarom zeg je al die dingen?" snikte Eydbjörg. Zij had zich altijd veilig en geborgen geweten bij Sigga. Nu drong de betekenis van Silvurbjörgs woorden tot haar door, en er was niemand meer om je geborgen bij te voelen, niemand meer om tegenop te zien... Met háár was vader Eiki nooit vertrouwelijk geweest, maar aan Silvurbjörg had hij de dingen verteld die zij grootje nu voor de voeten smeet...

Moeizaam trachtte de heks het verloren terrein te herwinnen. „Je kletst naar dat je verstand hebt," zei ze dof. „Er was niks bijzonders aan de dood van Olaf Koyring... Als hij zich doodgezopen heeft, dan was dat zijn eigen schuld, dan was het omdat hij niet van de jenever af kon blijven. We stookten ze toen nog niet zo goed als tegenwoordig..."

„Jij stookte ze," zei Silvurbjörg met een beschuldigende vinger op de heks gericht, „jij alleen, grootje...!"

„Ja," zuchtte Sigga moe, „ik alleen, dat is geen geheim. Al de kerels van de Gardar genoten ervan, als ze terugkwamen van een zware reis."

„Maar alleen opa Koyring ging eraan kapot!" zei het meisje

schril. „Zo maar ineens, toen hij het bevel over de Gardar niet aan zijn zoon wilde overdragen...!"
Kristianne kwam met een zucht overeind, een rode blos op haar schoon gelaat. Zij liet haar ogen dromerig op de heks rusten, die verslagen tegenover haar kleindochter zat.
„Ik heb al gegeten en gedronken," zei Kristianne zacht. „Als er ook maar *iets* van waar is, grootje, dan kijk ik je nooit meer aan!" Zij ging de keuken uit, langzaam, als hoopte zij dat Sigga de beschuldiging zou logenstraffen.
Maar de heks bleef ineengedoken aan de tafel zitten, starend naar het gelaat van Olaf de reus, met twee bronzen penningen op zijn weerspannige ogen.
Eydbjörg schreide niet meer. Zij sloop de keuken uit als een geslagen hond. Zij ging de krakende trap op naar de donkere vliering, waar de geesten van vader Eiki en mooie Myrna dicht bij haar waren. Zij strekte zich op de brede krib en zij staarde met brandende ogen omhoog in het duister. De eeuwige wind van de Norderöer liep zoetjes over het dak, hij pijpte een lied in de spanten, niets om bang voor te zijn, hij zoefde haar in slaap.
„Je bent met mij nooit vertrouwelijk geweest," zei ze tot rooie Eiki, die zich over haar boog, „misschien was ik nog te klein... Weet je dat ik nu van Joan Wadslund hou...?"
Maar het was schipper Eiki niet die haar slapend vond. Het was zijn evenbeeld, Silvurbjörg, met de bleke ogen en vaders rooie haren. Verder leek zij op mooie Myrna, maar die had Eydbjörg nooit gekend...

„Hoeveel foezel hebben we in huis?" fluisterde Silvurbjörg. „Foezel...?" Kristianne draaide zich doezelig om. Zij lagen dicht tegen elkaar aan, om Eydbjörg niet te storen in haar eerste slaap. Het bed werd te eng voor drie volwassen meisjes, maar wie kon je opdragen een extra krib te timmeren? De kleine jongens waren al trots dat zij een vlot wisten te bouwen om te vissen in de Arnefjord.
„Jenever," verduidelijkte Silvurbjörg. „Jij houdt de voorraden toch bij?"
„O," zei Kristianne, „een pint of tien, twaalf; ik kan het morgen wel even nakijken. We hebben gebrek aan suiker, en ik verdenk vrouw Kliffell ervan dat zij zelf nogal es wat mee naar huis smokkelt, de laatste tijd." Zij was opeens klaar wakker. „Waarom wil je dat weten? Je hebt je nooit met de stokerij bemoeid..."

Silvurbjörg strengelde haar armen om de schouders van haar zusje. „Luister, lachebek..."

„Het lachen is mij vanavond wel vergaan," zei Kristianne zwak. „Moest je het ouwe kreng zo sarren?"

„Ik moest haar alleen aan het verstand pompen dat ik voortaan mijn eigen weg ga," fluisterde Silvurbjörg, „en het ene woord lokte het andere uit; het spijt me voor de kleine, dat is nog zo'n kind..."

„Geef het kind de ruimte!" grinnikte Kristianne. „Heb je haar borsten gezien? Ze heeft meer dan ik!"

„Ja... Het wordt tijd dat we eens in de bewoonde wereld komen," zuchtte de oudste, en dromerig vervolgde zij: „Ik heb vandaag een kerel gezien... een jonge god!"

„Als ik het niet dacht!" giechelde Kristianne. „En hóé ziet een jonge god er dan wel uit?"

„Weet ik niet," peinsde Silvurbjörg, „misschien wel als Bokum, maar dan minder gevaarlijk, vanzelf..." Zij vouwde haar handen achter het hoofd.

Ze lagen omhoog te staren in het duister, twee jonge vrouwen in hun onrustig verlangen. „Hij noemt mij rood meisje, en dat klinkt heel vreemd, uit zijn mond... Hij heeft ogen, zo blauw... Maar ik moest hem voortdurend in de gaten houden, want ze willen allemaal hetzelfde..."

„En dat wil jij niet!" giechelde lachebek.

Het bleef even stil, alsof rood meisje haar antwoord moest overwegen.

„Ik wil zijn boot," fluisterde zij. „Misschien dat andere ook..." voegde zij er dromerig aan toe, „maar ik durf mijn geweer niet uit handen te leggen... Nee, ik wil alleen zijn boot, en die kost tien pinten foezel..."

13
Rood meisje

„Ben je al eens om de zuid naar Skard geroeid? Eigenhandig?"
vroeg Bokum, en er scheen oprechte bezorgdheid uit zijn stem te
klinken. „Het is zéker een mijl of acht, als je dicht genoeg onder
de kust blijft, en bij de Arnefjord krijg je de stroom óók nog tegen
om deze tijd...!"
„In het ergste geval drijf ik af naar Helledal," lachte zij optimistisch, „en daar wonen gewóne mensen, die ik zonder mijn geweer vertrouwen kan. Nou, en van daar af kan Grimur mij op
sleep nemen, als het moet."
„Je kan mij óók vertrouwen," zei de man, „als je dat verdomde
geweer maar es even vergat!" Hij ving haar spottende blik. „Ik
wil zeggen... ik zou je zelfs kunnen slepen, maar niet met dat
kanon in m'n rug."
Hij stond in de neerdrenzende regen op het rif, en hij keek naar
rood meisje, die opeens zo nietig leek, in de dobberende kano
onder de hoge rotswand. Een gelukkig kind, opgetogen om het
pas verworven speelgoed, en even kwetsbaar als een kind. Nu
ja... zij was hem op de grofste manier tegemoet getreden, evenals
gisteren, de zware dubbelloops van Olaf de reus in de kromming
van haar arm. Zij had weer haar gevaarlijk spel met hem gespeeld: een daverend schot vanaf de hoge richel; de kogel die zó
dicht bij zijn voeten insloeg, dat de steensplinters om zijn oren
stoven. Hij was erop voorbereid geweest, had al lang het geschuifel van haar voeten op de rotswand gehoord, en tòch had de
fluitende kogel hem weer dat akelig weeë gevoel in zijn maag-
streek gegeven. Vervloekte rooie rotmeid! Wist zij niets beters te
verzinnen om haar onkwetsbaarheid te demonstreren...?
Maar zij wàs kwetsbaar! Hij zag het aan het nerveuze trekken
van haar rooie mond, de mond van een kind, toen zij hem tegemoet trad met de geweerloop op zijn buik gericht. Verdomde
mooie heks...!
En *hij* was kwetsbaar! Hij poogde vergeefs het bonzen van zijn
hart te bedaren en de begeerte uit zijn blik te bannen. Zij hoefde
niet te weten hoe hij vanaf de vroege morgen op haar gewacht

had, dromend van de dingen die konden gebeuren als zij dat duizendmaal vervloekte geweer maar eens liet vallen. Verdomde mooie feeks...! Lief rood meisje...! We zijn allebei even kwetsbaar; waarom geven wij het niet toe...? Maar zij stond daar voor hem op het rif, en zij hield het geweer stoer op zijn buik gericht. Haar ogen dwaalden af naar de boten, die hij verleidelijk had uitgestald, en hij vond haar onuitsprekelijk lief, zoals zij opgetogen naar de lichte kajak stond te kijken. Op dat ogenblik had hij met één sprong zijn kans kunnen waarnemen, het geweer uit haar handen trappen, en daarna was het allemaal zo eenvoudig geweest... Hij zou het zich zijn leven lang verwijten, die éne seconde te hebben gemist. Maar hij kòn het niet... Bokum Torleifson, die talloze malen zijn leven aan een seconde te danken had, verzuimde hier zijn grote kans.

Rood meisje wendde haar blik van het speelgoed en zij moet zijn gedachten geraden hebben. Haar bleke ogen bleven strak op de zijne gericht en zij was weer de stoere meid, die het allemaal wel dóór had... Haar kinderlijke mond lachte hem tegen, maar de ogen waren die van een wijze vrouw die niet met zich laat spotten.

„Vijf pinten," zei ze, „ik heb er mij een breuk aan gesjouwd." Zij ging een paar stappen achteruit, eer zij de zware kruik uit haar knapzak tilde en hem met één hand op de bodem van zijn kano liet zakken. „Blijf waar je bent, man!" waarschuwde zij.

„Want dit geweer gaat heel licht af," vulde hij aan, verveeld. „Je hoeft mij het lesje niet meer te leren, rood meisje; gisteren heb je het precies eender opgezegd."

Zij keken elkaar aan en zij begonnen op hetzelfde ogenblik te lachen, maar dat verhinderde haar niet om op haar qui-vive te blijven.

Een jonge god, flitste het door Silvurbjörgs hoofd. Wat heb ik Kristianne gezegd? Dat hij op een jonge god leek... Dat een jonge god wel op hèm zou lijken, maar minder gevaarlijk...

„Wat sta je me nou ineens aan te gapen!" lachte de man. „Misschien tòch spijt van de ruil? Je kan hem voor niks krijgen, de bèste kano die ik bezit..."

„Jij dreunt óók je zelfde lesje op," antwoordde rood meisje triomfantelijk, „en je verveelt me nog meer dan gisteren!" Met haar blik op hem gericht zette zij voorzichtig een voet in de kajak en Bokum hunkerde dat zij mis mocht stappen, dat zij met dat vervloekte geweer in de fjord mocht duikelen. Zou hij het dàn even gemakkelijk hebben...! Maar rood meisje zette geen verkeerde stap; was zij veel te slim voor. Zij zat met een glunder gezicht in háár kano en zij legde het geweer dwars over de boorden.

Toen was de regen plots begonnen neer te dreinen, schuin uit de eeuwige wolkenkraag rond Murgandyrs nek, en zij wisten beiden wat dat betekende. Als het op een plensbui uitdraaide, zou rood meisje dicht onder de vogelrotsen moeten blijven... Zij ging al moeite genoeg hebben om zelfs de Arnefjord terug te vinden... Maar zij verbeet dapper haar teleurstelling en sloeg zijn raad in de wind.

„Ik kan op mijzelf passen, Bokum, dat moest je onderhand weten!" Zij stootte voorzichtig af, één hand voor de peddel en één voor het geweer, want het tuig van Svinö was nog in de buurt. De kano dreef snel naar het midden van de fjord, een schim in het regengordijn, dat langzaam werd toegeschoven over de Norderöer.

„Volgende week...! Zelfde plaats...!" riep zij hem nog toe. Het klonk als het dun geluid van een angstig kind.

Hij keek haar na met een brok in de keel, hoe krachtig zij de peddel hanteerde; het kostbaar geweer had zij onder de boeg geschoven en zij roeide als een kerel. Haar leven zou nu van de peddel afhangen, en hoe ver haar krachten reikten, of hoe sterk de stroming om de zuidkaap zou staan...

Met één sprong was Bokum bij zijn kajak en stootte van wal. Zij kon hem toch niet verbieden haar op afstand te volgen, alleen maar om te zien of rood meisje veilig rond de kaap kwam...? Hij hoopte niet meer dat zij met dat rotgeweer in het kille water van de fjord mocht duiken. Bokum was plots vervuld van één verlangen: rood meisje veilig de Arnefjord te zien binnenvaren, en van één misselijk makende angst: dat zij om de zuidkaap zou afdrijven naar open zee...

„Bokum Torleifson," gromde hij, „je bent hartstikke gek om achter dat eigenwijze kreng aan te gaan! Straks kan je zelf uren tegen de stroom optornen, en het loeder lacht je nog uit op de koop toe!" Maar intussen joeg hij zijn peddel door het water om rood meisje in te halen, dat als een wazige schim vóór stroom de Svinöfjord afroeide, veel te driftig in haar riemslag om het lang vol te houden. Het regengordijn schoof dicht, maar zij bleef midden op de stroom varen.

„Héjaaaa!" schreeuwde hij in de trechter van zijn handen, en zijn roep schalde over het water, weergalmde tussen de zwartblinkende vogelrotsen, die hoog boven het nietige figuurtje uittorenden.

Zij schrok van het rauwe geluid. De peddel ontglipte bijna aan haar handen en de ranke boot draaide dwars op de golfslag terwijl zij bliksemsnel het geweer greep.

„Héja, rood meisje!" schreeuwde hij. „Dichter onder de kust blijven!" En terwijl hij snel op haar inliep: „Je zal me toch niet verbieden om je veilig rond de kaap te loodsen...?"

Doch zelfs de kruimels worden een hond soms niet geschonken. Eén ogenblik zag hij de grêle angst in haar ogen en hij vond haar onuitsprekelijk lief, nu zij eindelijk de sterke vrouw niet was, en de zwoele meid niet meer die hij zo hevig begeerde. Alleen maar rood meisje, dat hij wilde beschermen...

Dan spoot het blauwe vuur uit de dubbelloops, en nog eer de echo's langs de rotsen daverden, was hij een illusie armer. Hij staarde een ogenblik verbijsterd naar het ronde gat, dat juist boven de waterlijn door zijn kajak was geslagen. Bokum Torleifson vloekte gemakkelijk. Nu deed hij het uit de grond van zijn hart en vol overgave. Maar rood meisje richtte opnieuw haar geweer en de regen viel bij stromen.

„Verzuip dan, rooie heks!" brulde hij en hij wendde met driftige riemslag de steven. Hij roeide tegen de stroom op en het water begon door de inslag te borrelen, niet snel, maar snel genoeg om verlangend naar de Svinövig uit te zien.

„Verzuip! Verzuip! Verzuip!" hijgde hij op de cadans van zijn riemslag, en intussen hoopte hij vurig dat rood meisje veilig de Arnefjord mocht halen...

In de schemeravond bereikte zij toch de steiger van Skard.

Ze was nooit zó moe geweest. En zo blij.

Jammer dat zij de kracht niet meer had om de buit naar het dorp te dragen, want zo had zij het zich voorgesteld: Silvurbjörg van rooie Eiki, die met een kano op de schouder door de geitewei kwam gestapt, vrolijk fluitend en, verrek, droeg zij daar een bruinvis op de nek...? Nee, kinderen, dat is nou een kajak, de mooiste kajak van de Norderöer. Wat? De beste van de hele wereld! Zo maken ze die alleen op Svinö... En de vissende jochies lieten hun vlot in de steek en dromden juichend om haar heen, en zij zou tegen een van die kleinmannen zeggen: „Gooi de deur van de kroeg es voor mij open, kleine Viking!" En ze zou fluitend „De Zeemeermin" binnenstappen en haar buit op de geschuurde tafel uitstallen. „Alsjeblieft, grootje, wéér geen vlees vandaag, maar de grootste vis die ik ooit gevangen heb...!"

Het pakte heel anders uit. Er speelden geen kleine Vikingen in de fjord, en niet in de geitewei. De regen viel bij stromen uit de grauwe hemel en rood meisje kroop op handen en knieën tegen de oever op. Zij had nauwelijks meer de kracht gevonden om de kajak aan een schoeiingpaal onder de steiger te meren en zij kon alleen maar dankbaar zijn dat zij de Arnefjord gehaald had.

Zij had zich blaren in de handen geroeid om de zuidkaap te ronden, doch de hevige stroming onder de Burhella had het bootje in zijn greep gekregen en tot driemaal toe was zij afgedreven naar open zee. Vertwijfeld had zij de kajak stroomop geranseld en duizelig van vermoeidheid nog juist bij de steiger van Helledal de Arnefjord bereikt. Daar had zij een half uur moeten rusten, huilend van uitputting en blijdschap tegelijk, zo maar in de stromende regen, die haar niet meer deren kon, en te koppig om hulp te aanvaarden. Toen zij weer wat op verhaal was gekomen, roeide zij traag naar de kade van Koningsdal, waar geen levende ziel haar gadesloeg. Nu was zij boven de stroming en kon zij veilig oversteken naar de steiger van Skard...

Zij probeerde een deuntje te fluiten, toch iets te tonen van de bravoure waarmee zij het dorp had willen verrassen, maar zij had haar restje asem nodig om de korte weg te gaan tussen de steiger en de kroeg. Nog een geluk dat er geen kinderen speelden in de geitewei... Héja, Silvurbjörg, wat sjouw jij daar op je nek? Een bruinvis...? Nee, kleine Viking, alleen maar Olafs geweer, en dat weegt als dieplood... Ik heb er Bokum mee verjaagd, Bokum, de jonge god... Ik had hem bijna vermoord... Later zal ik jullie van Bokum vertellen, ècht waar gebeurd... Hij is de gevaarlijkste god van de Faröer...

En daar wankelde zij nu de kroeg binnen, tot op de huid doorweekt, haar rooie haren in donkere klissen langs het gelaat. Sigga zat kleumerig bij de tapkast, een schapevacht om haar magere schouders geslagen en haar kousevoeten op de hete stoof, die haar rokken schroeide. Mèt de regen was de kilte van de herfst over het dal gevaren en over de hutten van Skard, maar het was veel te vroeg in het jaar om de turf te stoken, die hoog in de schuur lag opgetast.

„Een verzopen kat," zei de heks, terwijl zij haar blik minachtend op het meisje liet rusten, „een verzópen krolse kat, als het niet èrger is! Waar blijft de buit...? Een buit waar ik nooit van gedroomd had, zei je toch...?"

„Aan de steiger," zei Silvurbjörg mat. „Hij was te zwaar om mee naar huis te sjouwen." Zij stond voor de oude vrouw; het water droop uit haar kleren en vormde een plasje rond haar voeten. Kristianne kwam uit het achterhuis, fris als de meiwind, en haar helblauwe ogen vol verwachting op haar zuster gericht. Kristianne verwachtte altijd prettige dingen.

„Héja, rood meisje! Hoe staat het met de jonge god?"

„Die had ik bijna voor zijn donder geschoten," grinnikte Silvurbjörg, „maar ik hèb zijn boot!"

Kristianne slaakte een vreugdekreet. Zij vloog haar zuster om de nek en kuste haar op de wang. „Je bent zeiknat," schrok zij. „Ik ga gelijk een hete stoof voor je maken, en gooi die natte spullen uit, of je sterft het af! Verrek, dat je 't hem gelapt hebt, Sil! Nou kan je 't grootje ook wel vertellen, want dat is een duivelin vandaag!" Zij wervelde al weer naar de keuken, om voor de stoof te gaan zorgen. „Neem eerst een foezel met suiker!" riep zij over haar schouder. „Dat brandt de kou eruit!"

„Nemen? Je neemt niks!" krijste de heks. „Ik zou eerst wel es willen weten wat jullie samen bekonkelen! Wat is dat, van die boot, en waar heb je uitgehangen in dit weer? Nou? Heb ik hier nog wat te zeggen, of niet?"

„Een hele slimme vraag," zei Silvurbjörg rustig. Zij kwam naar de tapkast en greep naar de zondagse kruik. „Je hebt hier àlles nog te zeggen, grootje, en ik zal de eerste zijn om je gezag te handhaven." Zij boog zich tot de oude vrouw over, die onrustig haar blik afwendde. „Tegenover de ànderen, bedoel ik... Tegenover àl de anderen, daar kan je gerust op zijn." Zij nam een beker van de toog en schonk zich een scheut jenever. „Jij ook wat? Het zal je goed doen, want ik heb een heel verhaal te vertellen."

„Op een wèrkdag zeker!" protesteerde de oude heks. „Sinds wanneer komen we op weekdagen aan de drank?"

„Sedert ik hier sta te sterven van de kou," zei Silvurbjörg geduldig. „Ik lùst dat bocht niet eens, dat weet je goed genoeg, maar nood breekt wet." Zij nam een kleine slok, de ogen stijf toegeknepen. Haar tanden klapperden tegen de kroes, maar zij voelde de warmte weldadig door haar lichaam trekken. Zij hoestte, met tranen in de ogen. „En dáár geeft mooie Gudrid haar smerig lijf voor..." zei ze hoofdschuddend. „Ik wou wel es weten of zij haar part ook krijgt..."

„Ik wou wel es weten wat voor wartaal jij daar allemaal staat uit te slaan!" kreet de heks. „Ik wil weten wat jullie achter mijn rug bekokstoven!" Zij sloeg driftig met haar stok op de tafel.

Kristianne kwam neuriënd de gelagkamer in.

„Nou even rustig, grootje," sprak ze als tegen een lastig kind. „Rood meisje gaat droog spul aantrekken en ik maak een hete kwast voor haar. Daarna krijg jij een verhaal, zo mooi als je sedert de dagen van Olaf niet meer gehoord hebt." Zij maakte een gebiedend gebaar naar de deur. „Vort, rood meisje, ga je vodden aftrekken en schiet op, want ik barst zelf ook van nieuwsgierigheid."

Silvurbjörg knikte dankbaar. Zij hing Olafs geweer aan de wand achter de tapkast en zij sleepte zich de zoldertrap op. Zij was doodmoe, de blaren in haar handen brandden even gemeen als de foezel in haar lege maag.

De heks wilde weer losbarsten in krijsend verzet, maar haar blik kruiste die van Kristianne, die lachend op haar neerkeek, en zij boog het hoofd. Haar kleine rijk wankelde niet meer. Zij wist zich al lang onttroond door die felle dochters van rooie Eiki...

„Het zal verdomd gauw moeten gebeuren," gromde Djurhüs, „anders kunnen wij het hele plan wel op onze buik schrijven... Die van Bordö gaan straks allemaal achter de walvissen aan, maar als de grindedrab voorbij is, komen de jagers weer naar de vogelrotsen en ze dwalen es af naar Skard. Nou, dan kunnen wij het beter vergeten...!"

Tor Heinesen staarde in het vuur, dat zij op de kop van Svinö hadden aangelegd om de nachtelijke kou te verdrijven. Die twee mannen zonderden zich steeds meer af van de troep. Sedert de dood van Leifi en Tjaldur voelden zij zich in het kamp niet veilig meer.

„Ja... o, man, ja, ik zie het hele feest al vóór me!" grijnsde Tor. „Als ze die vervloekte hònden maar niet hadden... En vergeet Bokum niet," voegde hij er woedend aan toe. „Die wil wèl met dat rooie loeder aanpappen, maar een drijfjacht op al dat lekkers gaat hij nooit toelaten. Meneer is zelf voorzien, en de rest kan verrekken."

„Bokum kan per ongeluk in mijn mes lopen," zei Djurhüs. „Ik ken er genoeg die ik daar een groot plezier mee doe. En wat de honden betreft... alleen die Deense dog is echt gevaarlijk, maar admiraaltje legt hem met één schot neer, als hij toevallig nuchter is. Nou, en de andere zijn schapers, zenuwachtig als de pest, maar niet gevaarlijk. Die doen je niks als de weerwolf koud ligt."

„Ja, admiraaltje moet meedoen," knikte Heinesen, „anders zijn we nergens. En die twee Larssen-jongens staan ook op springen; hebben in geen maanden een hoer gehad, kunnen trouwens zwijgen ook. Maar met admiraaltje moeten we oppassen, die kraamt alles eruit, als hij bezopen is."

„Ik heb admiraaltje al gepolst," bekende Djurhüs. „Hij is helemaal in, en hij zal..."

Tor Heinesen onderbrak hem met een vloek. „Wie zei dat jij admiraaltje zou polsen? We zouden toch wachten tot hij een keer nuchter was? Straks brieft ie het met zijn zatte kop over aan Bokum, en reken er niet op dat we dàn de kans nog krijgen!"

„Was zo nuchter als de pest," lachte Djurhüs, „zal nog een paar dagen nuchter blijven ook, want ik heb zijn weekrantsoen verdonkeremaand. 't Is daarom dat we niet langer wachten kunnen, èn vanwege de grindedrab." Hij strekte zijn handen naar het vuur; de rode gloed speelde over zijn wrede gelaat en zijn ogen glansden begerig. „Denk je es in... al dat lekkere spul zo maar voor het uitzoeken. We nemen ze mee naar Fuglö, waar niemand zijn neus in onze zaken steekt... Al dat mooie spul zo maar voor het oprapen...!"

„Néérleggen!" meesmuilde Tor. „Wat mij aangaat, ik heb aan die blonde genoeg... zal er m'n leven lang op kunnen teren, alleen de herinnering al..."

„Als ze mij die rooie maar laten!" gromde Djurhüs kwaadaardig. „Die heb ik een dure eed gezworen, toen ze met dat kanon achter m'n donder zat!"

Tor Heinesen porde met een stuk wrakhout in het vuur. De vlammen flakkerden hoog op. Zij deden de grillige schaduwen dansen tegen de rotswand. Hij keek zijn voortvarende makker peinzend aan.

„Zet je zinnen maar gerust op een ander," sprak hij bedachtzaam, „want die rooie zal er niet bij zijn, als het allemaal ver-

146

loopt zoals ik het bij m'n eigen heb uitgekiend..." En toen Djurhüs woedend overeind stoof: „Nee, laat me nou es uitspreken, giftige dikkop! Er is keus genoeg voor jou, maar alleen die rooie blijft buiten schot, en daarom kàn je Bokum voorlopig geen mes tussen zijn ribben jagen, want hij speelt ons in de kaart!"

„Speelt ons in de kaart..." echode Djurhüs ongelovig. „Hij zègt wat!"

„Ja, speelt ons in de kaart," grinnikte Tor, „maar zonder het zelf te weten, Ewald... O, man, ik zie het ineens zitten! Luister, gifkikker! Onze goeie Bokum heeft het zèlf op dat rooie stuk voorzien, heeft haar in zijn goeiigheid de boot van Tjaldur verkwanseld zonder ons daarin te kennen. Stil! Ik weet het allemaal van ouwe Gudrid. Vijf pinten foezel heeft ie ervoor gekregen, en verder niks."

„En verder niks!" hoonde Djurhüs. „Waar zie je Bokum voor aan?"

„Voor de handige bliksem die ons véél te lang onder de knoet wist te houden!" gromde Tor. „Maar nou is hij nèt even te ver gegaan, en dat zal hem zuur opbreken. Luister, Ewald, hoe mooi de stukjes in elkaar passen... Die vijf pinten foezel, hè, die zijn maar een eerste aanbetaling zogezegd. En volgende week, als die rooie de tweede termijn komt afleveren, dan is zij met haar kanon een paar uren ver van Skard... Begin je mij te snappen...?"

Ewald Djurhüs zat hem nog secondenlang achterdochtig aan te staren, dan drong de betekenis van Tors woorden eindelijk tot hem door en hij sloeg zich schaterend op de knie.

„Hij mag die rooie hèbben, met kanon en al!" hijgde hij. „Ik zoek wel wat anders uit!"

„Keus genoeg, als admiraaltje de weerwolf heeft omgelegd," grinnikte Tor. „O, man! Keus te veel! Ik kan amper wachten!"

De eeuwige wind van de Norderöer begon zoetjes langs de rotsen te pijpen en deed de sintels opgloeien. Tor gooide nog een blok op het vuur en wikkelde zich in zijn deken. Hij gaapte wijd. De twee mannen staarden naar de Fuglöfjord, die geheimzinnig aan hun voeten ruiste. Zij tuurden naar het eiland over de fjord, naar Fuglö, waar Varig de trollenkoning huisde...

„Tegen de avond brengen wij ze onbeschadigd terug, vanzelf," mompelde Tor. „Ik zou de nacht niet op Fuglö willen slijten..."

Daar moest Ewald weer onbedaarlijk om lachen, om al dat lekkere spul, dat zij onbeschadigd zouden terugbrengen. Toen keek hij naar het onbewoonde eiland, dat zwart opdoemde uit een fluwelen zee, en de lach bestierf om zijn wrede mond. Er gloorde een rossig schijnsel daar aan de voet van de Stapi... Fjalar en Galar misschien, die het toverzwaard smeedden...

„Ja, vanzelf..." zei hij zacht, „we zijn vóór de avond weer terug... 's Nachts kan je niet op Fuglö wezen..." Hij ging ook zijn deken opzoeken, hij huiverde een beetje.

„'t Wordt een kouwe nacht," zei Tor. „Morgen gaan we naar het kamp terug, want er is nog heel wat te doen voor het grote feest. Morgen gaan we ons met admiraaltje bemoeien..."
Zij snurkten in de warmte van het vuur.

Over de fjord zat houtepoot hunkerend naar de rode gloed te staren en hij vroeg zich af hoeveel eenzaamheid een mens verdragen kan...

14
Gekke Helgi

Helgi Hildurson houtepoot schreide een beetje toen hij de rosse gloed van het vuur over de fjord zag, en hij schaamde er zich niet meer voor... Hij had het geleerd in de eenzaamste periode van zijn leven, in de lange, barre winter die hij alleen met de geest van Lon Krambud en met de honderdduizend vogels op Fuglö had doorgebracht. Hij schreide wel vaker de laatste tijd, en hij praatte vol deernis met zichzelf. Hij sprak zich moed in wanneer hij langs het graf van de stuurman moest om het hol te bereiken waarin hij zich als een beest had ingegraven. De stuurman van de Gardar, die in zijn grimmige eenzaamheid rustte onder tonnen steen.

Helgi houtepoot beklaagde zich met zachte woordjes wanneer zijn beenstomp hem weer kwelde, en soms, in de suizelende stilte van de krocht, vertelde hij het verhaal van de Gardar, waarop hij goddomme als stúúrman gevaren had...! En van de dochters van rooie Eiki, die godbetert om beurten met hem geslapen had-

den, verstáán jullie dat goed, stomme vogels...?
Daarna huilde hij een beetje om zijn eenzaamheid.
Hij werd in die lange wintermaanden de grootste leugenaar van
de Norderöer, maar er was niets lolligs meer aan, want alleen de
vogels luisterden naar hem, en de vochtige wanden van de
krocht, en Varig misschien, die altijd wel ergens op hem loerde,
maar die nooit antwoord gaf.
Die eerste maanden was hij alleen geweest met de vogels en de
wind. Later kwam de angst naast hem slapen en de hallucinaties
begonnen. De voltallige crew van de Gardar leefde in zijn grot en
soms hoorde hij stuurman Krambud kreunen in het graf onder
de rolstenen. Maar als hij buiten kwam, de kreupele beer die
zich buiten zijn hol waagt, dan was het de snerpende wind, die
de tranen uit zijn ogen perste. Niets om je als kerel voor te schamen. Hij had het te druk om ze van zijn wangen te vegen; ze
bevroren in zijn baard, want Helgi houtepoot werkte als een
bezetene om niet te verstarren als Lon Krambud.
Het beest werkte onophoudelijk aan zijn winterleger en het moest
voortdurend op roof uit. Het overwinterde met de honderdduizend vogels en de honger was zijn grootste vijand. Er was water
in overvloed, zijn drenkplaats was bij de kleine waterval onder
aan de Stapi, waar ook de andere beesten kwamen drinken. Zo
had hij alles dicht bij zijn nest, het voer, het drinken en de geesten... Maar de vogels lieten zich niet meer verschalken met het
net, toen de kou hem verstijfde, en er kwam water te véél, toen
de sneeuw begon te stuiven en langs het luik van de Gardar de
krocht in wervelde tot waar hij zijn leger had.
Na de schipbreuk had hij alle dagen vlees gegeten en soms een
vis, bladeren van de dovenetel en wat zuringmoes; de natuur
zorgde voor het beest alsof het erin thuishoorde. Maar toen de
wind naar het noordoosten liep en de Stapi omtoverde tot één
blinkend ijspaleis, kon houtepoot de rotsen niet meer beklimmen.
Het vogelnet diende hem nergens meer toe en bij deze wind-
richting durfde hij zijn geweer niet te gebruiken. De schoten zouden op Viderö gehoord worden, waar de mensen wonen, en op
Bordö misschien, waar de jagers leven...
Nu begon de honger te knagen. De beer lag dagen en nachten in
zijn hol, maar hij kon de winterslaap niet vatten; hij had te veel
honger en angst, al zouden de jagers nog in geen maanden komen... Hij vermagerde zienderogen en toen zijn beenstomp be-

gon te zweren en de koorts door zijn lichaam daverde, bad Helgi Hildurson dat hij snel dood mocht gaan... Hij wentelde zich in zijn nest van zeegras, hij was te zwak om het vuur te onderhouden. Rooie Eiki zat hem met starre ogen aan te staren en stuurman Krambud kroop op handen en voeten de krocht binnen om het stervende beest de strot af te bijten.

Maar de beer stierf niet, hij was zo sterk, hij zonk weg in een diepe duisternis die de onderwereld niet kon zijn, want de geesten van de Gardar-crew lieten hem in vrede, al blies Varig zijn ijzige adem over hem.

Hij ontwaakte op een dag door het gebulder van de wind die om de Stapi rende. Hij sleepte zich naar het stuurboordsluik van de Gardar, dat zijn doodkist afsloot. Hij moest er zijn schamel gewicht tegenaan leunen om het te doen kantelen; toen sloeg het witte licht hem op de ogen en hij wist dat hij zijn ellendig bestaan nog een beetje rekken kon. De wind was om de noord gekrompen, de Stapi vormde niet langer een blinkend ijspaleis, maar een immense sneeuwhoop, die tot in de grauwe hemel reikte. De storm dreef grote, droge sneeuwvlokken voor zich uit, die heel Fuglö bedekten met een zuivere lijkwade. Langzaam wenden zijn ogen aan het witte licht; toen begon hij de vogels te onderscheiden, de lunden en de oesterduikers en de ranke meeuwen, in zwermen bijeengeklit op de rots tegenover de krocht, waar zij in de luwte zaten, duizend op een hoop, om zich aan elkaar te warmen.

Helgi houtepoot knipperde met zijn ontstoken ogen, maar het visioen loste niet op in de sneeuwstorm, de duizend vogels waren daar, een willige prooi voor de mens die niet sterven kon... Als hij de kracht maar vond om zijn geweer te richten, één schot hagel omhoog te jagen tot waar de rots over het graf van Lon Krambud gebogen stond...

Helgi houtepoot kroop op handen en voeten naar zijn nest terug, zwetend van inspanning. Het duurde lang, eer hij zijn geweer gevonden had en de scherpe patroon door hagel vervangen; het vergde zijn laatste krachten om zich naar de ingang terug te slepen. Daar moest hij minutenlang rusten en zijn ogen laten wennen aan de immense helderheid. De wind blies de sneeuw bij vlagen in zijn gelaat, de ijzige noordenwind verstijfde hem tot op het bot. Helgi Hildurson huilde zacht voor zich heen, om zijn

machteloosheid, om de duizend vogels die met scheve kopjes naar
het beest in de diepte keken, als wijze oude mannetjes die het allemaal al hebben gezien. Hij greep met bevende handen zijn geweer, maar hij had de kracht niet om het op te heffen. Hij wachtte even, de vogels waren zo geduldig, zij volgden zijn gestuntel
met verveelde blik, óók toen hij bij een tweede poging het geweer aan de schouder kreeg, waggelend als een beschonkene.
Zijn tanden klapperden tegen de kolf aan zijn wang, alles werd
zwart voor zijn ogen, maar hij vond nog de kracht om de haan
over te halen; het schot daverde tussen de bergen van Fuglö en
de weerslag deed hem tegen de rotswand tuimelen. Hij hoorde
het gekrijs van de opgeschrikte vogels, die zich van de rotswand
stortten en rondzweefden op wijd gespreide wieken. Hij dacht
dat zijn schouder gebroken was, dat het geweer ontploft was aan
zijn wang; hij wist met gruwbare zekerheid dat hij nooit meer
zou kunnen zien... Maar de zwarte sneeuw werd grijs, begon te
lichten en te fonkelen als voorheen en tenslotte was hij in staat
om de dingen te onderscheiden; het eerst de dikke lund, die
vleugelklepperend zijn aandacht trok met een kleine rode vlek
op zijn witte bef. De aangeschoten vogel fladderde in een kringetje rond en de sneeuw kleurde rozerood waar hij zijn sporen trok.
Twee oesterduikers lagen verminkt onder de rotswand en een
meeuw strekte nog eenmaal zijn sneeuwblanke wieken, eer hij
trillend op het graf van Lon Krambud bleef liggen.
„Vier...!" snikte houtepoot, en hij telde ze na op zijn bevende
vingers. „Vier in één schot; met hagel kon je ze nooit missen, zo
dicht op elkaar..."
Hij keek hunkerend naar het voedsel, dat daar warm voor het
grijpen lag, maar hij mat met zijn ogen de afstand en hij wist
dat hij het niet zou halen tot de klapwiekende lund.
„Zes meter," schatte hij, „en de strandvissers wel tien... Dat
haal ik nooit...!" Maar hij schoof een onwillige hand voor de
andere, en een knie voor de beenstomp. Toen moest hij even
blijven liggen, terwijl de sneeuwjacht zich over hem begon te
spreiden als over de dode vogels.
Alleen de aangeschoten lund wiekte nog stuipig in een kringetje
rond, zonder kracht om zich te verheffen. Zijn witte bef was nu
rood gekleurd, kostelijk warm bloed voor de uitgeputte man.
„Vier..." kreunde houtepoot, en toen: „Nog drie..." Hij schoof
op zijn buik door de hoog opgetaste sneeuw, hij kroop nader.

De dikke vogel fladderde klagend buiten zijn bereik, draaide zijn laatste kring en klapwiekte blindelings in zijn gestrekte handen. „God," hijgde Hildurson, „god o god!" En hij begroef zijn gelaat in de zijige borst van de vogel. Hij dronk het warme bloed, hij zoog het leven uit de lund, en het leven vloeide met kleine slokjes in Helgi Hildurson terug.

„God," hijgde hij, „god o god o god, dat was op 't randje van de hel!"

Hij giechelde als een gek oud wijf, maar hij voelde het bloed in zijn aderen kloppen. Hij wentelde zich op zijn rug en hij perste het leven uit de vogel. Toen vond hij de kracht om terug te kruipen naar het hol, waar de sneeuwstorm hem niet kon vinden. Hij maakte vuur. Daarbij lag hij zich te warmen terwijl hij het lauwe vlees verslond.

Zo keerde Helgi houtepoot tot het leven terug, dat hem bijna was ontglipt...

Daarna kon niets hem meer deren; hij had in de ogen van de dood gekeken en de dood had zijn blik afgewend. Nu waande houtepoot zich onsterfelijk.

Hij won elke dag een beetje kracht en hij werd elke maand een beetje gekker. Een half jaar met de duizenden vogels en met de geesten uit het verleden... De geesten staarden hem zwijgend aan, maar de vogels ontvingen hem met oorverdovend gekrijs zodra hij buiten zijn hol trad. Hij schreeuwde er luid tegenin, hij vertelde hun zijn heldendaden, hoe hij schipper op de Gardar geworden was en de dochters van rooie Eiki had verkracht.

De vogels kenden zijn verhalen van buiten, maar voor de eenzame gek waren zij altijd weer nieuw. Hij praatte méér dan hij ooit onder de mensen had gedaan, overdag tegen de vogels en 's nachts tegen de zwijgende geesten. Hij stond nu op goede voet met de crew van de Gardar, want ze wisten dat hij onsterfelijk was en dat ze hem toch niets konden doen.

Alleen stuurman Krambud bleef hem treiteren, misschien omdat zij samen het naakte eiland deelden, of omdat houtepoot al die stenen op zijn lichaam had gestapeld, je weet dat nooit. De stuurman had hem laten struikelen toen hij de stervende meeuw van zijn graf kwam halen, en soms loeide hij tegen de wind in, om Helgi te laten schrikken. Zij waren nooit goede vrienden geweest en dat werd er na Lons dood niet beter op...

Toen de sneeuw van de Stapi gesmolten was en er soms weer een vissersboot langs Fuglö kwam gevaren, had houtepoot de eerste mensen sedert een half jaar gezien... Zij voeren op grote afstand aan hem voorbij, ze zeilden om de noord naar de visgronden en het bleven slechts wazige schimmen voor zijn betraande ogen, maar zij bewogen echt. Het waren levende mensen die een doel hadden, mannen die misschien vandaag pas de bewoonde eilanden hadden verlaten... In ieder geval kenden zij niet de eenzaamheid van gekke Helgi, die daar achter de rotsblokken verscholen lag en het schip hunkerend nastaarde.

„Mènsen...!" jankte Helgi. „Daar gaan mensen!"

Hij veegde zijn tranen weg met de rug van zijn hand en hij rende naar zijn hol, om de koperen eenoog te halen.

„Mènsen!" schreeuwde hij tegen de geesten van de Gardar, die hem in het duister van de krocht zaten aan te staren. „Er zijn levende mensen daar buiten! Ze bewégen, en ze geven antwoord als iemand ze wat vraagt! Hoe lang is het geleden dat ik antwoord kreeg...? Jij, Rusti Lassen, jij was de laatste levende mens die ik zag. Je stond te roer, weet je nog? En je vond dat de Gardar zo zwaar in de hand lag, wéét je nog...? De Gardar ligt zwaar in de hand... Dat zijn de laatste woorden die ik van een levende mens heb gehoord, en daarna niks meer, een half jaar lang niet meer...! Denk je dat es in, Rusti, een half jaar lang geen levende ziel die tegen je praat, een half jáár, en het gaat nog langer duren..."

Helgi Hildurson sloeg de handen voor de ogen en hij probeerde een half jaar vooruit te kijken en verder nog... een zomer, en nòg zo'n winter met de vogels en de geesten. Toen begon hij te schreeuwen, zo luid dat het uit de krocht galmde en de vogels verschrikte op de overhangende rots.

Hij hinkelde naar buiten, in het glorierijke licht van de zon die over Fuglö straalde. Hij vergat zijn kijker, maar hij klauterde tegen de rotsen op om het schip na te staren, dat geruisloos over het spiegelende water gleed, een meeuw met gestreken wieken. Hij kon de mènsen niet meer onderscheiden... Hij brulde in de trechter van zijn handen en zijn roep schalde over de zee, maar de mensen hoorden hem niet, zij hadden hun bezigheid aan want en deklast, zij bereidden de vleet voor een nieuwe trek, maar zij dachten niet aan een eenzame gek daar op het vogeleiland.

„Mannen!" schreeuwde Hildurson. „Mannen van Norderöer...!

Hoe gaat het in de bewoonde wereld...? Geef antwoord alsjeblieft, want ik heb in geen zes maanden..." Zijn stem sloeg over van zelfbeklag, de tranen schoten hem in de keel en hij liet moedeloos de megafoon van zijn handen zakken. „In geen zes maanden..." jankte hij, „zes maanden, mannen... zegt dat jullie niks?"

Nee, het zei de mannen niets. Zij gingen gebukt onder het werk voor hun gemeenschap. Zij hadden misschien hun vrouwen afgesnauwd en de kinderen nauwelijks gegroet bij het uitvaren. Zij leefden in hun gedachten al bij de visgronden, waar zij het brood uit moesten puren voor een groot gezin; zij hadden geen oog voor de rotsige kust, tenzij om het baken van de Nordberg te peilen, of het stakellicht van Settorva. Dan wisten zij dat de Norderöer over bakboord en de Vissermansplaat voor de boeg lag. Zij hielden hun grijze ogen op de horizon gericht, waarachter elke zeeman een fortuin verwacht.

Helgi houtepoot staarde het scheepje na tot het aan de einder oploste in de wijde Arctic. Toen vloekte hij, en hij nam zich voor de mensen te gaan zóéken die hem niet vinden wilden. Hij besefte dat hij knettergek zou worden als hij nog langer alleen bleef met de vogels en de geesten. Hij wilde stemmen horen en mensen zien, eer een volgende winter hem ging begraven in zijn krocht. Zittend op de rots in de zon wendde hij zijn hunkerende blik over de Fuglöfjord naar Svinö. Daar huisden wat mensen van het allerlaagst allooi; kerels, en vrouwen ook... god o god, vrouwen...! Hij kende de verhalen over de vogelvrijen, hij wist hoe zij daar samenklitten in hun gezamenlijke angst voor de gerechtigheid. Maar zelfs het tuig van Svinö ging hem niet aanvaarden, wanneer zij de omvang van zijn misdaad vernamen; een vent kàn niet levend weerkeren van de onderwereld waaraan hij al zijn makkers heeft uitgeleverd.

Helgi Hildurson schatte de breedte van de Fuglöfjord en hij wist dat hij die afstand niet zwemmen kon, maar hij had het stuurboordsluik van de Gardar nog en zijn twee kurken zwemvesten. Hij zou een vlot kunnen maken en zich laten drijven op de stroom... Het zou wel 's nàchts moeten gebeuren en voor de zon opkwam moest hij dekking zoeken tussen de schrale struiken, of tussen de zwerfstenen rond het kamp...

Toen gekke Helgi zo ver met zijn plannen gevorderd was, drong het plots tot hem door dat zij nergens toe leidden. Hij kende het eiland van de vogelvrijen niet. Hij had alleen de vier naakte bergen met eindeloos geduld beloerd door zijn koperen eenoog, en de ranke bootjes gezien, die soms de fjord afvoeren. Hij wist niets van de dalen en de spelonken waarin zij zich moesten ophouden, hij kende hun aantal niet, en niet de ligging van hun kamp... Zij gingen de verspieder doodslaan zodra zij hem ontdekten; waarom zouden zij hem genadig zijn? Omdat hij hun vrouwen begeerde...? Hij had niets in ruil te bieden dan zijn dwaze verhalen misschien, en zelfs die zouden hun niet bevallen...

Maar een van hun boten, peinsde Helgi. Als ik een van die ranke kano's kon bemachtigen, dan lag de hele Norderöer weer voor mij open... Dan kon ik naar Viderö varen in de nacht, of zelfs naar Bordö, en het volk van Tjörndal bespieden... Die van Tjörndal *zijn* zo achterdochtig niet, en er groeien een paar struiken tegenover de hoeve... Ik zou stèmmen kunnen beluisteren, méér vraag ik niet... Alleen maar horen hoe de mènsen praten, en zien hoe de vrouwen zich bewegen... Vervloekt, ik móét zo'n boot hebben, dan hou ik het hier vol tot de wereld vergaat!

Zijn wereld verging niet... Helgi Hildurson mocht dan misschien een beetje gek geworden zijn in de gruwelijke eenzaamheid van Fuglö, nu hem weer een doel voor ogen stond, keerde zijn oude sluwheid terug en hij bereidde zich op de grote dag voor met eindeloos geduld. Vanaf zijn uitkijkpost op de zuidpunt, veilig weggedoken achter een muurtje van rolstenen, bespiedde hij dag aan dag de kust van Svinö. De vogelvrijen hadden zich altijd nog tot op Fuglö gewaagd met hun netten of gewapend met de boog van de oude Vikingen. Ook dit jaar zouden zij worden aangelokt door de ongerepte vogelstand op Fuglö en hun jachtterrein langs het eiland der geesten zoeken. Overdag doen de trollen je niets, dat moest ook het tuig van Svinö weten... Overdag is heel de Norderöer één ongerept vogelparadijs...

Maar de jagers schenen de Fuglökust te mijden, dit jaar. Die van Viderö kwamen helemaal niet opdagen, en het duurde tot de zomer eer die van Svinö zich in hun kleine bootjes tot onder de rotsen van de Stapi waagden. Een korte tocht langs de vogelrotsen, en weg waren zij weer.

Helgi's hart bonsde in zijn keel, toen hij de halfnaakte kerels in hun snelle kajaks over de fjord zag varen. Zij schreeuwden elkaar toe, en hij kon hun stemmen tot op de Stapi horen. Even bekroop hem de lust om op te springen en hun aandacht te trekken, maar zij waren met drie boten, hij maakte geen schijn van kans. Hij kon bijna woordelijk verstaan wat de kerels elkaar toeriepen: het was te laat om nog aan land te gaan... Morgen proberen, bij het oplopend tij, en dan de grote netten meebrengen, het bàrst hier van de vette lunden...!

Zij zetten al weer koers naar Svinö, gejaagd als altijd, rovers die snel moeten toeslaan.

Houtepoot staarde hen na, teleurgesteld omdat het feest zo snel voorbijging, maar een féést was het geweest, mènsen te zien bewegen, zo dichtbij... stemmen te horen, en de woorden te kunnen verstaan. Hij herhaalde ze genietend, ieder woord dat tot hem was doorgedrongen, hij had de klanken geproefd en ervan genoten, mensenstemmen, na een half jaar en langer alleen het duizendmaal vervloekte gekrijs van de vogelkolonie...

Pas later drong de betekenis van hun woorden tot hem door en hij begreep dat hij mòrgen of nooit zijn grote slag kon slaan.

„Morgen bij het oplopend tij... En de grote netten meebrengen...!"

Zij gingen zich dus op de vogelrotsen wagen, op de Stapi, of langs de Nordberg misschien... Met het grote net moet je de rotsen beklimmen en je boten ergens achterlaten... Houtepoot mikte op het rif bij de Sòkn, of op het smalle kiezelstrand in de Skardebaai. En waarom zou je de kano's bewáken op het eiland der geesten...?

Het werd de Skardebaai! Het geluk scheen aarzelend zijn kant op te rollen.

Voor dag en dauw had hij met de koperen eenoog zijn uitkijkpost op de zuidpunt van het eiland betrokken. De kille mist verkleumde hem tot op het bot, maar hij verslond een halve lund en het bloed klopte weer in zijn aderen.

Toen de zon door de nevels brak, lag de Fuglöfjord als een glinsterende spiegel voor hem, en daarover kwamen de kleine, bruine kajaks aangegleden, geruisloos, door zwijgende mannen gedreven, die de stilte van het vogeleiland nú niet wilden verstoren. Vier kajaks en een ranke witte boot, waarin zij de netten aanvoerden...

Helgi's aandacht werd geheel door de witte boot in beslag genomen, nèt geen kano meer, maar te licht voor een sloep, hoog op het water en gemakkelijk door één man te roeien... Er zat een breedgeschouderde kerel aan de riemen, die met krachtige slagen de kajakvaarders bijhield. Zij gleden voorbij het rif en zetten koers naar het smalle strand in de Skardebaai; dat duidde erop dat zij de Stapi als hun jachtterrein gingen kiezen. Zij zouden over de kruin moeten gaan om de vogelrotsen aan de oostkant te bereiken en urenlang geen zicht hebben op hun boten...

Helgi wachtte vol ongeduld in zijn schuilplaats, tot hij de kerels weer zag verschijnen. Vijf...! Er was niemand bij de boten achtergebleven. Blootsvoets, de vogelnetten over de schouders, begonnen zij de zuidelijke helling van de Stapi te beklimmen, behoedzaam, om de kolonie op de hoge rotsen niet te verschrikken. Nauwelijks waren zij over de kruin verdwenen, of houtepoot strompelde zo snel hij kon naar het strandje in de Skardebaai. Zijn hart bonsde in zijn keel toen hij de kajaks vond, hoog op het strand getrokken. De witte boot lag slordig afgemeerd aan een roeispaan, die zij tussen de keistenen in de grond hadden gedreven. Helgi richtte zijn kijker op de vogelrotsen, maar hij kon geen van de mannen ontdekken. Wel scheerden tientallen vogels krijsend over de kruin van de Stapi. De jacht daar boven was begonnen, zijn kans hier beneden lag voor het grijpen.

Even aarzelde hij nog tussen een van de kajaks en de witte boot, maar de kajaks lagen te hoog op het strand getrokken; geen zinnig mens zou geloven dat die waren afgedreven. Met de boot zat het anders, die dobberde licht op de korte golfslag en als de lijn brak, of de roeispaan kantelde weg tussen de stenen, dan zou de wijde zee zich over het bootje ontfermen; de stroming ging het dicht langs de rotsen van de Nordberg voeren, en als die het niet opvingen, dreef het af naar open zee.

Nog eenmaal tuurde houtepoot naar de kruin van de Stapi en hij gromde tevreden. Hij begreep dat de jagers nog in geen uren zouden terugkeren. Hij beproefde de lijn waaraan de witte boot gemeerd lag, maar die bleek veel te stevig om zonder geweld te breken. Toen wrikte hij de roeispaan los, die tussen de stenen overeind stond. Misschien zouden de mannen het nauwelijks geloven, maar als de boot met lijn en roeispaan verdwenen was, moesten zij wel aannemen dat de zee hun die poets gebakken had. Helgi Hildurson legde zijn geweer en de eenoog in de boot en hij vatte de riemen. Telkens schichtig omhoog kijkend roeide hij dicht langs de Nordberg, en even later rondde hij de kop van Fuglö. Daarna was het kinderspel. Hij roeide voor stroom langs de westelijke kust, die loodrecht uit de zee omhoog rijst, duizend voet steile muur. Onder de Klubbin wrikte hij het bootje in een van de grotten die daar half onder water staan en hij strekte zich uit op de bodem, hij legde zich te slapen met het geduld van de man die eindeloos kan wachten. Het geweer rustte in de kromming van zijn arm, maar hij zou het niet nodig hebben. Als de jagers hem *hier* kwamen zoeken, waren zij nog gekker dan Helgi Hildurson houtepoot...

Hoe de vijf jagers in vier kleine kano's met netten en vogels zijn thuisgevaren, heeft hij nooit goed begrepen, maar die duivels staan voor niets.

In de nieuwe dageraad vond hij het eiland zo verlaten als het altijd was geweest. De honderdduizend vogels begroetten hem met hun hysterisch gekrijs en zij bombardeerden hem met hun uitwerpselen, maar Helgi ergerde zich daar niet meer aan, want hij was sedert gisteren een volwaardige mens, die contact kon opnemen met de andere mensen en gaan waar de stroom en de kracht van zijn armen hem wilden voeren. Hij wist zich geen gevangene meer van het vogeleiland, en die wetenschap was hem voorlopig genoeg.

Hij ging vissen in de Skardebaai en boven de Nordberg. Hij waagde zich 's nachts op de Svinöfjord en in de Kvannesund. Hij bespiedde de boeren van Tjörndal en de kinderen die de schapen hoedden, de vrouwen vooral, in hun bezigheid rond het huis. Hun stemmen in de jonge dag klonken als pure muziek in zijn oren.

Eenmaal, op een heiige zomeravond, had hij zich oostelijk van Fuglö gewaagd en was bijna overvaren door de Bordövig, die plots opdoemde uit de nevel. Hij had de misthoorn horen loeien en de ouwe over bakboord zien leunen om hem te praaien, maar Helgi Hildurson was niet gek meer...! Hij had het gelaat afgewend en vurig gehoopt dat de mensen hem niet zouden herkennen, want wie zijn kameraden in de onderwereld achterlaat, mag nooit meer terugkeren... Daarom bleef Helgi houtepoot op het vogeleiland als de eenzaamste mens van de Norderöer, en alleen God hoorde hem schreien, af en toe...

15
Grindabod...!

De oude Knud Ung uit Troldenaes op het uiterste noorden van Kalsö had in zijn leven nooit iets gedaan waarom zijn verkreukeld wijfje hem kon bewonderen of verachten... Hij was zo maar een kleine, stille man, die elke morgen een eind de zee opvoer om het beetje vis te verschalken dat zij nodig hadden om van te leven. De mensen zouden hem niet eens missen, als hij op een avond niet weerkeerde met zijn wrakke boot. Dat zou Knud ook niet zo erg gespeten hebben, want hij was het leven moe, dat hem niets geschonken had dan een hongerige maag en een zuur wijfje. De laatste tijd dacht hij er steeds vaker over om zich zo maar op de stroom te laten meedrijven, de verre einder tegemoet, tot waar de nornen hem wel gingen vinden.

Soms dobberde zijn bootje ver achter de horizon, waar de oceaan begint en je alleen nog maar IJsland kunt tegenkomen. Maar dan werd hij bang; hij was zijn hele leven bang geweest voor het onbekende. Dan kromde hij zijn stramme rug, en hij hing kreunend aan de riemen, uren en urenlang, tot zijn schouders nog enkel pijn waren en zijn hart bonzend tekeerging en zijn vingers kapot waren van het roeien. Hij kwam altijd weer terug aan de kust, in zijn hut van rolstenen, waar Urngard niet eens meer vroeg of de vangst was tegengevallen.

Soms gebeurde het dat Knud niet uitvoer, de volgende dag, maar de dag daarna moest hij de schade wel inhalen, want de honger lag altijd op de loer.

Nu gebeurde het in die warme zomermaand, dat Knud zich weer had laten afdrijven tot achter de einder. Hij had het driekante net aan de gaffel hangen, maar de vissen wilden er niet inzwemmen en na de derde vergeefse trek liet Knud het hoofd op de knieën rusten. De wijde zee was rondom zijn bootje met het eentonig gekabbel van het water langs de boorden en het gekrijs van de duizend vogels boven zijn hoofd. De zon stoofde zijn ontbloot bovenlijf, dat gevlekt en gelooid was door de vele jaren, en Knud dommelde in slaap terwijl de zilveren vissen rond zijn net zwommen.

Het was al een heel eind in de middag, toen de oude man wakker schrok en zich begon te bezinnen waarheen de stroom hem gedreven had. Hij tuurde met zijn rood ontstoken ogen naar waar hij de kust van Kalsö vermoedde, maar hij onderscheidde slechts de vage lijn van een blakke horizon.

„Ik ben weer te ver afgedreven," zuchtte hij. „Ik zal mij weer de armen uit het lijf moeten roeien om thuis te komen. Wat doet een oude vent als *ik* ook nog zo ver de zee op te gaan...?"

Hij keek rond over de wijde, blikkerende spiegel die hem aan alle kanten omgaf, en toen opeens zag hij de donkere driekante vinnen...! Hij zag het water bruisend in beroering komen, het spoot ver over bakboord omhoog... En recht voor de boeg van zijn visboot... En een brede, platte staart, wat verder naar de einder, en nog zo'n driekante vin over stuurboord...

Nu zijn ogen wat beter aan het felle licht begonnen te wennen, onderscheidde hij ook de natblinkende ruggen en soms een donkere stompe kop, een vin als een gaffelzeil, even opduikend uit de zee en in een rolbeweging weer verdwijnend.

De oude Knud vloekte zacht voor zich heen, van verbazing en teleurstelling tegelijk. Voor het eerst in zijn grauwe leven had hij iets gepresteerd waar iedereen hem om zou bewonderen en benijden... Hij had een school grindwalvissen ontdekt. Hij hoefde zijn roodbaaien hemd maar aan de gaffel te hangen en zo snel hij kon naar de kust van Kalsö te roeien. Overal werd het teken verstaan en de kreet „Grindabod! Grindabod!" zou van mond tot mond gaan. Alle kerels van de Norderöer gingen de roeiboten en de motorvletten bemannen, de kotters en de kleine trawlers van de andere eilanden kwamen eraan te pas.

„Grindabod...! Grindabod...!"

„Wáár? Wie heeft ze ontdekt?"

„Bij Kalsö, boven de Djupene! Knud Ung van Troldenaes is de man; hij heeft zijn hemd aan de gaffel hangen!"

„Die ouwe Knud! Wie had dat ooit kunnen denken... Nou krijgt hij de grootste walvis, en zijn dubbeldeel van vlees en spek; die is mooi binnen voor dit jaar...!"

Maar de oude Knud wàs nog niet binnen. Hij poogde zijn stramme schouders te rechten en hij zocht zijn roodbaaien hemd om het „vinderteken" in de gaffel te hangen. Toen herinnerde hij zich dat hij deze morgen zonder hemd was uitgevaren, opdat Urngard het eens kon wassen. Daarom begon hij kreunend zijn broek uit te trekken, en zijn baaien onderbroek; die knoopte hij aan de gaffel, ten teken dat *hij* de vinder was, en zijn boot een vinderboot. Daarna begon hij naar de verre horizon te roeien, waarachter de kust van Kalsö moest liggen en Troldenaes...

De zon stond al in vermiljoenen vlammen achter de bergen van Osterö toen hij, omkijkend, de rotsen van Kalsö ontwaarde als een dunne streep. Daar hield hij op aan, met steeds trager beweeg van zijn armen en fel bonzend hart.

„Hier komt Knud Ung van Troldenaes... Zien jullie het vinderteken aan de top van mijn gaffel? Ik heb de grinden ontdekt...!"

Maar ze zagen het teken niet, want zijn boot was nog slechts een stipje aan de horizon toen de avond over de Norderöer begon te dalen, die nooit helemaal nacht wordt in de lange maanden. Ze zagen het niet, toen hij plots naar zijn hart greep en met een kreet vooroversloeg tegen de doften.

Zijn boot werd die nacht door stroom en tij naar de kust van Osterö gedreven, naar Gjov bij de Fundingfjord, waar hij helemaal niet thuis hoorde. Daar hebben een paar vissers hem gevonden, een kleine dode man met verbijsterd starende ogen. Zij vroegen zich niet af wie hij was, dat kwam later wel terecht, want hij voerde het vinderteken aan de gaffel en zij berekenden snel vanwaar hij met zijn boodschap kon zijn gekomen en waar de walvissen zich moesten ophouden...

Er werden vuren gestookt op de vogelrotsen langs de Djupene en de Kalsöfjord, op de lage kust van Lervig en óp de kruin van de Tröllid aan de Bordövig, en het gerucht verspreidde zich over de hele Norderöer: „De grinden zijn in aantocht! Honderden... misschien wel duizend... De vissers van Gjov hebben ze ontdekt, dus het wordt de Fundingfjord dit jaar. Het gaat in de Fundingfjord gebeuren...!"

En op de eilanden van de Norderöer, in de stiften en bergnesten, grepen de mannen naar hun harpoenhaken en lange messen, hun bijlen en korte speren en spekhaken. Zij lieten alles in de steek en maakten zich op om met grote spoed naar de Fundingfjord te trekken, waar de slachting zou plaatsvinden. Het feest van de grindedrab! Het feest van de kleine walvis...

De vissers van Klaksvig en de traankokers van Marsten gooiden het werk neer om naar het jachtgebied te varen, en de christenen van Koningsdal trokken erheen onder de beproefde leiding van schipper Solstein, die behalve de bijbel een klein harpoenkanon aan boord had.

Alleen de heidenen van Skard ontbraken op het appèl; die hadden vorig jaar meer dan dertig walvissen afgeslacht, maar nu waren er geen mannen meer om aan het feest deel te nemen. En het tuig van Svinö ging zich niet buiten de fjord wagen uit angst voor de dienders, en van Fuglö is het bekend dat daar alleen maar geesten wonen...

Van de kade van Koningsdal vertrok de Bordövig, met drie lege sloepen op sleeptouw en zoveel mannen aan boord als de kleine logger maar kon bergen, want elke boer en vogeljager die met mes of lans kan omgaan en veel bloed verdragen, is welkom op de grindedrab. Maar de nieuwe vangleider aan de Fundingfjord had iedereen verboden het jachtgebied met motorsloepen binnen te varen. Het scheen deze keer om een school van meer dan duizend kleine walvissen te gaan, en die moet je niet afschrikken eer zij de fjord zijn binnengedreven. Daarom zou de logger maar tot de Andefjord opstomen, en de rest van de tocht moest in de sloepen worden afgelegd, twee roeiers op elke bank en de landrotten samengeperst tussen de doften.

Om de zuid naar de Lervigfjord is een rukje van een paar uren bij gunstig tij. Maar daarna komt het zwijgend roeien tegen het geweld waarmee de Djupene zich tussen de eilanden door wringt. De mannen zouden doodmoe worden en de vangleider verwensen om zijn voorzichtigheid, en de schipper verwensen, die zelfs geen gaffelzeiltje toestond. Zij zouden verlangend uitkijken naar de Fundingfjord, maar zij hadden al lang uitgerekend dat zij die pas tegen de avond konden bereiken. Dan volgde een lange nacht van zwijgend wachten in de sloepen, of langs de rotsige kust, want de jacht zou pas bij mid-tij aanvangen, of zes uren later, als het een beetje tegenzat.

Kleine Frodin Nielsen was blij dat hij in dezelfde sloep als Joan Wadslund was ingedeeld, want dit werd zijn eerste grindedrab en de verhalen die hij erover gehoord had, deden hem niet naar de slachting verlangen... Vorig jaar, in de Götevig, waren er vijfhonderd grinden geweest, kleine walvissen, maar er waren een paar grote bij, en het had zestien sloepen gekost, vermorzeld door de geweldige staarten. Slechts drie mannen en een scheepsjongen hadden er het leven bij verspeeld, maar Frodin dacht dat

162

het noodlot hem evengóéd kon treffen, al woonde hij niet meer in Skard.

Bij het uitvaren had hij nog een hunkerende blik op de steiger van het gevloekte dorp geworpen en in stilte gehoopt dat hij zijn moeder zou zien. Maar dan bedacht hij dat de vrouwen al uren geleden door Grimur eenoog waren afgehaald, nog voor het „Grindabod!" langs de kade van Koningsdal had geschald. Hij tuurde naar het bergnest boven de geitewei. Het scheen geheel verlaten, nu er geen mannen meer waren en de vrouwen voor Marsten werkten. Een dorp van louter kinderen, nu ja, en de heks met haar kleindochters.

„M'n zus!" zei Joan Wadslund trots.

De mannen aan de reling keken naar het meisje dat voor de hut van lamme Tor stond. Hanna zwaaide naar hen en zij wuifden zwijgend terug; zij oefenden zich alvast in de diepe stilte, die straks geboden zou zijn tot de vangleider het sein tot de aanval gaf.

„Héja! Dat wordt al een lekker stuk snoepgoed," zei Ingmar Svenson bewonderend. „Ik denk dat ik na deze trek eens bij jullie kom buurten."

„Vergeet het maar!" gromde Joan. „De heks zou je een schot hagel in je kont jagen. Alle kerels van de Norderöer zijn welkom in Skard, behalve die van Koningsdal en het tuig van Svinö."

„En Jens Poul Högnesen van Oyri!" schaterde Ingmar. „Ik heb gehoord dat die nu zo kreupel loopt als een blinde walrus!"

„Kan je niet wat harder schreeuwen?" vroeg de bootsman met een nijdige blik op de jongens. „Als jullie zo doorgaan, worden we straks uitgesloten; je weet wat de schipper gezegd heeft!"

„Verrek! We zitten nog uren van de Fundingfjord!" zei Svenson gebelgd. „Of verwacht jij de grinden al aan de Bordönaes?"

De bootsman gaf geen antwoord, maar de oude Jakup Mortensen nam het voor hem op.

„Spaar je groot lawaai tot morgenvroeg," zei Jakup, „dan mag je de longen uit je lijf schreeuwen, maar tot zólang houden wij ons rustig, heeft de schipper verordonneerd."

De jongens deden er verder het zwijgen toe en zelfs de landrotten aan boord durfden slechts fluisterend te spreken. De grinden waren gesignaleerd ver van de Arnefjord, maar je kunt nooit te voorzichtig zijn... Ze horen je op mijlen afstand en ze duiken altijd op waar je ze niet verwacht.

163

De Bordövig met zijn sleep van kleine sloepen had de zuidkaap gerond en de Lervigfjord kwam in zicht.

Het beviel schipper Solstein helemaal niet, dat de fjord zo volkomen verlaten lag.

„Wij hebben het sein veel te laat gekregen," gromde hij tegen de stuur, „en al dat landvolk aan boord heeft ons nog extra tijd gekost. Je zal zien dat het spul al in volle gang is als *wij* ons pas komen melden."

Stuurman Dahl haalde zijn brede schouders op. Hij durfde de ouwe niet tegenspreken. Schipper Solstein was altijd zwaar op de hand geweest, diep gelovig, maar met te weinig vertrouwen op de Heer.

„Het spul kàn niet in volle gang zijn," weerlegde de bootsman. „*Niet* als het een grote school betreft, schipper! De loggers van Marsten liggen een eind op ons voor; die zijn door de Kalsöfjord om de noord gevaren om de grinden op te drijven. Het gaat zéker nog tot morgen duren eer we weten waar we aan toe zijn."

De bootsman kreeg gelijk. Halverwege de Lervigfjord kwam de witte sloep van Olaf Krogh hun tegemoet, die vangleider voor het district van de Djupene was.

„Afmeren aan de kade van Andefjord!" beval hij. „En met de sloepen naar de overkant. De loggers van Marsten zitten om de noord. Morgen bij mid-tij hopen wij erop los te gaan."

Schipper Solstein gromde zijn instemming. Het viel hem zwaar, de norse bevelen van een veel jongere man te aanvaarden. Als die school walvissen toevallig de Arnefjord had gehaald, dan was *hij* nu de vangleider geweest. Nu moest hij zich blindelings aan het bevel van Olaf Krogh onderwerpen, want de grindedrab is een streng disciplinair geleide onderneming, waar niemand de hand mee licht.

Krogh keek misprijzend naar het volgepakte dek.

„Je hebt heel wat landrotten aan boord... Allemaal welkom evengoed, maar snoer ze de mond, schipper! Het gaat om een geweldige school en wij hebben ze nog lang niet in de Fundingfjord..."

Met een kort handgebaar verliet hij de reling, trots als een admiraal. Zijn roeiers hingen al weer zwetend in de riemen en de witte boot gleed weg in de nevelsluiers die zich over de fjord spreidden.

„Verwaande kloot!" gromde de stuur. „Voor 't eerst van zijn

leven vangleider, en hij stelt zich aan of hij God-de-Vader zelf is!"

De schipper wierp hem een vernietigende blik toe. Hij was het volkomen met zijn stuurman eens, maar de opmerking over God-de-Vader kon hij niet pruimen.

In alle stilte meerden zij af aan de kade van Andefjord, naast twee kleine kotters uit Lervig. Zij waren hier nog mijlen van de school grinden verwijderd, maar niemand haalde het in zijn hoofd om onnodig gerucht te maken. De mannen lieten zich zwijgend hun plaatsen in de sloepen wijzen en zonder geplons dreven de ervaren roeiers hun riemen door het water. Als schimmen gleden zij door de grijze nevels die laag over de Djupene hingen. Het scheen een eerbetoon aan de oude Knud Ung, die het vinderteken aan zijn gaffel had gehangen maar zelf niet in de winst mocht delen.

De overkant... Dat was de steile westkust van Kalsö, waar een dertigtal sloepen keurig op rij onder de hoge rotsen gemeerd lagen. De mannen in de boten probeerden te slapen, of zij zaten verveeld de lange, koude nacht af te wachten. Er werd nauwelijks wat gemompeld, toen de sloepen van Koningsdal zich bij de anderen voegden. Even een onderzoekende blik van de mannen die al een halve dag gewacht hadden, een groet aan de schipper, en fluisterend uitwisselen van de laatste berichten.

„Wie is de vinder? Een uit Funding zeker, of van Andefjord...?"

„Dat had je gedroomd...! Een dooie vent; de oude Knud Ung, van Troldenaes."

„Van Troldenaes...? Wat doen die van Funding hier dan de lakens uit te delen, als de vinder van Kalsö komt...?"

„Stom geluk, man! Die ouwe Knud haalt het in zijn hoofd om zijn onderbroek aan de gaffel te hangen en dan af te drijven naar Osterö. Een paar vissers van Gjov hebben hem gevonden, vanmorgen vroeg. Nou, en daarom is Olaf Krogh de vangleider. Die van Kalsö hebben nog geprotesteerd, maar de schout heeft het afgewezen; de vinder is nou eenmaal naar Osterö gegaan, dood of levend, wat doet het ertoe? We krijgen tòch allemaal ons part..."

Zij kregen allemaal hun eerlijk part, zoals dat sedert eeuwen het gebruik is, hun deel aan het bloedige beulswerk, en hun deel van de buit.

Na een eindeloze nacht in de open boten, gehuld in de kille deken van de mist, begonnen de mannen vol spanning uit te zien naar de vangleider, die de boten zou formeren in een halve cirkel, zodra de school grinden in aantocht was.

Maar de morgen verliep zonder enige beweging op de Djupene, en zij wisten dat ze moesten wachten op het volgende tij. Zwijgend, verveeld wachten, en je zorgen maken dat de grinden misschien naar de Eidisund waren uitgeweken of, God weet, op weg waren naar IJsland. Dooie Knud kon wel voor niets zijn broek aan de gaffel gehangen hebben, of misschien hadden de loggers van Klaksvig de hele school wel om de noord gejaagd, waar de Eskimo's er wel raad mee zouden weten...

Zo maakten die mannen zich onnodige zorgen en zij kauwden het harde brood en de gedroogde vis, die zij van thuis hadden meegenomen. Zij ruilden hun kostelijkste rantsoenen, een handvol tabak voor een paar slokken rum, of een beste harpoen voor een kruik gesmokkelde whisky.

Maar niemand sprak overluid... Onder de rotsen van Kalsö heerste de stilte die bij de dode vinder past, en bij de honderd, de duizend kleine walvissen die vandaag gedood gaan worden, of morgen...

De mannen hadden stenen verzameld onder de rotsige kust, hele hopen keistenen, die hun nut zouden hebben, àls de grinden zo stom waren zich in de Djupene te laten drijven en vandaar in de doodlopende straat van de Fundingfjord...

Zo stom waren ze... Zo stom zijn ze elke trek weer.

De oude grindwalvis die zich tot leider van de school had opgeworpen, meende iets te voelen... Een vreemde trilling, nèt nog geen geluid; een vage onrust, die niet van de oceaan kwam en niet van zijn duizend soortgenoten die rondom hem waren. Er was iets dat hem onrustig maakte en beangst. Hij blikte met zijn boosaardige donkere ogen over het blinkend watervlak, maar hij zag niets dan de driekante vinnen en het snuivend gespuit en het bruisend schuim dat bij zo'n grote familie als de zijne hoorde. Maar weer vingen zijn scherpe zintuigen de vage trilling, die van ergens aan de einder scheen te komen. Hij snoof verontrust, hij spoot een fontein van dampende adem en hij verlegde zijn koers onder de zon.

Trouw volgde de school al zijn manoeuvres. De kleine grinden meenden nog wel dat het een spel was; zij waren zo onervaren en de mist was juist opgetrokken en het grote licht spiegelde zich in de wijde oceaan. Alleen de ouden snoven briesend boven hun stompe snuit en tastten nerveus de trilling af, die van achter de horizon kwam. Zij verlegden tegelijk met de leider hun koers, zij vernamen het vaag gerucht, dat alleen maar vijandig kon zijn...

Toen de leider adem zoog, deden het ook de oude grinden; zij zogen zich barstensvol en zij doken naar de donkere groene diepte, tot waar het grote licht niet reikt. Rondom hen dook de hele school, machtige donkere lijven met gaffelvormige rugvinnen en brede staarten. De ouden wachtten onrustig of de kleine grinden wel volgden; hun instinct dwong hen en spoedig was de hele school van de oppervlakte verdwenen.

Maar daar in de groene diepte speurden zij nòg de trilling, die langzaam naderbij kroop, en een grindwalvis kan niet zo làng onder water blijven. De een na de ander zwommen zij weer omhoog, de kleinsten het eerst, en onwillig volgden de grote, logge beesten. Zij spoten jachtig hun verbruikte adem uit, die in nevelflarden boven het water bleef hangen. En heviger werd het getril dat de ouden verontrustte.

De leider gaf een klap met zijn machtige staart en ging ervandoor, zo snel hij zwemmen kon. De ouderen van vele tonnen zwaar, en de kleine grinden van enkele meters groot, de hele school kwam plots in paniekerige beweging. Zij vluchtten voor het getril uit, dat een dreunend stampen werd van hoge zwarte monsters die de school achtervolgden, nèt niet inhaalden, maar opdreven tot waar de grinden niet wilden gaan...

De leider poogde zijdelings uit te wijken, maar ook daar was een van die hoge monsters, en nu doken de grinden in verwarring, zonder voldoende lucht te hebben ingenomen. Zij kwamen spoedig aan de oppervlakte en zij spoten hun adem uit, zij doken, zij vluchtten in volle paniek de Djupene in, die nog zeer breed is en zeer diep. Maar toen zij weer boven kwamen, hadden de stampende monsters de terugweg afgesneden...! De oude leider zag het met zijn boze donkere ogen, hij brieste en hij snoof en hij dook in het diepe groene water van de Djupene, en de school van duizend angstige grinden volgde zijn voorbeeld. Toen zij ademsnakkend weer boven kwamen om te spuiten, was ook de doorgang vóór hen versperd... Dwars over het brede water, van kust tot hoge kust, hadden zich tal van kleinere monsters geschaard, witte, en bruine, en grijze, zonder het schrikwekkend gestamp van de achtervolgers, maar in hun dreigende stilte misschien even gevaarlijk. Die lagen zij aan zij en wachtten af wat de grinden gingen doen.

De oude leider ranselde woedend het water met zijn staart en tuurde met zijn donkere ogen de fjord af. Achter hen was de ronkende dreiging van de hoge zwarte monsters, en voor hen de vele kleine, die stilte betrachtten... Toen vond de oude grindwalvis een uitweg, zó slim, dat hij er blindelings in dook, en al de duizend grinden volgden zijn voorbeeld; zij zwommen in paniek de Fundingfjord binnen, zij verdrongen elkaar op hun vlucht en zij geselden het water met hun brede staarten, tot er langs de beide boorden bruisend wit schuim ontstond.

Het grote licht was daar boven en de Fundingfjord dampte van de stoomwolken uit duizend spuitgaten, en nòg lagen de witte monsters stil in de Djupene, alsof ook zij op het teken van een leider wachtten. Maar de zwarte monsters, die de school al vanaf de horizon achtervolgd hadden, kwamen zacht stampend naderbij en dat deed de oude grindwalvis besluiten om weer te duiken, en de hele school deed het hem na.

Olaf Krogh, de kersverse vangleider, die in de witte sloep midden op de Djupene zat, richtte zich langzaam op en zwaaide met beide handen boven zijn hoofd, toen hij het bruisend geweld aanschouwde waarmee de school grinden de fjord in zwenkte. Zijn brede mond trilde alsof hij zou gaan huilen. Twee etmalen wachten en het gebrek aan slaap hadden zijn zenuwen verscheurd, maar nu wist hij dat hij goed gegokt had, dat de vijf loggers van Marsten de hele school veilig in de Djupene hadden gejaagd, en dat de Fundingfjord het slachtterrein zou worden... Hij had al de sloepen dwars over de Djupene gedirigeerd, zestien aan elke zijde van zijn witte boot, en de hele manoeuvre was in volmaakte stilte verlopen. Nu wachtten zij zwijgend tot de grinden ergens in de Fundingfjord tot rust zouden komen. Dat mocht nog best een uur duren. Het was nu vijf kwartier voor mid-tij. Intussen moest hij de leider vinden en hem met zijn speer drijven tot waar hij niet wilde gaan: de ondiepe kust voor Funding, waar de logge beesten hulpeloos moesten stranden en te laat ontdekken dat er geen water was onder hun witte buiken. En direct achter hem zouden de kleine boten komen aanglijden, bijna geruisloos, tot hij de leider getroffen had. Daarna mocht de hel losbarsten, terwijl de vijf loggers de Fundingfjord afgesloten hielden.

Olaf Krogh had het allemaal goed genoeg gepland. Hij had het jarenlang afgekeken van de ervaren vangleiders aan de Arnefjord, en in de Bordövig en de Götevig, maar de omstandigheden zijn iedere keer anders, en de Fundingfjord is zo breed, en zo diep... Als hij de leider verkeerd trof, kon de hele school wel onder de sloepen door zwemmen en uitbreken...

Doodse stilte heerste op de Djupene. De ervaren vissers reageerden als een gedisciplineerd leger; de landrotten keken ademloos toe. Aller ogen waren op Krogh gericht, die in zijn grijze jopper te midden van de kleine boten stond. Hij was van de paar honderd mannen de enige die overeind staan en zich bewegen mocht, de enige die het nu voor het zeggen had, want hij was de gekozen leider voor het district van de Djupene, en de verantwoording drukte op zijn schouders als een blok beton.

Hij tuurde over het wateroppervlak, dat van lieverlee kalmer begon te worden. Nu was de hele school wel afgezwenkt naar de Fundingfjord. Toch wachtte hij nog, met al die kritische ogen op hem gericht.

„Here!" bad hij. „Here Jezus, laat mij nou geen fout maken! Laat mij nou *alstublieft* geen fout maken!"

Verdomde idioot! dacht Joan Wadslund. Geef nou het teken, of deze hele trek is naar de kloten! Maar hij zweeg, zoals de tweehonderd anderen. Hij zweeg, en hij verbeet zijn zenuwen, en hij zag ineens zijn zusje, zoals zij daar aan de Arnefjord had gestaan bij het uitvaren van de sloepen. Zwijgend had zij hem nagewuifd, alsof zij reeds het teken gaf waar al die mannen nu op wachtten.

Als ik maar niet ga kotsen, dacht kleine Frodin Nielsen. Zoveel bloed... Als *ik* maar niet aan de beurt ben. Al de mannen van Skard zijn dood, behalve ik en Joan...

Toen hief de vangleider zijn rechterarm omhoog, en een zucht van verlichting ging door de tweehonderd mannen. Al de kerels over stuurboord legden de riemen in en zij begonnen in gesloten front naar de monding van de Fundingfjord te roeien. Die op de rechterflank hingen met heel hun kracht aan de riemen, maar wie dichter langs de vangleider voer, hoefde zich nauwelijks in te spannen. Zo draaide de gesloten formatie langzaam om de spil die de witte boot was.

Nu hief Krogh zijn linkerarm en ook over bakboord legden ze de riemen in.

Vijf minuten later gleden de dertig sloepen de Fundingfjord binnen, sluipende beesten achter de duizend grinden aan, die het nog niet vermoedden.

De fjord was afgesloten en weer wachtten de mannen zwijgend aan de riemen; de jagers en de prooi moesten tot rust komen.

Tot zo ver doet ie het goed, dacht schipper Solstein met enige spijt. Als hij nou ook nog de leider weet te vinden en hem zijn spies in de rug jaagt en *niet* in het merg, dan zal ik de eerste zijn om toe te geven dat hij een goeie vangleider is.

Er was nu ook wat volk op de oevers gekomen. Bij de aanlegsteiger van Funding stonden een paar mannen met bijlen en messen, landrotten, die zich niet in de sloepen hadden gewaagd, maar die straks wilden helpen om de gestrande walvissen af te slachten. En aan de overkant, bij Eldevig, hadden zich wat nieuwsgierigen verzameld, vrouwen en kinderen, die aan de slachting geen deel hadden maar wel hun part van de buit zouden krijgen volgens de oude wet.

Het water van de fjord bruiste en kolkte alsof er een zware storm woedde, maar de zomerzon hing over het schuimend watergraf en verleende aan alles een feestelijke glans. De grinden doken en dartelden dooreen en zij begonnen zich van lieverlee op hun gemak te voelen. Het gedreun van de grote monsters was stilgevallen en al dat kleine grut op de fjord scheen zo gevaarlijk niet. De oude leider verhief zijn tonnenzware kop uit de golven en spoot zijn dampende adem uit.

De tweehonderd mannen zagen het. Zij wisten nu even goed als Olaf Krogh waar de leider zich bevond. Een klein, donker eiland leek hij, plots opgestuwd uit de oceaan. Zijn enorme platte staart was in staat om de boot van de vangleider met één klap te vermorzelen. Maar Olaf Krogh hief zijn hand en zijn roeiers begonnen verder de fjord op te varen, naar waar de blinkende donkere rug zich bevond met die vin als een gaffelzeil. Zij dreven behoedzaam hun riemen door het water, de walvis mocht het niet merken. De sloep begon te bokken en schommelde op de deining die de oude grinden veroorzaakten, maar zij kwamen langs de aartsvader, bijna binnen het bereik van die geweldige staart, en hij vermoedde het niet... Zijn boze zwarte ogen gluurden opzij, en vooruit, naar de rotsen van Funding, waar kleine wezens bewogen die misschien wel gevaar voor de school konden betekenen.

Nu was de witte boot tot aan zijn lende genaderd en Olaf Krogh richtte zich hoog op, zijn lange stalen spies in de beide vuisten geklemd. Hij zoog zijn adem in en stootte hevig toe, niet te diep, een oppervlakkige steek van de lende naar voren, juist genoeg om de leider de stuipen op het lijf te jagen.

En het wonder geschiedde...! De oude walvis stoof met een geweldige sprong voorwaarts, ranselde met zijn staart het water, dat metershoog opspatte en de witte boot half overspoelde. Maar hij raakte de mannen niet en niet de witte boot. Hij schoot blindelings op de oever af, waar zich de kleine wezens bewogen. Hij stoof tussen de dartelende lijven door van zijn soortgenoten, die hem eerst verwonderd, dan in paniek begonnen te volgen. Want achter de school der duizend grinden werd plots de stilte te barsten gescheurd door een pandemonium van daverend geschreeuw. De kerels brulden hun kelen schor. Zij grepen de keistenen en slingerden die achter de grinden in het water. Zij roeiden uit alle macht, zigzaggend en elkaar rakelings passerend. Zij schreeuwden de longen uit hun lijf, zoals de oude Jakup beloofd had.

Nu was de hel losgebroken op de Fundingfjord en de grote slachting kon beginnen. De school der duizend grinden vluchtte in paniek achter de door pijn verblinde leider aan. Zij ranselden met hun staarten het wateroppervlak en zij zogen in hun massale vlucht zo'n geweldige watergolf mee naar het strand, dat de boorden overspoelden.

Toen de watermassa bruisend terugstroomde in de fjord, lagen een paar honderd grinden hulpeloos op het strand. Zij sloegen met hun geweldige brede staarten en zij sperden hun muilen en ze vochten wanhopig om hun element terug te vinden. Maar nu kwamen de brullende kleine wezens, de mensen, die het altijd winnen van de jagers der zee. Zij waren vreselijk om aan te zien, met blinkend staal, flitsend in de zon. Zij begonnen te kerven en te hakken op de prachtige grindelijven en het bloed kleurde de oever vurig rood; het bloed dampte in het grote licht en de grinden voelden zich hun kracht ontstromen, zij waren enkel angst en pijn.

De ervaren mannen waren genadiger. Die sneden met hun lange

171

messen twee brede, diepe kerven in het grindelijf, vlak achter het ademgat. Zij sneden diep, in één keer; zij raakten juist de halswervel niet. En een volgende stond al over zijn prooi gebogen met de korte lans en die dreef hij bekwaam in het ruggemerg, waarop de grind met een bijna menselijke kreun de geest gaf. Zo'n grind had geluk gehad. Het duurde maar seconden en zijn bloed stroomde over de wezens met de vlijmende messen en de pijn was al voorbij.

Vele andere vielen ten prooi aan het landvolk, de beunhazen met hun bijlen en haken en spiesen. Daar waren er zelfs die zagen hanteerden. Die kerfden en hakten en maakten er een wrede slachtpartij van. Die verzonnen van alles om de spartelende dieren kapot te maken. Daar waren er die zand en stenen in het ademgat stopten om een oude grind te laten stikken, maar de walvis kreeg het benauwd en proestte alles weer uit, en hij lag in doodskrampen te spartelen en met zijn geweldige staart het rode strand te geselen. Hij trof een van zijn kwelgeesten en brak hem beide benen. Die vent gilde alsof *hij* vermoord werd.

De paar honderd gestrande grinden stierven na korte of lange tijd, de meeste snel en genadig afgemaakt door ervaren mannen, andere tot een bloedige massa gekapt en sidderend van de pijn. De eerste golf die op het strand spoelde, was binnen het uur uitgemoord en de kust werd glibberig van het dampende bloed. Ook het water van de fjord begon rood te kleuren onder de stralende zomerzon en wie uit zijn boot in het water viel, maakte weinig kans om de kust te bereiken.

Op het rode water dreven nog achtentwintig sloepen en wat wrakhout, en tussen de radeloze grinden zwommen een paar mannen voor hun leven. Zij werden juichend binnenboord gehaald en de redders wisten niet of het mensenbloed of vissebloed was, dat aan de drenkelingen kleefde. Achtentwintig witte en grijze en bruine sloepen vol schreeuwende, zwetende barbaren dreven tussen de honderden grinden die met de eerste golf het strand niet hadden gehaald. De nieuwe vangleider had zijn uur toch niet zo goed gekozen, naar het scheen, en reeds een half uur voor het keren van het tij had hij zijn spies in de leider gedreven. Nu zwom driekwart van de school in paniek rond in de Fundingfjord en daar moesten de sloepen achteraan. De mannen dreven harpoenhaken in de glanzende lijven die voorbij flitsten, en aan de haken zaten de hennepkabels. Zo sleurden zij de spartelende grinden langszij, om ze verder af te maken. Zij waren van moordlust bezeten en bleken de wreedste beesten van de schepping. Zij vierden hun bloedbezetenheid uit, tot de zon zich schaamrood achter de bergen van Osterö terugtrok, en toen was àlles rood, het water van de fjord, het strand van Funding en de kannibalen die erop dansten. Zeshonderd dertig grinden werden er geteld en enkele tonnen ondefinieerbare pulp.

Slechts drie mensen werden er vermist, en vijf moesten naar het noodhospitaaltje van Funding worden gedragen, en dertien werden door hun eigen stuur of bootsman weer zo'n beetje opgelapt. Onder hen was kleine Frodin Nielsen, die een paar vingers verspeeld had, maar wie valt daar over, als je de longen uit je lijf gekotst hebt bij het zien van zoveel bloed...? Frodin was al blij dat hij er levend afkwam, want hij en Joan Wadslund waren de laatste mannen van Skard.

Nu werd er op het rode strand gedanst, de grindwalvisdans, en ze zongen het eindeloze lied dat amtman Plöjen een eeuw geleden had geschreven om de helden van de grindedrab te eren. Maar de helden waren moe. Zij dansten als logge beesten, en de meisjes van Funding en van Eldevig hoefden niet eens tegen hun partners aan te leunen om het bloed te ruiken dat aan hun handen kleefde...

16

Bokum Torleifson

„Je zal een andere manier moeten vinden om je schuld af te lossen," zeurde Sigga. „Het is nou één keer goed afgelopen, maar ik hou m'n hart vast voor morgen. Tuig blijft tuig, al probeer jij die kerel nòg zo schoon te praten!"

„Zij probeert hem geneens schoon te praten; ze heeft alleen gezegd dat het zo'n mooie jongen is," lachte Kristianne onbeschaamd, „een jonge gòd, hè Sil?" Zij wierp haar zuster een blik van verstandhouding toe. „Zal ik meegaan om de foezel te dragen? Verrek, ik wil ook wel es wat anders zien dan Grimur eenoog, of die vieze ouwe Marsten!"

„Ja, maak er maar een spelletje van!" krijste de heks. „Krijgen jullie dan nooit je verstand? Moordenaars, en verkrachters en hoeren, dat is alles wat er op Svinö leeft!"

„Ik maak er geen spelletje van, en Krissy mag niet mee," zei Silvurbjörg verveeld. „Je hebt gelijk dat het tuig is, grootje, en *ik* vertrouw ook die Bokum niet verder dan ik hem zie, maar ik neem het geweer mee, dan kan mij niets gebeuren, dat moest je onderhand weten."

„Kan je Loki niet evengóéd meenemen...?" aarzelde Eydbjörg. Zij had zich nog niet met de ruzie bemoeid, er was niets waar zij een grotere hekel aan had, maar nu keef grootje al dagenlang en Silvurbjörg werd steeds brutaler.

„Loki!" deed Silvurbjörg verachtelijk. „Je weet niet waar je over praat, kind! Ik zal je de vogelrotsen bij de Burhella wel es laten zien, dan wéét je dat een hond daar niet kan komen. Heb je al es een hond zien klimmen...?"

Eydbjörg zweeg beledigd. Zij wist best dat een hond niet klimmen kan, maar Silvurbjörg hoefde haar geen kind te noemen! Zij voelde zich even oud en zéker even wijs als haar zusters; wat wisten die van liefdesverdriet...? Kristianne, die altijd overal de gek mee stak, en die alleen maar gore moppen kende over het manvolk...? En Silvurbjörg met haar verachting voor de mannen...? Zij zouden het niet eens begrijpen, als zij van Joan Wadslund vertelde. Zij begrepen toch zeker ook niet waarom zij soms huilde in bed...?

„Loki moet trouwens hier blijven, als ik weg ben met het geweer," besloot Silvurbjörg. Zij keek Eydbjörg spottend aan. „Of ga *jij* de bezopen kerels eruit smijten, als ze lastig worden?"

„Je weet evengoed als ik dat er geen kerels komen, deze maand," zei Eydbjörg stroef. „Ze zijn allemaal naar het noorden voor de grindedrab, ik weet het van Hanna; die van Koningsdal zijn er ook heen."

De heks keek haar scherp aan en het meisje bloosde.

„Hoe weet Hanna dat allemaal zo goed?" barstte Sigga los.

„Hoe weten de vrouwen het?" hielp Kristanne haar zusje. „Je vergeet dat ze elke dag naar Klaksvig varen, en een grotere kletsmeier dan Grimur bestaat er niet!"

De heks liet haar achterdochtige blik van Eydbjörg naar Kristianne dwalen.

„Jullie zijn tegenwoordig beter op de hoogte dan ik," zei ze nijdig, „en jullie dóén maar wat je goeddunkt!" Zij wendde zich weer tot Silvurbjörg. „Met die boot ook... Je had mij eerst kunnen vragen of ik het goedvond! Tien pinten jenever! De foezel is van ons allemáál, en jij beschikt erover alsof ze van jou alléén is!"

„Die boot is nou óók van ons allemaal," weerlegde Silvurbjörg. „Wij hadden een boot nódig, en we zullen er met z'n allen voordeel van hebben, begrijp dat dan toch!"

Sigga wilde het niet begrijpen, het ging haar niet om die tien pinten jenever, maar zij was bang. Een meisje met een geweer kon nu eenmaal geen partij zijn voor de jagers van Svinö. Wie garandeerde dat Bokum deze laatste keer óók ongewapend zou komen...? En hoe gemakkelijk kon hij het tuig niet in een hinderlaag leggen in de kloven van de Burhella...? Maar Silvurbjörg wuifde al haar bezwaren weg; Bokum speelde dit spelletje alléén – hij zou de kostelijke foezel heus niet met de anderen gaan delen, en dus had zij met één kerel te doen, die zij veilig op een afstand wist te houden. „En hou nou eindelijk eens op met dat gezeur," besloot zij verveeld. „Ik ga morgenvroeg m'n schuld inlossen zoals ik heb beloofd en ben met een paar uren weer terug. Dan kunnen wij tenminste die boot ons eigendom noemen."

Silvurbjörg beschouwde de zaak als afgedaan, maar de heks bleef lamenteren zoals zij het de hele week al had gedaan. Zij had zich de moeite kunnen sparen, rood meisje laat zich nooit ompraten.

Ook niet door Bokum Torleifson, al begrijpt zij niet wat haar bezielt, de laatste tijd. Bokum is een gevaarlijke kerel, en een misdadiger; dat móét hij wel zijn, anders leefde hij toch niet onder het tuig van Svinö...?

„Hij is de baas over de hele bende," heeft blinde Gudrid gezegd, „en hij is even begerig naar vrouwen als naar foezel, maar zijn eigen brouwsel drinkt hij niet."

Begerig naar vrouwen en foezel... Silvurbjörg had het verlopen wijf eens aangekeken en zich een overeenkomstig beeld van de roverhoofdman gevormd. Wat kon hij anders zijn dan een smerige ouwe duivel, de vent die dergelijke vrouwen begeerde en het tuig van Svinö onder de knoet wist te houden...?

Maar de eerste keer dat zij Bokum ontmoette, had hij haar geschokt door zijn voorkomen. Zij wist niet dat er zùlke mannen bestonden. Zij had zich verweerd met beledigingen: „Bokum stuurt zijn knechtje..." Maar tegen Kristianne had zij gepocht: „Een jonge god...! Een kerel zoals ik er nóóit een ben tegengekomen." En Kristianne, sensatiebelust, had het vuurtje nog aangewakkerd, lachebek zag nooit gevaar; die hoopte alleen maar dat Silvurbjörg met de roverhoofdman naar bed zou gaan. Héja! Hadden ze dàn even wat om samen over te giechelen op de vliering...! Kristianne dróómde van mooie kerels, maar zij had er nooit een gezien.

Ondanks zichzelf had ook Silvurbjörg van Bokum gedroomd, al zou zij dat niet graag aan Kristianne bekennen. Bokum was zo heel anders geweest dan zij verwacht had, en de tweede keer scheen hij echt bezorgd. „Verdomde rooie heks," had hij haar genoemd, maar zijn tintelende ogen weerspraken zijn woorden; het had geklonken als een liefkozing, al had zij hem daar niet de minste aanleiding toe gegeven met haar stekelige opmerkingen en steeds dat geweer op hem gericht. Later hadden zij tegen elkaar gelachen, zo maar als jonge mensen die elkaar graag mogen. „Rood meisje," zei hij toen, en zij had haar waakzaamheid laten verslappen; hij had haar kunnen overmeesteren, als dat zijn opzet was geweest, en rood meisje wist niet eens of zij dat nog zo erg zou vinden.

„Een jonge god – een kerel zoals wij er nooit een gezien hebben... Hij is mij achterna geroeid, alléén omdat hij bezorgd was over mij, maar ik heb mij aangesteld als een dwaas; ik heb een kogel door zijn boot gejaagd, alléén omdat ik bang was."

„Gemeen loeder!" lachte Kristianne. „Ik had het wel geweten... zo'n mooie kerel..."

Daar moest Silvurbjörg steeds maar aan denken, terwijl zij met vijf pinten foezel op weg was naar het rif. Kristianne had het wel geweten – die zou zich niet aanstellen als een zure tante. Lachebek was veel te goed van vertrouwen; zij trad het leven tegemoet zoals zij ook de eerste de beste man die haar behaagde met open armen tegemoet zou treden. Silvurbjörg vroeg zich af hoe het allemaal zou zijn verlopen als zij Kristianne had meegenomen naar het rif, en hoe het ging aflopen nu zij alleen was, en veel te goed geluimd...

Zij ging even zitten uitrusten op de bolle schouder van de Burhella en zij genoot van de milde zonnewarmte, die nog behaaglijk door haar kleren drong. Diep beneden haar strekte zich de scha-

pewei met de trollekop. De kudde lag tegen het volle groen gespreid als wasgoed op de bleek. Toen zij de eenoog instelde, kon
zij de nerveuze schapershonden onderscheiden en de kinderen
die rond de vervallen hut van zotte Oli speelden. Was het dal
wel ooit zó vredig geweest...?

Zij richtte de kijker op de Árnefjord, een fonkelende spiegel in
de zon, en op de kade van Koningsdal, zo vreemd stil, leger dan
op een winterdag; al wat varen kon was naar de Fundingfjord
vertrokken, waar de walvissen werden afgeslacht, en over drie,
vier dagen zouden de mannen terugkeren op Bordö, stinkend
van bloed en zweet...

Silvurbjörg schoof de kijker dicht en borg hem bij de zware kruik
in haar rugzak. Zij wierp nog een blik op het vredig stille dal en
zij kwam met tegenzin overeind. Het zwaarste deel van de tocht
lag voor haar; de roekeloze klauterpartij over de vogelrotsen, en
dan de afdaling langs de noordkant, waar de Burhella loodrecht
oprijst uit de Svinöfjord. Oesterduikers en lunden en dolle
meeuwen zouden krijsend boven haar scheren en haar positie
verraden, lang voor zij het rif in de fjord had bereikt. Zij begreep
nu pas dat zij geen schijn van kans had gehad, die eerste keer, als
Bokum haar had willen overrompelen tijdens de afdaling naar
het rif. Deze wetenschap vervulde haar van een lichtzinnig vertrouwen in de man die zo heel anders was gebleken dan zij verwacht had.

„Ik zou het wel gewéten hebben..." giechelde Kristianne in haar
oor.

„Ik weet op mijzelf te passen," antwoordde rood meisje stug,
maar zij begon zich bezorgd af te vragen wat daarvan waar was.
„Een jonge god," zei Krissy, „verrek, ik zou het wel gewéten
hebben...! Mag ik mee om de foezel te dragen...?"

Rood meisje lachte naar de vogels, die treiterend begonnen te
krijsen. Zij schikte de zware rugzak met de kruik en de kijker en
de lijn. Zij rekte haar lenig lichaam voor de eerste sprong over
een scheur in de rotsen, geen gevaarlijke nog. Haar lange benen
deden haar veilig op de richel over de kloof belanden en zij lachte
om Eydbjörg, die haar Loki als beschermer had willen meegeven.
Ze ademde diep de tintelende berglucht in, haar haren fonkelden
in het licht van de zon en haar borsten deinden tussen de riemen
van het zware geweer en de rugzak, bij elke roekeloze sprong.
Zij begon te zweten, de zon straalde nog zoveel warmte uit alsof

het volop zomer was. De wind scheen wel de adem in te houden om het mensenkind, dat feilloos haar weg over de gebarsten kruin van de Burhella vond. Nu naderde zij de steile noordwand, waar de Svinöfjord zich tussen de twee eilanden wringt. Daar begonnen de vogels haar te hinderen bij het klimmen. „Ik zie Krissy de foezel al dragen!" proestte zij. „Wèg, rotvogels, Bokum weet tòch wel dat ik eraan kom!" Overmoedig richtte zij haar geweer en zij schoot een prachtige lund met een sneeuwwitte bef en een snavel zo rood als koraal. Hij duikelde op zijn zwarte wieken tweemaal over de kop, alsof hij er plezier in had; toen viel hij naar de diepte van het rif met een klaaglijke kreet, die oploste in de daverende echo's van het schot. „Rood meisje komt eraan!" riep zij hem na. „Toon maar aan Bokum dat rood meisje eraan komt, en hoe goed zij op zichzelf weet te passen!" Nu werd het tijd voor de lijn. Zij ontrolde de vingerdikke henneplijn, die al zoveel malen haar gewicht gedragen had tussen een overhangende rots en een richel langs de bergwand, een vingerdun verschil tussen leven en dood. Silvurbjörg van rooie Eiki had daar nooit over nagedacht, maar Tor de vogeljager dacht éénmaal te laat, en zijn richel was niet eens zo diep. Daarom was hij lamme Tor geworden toen de mannen hem kwamen zoeken, en hij was de laatste man van Skard toen de ratten hem eindelijk gingen vinden in zijn hoge krib.

Silvurbjörg bevestigde de wijde lus aan dezelfde rotspunt die haar de vorige keer zo goed gedragen had. Zij wierp een blik in de diepte en zij verschoof nog even de last op haar rug. Twintig meter tot de richel, slechts twintig meter loodrechte wand, daarna werd het kinderspel, want de rest was klauterwerk tot aan het rif in de fjord. Zij legde een tweede lus om haar lende en wierp het uiteinde van de lijn naar beneden. Nu liet zij zich behoedzaam van de rotspunt glijden. Toen haar voeten geen steun meer vonden, palmde zij zich hand over hand naar de diepte. Louter op de kracht van haar sterke armen bereikte zij hijgend maar ongedeerd de richel, hoog boven het rif, waar Bokum haar verrichtingen met bonzend hart gadesloeg. Het bloed gonsde in haar slapen, het zweet droop in straaltjes langs haar verhit gelaat, maar haar ogen fonkelden van trots, toen zij vanaf de richel op hem neerkeek.

„Je hoeft niet op me te schieten, deze keer!" schreeuwde hij haar toe. „Ik ben al genoeg geschrokken van je waaghalzerij! Verdomde rooie, had je dan niet met de boot kunnen komen bij dit mooie weer...?"

Zij boog zich over de richel, zij ging languit liggen, om uit te hijgen, en om te zien hoe klein hij daar beneden leek. Zij genoot van de schrik op zijn gelaat.

„Nee, verdomde Bokum!" lachte zij. „Want op het water ben je mij te glad af, en hier in de bergen ben *ik* je de baas!"

„Kom nou maar!" riep Bokum ongerust. „En breek die mooie nek niet, dat zou jammer zijn."

Het duurde nog een vol kwartier eer zij doodmoe en met ontvelde handen voor hem stond. Zij trachtte het beven in haar knieën te bedaren, haar gehijg te onderdrukken, alsof het tòch maar kinderspel was geweest, maar met de noordwand van de Burhella speel je geen kinderspel; die is even verraderlijk als het tuig van Svinö. De zon weerspiegelde genadeloos in het water van de fjord en deed plots een rood waas voor haar ogen dansen. Silvurbjörg was zich nog bewust hoe de duizeling haar overviel en eer zij zich in paniek herstellen kon, voelde zij Bokums sterke armen om zich heen.

„Rood meisje..." zei hij schor. „Verdomd rood meisje... Vervloekte kleine heks...!" Zo maar de rauwe woorden die in hem opwelden, maar zij klonken als liefkozingen aan haar oor en zij vocht schreiend tegen haar zwakte.

„Niet janken," fluisterde hij, „lief rood meisje, want ik was nog veel banger dan jij, daarstraks."

Zij voelde zijn greep verslappen. Nu moest zij iets dóén, nu was er nog de kans om zich los te rukken, het geweer te grijpen, misschien, en het gevaar te ontlopen! Maar wèlk gevaar...? En *wilde* zij het ontlopen...?

Bokum had nog slechts zijn ene arm om haar schouders, alsof hij bang was dat zij vallen zou, en met zijn ruwe hand streek hij voorzichtig de dikke haartressen weg uit haar bezweet gelaat.

Toen zij haar ogen opsloeg, de blik van een bang ontwakend kind, was zijn gelaat vlak boven haar en zijn blauwe ogen lachten haar toe, en zijn mond lachte, en heel de natuur ademde de vrede waarin niets „ergs" gebeuren kon.

„Dom rood meisje," grinnikte de man, terwijl hij haar deed neerzitten op het rif in de zon. Hij schudde verbijsterd het hoofd, alsof hij zichzelf en het meisje niet begreep. „Domme kleine heks, wat was er van je geworden als je hier een ànder had getroffen...?"

Silvurbjörg van rooie Eiki boog beschaamd het hoofd. Zij vocht tegen de tranen die in haar ogen welden en zij dacht er niet meer aan naar haar geweer te grijpen. Zij wist niet of zij nu teleurgesteld of opgelucht moest zijn.

„Ik weet niet...” zei ze kleintjes. „Ik... het is allemaal zo vreemd... Ik ben veel te snel naar beneden geklommen... En dan die zon in m'n ogen... Ik werd opeens duizelig...”

„Als je met een van de anderen te maken had gekregen...” zei Bokum nors, en misschien verachtte hij zichzelf nu om zijn weekheid, „of als ik niet zo'n stomme idioot was... Ik had je... ik had alles met je kunnen doen waar een kerel van droomt, verdòmme!”

Zij keek naar hem op; haar grote betraande ogen bijna verwijtend op hem gericht. God, hij vond haar onuitsprekelijk lief, zoals zij daar zat in het licht van de zon, en zo kwetsbaar als een kind.

„Maar je hebt het niet gedaan...” zei ze zacht.

De man wendde zich met een ruk van haar af.

„Vervloekt, néé...! En daar zal ik op m'n sterfbed nòg om janken!”

Haar klaterende lach deed hem verbaasd omkijken en hij staarde verbijsterd op haar neer. Waren dromen dan geen bedrog...? Ze had haar geweer en de rugzak naast zich op het zonovergoten rif gelegd, en zij lag daar in al haar wilde schoonheid onder de hemel gestrekt, de blanke armen achter het hoofd gevouwen, haar verhit gelaat in de krans van haar glanzende haren. Zo keek zij naar hem op in kinderlijk vertrouwen, en haar vochtig rode mond lachte hem tegen en haar ogen weerspiegelden de hemel, bleekblauw en helder als het water van de fjord.

„Bokum,” zei ze dromerig, „zie je niet dat ik... dat ik je vertrouw...? Ik heb m'n geweer weggelegd. Ik wou dat wij, als gewone mensen...” Zij sloot haar ogen voor de felle zon, die nu hoog aan de blauwe hemel stond. Of misschien was het om het onafwendbare niet te zien dat zij had opgeroepen en hevig begeerde. Zij was zo verward. Zij zag door haar gesloten oogleden de schaduw tussen zich en de zon vallen, zij voelde zich overweldigd door zijn kracht en zij wilde voor één keer de zwakste zijn. Zij hield haar ogen stijf gesloten en zij luisterde glimlachend naar zijn gestamel, woorden die zacht over zijn lippen kwamen. Zij onderging zijn bijna beschroomde streling, alsof hij iets heiligs koesterde, als in de droom die zij dagenlang geweerd had, tot zij geen weerstand meer te bieden had.

„Meisje... lief rood meisje..."

„Bokum..." zuchtte zij, en ze proefde zijn naam op haar lippen, ze proefde zijn kussen op haar gretige mond en ze liet hem met zich doen. De zon koesterde hun lichamen, geheimzinnig murmelde het water van de Svinöfjord langs de boorden van het rif.

„Mooi meisje... lief rood meisje..."

Toen zij met een zachte kreet uit de droom ontwaakte, wist zij dat Silvurbjörg van rooie Eiki tenslotte vrouw geworden was.

Hoe wreed kan een droom verstoord worden... Silvurbjörg kwam met een gil overeind, toen het schot vanuit de verte tot hen doorklonk. De schouders van Murgandyr en Burhella droegen de echo's tot aan de Svinöfjord, maar de vogels werden er nauwelijks door opgeschrikt, het gevaar was zo ver.

Bokum vloekte, teleurgesteld, een bronstig dier in de paring gestoord, maar hij fronste zijn wenkbrauwen terwijl hij met geheven hoofd de richting van het geluid trachtte te bepalen.

„'t Is niks..." sprak hij onzeker, „een vogeljager misschien, het is ver weg."

Toen weerklonk het tweede schot, en even later een derde; de echo's daverden tussen de bergen en de vogels begonnen onrustig over de fjord te wieken.

„Ver weg, hè!" kreet Silvurbjörg schril, terwijl het hart haar in de keel bonsde. „Het is in het dal van Skard!"

Bokum vloekte opnieuw, niet eens van teleurstelling nu. Hij keek haar in het bleke gelaat en luisterde als zij, grootogig en met half open mond, maar na de schoten bleef het akelig stil.

„En dit hier is het enige geweer van Skard!" huilde Silvurbjörg, terwijl zij de dubbelloops opraapte en bevend de kloof in vluchtte.

„Blijf hier!" riep Bokum haar na. „Waar wil je heen? Het wàs niet eens in de richting van Skard! Tjörndal misschien, of... weet ik veel! Maar zó ver kan een schot niet dragen!" Hij kwam haar achterna in de kloof, doch zij was al veel hoger. Hij zag haar als een klipgeit de rotsblokken beklimmen. Nu klauterde zij uit alle macht naar de richel, waar zij de lijn had achtergelaten.

„Kom terùg, rood meisje!" riep hij haar na. „Ik vaar je wel om de zuidkaap, dat gaat veel vlugger met dit tij...!"

Maar Silvurbjörg sloeg geen acht op hem, zij was hoog in de kloof tussen de rotsen verdwenen en hij ging met een bezwaard hart naar het rif terug. Daar wachtte hij angstig tot hij haar op de richel zag. De lange lijn die van de rotspunt neerhing scheen van deze afstand te dun om zelfs een kind te dragen.

„Niet langs dat verdomde touw!" schreeuwde hij in de trechter van zijn handen. „Gebruik toch je beetje verstand!" Hij beefde over zijn hele lijf, het angstzweet parelde op zijn voorhoofd terwijl hij het meisje volgde met zijn blik.

Lenig als een jong dier slingerde zij zich langs de hennepkabel omhoog, tot halverwege, toen bleef zij tegen de steile rotswand hangen, secondenlang, zij slingerde zachtjes aan de lijn heen en weer, zij moest even op adem komen, naar het scheen. De man stond met brandende ogen omhoog te staren en het klamme zweet droop langs zijn gelaat. Hij durfde niet meer te roepen, hij kon niets doen voor rood meisje en zij was hem plots zo dierbaar als zijn eigen leven. Na seconden die een eeuwigheid schenen te duren, klom zij langzaam verder, hand over hand – hand over hand, trager, steeds trager naar de vooruitspringende rotspunt, en Bokum Torleifson stond het aan te zien met het zweet in zijn sterke handen, die nu niets voor haar konden doen.

„Rood meisje...!" kreunde hij. „Verdòmme nog toe, rood meisje..." en het klonk als een gebed. Maar zij bereikte de rots, twintig meter boven de richel, en zij kroop over de rand, zij verdween uit zijn gezichtsveld, dapper rood meisje met haar vervaarlijk geweer.

„Ik kom...!" wilde hij haar naschreeuwen. „Ik kom rond de zuidkaap!" Maar hij kon slechts een schor geluid uitstoten, dat klonk als een snik. Hij had nog het besef om haar rugzak mee te graaien, waarin de kruik met foezel woog, en haar kostbare kijker. Zij had in haar opwinding alleen aan het geweer van Olaf de reus gedacht, waarmee zij over Skard had moeten waken.

Met een vloek sprong Bokum Torleifson in zijn boot en hij begon als een bezetene te roeien, om de zuidkaap naar de Arnefjord, en de duivel hale Sigga de heks als die hem in de weg stond!

17
Admiraaltje

Maar de duivels haalden Sigga niet, zij zochten geen ouwe wijven... Zij waren in alle stilte uit de Hövdinkreek in het oosten gevaren toen de mist nog laag over het water dreef, en zij hadden moeite genoeg gehad met admiraaltje. Die wist dat alles van hèm afhing, want hij was de enige met een feilloos schot en daarom kon hij chicaneren.

's Avonds voor de expeditie, toen zij met hun vijven rond het vuur lagen, had hij een rantsoen foezel geëist, want zijn handen beefden zo. Hij was al een week nuchter, en wat verwàcht je van een vent die de foezel moet missen...?

De Larssen-jongens dreigden hem zijn magere strot dicht te knijpen. Maar Tor Heinesen had de gemoederen gekalmeerd en zijn rantsoen aan admiraaltje afgestaan, met de vurige wens dat hij er zich een beroerte aan zou zuipen.

Die bede werd nog bijna verhoord. Admiraaltje goot de kroes in één lange teug door zijn slokdarm, hetgeen nog nimmer was vertoond, boerde, greep naar zijn hart en sloeg als een blok achterover.

„De ellendeling!" zei Jorund Larssen vol wrok. „Nou kunnen we het hele feest wel vergeten."

Maar Djurhüs geloofde niet dat admiraaltje dood was, en in het uiterste geval zou hij zijn geweer overnemen; Ewald kon óók aardig schieten.

Zij lieten de kleine man voor lijk bij het vuur liggen en wikkelden zich in hun dekens; de nachten werden al bitter koud.

Maar wie schopte hen wakker vóór de grauwe dageraad? Admiraaltje, hittig als een jonge haan en nauwelijks in de lorum. „Héja, luie zwijnen, we gingen toch vogeltjes vangen? Vòrt, in de boten, eer Bokum ons in de kieren krijgt!"

Zij rakelden het vuur op en zij schrokten de hete tarwebrij naar binnen; ze waren in jachtige haast, want voor de mist optrok wilden zij Svinö achter zich laten en dekking zoeken onder de rotsen van de Glögvar. Daar zouden zij afwachten hoe de zaken zich ontwikkelden. Die rooie meid moest eerst het dorp verlaten

met haar geweer; zij wisten van Gudrid dat ze Bokum zou ontmoeten bij het rif. Dan bleef er alleen nog die bullebijter, waar
admiraaltje wel raad mee wist.

Maar admiraaltje had vandaag zoveel noten op zijn zang, dat
Sigvard Larssen dreigde hem in elkaar te rammen als hij zich
nog langer aanstelde. Het hielp een beetje; de Larssen-jongens
waren zulke beulen en admiraaltje maar een minnig ventje.

In vijf dubbelkajaks waren zij uitgevaren, met vangnetten en
klimtouwen alsof zij op vogeljacht gingen, want je kon nooit weten wie je tegenkwam, al zaten de meeste vissers om de noord.
Maar er gebeurde niets. Zij bereikten de rotsen van de Glögvar
onder dekking van de mist en daar waren zij aan de ingang van
de Arnefjord. Even later hoorden zij de schorre roep van de misthoorn en het gestamp van Grimur eenoogs boot, die de vrouwen
van Skard naar de fabriek bracht.

Toen de zon doorbrak en de laatste nevelflarden oploste, lag de
fjord te blinken onder de hemel, zo leeg als een kerk op maandag.
Zelfs op de kade van Koningsdal viel geen levende ziel te bekennen.

Zij wachtten nog een uur in de schaduw van de Glögvar. Soms
klonk het geluid van kinderstemmen tot hen door, en soms het
geblaf van de schapershonden bij de trollekop.

„Die doen me niks..." zei admiraaltje terwijl hij zijn dubbelloops
streelde. „Ik zal er geen boon aan verspillen, maar de wéérwolf,
zie je, die moet ik hebben bij het eerste schot..."

Hij legde aan op een denkbeeldig doel en de mannen zagen vol
minachting hoezeer zijn handen beefden. Zij vervloekten de zuip-
lap, die hun lot in zijn handen droeg, maar admiraaltje zei dat
het beven zou bedaren als iemand hem aan een slok foezel kon
helpen, dat hij op slag dood mocht vallen als het *niet* zo was. De
Larssen-jongens zeiden dat hij dan maar moest doodvallen, zij
wilden hem daar gráág bij helpen, maar Tor Heinesen, die de
leiding had, trok met een zucht zijn kruikje te voorschijn. Hij
schonk een scheut in de kroes en reikte die aan admiraaltje.

„Als je hierna nog durft te beven, rekenen Jorund en Sigvard
met je af!"

Het hielp. Admiraaltje beefde nauwelijks meer, toen Tor het sein
gaf om de fjord binnen te varen. Van de diepe schaduw onder de
rotsen kwamen zij plots in het blikkerende licht van de helle zon,
die zich spiegelde in het water, dat hen bijna verblindde. Zij

wisten niet hoe zij snel genoeg onder de steiger van Skard moesten geraken.

Daar wachtte hun een onaangename verrassing. Twee kleine jongens zaten er op een vlotje te vissen in de schaduw van het plankier. Die keken met angstgrote ogen naar de barbaren in hun kano's, wierpen hun hengels op de kant en renden luid gillend in de richting van het dorp. Met een vloek wilde Jorund Larssen de kinderen achterna rennen, maar Tor Heinesen riep hem terug. „Laat die rotzakkies lopen!" beval hij grimmig. „Wat wou je dóén als je ze inhaalt? Dóódslaan misschien?"

Jorund haalde zijn schouders op en trok een ongelukkig gezicht. Hij had in zijn grote schrik gehandeld. Er was afgesproken dat admiraaltje als eerste aan wal zou gaan en de weerwolf omleggen. Pas daarna zouden de anderen zich vertonen, een snelle run op het dorp en ieder een meid uitzoeken. Maar wie rekent er nou op zo'n tegenslag...?

Hanna Wadslund hoorde het geschrei van de kinderen en zij dacht dat er een in de fjord gevallen was. Nog terwijl zij naar buiten rende, schopte zij haar schoenen uit; Hanna kon zwemmen als de beste. Zij snelde op haar kousevoeten naar de steiger. Toen stond zij plots tegenover de kleine man met het geweer en haar ogen werden groot van schrik, maar de man wendde onverschillig zijn blik af en liep haar voorbij in de richting van het dorp, het geweer losjes in de kromming van zijn arm.

„Hé! Wat moet dat?" riep Hanna. „Wie zoek je?" Zij draaide zich op haar schreden om en wilde die rare man achterna. Kleine Helga speelde bij de trollekop, en de heks wilde trouwens geen vreemde kerels in het dorp.

Maar eer Hanna twee stappen in zijn richting had gedaan, voelde zij zich door sterke armen om de lende gegrepen en een harde hand werd op haar mond gedrukt. Zij kronkelde zich in paniek, zij beet haar aanrander in de hand en zij gilde uit alle macht. Haar kreet brak af toen zij voluit in het gezicht geslagen werd. Zij wierpen haar voorover in de geitewei. Ze bonden haar de armen op de rug.

„'t Is lachebek niet," zei een rauwe stem, „maar deze is mij goed genoeg!"

Toen werd haar een gore lap voor het gezicht gebonden en zij voelde zich wegdragen. In de verte hoorde zij Loki blaffen, maar zij kon hem niet meer roepen. Zij schopte wild om zich heen, ze kreeg een klap op haar buik en zij snakte naar adem. Het bloed droop warm uit haar neusgaten in de vuile lap. Toen werd alles zwart voor haar ogen en haar laatste gedachte was voor kleine Helga.

Eydbjörg was in de keuken toen zij Loki woedend hoorde blaffen achter het huis.

„Ga es gauw kijken wat er aan de hand is!" riep Sigga uit de gelagkamer. „En als er vreemd volk is, zeg het mij dan!"

Eydbjörg was al bij de achterdeur en zij zag Loki nog juist wegrennen in de richting van de fjord. Toen hoorde zij ook het geschrei van de kinderen, die door de geitewei kwamen gedraafd alsof zij trollen hadden gezien. Het volgend ogenblik drong de snerpende gil van Hanna Wadslund tot haar door en Eydbjörg rende hijgend achter Loki aan. Toen zag zij de kleine man met het geweer en zij hield verschrikt de pas in.

„Loki!" kreet zij. „Loki! *Hier!*"

De hond wilde zich juist met blikkerende tanden op de vreemdeling werpen, maar de stem van het vrouwtje deed hem grommend stilstaan, alle nekharen recht overeind en zijn grèle ogen fel op de kleine man gericht.

„Goe... goed volk..." zei Eydbjörg met een bevend stemmetje.

„Af, Loki! Goed volk..." Toen daverde het schot en Loki huilde als een aangeschoten wolf.

„Loki...! Pàk 'm!" schreide Eydbjörg. „Pàk 'm! Pàk die smerige rotzak!"

De hond stiet een woedend geblaf uit, waarop de schapershonden in de bergwei verward antwoordden en hij sleepte zich naar de belager van Skard. Het tweede schot trof hem in zijn wijd gesperde muil, maar nòg kreupelde hij verder, terwijl het bloed rond zijn blikkerende tanden droop.

Hoe snel kan een half bezopen kerel herladen? Admiraaltje zocht bescherming achter het verbijsterde meisje, dat hij in de richting van het monster stootte. Zij viel schreiend over Loki heen en nu trachtte zij het stervende dier met haar lichaam te beschermen. Maar Ewald Djurhüs kwam eraan; die sleurde haar juichend weg, alsof hij een heel kostbare vogel had gevangen.

Toen had admiraaltje kwijlend van angst zijn dubbelloops herladen en kon hij rustig aanleggen voor het genadeschot.

Kristianne lachte haar zonnige lach, toen zij de heks zo hoorde tekeergaan en haar zusje zag wegstuiven als een wervelwind. Grootje had het al zo lang op de heupen en vandaag was zij helemáál ongenietbaar. Geen wonder dat zoete Eydbjörg er als de hazen vandoor ging.

Lachebek vroeg zich jaloers af wat Silvurbjörg daar op de Burhella uitspookte – of zij de jonge god wéér zo loederig zou behandelen... „De jonge god," giechelde Krissy, „misschien is hij zo lelijk als..."

Toen hoorde zij het geschrei van de kinderen en de lach bestierf om haar rooie mond. Dit was niet lollig meer!

In een opwelling die haar zelf huiveren deed, greep Kristianne het lange broodmes en snelde ermee naar buiten. Loki blafte zo verwoed en het zusje vertrouwde blindelings op zijn kracht, maar Kristianne voelde plots dat de hond het niet aan kon, deze keer. Boven het dorp, bij de trollekop, begonnen de schapershonden zenuwachtig op zijn gebas te antwoorden. Zij zouden de kudde in de steek laten en keffend naar de leider rennen, met meer goede wil dan dapperheid.

Toen Kristianne voor de herberg kwam, hadden de jochies het dorp bereikt. Zij vluchtten gillend de hut van Malena de hoer binnen, die haar kindje aan het voeden was, maar Krissy verloor geen tijd met vragen stellen; zij snelde in de richting van de fjord, waar Loki zo vreselijk tekeerging.

Van verre zag zij de man met het geweer, en twee anderen, die van de steiger kwamen. Zij zag de blauwe vlam nog éér het schot weerklonk en zij dacht dat de ellendeling op het zusje schoot. Hijgend rende Kristianne door de geitewei, maar het tweede schot daverde in haar oren en zij zag Eydbjörg over de trouwe hond heen vallen. Blind van razernij, het flitsende mes zwaaiend, snelde zij op de man met het geweer af. Maar de twee anderen waren er eerder; zij sleurden Eydbjörg bij de hond vandaan, die zich nog stuipig bewoog. Nu had Kristianne alleen nog oog voor de schoften die zich aan het zusje vergrepen!

Geen seconde te vroeg draaide Tor Heinesen zich om en liet zich in dezelfde beweging onderuit glijden. Het mes flitste rakelings langs zijn ogen, maar hij schopte naar de blonde furie, en Kristianne, zo schielijk in haar vaart gestuit, duikelde in haar sprong als een aangeschoten haas. Het dikke gelaat van Ewald Djurhüs spleet open in een daverende lach, zo iets lolligs had hij nog nóóit gezien! Hij had de jongste dochter van rooie Eiki over zijn schouder geslingerd en hij omknelde haar alsof hij de adem uit haar tenger lijf moest persen. Nu keek hij schaterend naar de mooie blonde, die zo'n gekke buiteling had gemaakt, die zoveel bloot liet zien alsof zij haar ongeduld niet kon bedwingen. „Héja, Tor! Die is voor jou! Vliegen ze niet als vogeltjes in ons net...?"

Maar hij zweeg abrupt, en het meisje op zijn schouder verweerde zich niet meer. Zij keken alle drie naar Kristianne, bewegingloos gestrekt in het gras, haar armen gespreid en het hoofd zo vreemd weggeknakt in de krans van haar gouden haren. Een ogenblik kon men de stilte horen suizen. De zomerzon bescheen het meisje en de dode hond. De zon hing warm over het dal van Skard en over al wat daar gebeurde. Vanuit het dorp met de negen hutten klonk plots het geblaf van de schapershonden, die hun leider zochten. Een kind schreide luid. Toen viel weer de stilte. Tor Heinesen vloekte zacht voor zich heen, terwijl hij bij lachebek neerknielde.

„Jij hebt 'r geraakt!" gromde Djurhüs. „Als er wat van komt... Als je maar weet dat *jij* 'r geraakt hebt!"

Het geblaf van de honden was nu dichtbij en admiraaltje vroeg zich af of hij die schapers wel baas kon, of ze zo bang waren als Ewald had beloofd, en of de mooie blonde haar nek gebroken had; dan konden zij de rest van het feest gerust vergeten.

Maar het feest ging door! Het meisje strekte een been, het opende haar ogen, terwijl Tor Heinesen het mes uit haar hand wrong. „Verdomme!" juichte Tor. „Vervloekte mooie rotmeid, wat heb je ons laten schrikken!" Hij greep lachebek om haar middel en hij slingerde haar over zijn schouder als een voddebaal. Hij perste de adem uit haar lijf en met de slappe pop op zijn nek zette hij het op een lopen in de richting van de fjord. Djurhüs volgde hem op de voet met de andere jonge vogel, en admiraaltje had tenslotte besloten geen kogel meer aan de schapers te verspillen, want die sprongen jankend om de weerwolf en zij snuffelden eens aan het bloed dat uit zijn bek droop.

Loki had zijn trouwe ogen wijd open, alsof hij nog waakte over Skard, alsof hij het vrouwtje nog beschermen kon, doch de zon stoofde zijn warme lijf en de schapers konden maar niet besluiten hun leider in de steek te laten.

„Drie," zei Jorund Larssen. „'t Is de ròtmoeite! We gaan toch zeker terug om er nòg een paar te vangen? Héja, Tor, je wilt er toch zeker nóú nog niet mee ophouden? We zijn met vijf kerels, wéét je dat?"

Tor Heinesen keek neer op het bleke gelaat van het meisje dat hij voor zich in de kajak had gelegd. Daarstraks, in de geitewei, had zij hem danig doen schrikken. Een stel meiden te pakken nemen en er je lol aan beleven, goed, maar er moesten géén ongelukken van komen. En nu lag die blonde daar alwéér alsof zij dood was. De anderen zaten stevig verpakt in de boten van Ewald en Sigvard, daar maakte hij zich niet bezorgd over, maar juist het bèste stuk stelde zich aan alsof zij tòch nog de pijp uitging... Jorund Larssen stond daar op de kant, samen met admiraaltje, die peinzend zijn geweer streelde.

„Héja, Tor, krijg ik nog antwoord? Ik zeg je dat we nòg twee meiden nodig hebben; afspraak is afspraak!"

Tor keek verstrooid op.

„Afspraak is afspraak," zei hij stug. „maar het is allemaal niet zo glad verlopen als we gedacht hadden..." Hij wendde zijn blik van Jorund af, die daar stond te stampen van woede. Toen opeens zag hij de kinderen, die hun schapen in de steek hadden gelaten en nieuwsgierig naar het dorp waren gesneld, een dozijn vlaskopjes, en Malena de hoer met haar kindje op de arm. Die stonden daar allemaal samengedrongen aan de rand van het dorp. Zij keken in de richting van de fjord, zwijgend, verbijsterd, maar zij durfden niet verder komen.

Alléén dat oude wijf, de heks van Skard, wat bezielde haar? Die scharrelde het geitepad af, schreeuwend naar de kinderen dat zij wèg moesten blijven, dat zij het hàrt niet hadden haar achterna te komen! Zwaar leunend op haar stok strompelde zij naar de honden, die jankend om hun gevallen leider stonden. Zij vorderde slechts langzaam, maar haar gelaat was vreselijk om aan te zien. De zon glansde in de grijze haartressen, die slordig om haar schouders hingen, haar ogen leken zwarte gaten in haar grauw gelaat. Een schrikgodin, een ouwe trol op mensenjacht.

„Kijk es achter je!" zei Tor. „En zeg dan zelf of wij ermee moeten doorgaan! Wou je erom vèchten met dat ouwe wijf...? Met die troep kinderen misschien...?" Hij greep zijn peddel en stootte de kajak in de fjord. Djurhüs en Sigvard Larssen volgden zijn voorbeeld en één blik over zijn schouder overtuigde ook Jorund.

Hij sprong met een vloek in zijn boot en admiraaltje was de laatste die van wal stootte. Eer de heks bij de steiger was aangekomen, dreven alle vijf de kajaks midden in de fjord.

De oude vrouw hief haar handen ten hemel en krijste hun de liederlijkste verwensingen achterna, maar het tuig van Svinö sloeg daar geen acht op. Ze roeiden uit alle macht en zij wierpen bezorgde blikken naar de kade van Koningsdal, waar een paar vrouwen kwamen toegelopen, nieuwsgierig wat er in het dorp der heidenen aan de hand mocht zijn.

„Ik al het vuile werk opknappen, en jullie de buit binnenhalen!" hijgde admiraaltje, die met zijn lege boot de anderen nauwelijks kon bijhouden. „Ik op de beesten jagen, en jullie op de meiden, maar denk nou niet dat 't zó zal gaan!"

Jorund Larssen viel hem bij; die voer tenslotte ook met een lege boot en hij betwistte zijn broer de buit die zij samen hadden binnengehaald.

„Kop dicht, allemaal!" schreeuwde Tor. „Wie zegt dat we niet eerlijk delen? De blonde hier is al weer zo levendig als de pest! Héja, lachebek, hou je rustig of ik rammel je in elkaar!" Tor Heinesen had geen tijd gevonden om zijn buit te verpakken, het had ook niet nodig geschenen, zo akelig stil lag het meisje tussen zijn knieën, maar even schielijk was zij overeind geveerd toen de boten de fjord opvoeren. Nu had Tor het er maar moeilijk mee. „Denk niet dat ik het lollig vind!" grauwde hij het meisje toe. „Maar je vráágt erom, valse kat...!"

Daarna konden zij rustig verder varen, broedend op de tegenslag. Tor Heinesen vroeg zich af wat er allemaal verkeerd was gegaan. Dromend rond het kampvuur, elkaar ophitsend als kwajongens, had het zo eenvoudig geschenen: een snelle overval op het dorp, die rothond met één schot neerleggen en elk een geschikte meid uitzoeken. Een lollige middag op Fuglö en vòrt met de geiten! Ze zouden al blij zijn dat ze onbeschadigd naar huis mochten. Maar de ellende was begonnen met die twee snotporken, die gillend naar het dorp waren gerend. En met admiraaltje, die godbetert drie kogels nodig had om een hond neer te leggen... En dan die wilde kat met dat mes... Daar gingen ze nog de grootste last mee krijgen. Het was nèt of het feest nu al begon te verwateren.

„Waar wordt 't feest gehouden?" grijnsde Jorund, alsof hij zijn gedachten had geraden. „Verrek, als ik al dat lekkers bekijk...

Wat denken jullie van 't rif bij de Burhella? Dan hoeven wij ze geeneens terug te brengen, zijn ze in een paar uren weer thuis." "Verdomd goed idee!" viel Sigvard hem bij. "'t Rif! Dat we daar niet eerder aan gedacht hebben!"
"Om de bliksem niet!" barstte Djurhüs los. "*Wij* hebben voor jullie gedacht, ik en Tor! 't Wordt Fuglö, en ànders niks!"
"Jééézes, Fuglö!" protesteerde admiraaltje. "Mag 't ook Groenland wezen, alsjeblieft? Ik kan jullie nóú al niet meer bijhouden! Waarom Fuglö?"
"Omdat dat de enige plek is waar we Bokum en de andere jongens niet op onze nek krijgen," legde Tor geduldig uit. "We hebben dit als een feestje bedacht, wéét je nog? En we willen de zaak niet uit de hand laten lopen; dat met die hond was me al mooi genoeg, maar de poppen wil ik heel terugbrengen, en wie er anders over denkt, moet het nou meteen maar zeggen!"
"Akkoord... akkoord," zeurde admiraaltje, "maar waarom Fuglö helemaal? Ik weet wel tien andere plaatsen..."
Zij hadden de Glögvar gerond en kregen nu de Svinöfjord over bakboord. Dikke Djurhüs, die voorop roeide, stak bezwerend zijn hand op. Hij keerde zich naar de anderen, rood van woede.
"Als je 't verdomme over de duivel hebt...!" grauwde hij. "Wat doen we nóú, makkers? Laten we ons nog langer drillen...?"
"Dat zal eraan liggen of hij zijn schiettuig bij zich heeft," zei Tor gedempt. "Gewoon doorvaren, makkers, en als hij kapsones maakt, krijgt ie wat ervoor staat!" Hij wierp een waarschuwende blik achterom naar admiraaltje, die zenuwachtig met de ogen knipperde.
Zij hadden in hun eerste schrik de riemen gestreken. Alles scheen te moeten tegenlopen op deze zonnige dag. Geen boot op de hele Norderöer te bekennen, maar Bokum Torleifson is alomtegenwoordig!
Het leek wel of Bokum zelf ook uit het veld geslagen was toen hij de kleine vloot op zijn weg vond. Roeiend als een bezetene kwam hij de Svinöfjord afgevaren en hij streek verbaasd de riemen bij het zien van zijn kornuiten. Dan ontdekte hij de drie stille figuurtjes in de boten en in een flits vielen de stukken op hun plaats – de schoten, die rood meisje zo hadden verschrikt – het achterbaks gedoe van Tor en Ewald de laatste tijd – admiraaltje, die voor het eerst een week lang nuchter was geweest... En hier verraste hij nu het schuim van zijn bende, bezig drie

stille poppen te ontvoeren!

Woedend roeide hij op Tor Heinesen af, de raddraaier die al zo lang zijn gezag ondermijnde. De anderen sloten hem in; alleen admiraaltje liet zich wat afzakken op de stroom.

„Wat zijn jullie van plan?" bulderde Bokum. „Wat moet dat met die kinderen?"

„Kinderen?" grijnsde Tor. „Je mocht willen dat er zo een dozijn op Svinö rondhuppelden, dan waren we allemaal voorzien." Hij legde een grote hand op Kristiannes borst. „Kijk es, Bokum, wat een stuk! Nog beter dan haar rooie zus. En je gaat ons toch niet vertellen dat je òns misgunt wat je zelf al hebt versierd...?"

Bokum was een ogenblik uit het veld geslagen.

„Maar dit zijn verdomme *kinderen!*" schreeuwde hij. „Gebruik je verstand, mannen! Als het scheepsvolk van de Fundingfjord terugkomt, krijgen we heel Bordö achter onze vodden! Dit is ontvóéring, stommeling! Waar zit je verstand?"

„Wil meneer ons even doorlaten?" gromde Djurhüs uit de andere boot. „Want wij hebben toevallig een beetje haast. We gaan die meiden versieren en leveren ze éven puntgaaf af als die rooie, waar jij wel raad mee geweten hebt!"

„Over m'n lijk!" brulde Bokum. „Dit zijn kinderen! Dit is..."

„Oké! Over je lijk dan," zei admiraaltje gevaarlijk rustig. Hij legde zijn dubbelloops aan de schouder en grijnsde breed naar Bokum, die hem verbijsterd aanstaarde.

Tor en Ewald ranselden hun riemen door het water en zij stoven vooruit. De Larssen-jongens zochten een goed heenkomen onder de oever. Het ging nu tussen Bokum en admiraaltje, maar toen de schoten over de fjord daverden, lag Bokums boot al op z'n zij. Het eerste schot sloeg een vuistgroot gat in de kiel en het tweede scheurde een lap uit de voorsteven, maar Bokum zelf was nergens te bekennen.

Paniek besprong admiraaltje. Hij tastte bevend naar zijn patronen, maar hij kwam aan herladen niet meer toe.

Bokums vuisten doken op uit het water over stuurboordzij en admiraaltjes kano wentelde schielijk om zijn as. Hij gilde als een varken, doch de kreet werd gesmoord terwijl hij onderdook, en alleen het geklots van het groene water duidde de plaats aan waar die twee elkaar bevochten. De anderen wachtten niet op de gong... Zij wisten te góéd wie er ging winnen en daarom roeiden zij alsof hun leven ervan afhing.

„'t Was tòch maar een miezerig rotkereltje," zei Tor. „We hebben niks als last aan hem gehad."

„Met Jona overboord zal het wel beter gaan," grijnsde Ewald. „We hoeven nou nog maar met ons vieren te delen."

18

Het feest

Helgi houtepoot genoot volop in die dagen. Hij ging vissen om de noordkaap, of bij de duizend voet hoge rotskust in het westen. Hij jaagde vogels met het net en hij had in zijn krocht een gezouten voorraad aangelegd waar hij wel twee seizoenen op kon teren. Want hij dacht voortdurend aan de lange, barre winter die hij met de geesten had doorgebracht, en hij was van zorg vervuld om de volgende, die hem weer eenzamer zou maken.

Niet dat hij daar al onder gebukt ging. Helgi Hildurson had geleerd bij de dàg te leven en te genieten van het uur dat als fijn zand door je vingers vloeit. Hij koesterde zich in de zonnestralen, of hij liet de milde regen over zijn naakte lichaam stromen, en intussen dacht hij: Hier lig ik, Helgi Hildurson, op de top van mijn eiland, en ik drink de regen die uit mijn hemel valt, en straks warm ik mij weer aan de zon, die voor mij alléén gaat schijnen, nou ja, en voor mijn honderdduizend onderdanen op de rotsen... Ik had al tien keren dood kunnen zijn, maar ik adem mijn eigen lucht in en ik drink mijn eigen regen; ik ben onsterfelijk, ik ben de god van de eenzaamheid.

Maar soms kreeg de eenzame god weer behoefte om mensen te bezoeken, en dan deed hij dat. Dan laadde hij vlees en vis en zuringmoes in zijn boot, hij nam zijn geweer en de koperen eenoog, en hij roeide door de duisternis naar het land van de mensen, naar Tjörndal, waar er wel twintig dicht bij elkaar woonden, of naar Ostvig op de kust van Viderö. Zijn behoeften waren niet groot; wie de eenzaamheid van Fuglö gekend heeft en de taal der vogels leren haten, voelt zich herboren als hij de mensen maar van vèrre mag begluren, en de muziek van hun stemmen vernemen die over de velden tot hem doorklinkt. Eenzame Helgi herhaalde die woorden, hij proefde ze op zijn tong en hij fluisterde ontroerd: „Zó spreken nou de mensen – ik *wist* wel dat ik ze nog zou verstaan..."

Zo lag hij een lange dag verscholen tussen de rotsen en hij bespiedde de gelukkigen die zijn eenzaamheid niet kenden, en hij werd verliefd op de boerin met de rode muts, die hij eenmaal onder Tjörndal zag, en hij schreide om de kinderen die hij geen hand kon gaan geven omdat zij dan de honden zouden roepen.

Na zo'n lange dag op het eiland der mensen roeide hij in het duister terug naar het eiland der geesten en hij vroeg zich af hoe lang hij nog de eenzame god zou spelen. Hij koesterde in zijn herinnering al de dingen die hij had gezien en hij herhaalde bijna eerbiedig de woorden die hij had verstaan.

Eenmaal had hij ook het tuig van Svinö bezocht. Hij was bang geweest, die eerste weken na het roven van de boot, hij leefde in een voortdurende angst dat zij met de hele troep zouden terugkeren en het eiland doorzoeken. Maar zij kwamen niet, de eerste week, en ook niet in de weken daarna. Zij hadden zeker aangenomen dat de witte boot was afgedreven.

Toen had hij op een nacht zijn angst overwonnen en was naar de Svinövig geroeid, zo voorzichtig als een man die al de tijd van de wereld heeft.

Nu begreep hij hoe de vogelvrijen het op Svinö konden volhouden. Zij hadden gras, en een paar schapen. Zij verbouwden een beetje gerst en er groeiden knollen op het veld tussen de vier bergen van Svinö. Hij durfde niet tot bij het tentenkamp gaan, want daar doomde nog de gloed van een vuur en misschien hadden zij wel honden. De mensen kun je ontlopen, maar de honden nooit.

Zonder de mensen te zien of hun stemmen te horen is eenzame Helgi teruggekeerd die nacht, maar hij bracht een halve schepel rijpe gerstekorrels mee, die hij tussen de stenen vermalen zou met zijn eindeloos geduld. Hij had iets van de vogelvrijen geleerd; hij nam zich voor, een keer een schaap te roven uit de weide van Tjörndal, of bij de boeren van Ostvig. Ze zouden het tuig van Svinö de schuld geven, vanzelf, maar wie trekt er nou naar Svinö om een schaap op te eisen?

In die dagen van de walvistrek had hij de schepen van Marsten zien uitvaren om de noord, ook de kotters en de kleine boten uit de zuidelijke stiften van Bordö, elke sloep die maar gemist kon worden. Zij voeren door de Svinöfjord en de Kvannesund, er trokken er een paar langs de oostkust van Viderö, maar zij loefden naar het westen om de punt van Settorva, en Helgi begreep dat de grote slachting dit jaar bij de Fundingfjord zou plaatsvinden, dat de Norderöer lag uitgestorven tot na de grindedrab. Misschien was dit wel de beste tijd om een schaap te gaan roven, ergens langs de kust van Viderö.

In de nacht voor de maagdenroof is Helgi houtepoot naar Ostvig op Viderö geroeid om daar het schaap te bemachtigen, en zo kwam het dat hij het feestje misliep dat Tor Heinesen op Fuglö had gepland...

Het feest viel tegen. Zelfs met Jona overboord wilde het maar niet op gang komen.

De Larssen-jongens hadden voortdurend gekankerd over de onmogelijke plek die Tor had uitgekozen, en dat het er na de ontmoeting met Bokum niet meer toe deed waar zij aan land gingen. Zij hadden zich de blaren in de handen geroeid, maar het was al ver in de middag eer zij het eiland der trollen naderden.

De meisjes begrepen maar al te goed wat het tuig met hen van plan was. Zij hadden wanhopig gevochten om los te komen; zij konden zwemmen als ratten en het zou hun niet moeilijk vallen de kust te bereiken. De kerels moesten herhaaldelijk geweld gebruiken om die wilde katten tot bedaren te brengen en Tor vroeg zich bezorgd af of dikke Djurhüs het niet overdreef.

Tors zenuwen waren tot het uiterste gespannen na de tegenspoedige tocht. Hij wenste nu dat hij nooit aan dit avontuur was begonnen. Slimmer dan de anderen, begon hij de gevolgen te overzien. Als er iets ernstigs met de meisjes gebeurde, zouden zelfs de dienders van Klaksvig het tuig niet langer kunnen negeren. Zij zouden versterking vragen uit Torshavn en heel Svinö ondersteboven keren om de schuldigen te vinden. En zoals Djurhüs zich nu aanstelde, begon het ernaar uit te zien dat de poppen deerlijk beschadigd werden.

In paniek besloot Tor te redden wat er misschien nog te redden viel.

„De Skardebaai!" beval hij grimmig toen zij onder de kust van Fuglö kwamen, en hij hield op de Stapi aan, maar Sigvard Larssen gromde over zijn schouder dat hij ongeduldig werd, en dat het te laat was om nog helemaal naar de Skardebaai te varen. De zuidpunt met de smalle landtong leek hem ver genoeg. Daar koerste hij op aan en zijn broer volgde zijn voorbeeld.

Ewald Djurhüs aarzelde nog even wie hij volgen zou en koos tenslotte voor de Larssen-jongens. Zo hielden zij met drie kano's op de landtong aan, overtuigd dat Tor zich wel zou aansluiten bij de meerderheid, doch die roeide koppig door in de richting van de Skardebaai.

„Maar daar stinken wij fijn *niet* in!" brulde Sigvard Larssen hem na. „Dat had je gedróómd, smerige gluiperd! Jij in je eentje met de beste teef ertussenuit, en wij drieën zeker vechten om het overschot...!" Hij wendde de steven en ging achter Heinesen aan. In zijn lege boot had hij hem spoedig ingehaald en hij stuurde hem dwars voor de boeg. Jorund en Ewald kwamen hen hijgend achterop geroeid.

Hanna schreide gesmoord achter de gore lap die haar gelaat bedekte en Kristianne staarde met grote ogen naar de beesten die elkaar hun prooi betwistten. Toen voelde zij plots hoe het touw waarmee haar handen op de rug waren gesnoerd, met één enkele haal werd doorgesneden...

„Wèg wezen!" fluisterde Tor.

Kristianne bedacht zich geen ogenblik. Zij veerde overeind en was met één katachtige sprong op de stuurboord van Sigvard Larssens kajak. Nog terwijl zijn boot kantelde, zag zij kans de verbijsterde kerel vol in het gelaat te schoppen; toen dook zij in het lauwe water van de fjord en zwom met brede slagen naar de landtong. Sigvard Larssen verdween met een gesmoorde vloek onder zijn boot; hij was al zijn adem en een paar tanden kwijt. Tor wachtte niet af of hij boven kwam; het ging nu alles om seconden en blond meisje had meer dan haar part gedaan. Eer de anderen begrepen wat er gebeurde, had hij zich op Jorunds kano geworpen, die onder het gewicht van drie personen snel begon te zinken.

„Wat doe je nóú! Kloot!" brulde Jorund, maar zijn kreet brak af toen Tor een knie in zijn buik ramde.

Hanna voelde het water rond haar middel stromen. „Moeder!" gilde zij. „Móéder!" Doch het was een ander die haar te hulp kwam. Tor Heinesen sneed haar los van de zinkende boot, rukte haar de blinddoek af en samen zwommen zij naar de kant.

Het meisje kroop hijgend tegen de landtong omhoog en zette het op een lopen, verdwaasd, struikelend over de ruwe bodem van Fuglö.

Maar Tor keerde zich schielijk om, nog half in het water, en dat rekte zijn bestaan, want dikke Djurhüs had geen tijd aan de Larssen-jongens verspild; hij was de vluchtenden achterna gevaren en zwaaide zijn roeispaan zwiepend naar de verrader. Zijn kano liep met een vaart tegen de oever op en bleef daar op de keien steken. Eydbjörg rolde eruit, haar handen nog op de rug gebonden, maar de blinddoek rond haar kin gezakt.

Tor kon niets meer voor het kind doen; hij moest Djurhüs hebben, eer die in zijn gestrande kajak overeind kwam. Hij trof hem zo hard onder de kin dat zijn vingers kraakten, maar de dikke gaf niet op; hij kwam met een woedend gebrul half overeind en struikelde blindelings in de knie van Tor Heinesen, die de smerigste straatvechter van Vestmanhavn was geweest. Dit besliste voorlopig de strijd; Djurhüs viel neer als een gedold rund en Tor ontnam hem snel zijn dolkmes.

De Larssen-jongens worstelden met hun volgelopen kano's naar de kant. Tor aarzelde nog even of hij een kans maakte als hij die twee in het water tegemoet ging. Zij zagen groen van ellende; ze hadden veel water binnengekregen en Sigvard spuwde met elke vloek een straaltje bloed. Maar op een dag als deze mocht je niet te zeer op je geluk vertrouwen, besloot Tor. Daarom rende hij nu met lange passen achter het meisje aan, dat nog niet ver had kunnen vluchten. Het kind gilde toen hij haar inhaalde. Kon zij weten dat de beesten zich soms tegen hun soortgenoten keren? Zij kronkelde zich in angst terwijl hij de touwen rond haar polsen lossneed en nauwelijks voelde zij zich bevrijd, of zij vluchtte schreiend achter Hanna Wadslund aan, die zij een heel eind hoger op de helling van de Stapi ontdekte.

„Hanna...! Hanna!" gilde zij in haar verbijstering. „Hànna! Help me toch...!"

Maar Hanna Wadslund was zelf zo'n opgejaagd vogeltje; zij fladderde in blinde angst de helling van de Stapi op, wèg van de beesten die haar belaagden. Zij had om moeder geroepen, toen zij dacht te verdrinken, nu stamelde zij hijgend de naam van Joan, de grote broer, die overal raad op wist, die zelfs niet bang van Sigga was en schipper Eiki had durven weerstaan. Maar Joan was zo ver weg... Hij hoorde zijn zusje niet schreien daar op de schouder van de Stapi. Het hart bonsde haar in de keel.

Zij moest even stilstaan, om op adem te komen. Zij keek achterom en haar ogen werden groot van ontzetting. Zij wist niet dat zij zó hoog was geklommen. Beneden aan de helling zag zij Eydbjörg struikelend vluchten, en een van die vreselijke kerels kwam achter haar aan. Eydbjörg riep niet meer, zij spreidde haar armen alsof zij trachtte te vliegen, maar het was om haar evenwicht te bewaren. En die vreselijke kerel haalde haar in! Die ging haar zeker grijpen...! Met een kreet vluchtte Hanna hoger de Stapi op. Tot aan de steile muur boven de vogelrotsen. „Eydbjörg..." schreide zij, „Eyd...björg... kòm toch...!" Toen was zij aan de rand van de vogelmuur en zij struikelde over haar vermoeide voeten.

God moet haar angstkreet nog hebben verstaan, daar boven de blauwe hemel van de Norderöer. Maar de god van Fuglö was juist op schapejacht toen dit ongelukje gebeurde. Daarom miste hij het feest, dat eindelijk op gang kwam.

Tor Heinesen miste niets; hij had het feestje uitgedacht, nu kreeg hij het volle pond en er was niets leuks meer aan. Hij greep de jongste dochter van rooie Eiki en hij moest onmiddellijk zijn hand op haar mond leggen, omdat het kind hysterisch begon te gillen. „Kop dicht!" siste hij. „Zie je dan niet dat ze achter mij evengóéd aanzitten? Ik heb m'n makkers voor jullie verraden en dat gaat me zuur opbreken!" Zijn woorden drongen niet eens tot haar door. Hij zag haar grote ogen star van ontzetting op de zijne gericht en hij begreep dat hij zich een hoop ellende op de hals had gehaald.

„Kom mee!" gromde hij. „Ik doe je niks, ik wil jullie alleen maar helpen!"

Hij keek achterom. De Larssen-jongens stonden bij Ewald Djurhüs, die nog in volmaakte rust gestrekt lag, maar dat zou niet lang meer duren. Ze gingen hem zéker vinden, eerst hem, en daarna in alle rust de meisjes, die nergens heen konden.

Hij sleurde het kind driftig met zich mee; nu geen tijd meer voor kalmerende woorden, zij geloofde hem tòch niet.

„Als je wéér gaat gillen, sla ik je bek dicht!" dreigde hij in paniek. „We moeten naar de richel! Daar maken we misschien een kans." Eydbjörg wist niet waar de richel was, of welke kans de kerel bedoelde. Zij verzette zich uit alle macht toen hij haar meesleurde in een brede kloof tussen de vogelrotsen.

„Hou je bèk toch, klein loeder!" gromde Tor. „Hier kunnen ze

ons niet zien. Hier maken wij een kàns, als je maar mééwerkt!"
Toen waren ze op de brede richel, slechts een tiental meters boven de fjord, maar diep beneden de plek waar Hanna was gestruikeld.

Tor Heinesen zag haar het eerst en hij sloeg zijn grote handen
voor zijn mond, om niet als het kind te gaan gillen...
Misschien heeft Eydbjörg niet eens gezien wat er van Hanna
geworden was. Zij voelde zich een ogenblik uit de greep van het
monster bevrijd en zij dook blindelings in de fjord, die haar genadig ontving.

Hoezeer kan een feestje uit de hand lopen. De Larssen-jongens
dachten nog altijd dat het in volle gang was. Die mooie poppen
konden nergens heen; een eiland is een eiland. Maar de feestcommissie was gek geworden! Die gingen zij eerst eens aftuigen
voor zijn gemene rotstreek, en daarna zouden zij de poppen wel
vinden, rèken maar! Zij hadden zich niet voor niks de blaren
in de handen geroeid!

Sigvard smeet dikke Djurhüs een puts water in het gezicht en
Jorund sloeg hem kletsend op de wangen. Het hielp. De beer
strekte een poot en hij greep kreunend naar zijn buik. Het duurde
nog minuten eer hij waggelend overeind stond, een beetje duizelig, maar overigens ongedeerd. Nu gingen zij die schoft van een
Heinesen eens behoorlijk aftuigen en daarna hóéfde er niet meer
gedeeld te worden, daarna was het eerlijk drie om drie.

Maar eer zij de kloof naar de richel bereikten, kwam hun een
oude man tegemoet gesjokt, grauw van angst, en zijn ogen zo
verbijsterd alsof hij Varig zelf had ontmoet.

„De poppen..." stamelde hij, „Jéézes, makkers, de poppen...!"
Ongelovig keken zij hem aan, niet om wat hij zei, maar om de
tranen die in zijn baard drupten. Wat kon sluwe Tor gezien hebben, dat hem zó van zijn stuk bracht...?

„Wat, poppen!" gromde Djurhüs, en de pijn vlamde weer door
zijn buik. „We komen om af te rekenen, smerig onderkruipsel!
Of dacht je dat we nog in je komedie trapten...?" Hij haalde
uit, maar Tor verweerde zich niet.

„Sla me maar dood," zei hij gelaten, „straks weten we tòch niet
waar wij ons moeten bergen." Hij kon opeens het beven in zijn
knieën niet bedaren, hij ging op een steen zitten en braakte tussen
zijn schoenen. „Ze zijn dood...!" jankte hij. „En het waren, goddome, kinderen...! Jéézes, wat hebben we ons op de nek gehaald!"

Daar werd het tuig van Svinö even stil van. De Larssen-jongens keken ongelovig naar Djurhüs en de angst begon in hun blikken gestalte aan te nemen. Zij dachten niet aan de meisjes van Skard; zij zagen de harpoeniers terugkeren van de Fundingfjord, àl de kerels van Bordö en van Viderö. Die zouden geen genade kennen met de vogelvrijen.

„Je liegt het…" zei Djurhüs, maar hij liet zijn gebalde vuist zakken. „Je zegt het alleen om je smerige huid te redden."

„Er valt niks meer te redden!" jankte Tor. „Ik wou net zo lief dood zijn, eer ze ons gaan vinden…"

Hij keek op naar de mannen die daar rond hem stonden in de schaduw van de vogelwand, huiverend in hun druipende vodden op deze milde zomerdag. „Ik heb jullie nog gewaarschuwd!" Zijn stem was schel van angst, zijn mond beefde. „Ik heb je gezegd dat je er zo rauw niet mee mocht omspringen…! Ze waren als de dood, die kleintjes…!"

„Je bedondert ons," zei Djurhüs met weinig overtuiging. „Je bent weer een van je smerige rotstreken van plan, om ertussenuit te knijpen…" Maar ook hij voelde de angst als een steen op zijn hart wegen. „Dóód, zei je? Hóé, dood… Ik wil maar zeggen… hoe kon dat dan gebeuren…?"

Tor schudde langzaam zijn kop.

„Angst…" zei hij dof. „Waren de hele morgen al getreiterd en geslagen… Een ligt er op de richel… Die andere sprong zo maar in de fjord…"

Dikke Djurhüs wilde hem niet geloven; die hoopte nog altijd op een sluwe streek van zijn makker. De beer sloop grommend de kloof in, nagestaard door de Larssen-jongens.

Hij bleef niet lang.

Toen hij terugkeerde van de richel zag hij even grauw als Tor. Zij zaten sprakeloos bijeen en zij hoorden het gekrijs van de vogels niet, die onrustig boven de rotsen scheerden, die elkaar toeriepen wat de mensen nú weer hadden verzonnen. Hun gedachten speelden al met de vraag waarheen zij konden vluchten.

„De Faröer is klein," gromde Djurhüs, „en er ligt een verdomde grote plas tussen ons en de wereld…"

„De wéreld," zei Jorund Larssen, en hij begon hysterisch te lachen.

Het tuig van Svinö had al zo lang van de wereld gedroomd, waar de schout van Torshavn je nooit kon vinden. Zij hadden er dikke verhalen over, 's avonds rond het vuur, want sommigen waren er geweest, toen zij nog op de vrachtboten voeren. De wereld begon in Bergen, of in Haugesund aan de Bömlafjord. Vandaar kon je het Hordaland in trekken en heel Noorwegen lag voor je open; geen diender die je daar ging vinden. Maar er lag zo'n grote plas tussen Svinö en de wereld; die kon je in een kajak niet bevaren. „Sta daar niet zo stom te hinniken!" beet de dikke hem toe. „Ik wéét dat we in de val zitten!"

Jorund Larssen sloot zijn mond met een klap, maar hij kon er niets aan doen dat hij telkens weer zenuwachtig lachen moest, terwijl de tranen in zijn ogen brandden. Hier zaten zij nu, vier ratten in de val, en die stomme Djurhüs durfde over de vrije wereld te beginnen, die achter zeshonderd mijl water lag! Zij konden nog uit de val, ze hadden een paar uren om terug te vluchten naar het rattenest op Svinö, en een paar dagen misschien eer het nest zou worden uitgerookt.

Sigvard begon zachtjes te vloeken, zo maar stil voor zich heen. „Een feestje," zei hij, „we hadden alleen maar een feestje bedoeld... We wilden ze verder geen kwaad doen. 't Is allemaal uit de hand gelopen..."

„Hou je stomme rotkop!" beval Djurhüs en hij stootte Heinesen in de zij. „Jij, Tor, jij bent toch de slimme jongen die het allemaal hebt uitgedacht? Bedenk nou ook maar es wat ons te doen staat; met janken komen we nergens. Verdomme, Tor, bedènk es wat...!"

Er was geen tweespalt meer tussen hen. De angst had de ratten bijeengedreven, een armetierig troepje bange ratten dat de honden hoort blaffen rond het nest.

Tor kwam langzaam overeind, hij scheen nog te dromen, maar zijn gedachten werkten koortsachtig.

„We moeten bij elkaar blijven," zei hij stroef, „zó alleen maken wij een kans..."

„Dat moet *jij* nodig zeggen!" schamperde Jorund. „Wie begon er op eigen houtje te beslissen? Wie ging er in z'n eentje met de mooiste pop vandoor...?"

„De mooiste pop...!" Verbaasd keken zij elkaar aan. Ze hadden in hun verslagenheid alleen aan de twee jongsten gedacht, die het feestje in een ramp hadden doen verkeren.

„Vervloekt," zei Sigvard, „waar is *die* gebleven...?"

„Ga ze roepen!" hoonde dikke Djurhüs. „Ga haar vragen of ze

nog zin heeft om verder mee te spelen! Waar zit jullie verstand? We moeten hier wèg, zo vlug mogelijk!"

Hij begon naar de landtong te lopen en de anderen volgden hem gretig, blij dat iemand tenminste ergens toe besloten had. Zij moesten weg uit de val, naar waar zij zich altijd veilig hadden gewaand onder hun soortgenoten.

„Bokum..." gromde Tor. „Hij heeft een geweer..."

„En ik heb een mes," zei Djurhüs grimmig. Toen greep hij naar zijn gordel en hij ontdekte dat hij geen mes meer had.

„Ik heb het van je geleend," zei Tor met een scheve grijns. Hij gaf Djurhüs zijn dolk terug, en de dikke sloeg hem kletsend op de schouder.

„Als we maar bij elkaar blijven," gromde de beer. „Als we maar àltijd bij elkaar blijven, makkers, dan... dan maken we misschien nog een kans..."

Zij geloofden het geen van vieren, maar zij zochten steun bij elkaar. De angst die je samen draagt lijkt zo erg niet. En... misschien kwàmen de jagers niet – of misschien vonden zij een uitweg...

„Admiraaltje is wel verzopen," zei Jorund, „daar kan je gif op nemen, en als we Bokum nou nog weten om te leggen, wie gaat dan bewijzen dat *wij* het zijn geweest...?"

„Jij bent de grootste slimmeling van allemaal," prees Tor. „Jij bent een verdomd grote slimmeling!"

Doch Jorund vroeg zich af wat hij ervan meende...

In jachtige haast maakten zij de kajaks gereed. Die van de Larssen-jongens stonden nog half vol water, dat was geen bezwaar. En de boot van Tor was door het tij op de landtong gedreven. Alleen Djurhüs had averij opgelopen toen hij strandde tussen de scherpe stenen, een grote scheur aan bakboordzij, die zo snel niet te herstellen viel.

„Als we maar bij elkaar blijven," hoonde Tor, „dan kan ons niks gebeuren!" Toen nam hij de lekke boot op sleeptouw, en Djurhüs kwam vóór hem zitten en zij roeiden er samen op los alsof zij elkaar nooit naar het leven hadden gestaan. De Larssen-jongens escorteerden hem, over bakboord en over stuurboord; gedreven door een zelfde paniek ranselden zij de riemen door het water. Tor keek naar de rooie nek van Djurhüs, hij keek naar zijn dikke kop en hij sloot de ogen vol walging. Een uur geleden – of was het een jaar? – had de blonde pop hier gezeten, en het feest was in volle gang. Nu vluchtten de ratten naar hun nest terug, maar zelfs dàt ging hen niet meer beschutten...

19

Grote zus

Eydbjörg had meer geluk gehad dan Hanna. Het water was diep langs de steile vogelrots, maar toen zij naar adem snakkend aan de oppervlakte kwam, was haar blik op de zwarte gaten gevallen die onder de richel in de fjord uitmondden. Boze ogen in het gelaat van de Stapi...

Het tuig van Svinö meed die grotten als de pest en de vogeljagers voeren er in een grote boog omheen, want als èrgens de trollen ~~waren~~, dan moest het in de ingewanden van de Stapi zijn. Alleen de eenzame god van Fuglö kende ze; hij had er de gestolen boot in verborgen toen hij de wraak van de vogelvrijen nog duchtte.

Het bijna verzopen katje had geen tijd om zich zorgen over de trollen te maken, het was op de vlucht voor de mensen, die de wreedste dieren van de schepping kunnen zijn. Eydbjörg was snel naar de kant gezwommen en hield zich onder de brede richel verborgen voor de beesten van Svinö. Zij durfde niet meer te huilen, zij zat met verbijsterde ogen op een rotsblok aan de ingang van de grot en hoorde nog de gil in haar oren, waarmee Hanna tegen de berg omhoog was gevlucht.

Zij staarde over het water, dat zich kabbelend rekte naar de horizon, het fonkelde en glansde als groen glas, maar de zon was daar boven en die begon haar een beetje te verwarmen. Lunden en meeuwen en de sierlijke oesterduikers vlogen krijsend laag over het water, opgeschrikt door het groot geweld dat de indringers maakten. Een papegaaiduiker streek vlak voor haar op het rotsblok neer en keek haar aan als een nieuwsgierig oud mannetje, een grote rooie neus in een wit gezicht. ,,Oerrr...! Oerrr!'' bromde de vogel, maar hij kon het kind niet troosten, dat bevend onder de richel gehurkt zat, gespannen luisterend wat de mensen over haar beslisten.

Later klonken er driftige stemmen tot haar door, maar zij kon er geen wijs uit, het was alles zo verward. Zij vroeg zich af of zij werkelijk Hànna had gezien in dat ondeelbaar ogenblik, toen zij van de richel dook en de vrijheid vond.

Vrijheid – het water klotste tegen het groen bemoste rotsblok en zij kon niet zien hoe ver de loodrechte wand zich uitstrekte. Zij wist niet hoe ver zij zou moeten zwemmen om opnieuw steun voor haar voeten te vinden.

En boven haar, op het eiland, waren de mannen die haar belaagden! Die zouden haar zéker vinden, wanneer zij terug naar hun boten gingen en langs de Stapi roeiden.

In haar angst kroop Eydbjörg voorzichtig achteruit, tastend met haar ene voet naar een steunpunt achter het rotsblok. Zo ontdekte zij dat ze een klein eindje de grot in kon gaan, die maar ten dele onder water stond. Als de jagers deze krocht niet binnenvoeren, zouden zij haar niet zien. Misschien dachten ze wel dat zij dóód was...! De meeste meisjes zouden verdrinken na die duik van de hoge richel, oei, het water was zo diep geweest, z̶███ huis dat zij nooit meer boven zou komen en ze was al haar adem ███ All toen zij het gat in de rots ontdekte.

Met grote bleke ogen staarde Eydbjörg naar het water, dat haar zo genadig had ontvangen. Zij wilde terugkruipen naar het rotsblok in de zon, maar zij durfde niet; die vreselijke mannen gingen haar zéker vinden, als zij niet in het duister van de grot bleef.

Hoe lang heeft zij daar zo gezeten, huiverend in haar natte jurkje...? Zij vernam het geluid van hun stemmen. Zij dook ineen achter het rotsblok en al de doorleefde angst trilde weer door haar wezen. Ze kwamen haar zoeken...! Zij hoorde het geplas van riemen in het water...! De jagers gingen haar vinden...!

Maar de jagers vonden haar niet; zij vluchtten zèlf in paniek om aan het oordeel der mensen te ontkomen en zij hadden evenveel angst als het kind dat hen bevend nastaarde.

Eydbjörg knipperde met haar ogen in ongelovige verbazing.

Zij telde ze na op de vingers van haar hand. Vier – zij wist zéker dat er slechts vier naar het eiland waren gekomen; zij had hun gesprekken verstaan tijdens de tocht door de Svinöfjord, ze hadden er geen geheim van gemaakt wat de meisjes te wachten stond en herhaaldelijk beloofd hen onbeschadigd terug te brengen, als zij maar een beetje wilden méédoen en zich verdomme niet aan-

204

stelden alsof zij het oudste spel niet kenden.

„Vier..." fluisterde Eydbjörg stil voor zich heen, „maar dan zijn ze allemaal wèg – en ze brengen ook Krissy niet thuis, en Hanna niet...!"

Bij de gedachte aan grote zus begon zij zacht te schreien. Kristianne had haar altijd in bescherming genomen, als grootje het weer op haar heupen had; zij zag alles van de vrolijke kant en de mensen noemden haar lachebek.

„Krissy...!" huilde het kind. „Krissy...!" Maar zij zweeg verschrikt; het geluid draagt soms zo ver over het water.

Voorzichtig, voetje voor voetje schuifelde zij naar het rotsblok terug en zij keek uit over de Svinöfjord. De boten waren nog slechts donkere stippen in de verte. Eydbjörg herademde. Zij wachtte nog even, dan klom zij op het rotsblok en zij begon haar natte kleren uit te trekken. Zij wrong haar jurk en kousen uit en legde ze op het rotsblok te drogen. Veel zou het niet helpen, de zon stond al te laag aan de hemel, maar zijn stralen verwarmden haar nog en zij kreeg iets van de veerkracht terug die kinderen zo taai maakt.

„Nu moet ik het proberen," zei ze, „want straks zal ik het niet meer durven..."

Zij dook van de rots in het water, dat koel haar naakte lichaam omvatte. Zij zwom met snelle slagen een eind van de kant. Toen liet zij zich op de rug drijven en haar mond viel open van ontzetting.

Het was veel erger dan ze had gevreesd. De bergwand rees loodrecht uit het water omhoog en naar beide zijden strekten zich de kale rotsen uit, met hier en daar een donker gat, dat misschien een krocht aanduidde, maar de grimmige Stapi viel vanuit de fjord niet te beklimmen. Naar het zuiden maakte de wand een scherpe draai en daarachter moest de landtong liggen waar zij met de boten gestrand waren, maar het meisje voelde dat zij die afstand niet kon zwemmen, wel honderd meters tot de bocht – en hoe ver zou het dan nog naar de landtong zijn...? Ze was al zo moe. Zij mocht al blij zijn als zij veilig het rotsblok onder de brede richel haalde...

Diep terneergeslagen liet Eydbjörg zich nog even op de rug drijven. Toen verzamelde zij al haar adem en zij schreeuwde zo luid zij kon de naam van grote zus.

„Kris-ti-anneeee...! Krissy...!"

Dat klein geluid klonk tegen de steile bergwand omhoog en het verschrikte de vogels op hun rotsen, het vloeide verloren langs de oever van de fjord, maar de Stapi keek met duizend zwarte ogen op het bange mensenkind neer en alleen de vogels krijsten hun antwoord. Nog eenmaal zoog het kind haar longen vol en gilde haar wanhoop naar de hemel.

„Kristi-anneeee...! Hàn-naaaa...!"

Drijvend op haar rug wachtte zij hijgend of haar kreet ergens was verstaan, maar alleen de echo's galmden haar stem terug: Anneeee...! Annaaaa...! Toen begon Eydbjörg te huilen, en op haar laatste krachten zwom zij naar het rotsblok bij de krocht. Dat lag nu in de paarse schaduw van de bergwand; haar kleren waren niet half gedroogd. Zij had de moed niet om ze weer aan te trekken. Zij hurkte ineen voor de donkere grot en zij schreide als een klein, bang kind dat door moeder verlaten is...

Toch had Kristianne de kreet verstaan. Het schril geluid werd langs de wand van de Stapi gedragen tot aan de Skardebaai, waar zij tussen de rotsen verscholen lag. Daar had Eydbjörgs kreet nog nauwelijks de kracht van een zucht, maar Kristianne, elke zenuw gespannen, ving het dun geluid en zij veerde overeind als de furie die Sigvard Larssen de tanden uit de mond had getrapt eer zij er als een haas vandoor ging.

Een laffe haas, zó voelde zij zich, nu zij de kreten van klein zusje hoorde. Hoe had zij zo loederig aan zichzelf kunnen denken en Eydbjörg in de steek laten...! Zonder zich verder te bedenken schreeuwde zij uit alle macht haar naam en zij begon de weg terug te zoeken naar de zuidpunt van het eiland.

Fuglö is maar zo klein; je kunt er op honderd plaatsen van de rotsen storten doch nergens verdwalen. Vier naakte bergen reiken er naar de hemel, maar zij reiken vergeefs, en daartussen slingert zich het smalle dal, van de landtong naar de Skardebaai, drie kilometer lang. De Stapi is slechts vierhonderd vijftig meter hoog en langs de zuidhelling gemakkelijk te beklimmen. De eenzame god van Fuglö deed het bijna dagelijks, en die had een houten poot... Maar de oostwand verheft zich loodrecht uit de zee, honderd meter, en meer, ongenaakbaar in al zijn geringheid; men kan een berg niet beoordelen naar de hoogte van zijn top, en een eiland niet naar zijn oppervlak. Fuglö bleef onbewoond omdat het niets te bieden had dan een verblijfplaats voor de geesten en de vogels, nu ja, en voor de eenzame gek die er de mensen dacht te ontlopen.

Toen Kristianne aan de helling van de Stapi kwam, schreeuwde zij opnieuw Eydbjörgs naam. De opgeschrikte vogels antwoordden haar in duizend kreten. De zon hing laag over de Klubbin en over de vogelrotsen in het westen; de rosse schemer begon over Fuglö te dalen.

Het drong nauwelijks tot Kristianne door dat het tuig van Svinö het eiland verlaten had. Zij was geheel vervuld van zorg om het zusje, dat angstig haar naam geschreeuwd had, zoals een ander kind om moeder roept. Krissy aarzelde of zij tot de landtong zou gaan; het scheen haar toe dat de kreet van de Stapi had geklonken, die daar als een donkerrode wrat naar de hemel rees. Zij zette de trompet van haar handen aan de mond en zij schreeuwde uit alle macht.

„Eydbjörg...! Eyd-björg...!" Het weergalmde tussen de rotsen en het werd in de echo's herhaald. De vogels vlogen krijsend op, zij scheerden over het dal van Fuglö op rode wieken, glanzend in de avondzon. Zij wierpen hun drek en zij streken neer op de overhangende rots van Helgi houtepoot.

Maar te midden van al dat lawaai had Kristianne de stem van Eydbjörg vernomen – een ijl en broos geluid, dat haar een zenuwachtig lachje om de mond toverde. Lachebek kon het niet helpen, zij lachte en ze schreide tegelijk, want zùsje was daar nog ergens, achter die rotskloof misschien, vanwaar de kreet tot haar doorklonk... De schoften hadden haar wellicht achtergelaten op die wrattige berg, maar zij lééfde...! Zij kon schreeuwen en grote zus de weg wijzen naar waar zij in nood zat.

„Eydbjörg!" gilde grote zus. „Ik kom...! Blijf roepen, kleine! Waar zit je...? Ik kom eraan!" En hijgend sjouwde Kristianne tegen de helling van de Stapi omhoog. Niet ver, want opnieuw hoorde zij Eydbjörg schreeuwen, en nu wist zij zéker dat het vanuit die smalle kloof tot haar doorklonk.

Zij haastte zich daarheen, lachend van opwinding, roepend. „Eydbjörg...! Héja, kleine... ik kòm...!"

Toen was zij door de donkere kloof en zij moest schielijk de pas inhouden, want de fjord lag voor haar als een purperen spiegel en zij bevond zich plots op de richel. Heel duidelijk hoorde zij Eydbjörgs stem, die uit de diepte van het water scheen te komen, maar Krissy antwoordde niet. De lach verstarde op haar gelaat en haar ogen werden groot van ontzetting. Zij wilde schreeuwen, maar een zacht gekreun kwam over haar lippen.

„Aaaach...!" fluisterde Krissy, en zij zag wat de Stapi Hanna Wadslund had aangedaan. „Ach neeee... dat... dat kan niet... àch toch...!"

Zij wilde de ogen sluiten, maar het gruwelijke was daar vóór haar, en het was sterker dan haar wil. Zij kroop op handen en knieën naar de geknakte pop. In de duizeling die haar overviel hoorde zij Eydbjörgs stem als van zeer ver.

„Stil...!" fluisterde zij. „Stil, kleine zus... Er is zo wat ergs met Hanna gebeurd...!" Maar zij wist niet wat ze zei. Ze wist alleen dat die stem maar klagerig doorging, alsof zij niet genóég aan haar hoofd had...! „Stil toch, kleine," smeekte zij, „stil nou even... ik... ik moet je wat vertellen..."

De duizeling ging voorbij. Zij opende met tegenzin de ogen, en zij wist dat zij dit niet aan Eydbjörg kon gaan vertellen. Langzaam kwam zij overeind, ze leunde tegen de rotswand, bevend over heel haar lichaam, en zij keerde zich af van wat haar zusje niet weten mocht. Zij schuifelde voorzichtig een eindje vooruit, tot zij de stem ergens beneden zich hoorde en zij ging voorover op de brede richel liggen.

„Eydbjörg..." zei ze mat, „Eydbjörg, hier ben ik. Ik hoor je stem, maar ik kan je van hier niet zien. Waar zit je...?"

Nu was het Kristianne die geen antwoord kreeg. Eydbjörg begon luid te huilen van opgekropte zenuwen, zij huilde vol overgave, als het kind dat eindelijk haar moeder weervindt.

„Toe nou! Bedaar wat," bedelde Kristianne, die alle moeite had om niet met het zusje mee te huilen. „Stil nou maar, Eydbjörg, ik ben hier immers, ik ben nu toch bij je...?"

„Je kan nooit bij mij komen!" jammerde het kind. „Ik heb het zelf gezien."

„Dat kan je niet gezien hebben," weerlegde Kristianne. „Ik ben hier vlak boven je, en ik kan jou toch óók niet zien? Rustig nou maar, kleine, we vinden er wel wat op. Ik ga zoeken naar een plek waar ik bij je kan komen, ja?"

„Néé!" kreet Eydbjörg ontzet. „Blijf daar op de richel, Krissy! Ik zit hier op een steen, en verder is er niks als rechte rots... Als jij hier komt, kunnen wij nooit meer naar boven!" En onredelijk voegde zij eraan toe: „O, Krissy, ik wou toch zo graag dat je bij me was...!"

Kristianne voelde de tranen in haar ogen springen, maar zij beet op haar lippen en zij probeerde haar stem zo luchtig mogelijk te laten klinken. „Héja, Eydbjörg, de moed niet laten zakken, hè! We zijn nu al weer dicht bij elkaar, enne... en we *vinden* er wel wat op..."

„Het wordt donker," huilde Eydbjörg, „straks wordt het helemaal donker! O Kristianne, ik ben zo bang...!"

Nu liepen de tranen tòch over Krissy's wangen, maar gelukkig kon Eydbjörg dat niet zien. Er waren meer dingen die zij niet mocht weten. Zij keek schuw achterom, naar het stille lichaam van Hanna Wadslund.

„Eydbjörg," zei ze zacht, „hoe eh... hoe ben je daar gekomen...?"

„In de fjord gedoken," huiverde het kind, „ik... ik zit hier helemaal bloot, want m'n kleren zijn nog kletsnat."

Kristianne hield de adem in. Zij zweeg een hele poos.

„En... en zie je daar nèrgens een plek waar ik naar je toe kan klimmen, kleine...? Geen scheur in de wand, of zo iets...? Mag ik vijf minuutjes weggaan om te zoeken?"

Maar Eydbjörg werd bijna hysterisch bij dat voorstel, zij gilde dat Krissy bij haar moest blijven, vlak bóven haar, op de richel. Zij was bang van het duister, dat langzaam nader sloop, zij was bang dat zij Kristianne opnieuw zou kwijtraken.

„Ik heb gezwommen!" kreet zij. „Wacht! Ik zal het wéér gaan doen, dan kan ik je even zien, maar er is hier nergens een plek waar je omhoog kan klimmen!"

„Blijf zitten!" beet Krissy haar toe, maar op hetzelfde ogenblik hoorde zij de zachte plons. „Eydbjörg!" schreeuwde zij in paniek. Haar ogen waren star op het water van de fjord gericht en daarin zag zij plots het bleke lichaam van haar zusje drijven. In de diepe schaduw van de Stapi leek het water zwart.

„Kris-ti-ànne...!" riep Eydbjörg met een kleine triomf in haar stemmetje. „Ik zie je...!"

„Ik jóú ook...!" schreide Krissy. „Alles verder góéd met je...? Toe, ga nou terug, kleine...!"

„Alles... goed," bibberde Eydbjörg, „blij dat ik je... zie... Ik drijf op m'n rug, Krissy... Zo kan ik het nog even uithouden." En snel, omdat zij voelde hoe moe zij was: „Je mag niet weggaan, Krissy! Je moet daar blijven zitten! De hele muur is steilrecht omhoog en als je... als je bij me komt, kunnen wij *allebei* niet meer omhoog...! Zijn we nog maar samen, Krissy? Ik heb de mannen zien weggaan, maar Hanna was er niet bij...!"

„Ga terug!" snikte Kristianne. „Alsjeblieft, kleine, ga nou terug, eer je kramp krijgt!"

Nog even wierp Eydbjörg een blik omhoog, alsof zij het beeld van grote zus voorgoed in haar geheugen wilde prenten. Toen wentelde ze over haar zij en ze zwom met trage slagen naar de oever terug, een smalle witte vis in het zwarte water. Maar haar oever was een rotsblok, zo groot als een tafellaken, en Eydbjörg wàs geen vis, zij bibberde van de kou.

„En nou trek je je spullen weer aan!" zei Kristianne streng. „Nat of niet, maar je trekt ze áán, begrepen?"

„Goed... Kris..." klonk een timide stemmetje tot haar omhoog. „Ik... ik zal alles doen wat je zegt... als je maar niet weggaat."

Het bleef even stil. Kristianne had het met haar eigen angst te kwaad, en Eydbjörg mocht de tranen niet horen in haar stem. Iemand moest de flinkste zijn, *iemand* moest er voor beiden de moed in houden.

„Kris..." – een bibberend stemmetje – „je bènt er toch nog...?"

„Natuurlijk, schatje..."

„Ik be... ben m'n jurk aan 't... aantrekken, Kris, maar hij is zo kóúd..."

Het zal vannacht nog veel kouder worden, dacht Kristianne, maar ze zei: „Het zal best meevallen, kleintje, straks droogt ie aan je lijf."

„Krissy... Wat gaan we nou doen...? Ik heb zo'n honger!"

Zij hadden een half etmaal niets te eten gehad en geen druppel water gedronken. Misschien zouden de mannen er later wel aan gedacht hebben, maar het feest was te onverhoeds afgebroken.

„Weet je zéker dat ik niet beter bij je kan komen?" vroeg Kristianne om het kind af te leiden. „Nu kan ik nog zien waar ik zwem, en ik durf hier óók best af te duiken..."

De verleiding was zwaar voor Eydbjörg. Zij antwoordde niet. Zij staarde huiverend over het donkere water van de fjord, en zij dacht aan de stikdonkere krocht achter haar rug. Zij had het zo koud in haar natte jurkje en ze voelde zich wee van de honger. Maar haar nuchter verstand won het tenslotte van de angst.

„Nee, Kris, want er is hier helemaal geen weg omhoog terug... Ik heb het immers gezien...! O, Kristianne, wat hebben ze met ons gedáán...!"

„Stil nou... stil nou maar, kleintje," zei Kristianne met verstikte stem, „ze hebben ons eigenlijk niks gedaan... Jóú toch ook niet, hè...? We zijn ze lekker te vlug af geweest, en toen gingen ze ervandoor."

Zij was blij dat ze Hanna bijna niet meer kon zien in het duister. Nee, de mannen hadden hen „niets gedaan", de schoften! Maar Kristianne begreep hun overhaaste vlucht... Je kunt geen feest vieren bij een kinderlijk...

Zij trachtte Eydbjörg nu met zachte woordjes op het onvermijdelijke voor te bereiden, de lange nacht, die het kind daar eenzaam op het rotsblok zou moeten doorbrengen. De nevelflarden begonnen zich al over de fjord te spreiden – het zou bitter koud worden...

Toen zij zo ver met haar gedachten gekomen was, begreep Kristianne dat er niets voor te bereiden viel. Eydbjörg ging deze nacht niet overléven in haar natte kleren. Het kind zou van kou verstijven en van de rots glijden, als zij daar beneden aan haar lot werd overgelaten!

Kort besloten sprong Kristianne overeind. Warmte was het eerste wat Eydbjörg nodig had om deze gruwelijke nacht te overleven. Samen maakten zij een kans. De zon ging hen morgen wel weer verwarmen, en misschien konden zij dan naar de landtong zwemmen.

„Eydbjörg...!" riep zij. „Hoe hoog schat je de afstand tot de richel...!"

„Wa... wàt?" stamelde het kind. „O...! Ik was even weggesuft... Wat zei je, Krissy?"

„De hóógte!" zei ze gejaagd. „De hoogte tot de richel...!"

„Weet niet..." antwoordde Eydbjörg lusteloos, „ik kàn helemaal niet schatten... lijkt me niet zo hoog, tien meter... of vijftien..."

Kristianne zuchtte ontmoedigd. „En dat rotsblok waar je op zit – kunnen we daar sámen op?"

„Wel met z'n drieën..." zei Eydbjörg mat, „maar wat doet dat ertoe...?" En plots waakzaam: „Hé, Krissy...! Je wilt toch niet..."

Kristianne keek in de diepte; zij kon nog juist het water onderscheiden. Straks zou het volslagen donker zijn en de mist ging zich als een grijze, maar bitter koude deken over de fjord spreiden.

„Luister, kleintje!" sprak zij op een toon die geen tegenspraak

duldde. „Luister góéd wat ik zeg! Kun je de richel nog zien...?"
Het duurde even.

„Ja... nog wel..." aarzelde het kind, „ja, ik zie hem nog..."
Snel trok Kristianne haar rode jak uit. Zij ging voorover op de brede richel liggen en kroop naar de rand, zo ver zij durfde. Toen strekte zij haar arm en zij zwaaide met het wollen jak. „Kun je dit zien...?"

„Ik zie je hànd!" kreet Eydbjörg oplevend. „En je... je zwaait met iets...!"

„Prachtig!" zei lachebek. „Is dat recht bóven je, of eh... te veel naar rechts of links? Zou het in het water vallen, als ik het losliet...?"

„O ja..." klonk het benepen. „Je zit veel te ver naar... naar eh... naar Svinö, zou ik zeggen..."

„Hóé ver!" kreet grote zus ongeduldig. „Vlug! We hebben haast!"

„Wel een heel stuk..." huilde Eydbjörg, „vijf meter misschien, of wel meer..."

Kristianne huiverde. Vijf meter, of meer... Dan moest zij langs de dode, die zij wilde vergeten. Maar zij begon op handen en knieën langs de brede richel te kruipen; zij kroop over het lijk van Hanna Wadslund heen en zij voelde hoe koud dat was. Haar eigen kleren waren aan haar lichaam gedroogd; zij was altijd zo warm. Toen zij een eindje voorbij de geknakte pop was, strekte Kristianne opnieuw haar arm ver over de richel.

„Jja...!" kreet Eydbjörg. „Je bent nou rècht boven mij! O, Krissy, zou je mij wat kunnen toegooien...? Ik heb 't zo koud...!"

„Dat is nou juist wat ik ga doen!" lachte Kristianne. „Maar pas òp, kleintje, dat je niet misgrijpt! Kan je op dat rotsblok gaan staan? En is het werkelijk rècht onder m'n hand?"

„Je zit er midden boven!" juichte het kind, dat trantelend op de rots was gaan staan en nu hunkerend haar armen strekte.

„Wacht nog éven," zei grote zus, „en hou je rustig. Zorg dat je goed vangt, anders is alles voor niks geweest!"

Nu trok Kristianne ook haar overige kleren uit; haar wollen rok, haar wijde onderrok en het flanellen hemd. Met haar rode kousen knoopte zij alles tot een stevige bal en nu schuifelde zij naar de uiterste rand van de richel. De rots was koud tegen haar warme lijf, zij begreep dat Eydbjörg het ging besterven van de kou, als zij niet deed wat ze nu van plan was.

„Zie je het goed, Eydbjörg...? Sta je er rècht onder?"
„Wacht!" beefde het kind. „Bijna...! Ja! Nóú wel...!"
„Vang!" zei Kristianne, en zij liet het kostbare bundeltje uit haar handen rollen.
„Hèbbes...!" kreet Eydbjörg verrukt. „O, Krissy... zo véél...!"
„Stil!" beval Kristianne. „Nog niks ermee doen, het is niet voor jou alleen. Ga zitten, kleine, en schrik niet!"
Maar Eydbjörg schrok zich tòch een ongeluk toen zij de luide plons hoorde. Zij sprong op en ze begon hysterisch te gillen; zij dacht dat grote zus van de richel gevallen was.
Een flink eind uit de kant kwam Kristianne boven, proestend als een jonge hond. Het water was zo koud! Maar zij zwom met ferme slagen naar het rotsblok, dat zij vierkant tegen de bergwand zag opdoemen en zij schreeuwde naar zusje dat zij zich rustig moest houden, dat zij de kleren niet in het water zou laten rollen...!
Het hielp. Eydbjörg ging weer zitten en zij hield de warme kleren stijf tegen zich aan gedrukt. Intussen staarde zij met verbijsterde ogen naar Kristianne, die poedelnaakt uit het zwarte water opdook, een vale schim in het duister. Zij strekte haar armen naar het rotsblok en zij klauterde omhoog. Eydbjörg was zo blij... en zo bang... Zij sprong overeind, ze wilde grote zus om de hals vallen, maar nu ineens leek Krissy wel boos.
„Stil!" beet zij het kind toe. „Blijf zitten, zeg ik je!" En toen Eydbjörg verbluft gehoorzaamde: „Zo, dat is beter... Niet aan de droge spullen komen...!" Zij klappertandde zelf van de kou, maar zij wist dat dit niet lang hoefde te duren, als zij zich maar even drogen kon, en wat aantrekken. „Luister," zei ze, „en doe precies wat ik je zeg! Trek alles uit."
„Uit...trekken...?" zei het kind verbaasd.
„Ben je doof?" bitste zij. „Of moet ik hier nog langer staan te blauwbekken...? Stil maar," voegde zij er moederlijk aan toe, „ik weet het heus 't beste..."
Met houterige bewegingen begon Eydbjörg de klamme kleren uit te trekken. „Alles...?"
„Alles," zei lachebek vriendelijk, „en je zal es zien hoe warm ik je maak."
Terwijl zusje met haar kleren worstelde, had Kristianne voorzichtig de bal ontknoopt. Gelukkig, alles was droog overgekomen.

„Hier, trek dit aan." Zij reikte Eydbjörg haar broekje, de wijde onderrok en het rode wollen jak. Dankbaar begon het kind de kleren aan te trekken; zij voelde zich nú al behaaglijk en het leek nèt of alles zo erg niet meer was, met Kristianne zo dichtbij. Zij zag haar bleek lichaam heftig bewegen in het duister.

„En jij nou...? Trek toch vlug wat aan, of je wordt nèt zo koud als ik...!"

„Bekommer je niet om mij," lachte Kristianne, maar haar lach klonk iets te schril. „Ik ben mij al aan het opwarmen." Zij stond te dansen alsof zij veel plezier had, tot zij uitgeput was van het springen op de rots, en warm als een jong veulen. Hijgend nam zij Eydbjörgs onderrok en wrong die nog eenmaal stevig over haar knie tot de stof kraakte. Met die lap begon zij driftig haar dijen en borsten en buik te wrijven tot zij gloeide.

„Zo!" hijgde zij. „En nou als de gesmééééérde bliksem de restanten van m'n uitzet aan! Verdomd, ik zwéét, kleintje, m'n bloed stroomt als... als, weet-ik-veel, en de helft van al die warmte is voor jou!"

Zij schoot vlug haar flanellen hemd aan en de lamswollen rok. Zij wrong haar haren tot er geen druppel meer uitkwam en toen droogde zij ze na met Eydbjörgs hemd. Zwetend van inspanning, haar lijf zo warm als een moederdier, kwam zij bij Eydbjörg op de rots zitten en sloeg haar armen om haar heen. Het zusje vlijde zich behaaglijk aan haar borst.

„Je voeten!" beval Kristianne. „Verrek! Dat zijn geen voeten meer, dat zijn ijsklompjes!" Ze wreef ze in haar warme handen, zij wreef ze zo gemeen, dat Eydbjörg het uitkreet van de pijn, maar grote zus was genadeloos. Zij stroopte haar rooie kousen over Eydbjörgs voeten en toen had zij alles gedaan wat zij wist te verzinnen, méér dan een grote zus ooit voor een zusje had gedaan... Wat kon zij er nog aan toevoegen...?

Kristianne was zo vindingrijk. Zij leidde Eydbjörgs koude handen onder haar oksels en zij knelde het kopje tegen haar warme boezem. Zo zat zij over haar gebogen, met haar rug naar de grauwe mistflarden die over de Svinöfjord kwamen aangedreven.

„Nergens aan denken..." zei ze met dromerige stem, „niet denken, kleine; slapen... slapen... alles komt goed..."

Het kind, twee hele jaren jonger, sloot de ogen, zij was zo moe... En Krissy vond de moed om zacht een lied te neuriën, dat zij van Malena de hoer had afgeluisterd, als die haar kindje wiegde.

Vijf minuten later sliep Eydbjörg alsof zij in haar eigen krib tussen rood en blond meisje lag.
Voor lachebek begon de eindeloze nachtwake...
De honderdduizend vogels waren op de rotsen neergestreken en roerden zich niet meer.
Fuglö lag verstild onder Gods aanschijn.
Hij mocht zich nú wel eens over die twee kinderen buigen...

20

De god van Fuglö

De Faröer kent vele goden – niet zo oud als de wrekende God van dominee Rasmussen, want die is van eeuwigheid tot amen, maar zij stammen toch uit het grijs verleden, toen de Vikingen nog maagden roofden onder aanvoering van koning Knut.
Soms komen er een paar bij...
De eenzame god van Fuglö, de god met de houten poot... Hij had over leven en dood beschikt van een handvol kameraden. Hij had de dood overwonnen bij de Lofoten, toen een haai hem zijn halve poot afsnoepte, en later op Fuglö, toen hij het leven dronk uit de warme borst van een lund. Daarna waande hij zich onsterfelijk, zoals het een god betaamt, maar zijn angst werd er niet minder om, want de oude God-met-de-baard is toch sterker, en de mensen vallen óók niet mee, als je tegen hun wetten zondigt.
De eenzame god van Fuglö keerde die nacht vrolijk terug van het land der mensen. Ergens onder Ostvig, op de kust van Viderö, had hij een schaap geroofd en hij droomde al van een kleine vee-stapel, als het de volgende keer weer zo gemakkelijk zou gaan. Het schaap blaatte af en toe klaaglijk, want het lag met samen-gebonden poten in Helgi's boot.
Dat geluid deed Kristianne opschrikken uit de verdoving waarin zij de halve nacht had doorleefd, haar armen rond het zusje ge-strengeld, opdat de kou haar niet zou verstijven. Ongelovig staar-de Kristianne omhoog. Zij wist niet dat er schapen leefden op

Fuglö; het eiland gold als volkomen onbewoond en het was bekend dat de trollen en kadodders geen schapen hielden.

Nog terwijl zij met grote ogen in het duister rondstaarde, trof een ander geluid haar oor, het geplas van riemen en het gebrom van een man die tevreden een lied neuriet. Met een schok was Kristianne klaar wakker. Haar hart bonsde haar in de keel. Haar eerste gedachte was aan het tuig van Svinö, maar zij begreep dat de kerels niet midden in de nacht zouden terugkeren om haar te zoeken, en toen de vage schim van een witte sloep langs de rotsen gleed, begon zij met bevende stem om hulp te schreeuwen. Eydbjörg werd wakker in haar armen, ze beefde over al haar leden en staarde verbijsterd rond.

„Daar zijn mensen in een boot!" juichte Kristianne. „Ze komen ons rèdden! Pas op, glij niet van de rots, want het water staat nu veel hoger!" Zij sprong overeind en haar geroep klonk schel over het donkere water. „Help...! Help...! Hierheen...! Hier zitten we, hier, langs de vogelrotsen...!"

Met één slag stortte de wereld in elkaar voor Helgi houtepoot, die zich een schimmenrijk had opgebouwd tussen de honderdduizend vogels daar buiten en de geesten die zijn krocht bewoonden. Hij schrok zo hevig, dat hij met beide handen naar zijn hart greep en verdoofd naar de bergwand bleef staren, vanwaar het geroep tot hem doorklonk. Een meisjesstem, dat was duidelijk, maar iets in die stem deed hem achterdochtig de oren spitsen. Hij had de schelle klank herkend...! Na een zomer lang ieder menselijk geluid als heerlijke muziek beluisterd en geproefd te hebben, vervulde déze stem hem met ontzetting. Zijn zoetste dromen kwamen hem voor de geest; de dochters van rooie Eiki, die zich om strijd aan hem onderworpen hadden... Zijn leugenverhalen aan de vogels: „Ik heb die mooie meiden stuk voor stuk verkracht..."

Zijn droom verkeerde in een gruwelijke nachtmerrie, want hij had de stem van lachebek herkend en het rijk van de eenzame god stortte ineen, juist nu hij zich in alle gemoedsrust op een nieuwe winter met de geesten en de vogels voorbereidde. Het duizelde hem. Hij kon al de gevolgen van dit samentreffen zo gauw niet overzien, maar hij wist met gruwbare zekerheid dat het noodlot naar Fuglö was gekomen in de gestalte uit zijn schoonste dagdroom. Lachebek, met haar uitdagende vormen, met haar spottende ogen en haar vochtig rooie mond... Uitgerekend lachebek, die aan zijn lippen had gehangen wanneer hij van verre landen vertelde, en wier beeld hij ingedronken had tot ze hem in zijn dromen verscheen...

Toen de eerste hevige schrik voorbij was, trachtte hij in paniek zijn gedachten te ordenen, snel een uitweg te vinden uit de crisis die zijn bestaan bedreigde. Maar een andere stem voegde zich bij die van de schrikgodin, de vibrerende stem van Eiki's jongste dochter, en de eenzame god boog gelaten het hoofd.

Uit het wijde watergraf rees de schim van schipper Eiki grijnzend op. ,,De laatste slag is tòch weer voor mij, smerige houtepoot! Ik heb de walkuren gestuurd om je uit je walhalla te jagen... Nu zij er zijn, kan *jij* niet blijven...!"

En Helgi houtepoot, die al te vaak verloren had om de nederlaag niet te erkennen, roeide met verbitterd gemoed naar de rots.

,,Ja..." zei hij schor, ,,ik kom eraan... *ik* ben het die de longen uit m'n lijf moest schreeuwen, want *mijn* bestaan wordt bedreigd."

Maar toen hij bij de rotswand kwam, had hij zich reeds in het onvermijdelijke geschikt en de opwinding deed hem beven. Hij was in geen jaar zó dicht bij een mensenkind geweest. Nu zou hij moeten spreken, en tonen dat hij hun taal nog verstond, en bekennen dat Helgi Hildurson geen schim was onder de schimmen... Hij was herrezen uit het watergraf, en dat ging niemand hem vergeven.

,,Hóé voor de donder komen jullie hier?" vroeg hij verbitterd aan de twee gestalten die hij vaag uit het omringend duister zag opdoemen.

,,Gevallen!" kreet Kristianne. ,,Gezwommen! Het tuig van Svinö zat ons achterna! Hanna Wadslund is..." Toen zweeg zij verschrikt, want Eydbjörg mocht het niet weten, en... en zij geloofde niet in spoken, maar de stem van die man daar in het duister riep herinneringen in haar op.

,,Ze hebben ons zo maar weggehaald uit Skard!" huilde Eydbjörg. ,,En ze hebben Loki doodgeschoten! O, en we weten nog niet eens waar Hanna is gebleven, die moet nog op Fuglö zijn!"

Houtepoot vloekte. Ze hoefden hem niet veel meer te vertellen om het kleine drama te schilderen dat zich hier had afgespeeld.

,,Het tuig van Svinö..." gromde hij. ,,Zo iets was te verwachten, met alle kerels uit de tijd, en zulk mooi spul voor 't grijpen!" Hij liet plots zijn stem dalen, achterdochtig. ,,En waar zijn ze nou...? Nog op mijn... nog op het eiland...?"

Hij kreeg geen antwoord. Hij werd zich plots de spanning bewust waarmee de twee meisjes hem aanstaarden.

„Jij... jij bent... houte..." stamelde Kristianne, „maar... maar dat kan niet wáár zijn..."

„Ja, ik ben houtepoot!" zei de man bitter. „En daar hoeven jullie niet om te gaan gillen, want ik ben geen spook... Ik eh... ik ben hier aangespoeld," zei hij, „die nacht dat de Gardar verging... Nou, komen jullie nog in m'n sloep, of blijf je daar liever staan blauwbekken...?"

Zij stapten over in de boot, aarzelend. Kristianne hield Eydbjörg stijf omklemd en zij schoven zo ver mogelijk van hem af. Zij zaten naar de duistere gestalte aan de riemen te staren en zij wisten niet of zij blij of bang moesten zijn.

„Wel... is er nog volk op Fuglö?" gromde houtepoot, terwijl hij zijn geweer van onder de doft te voorschijn haalde.

„Het kan niet wáár zijn..." zei Eydbjörg schril, „jullie... de hele Gardar is vergaan...! Al zowat een jaar geleden...!"

„Alleen *ik* heb een beetje geluk gehad," grijnsde Hildurson. „Ik ben hier aangespoeld, dat zei ik je toch?" Hij stuurde de kleine boot naar de landtong en hij liet zijn stem tot een hees gefluister dalen. „Zet nou je achterdocht es even uit je hoofd en geef antwoord op m'n vraag. Is het tuig nog op Fuglö, ja ofte nee...?"

„Ze zijn weg..." huiverde Kristianne en zij begon zich af te vragen of ze met houtepoot wel in zoveel beter gezelschap waren beland. Zij herinnerde zich de gesprekken in de gelagkamer, over houtepoot, de verkrachter en veelvoudige moordenaar... Opgeschroefde verhalen, die zij rillend van sensatiezucht had aangehoord, begrijpend dat de helft er niet van waar kon zijn, maar tòch...

De boot liep tegen de landtong op en Helgi houtepoot reikte naar Eydbjörg, om haar te helpen uitstappen, maar Kristianne sloeg haar arm om het zusje heen.

„Ga je ons niet naar huis brengen?" vroeg zij schril.

De man keek haar aan in het duister.

„Natuurlijk breng ik jullie thuis," zei hij stug, „maar je verwacht toch niet dat ik midden in de nacht die tocht onderneem? 't Is zeker zes uren roeien, met twee passagiers in m'n sloep, maar ik ben hondsmoe, en jullie moeten half doodgaan van de kou."

„En honger..." sprak Eydbjörg timide.

„En honger, àlsjeblieft!" grijnsde Hildurson. „Je hebt 't maar voor het zeggen! Ik zal vuur maken om je te warmen, en vlees kan ik ook altijd missen; houtepoot is de beroerdste niet, al zijn er genoeg die daar anders over denken."

De crew van de Gardar, dacht Kristianne, maar zij zweeg wijselijk.

Zij hield Eydbjörg stevig bij de hand en samen volgden zij de donkere schaduw, die hinkelend vooruitging naar de overhangende vogelrots. „Hier woon ik," gromde hij over zijn schouder. „Ik begon mij hier juist een beetje gelukkig te voelen, maar dat zal nou wel gauw over gaan..." Hij wentelde wat stenen weg, die het luik van de Gardar bedekten. „'t Is daar binnen nog donkerder dan hier," zei hij, „maar ik ga vuur maken. Jullie mogen buiten blijven, als je mij niet vertrouwt, maar als je je verstand gebruikt, kom je vlug binnen om je te warmen." Daarna verdween hij door een zwart gat in de bergwand en de zusjes bleven hand in hand bij de overhangende rots staan.

„Een grot..." fluisterde Kristianne. „Kijk... hij maakt vuur..." „Ik ben bang..." zei Eydbjörg aan haar oor, „ze... ze waren allemaal... verdrònken...!"

Kristianne legde een hand op haar mond en kneep haar bemoedigend in de arm.

Zij keken gefascineerd naar houtepoot, die er op de een of andere manier in was geslaagd om een vuur aan te leggen, dat nu een rosse gloed door de krocht wierp. Zij hunkerden naar warmte en licht; dat deed hen besluiten om toch maar naar binnen te kruipen door de enge poort, die in een grot bleek uit te monden. Hildursons stem klonk hol en zijn ogen waren vol spanning op de meisjes gericht, toen zij nader slopen tot bij de wakkerende vlammen.

„Warm je," zei hij somber, „en als jullie nog even geduld hebben, zal ik je het beste vlees en de fijnste vis van de hele Norderöer te eten geven; ik hoef er nou niet zuinig meer op te zijn..." „Ben jij de enige..." aarzelde Kristianne, „ik bedoel... de enige die hier is aangespoeld...?"

„Nee, Lon Krambud kwam zowat gelijk met mij," grinnikte Hildurson, „maar hij was dood, en ik leefde nog zo'n beetje, dat maakt het hele verschil." Hij rakelde het vuur op en in de rosse gloed bekeek hij de meisjes met keurende blikken. „Lachebek, enne... en Eydbjörg...!" grijnsde hij. „Precies zoals ik jullie duizend keer... Zoals ik mij jullie herinner," verbeterde hij zichzelf, „ik wil maar zeggen... véél zijn jullie niet veranderd..."

„Jij wel!" zei Kristianne stug. „Je bent tien jaar ouder geworden, en zo mager als een... als een spook... Iedereen denkt dat je dood bent, Helgi Hildurson!"

De man had een geplukte lund aan een stok gestoken en hing die boven het vuur te roosteren. De meisjes kropen dicht naar de wakkerende vlammen, zij hadden honger en kou, zij besloten het spook van de Gardar maar te vertrouwen, nu hij zich zo uitsloofde om hen te gerieven.

„Ik had ook al tien keren dood moeten zijn," gromde hij, „maar onkruid vergaat niet... Ik kan je vertellen dat ik een beroerde tijd heb gehad..."

Hij staarde in het vuur, maar telkens dwaalden zijn blikken naar de twee zusjes, die dicht bij elkaar tegenover hem zaten en hun ogen niet van hem konden afhouden.

„Gek gezicht, hè?" grijnsde hij. „Een vent die opstaat uit de dood..."

Kristianne huiverde. Zij dacht aan de stille dode op de richel; zij besloot er niet over te spreken eer Eydbjörg veilig was en zij voelde zich nog allesbehàlve veilig in deze spelonk met de hinkende sater, het spook dat een boot bezat, maar nog in geen jaar de moeite had genomen om zich bij de levenden te melden.

„Morgen zullen er nog veel meer zijn die hun ogen niet geloven," lachte houtepoot, die haar gedachten scheen te raden.

„Breng je ons morgen naar huis?" hunkerde Eydbjörg.

„Al zou ik er mijn tweede poot mee verspelen!" beloofde Hildurson gul. Hij scharrelde naar een duistere hoek van de krocht en kwam terug met een bruingeschroeide koek, hard en droog, maar voor hem de kostbaarste gave. „Hier!" zei hij. „Dit bak ik maar eens in de zoveel weken, maar jullie zijn m'n eerste gasten sedert... wel, sedert een hele tijd!" Hij brak de harde korst in tweeën en de meisjes begonnen er gretig aan te knabbelen. Het smaakte flauw en bitter tegelijk, maar zij voelden pas goed hoe hongerig zij waren, nu de geur van de vogel de krocht begon te doortrekken.

„Water," zei Eydbjörg, „ik wou dat ik een slokje water had!" En uit een andere duistere hoek bracht het spook hun een houten nap vol heerlijk fris water.

„Jullie doen alsof je in geen dagen te eten of te drinken hebt gehad!" grijnsde hij. „Heeft het tuig jullie..." Zijn blik bleef begerig op Kristianne rusten, en hij stelde zich de dingen voor, waar hij in zijn eenzaamheid talloze malen van had gedroomd. „Hebben ze... jullie wat aangedaan...?" Hij sloeg de ogen neer voor Kristiannes harde blik.

„Ze kregen de kans niet!" zei ze trots. „Een heb ik de tanden uit zijn smerige bek geschopt! Niemand komt een dochter van rooie Eiki te na... Niemand, houtepoot, 't is maar dat je 't weet...!" De man kneep zijn ogen half dicht en begon hard te lachen. Dat klonk zo akelig hol door de krocht, dat Eydbjörg bevend tegen grote zus aankroop.

„Met je blote voeten zeker!" schaterde houtepoot. „Ik weet dat je soms een venijnige feeks bent, lachebek, maar je moet me nou geen sprookjes gaan vertellen!"

„Toen had ik m'n schoenen nog aan," verklaarde het meisje rustig. „Die liggen bij... Die deed ik uit toen ik moest zwemmen."

„Hanna!" kreet Eydbjörg verschrikt. „Hanna was óók hier...!" Ze keek Kristianne verbijsterd aan. „Hoe hebben we haar kunnen vergeten!" Zij sprong in paniek overeind. „Ze was niet in de boten, toen die kerels wegvoeren...!"

Kristianne nam het kind bij de hand en dwong haar neer te zitten bij het vuur.

„Ze was er wèl bij," loog zij met een stalen gezicht. „Vanaf mijn hoge schuilplaats kon ik het veel beter zien. Hanna lag in een van de boten, en ze hebben haar zeker teruggebracht, dat hadden zij ons de hele dag al beloofd, en die ene, die Tor, dat was niet zo'n beroerling, die heeft ons toch ook losgesneden...? Misschien, als wij er niet vandoor waren gegaan, zaten wij nu óók al lang weer in Skard."

Houtepoot keek haar bewonderend aan, terwijl hij langzaam het spit draaide. Veel beter dan het kind begreep hij wat Kristianne poogde te verbergen, maar hij besloot het spel mee te spelen.

„Dat is dan een hele zorg minder," zei hij. „En als jullie ouwe Helgi eindelijk es willen vertrouwen, dan zijn jullie morgen ook weer thuis. Héja! Ruik me die lund es! En dan zeggen sommigen nog dat de oesterduiker béter smaakt, maar ouwe Helgi zal jullie es wat laten proeven...!" Met zijn groot mes deelde hij het vlees in gelijke parten en de meisjes vielen erop aan alsof zij in geen dagen gegeten hadden.

Later sliepen zij op het nest van zeegras en varens. Zij lagen uitgeput op het bed van de eenzame god, maar het was heel anders dan hij het zich duizendmaal had gedroomd. Helgi Hildurson, de man van de sterke verhalen, onderhield het vuur, opdat de dochters van rooie Eiki het niet koud zouden hebben, deze nacht. En hij peinsde op zijn kleine rijk, dat plots ineen was gestort. Hij koesterde geen wrok, maar hij vroeg zich af waarheen hij nú weer zou vluchten voor de lange arm der gerechtigheid. Hij had een jaar lang respijt gehad, en hij begon juist de kleine gaven van het leven te waarderen – de stem van een mens in de verte, het schaap, dat zijn eenzaamheid kwam verlichten... en nu – de sublimatie van zijn wildste dromen – mocht hij een verstolen blik werpen op lachebek, zo indecent gekleed en zo zuiver in haar slaap, dat Helgi Houtepoot beschaamd het vuur maar wat ging oprakelen, opdat de dochters van rooie Eiki zich behaaglijk mochten voelen in zijn ,,huis''...

Later is hij naar buiten geslopen om het schaap te bevrijden, dat zo klaaglijk lag te blaten in de sloep. Het scharrelde met stramme poten overeind en hij had alle moeite om het naar het dal tussen de landtong en de Skardebaai te leiden. Naar het oosten begon de hemel te verkleuren, de geboorte van een nieuwe dag op het eiland der geesten, want rooie Eiki had zich gewroken met zijn hele crew.

,,Deze láátste slag is voor mij, houtepoot, ik stuur je mijn kinderen en daar kun je met al je sluwheid niet tegenop. Je hebt het vrouwvolk te lief en dat is je zwakke plek. Daarin ga ik je nog treffen over de rand van het watergraf. De laatste slag is voor mij...!''

Helgi houtepoot, in de purperen gloed van de dageraad, strompelde over het eiland der geesten en hij nam afscheid van het ballingsoord dat hem zo dierbaar was geworden, want hij besefte, als Tor Heinesen, dat het gerecht hem niet langer negeren kon. Hij had duizendmaal de wetten overtreden; hij had duizendmaal gegokt, en sòms gewonnen. Nu wist hij zich een verloren man, omdat hij die zwakke plek voor het vrouwvolk had. De laatste troef had rooie Eiki uitgespeeld toen hij al bijna was vergeten.

De kerels van Bordö

Rood meisje had het hele spel meegespeeld, zonder te beseffen waar het op uitdraaide. Zij had zich door Bokum laten verleiden terwijl zij het dorp moest bewaken. Nu verdacht zij hem ervan, het tuig te hebben gewaarschuwd dat de kust veilig was zolang hij zich met die onnozele rooie bezig hield...

Zo voelde zij zich, een dom schaap, dat regelrecht in de strik was gelopen die Bokum voor haar had gespannen! En Sigga maakte het er niet beter op; die vertelde haar onder een stortvloed van verwijten wat er was voorgevallen terwijl zij haar dure plicht verzaakte.

Nu kènde Silvurbjörg haar plicht. Zij voelde zich opeens zeer volwassen, en bitter teleurgesteld in het leven, dat haar vanmorgen nog had toegelachen. Het was een valse lach geweest. Rood meisje ging er nooit meer in geloven.

Silvurbjörg begreep dat zij geen tijd te verliezen had, als zij nog iets van haar fout wilde herstellen, maar bij wie kon zij om hulp gaan...? Al de kerels van de Norderöer waren achter de walvissen aan; wie kon zij vinden om op het tuig van Svinö te jagen? Zij hadden hun uur zo volmaakt gekozen; het ging nog dagen duren eer er voldoende volk terug was om iets te ondernemen.

Zonder zich verder aan de paniek in het dorp te storen, is zij over de Arnefjord geroeid, naar de christenen van Koningsdal. Maar zij vond de huisjes gesloten en alle luiken gegrendeld. Geen kind speelde buiten in de zon. Een paar vrouwen hadden vanaf de kade gezien wat het tuig van Svinö met de meisjes van Skard deed, en zij werden zich plots hun eigen kwetsbaarheid bewust. De paar oude mannen die in Koningsdal waren achtergebleven, konden hen niet beschermen tegen de barbaren.

Nu zaten zij in hun huisjes bijeengedrongen en zij baden de Heer dat Hij zich over zijn kudde mocht ontfermen, dat Hij de vrome christenen van Koningsdal toch niet over één kam zou scheren met die heidenen van de overkant... Hun vertrouwen in de Heer was trouwens niet zo sterk als hun angst voor het tuig. Al wat maagd was of daarvoor doorging, hadden zij opgesloten in kasten en kelders, want je kunt nooit weten of de Heer wel op tijd komt. Hij is van eeuwigheid tot amen, en heeft lak aan onze tijdrekening, die al 1904 schrijft...

Toen het meisje wanhopig tegen een vensterluik bonsde, om toch door iemand gehoord te worden, klonk van ergens uit het straatje een geweerschot. Het daverde over de fjord. Het galmde langs de kade en het werd door andere schoten beantwoord, om aan te tonen dat de christenen van Koningsdal op de Heer vertrouwden, maar dat zij het zelf óók wel zouden rooien, als de nood aan de man kwam...

Silvurbjörg vloekte als een kerel en zij rende naar de kade terug. Zij roeide uit alle macht naar de steiger van Helledal, en ook daar grijnsde haar de stilte tegen. De paar armzalige hutten bleven gesloten, het leek wel of de vogels het verhaal van de maagdenroof hadden doorgekrast aan ieder die het maar horen wilde. Wanhopig blikte rood meisje naar de overzijde van de fjord en zij vroeg zich af of zij niet regelrecht naar Svinö had moeten varen en al het tuig overhoop schieten dat haar voor de voeten kwam, maar zij begreep dat dit nergens toe leidde. Zij begon weer driftig te roeien, de Arnefjord af en om de zuidpunt naar de Bordövig.

Op de gammele steiger van Skälanes zat een oude man te vissen in de zon. Zij schreeuwde hem in het voorbijroeien toe wat er gebeurd was, en dat zij nu hulp ging vragen in Klaksvig; maar de oude dwaas kon haar wanhoop niet begrijpen, hij vond het een prachtig verhaal, waar hij met glinsterende oogjes naar luisterde.

„Da's weer nèt als vroeger...!" schreeuwde hij haar na. „We grépen ze waar we ze pakken konden, en 'n lòl dat we hadden...! Blijf maar uit m'n viswater, want ik kàn nog bèst...!" Toen overviel hem een hoestbui en hij maakte een obsceen gebaar terwijl hij het meisje nawuifde.

Met tranen in de ogen roeide Silvurbjörg verder. Zij vervloekte de oude man, en zij vervloekte de vrome christenen van Koningsdal, die hun huizen gesloten hielden. Zij naderde de steiger van Oyri, maar zij voer eraan voorbij, want hier woonde Jens Poul Högnesen, die een stuk uit zijn bil verspeeld had, toen zij Loki tegen hem ophitste. Die boer zou wel blij zijn dat de bullebijter dood was...

Pas laat in de middag bereikte zij Klaksvig, waar de twee dienders zetelden die op de zes eilanden van de Norderöer recht en wet moesten handhaven. Nu stapelde zich het ene levensgrote probleem op het andere... In een opwelling had zij de zware dubbelloops meegenomen, misschien wel in de stille hoop dat zij het tuig van Svinö zou ontmoeten. Rood meisje aarzelde nog even of zij het geweer in de boot kon achterlaten, maar dat durfde zij ook niet aan en zo sjouwde zij er doodmoe mee langs de kade van Klaksvig naar de politiepost, even voorbij de traanfabriek van Marsten.

Zij trof het slecht. Olaf Tjaldur, de hoofdagent, was met het scheepsvolk naar de Fundingfjord getrokken, om erop toe te zien dat de slachting daar niet uit de hand liep, en aan de schrijftafel – zijn mooie pet diep over de ogen getrokken – snurkte lange Ivarson een gat in de middag. Silvurbjörg had zichzelf maar binnengelaten en keek nu vol minachting op de slapende man neer. Zij verschikte zenuwachtig het geweer van Olaf de reus op haar schouder en zij begreep dat ze heel wat zwakker in haar schoenen stond dan toen zij de diender met ditzelfde geweer van Skard had verjaagd, ten aanschouwen van de juichende kinderen. Die smaad ging hij haar nooit vergeven.

Zij liet een bescheiden kuch horen; ze kon er niet toe komen zijn naam te noemen. Toen hij door bleef snurken, sloeg zij hard op de tafel en Ivarson schoot met een kreet overeind. Hij staarde haar aan met verdwaasde ogen, hij staarde naar het levensgrote geweer en hij verbleekte. Was het tuig van Skard brutaal genoeg om hem hier in zijn eigen bureau te komen bedreigen...?

Maar Silvurbjörgs houding weersprak zijn angst. Zij ging op de stoel tegenover hem zitten; zij voelde zich opeens zo wee. Met horten en stoten kwam het verhaal eruit; wat zij er zelf van wist; wat zij van Sigga en van Malena Jörleif had gehoord...

,,U moet ons helpen!" beefde zij. ,,De politie moet direct naar Svinö! Er zijn geen kerels op Bordö die ons kunnen helpen...!" Dat was natuurlijk het stomste wat zij kon zeggen, en Ivarson was trouwens helemaal niet onder de indruk van haar relaas. Er werd zovéél verteld over die wilde meiden van Skard en over de drinkgelagen in ,,De Zeemeermin". Een mooi stelletje, de heks en haar kleindochters! Hadden zij Jens Poul Högnesen niet spiernaakt door het dorp gejaagd, en had deze rooie, die hier nu zijn hulp kwam inroepen, hem niet hoogstpersoonlijk naar het leven gestaan met dat geweer dat zij brutaalweg durfde meebrengen in zijn bureau...? Hij leunde achterover in zijn stoel en keek haar ongelovig aan.

„Dat is een heel verhaal wat je daar ophangt," grinnikte hij.

„Het is geen verhaal!" kreet Silvurbjörg wanhopig. „Mijn zusjes en Hanna Wadslund zijn ontvóérd, gelóóf mij toch! Straks wordt het donker, en als jullie niet gauw voortmaken..."

Zij staarde verbaasd naar de lange diender, die rustig zijn pen in de inktkoker doopte en begon te schrijven.

„Ik zal heel dat mooie verhaaltje noteren," sprak hij lijzig, „en als het wáár is, dan zal er morgen natuurlijk wat moeten gebeuren..." Hij keek op. „Want je zegt zelf dat er geen kérels op Bordö zijn..." Hij sloeg zich op de borst. „En je verwacht toch zeker niet dat deze kleine jongen in z'n eentje naar Svinö gaat om die stoute mannen te vertellen dat de meisjes van Skard braaf naar huis moeten komen...?"

Silvurbjörg vloekte als een dragonder. Zij stoof woedend overeind.

„Denk je dat ik helemaal naar Klaksvig kom roeien om een verhááltje te vertellen...? Man, het is vanmorgen al gebeurd! En... en straks wordt het dònker! Het tuig van Svinö zal die kinderen vermóórden! Hèlp ons toch...!" Zij wankelde, zij moest zich aan de tafel grijpen om niet te vallen, zozeer had zij zich uitgeput, en hier zat die slome Ivarson een sadistisch spelletje met haar te spelen.

„Die kinderen zijn natuurlijk al lang weer thuis," veronderstelde hij. „Die hebben hun pleziertje gehad en lachen zich rot om de stomme diender van Klaksvig, die zich weer zo mooi liet bedonderen. Maar dat zal deze keer niet waar zijn, rooie! Je hebt mij één keer voor schut gezet..." Hij staarde plots vol interesse naar het geweer dat Silvurbjörg vergeten scheen. „Wie geeft jou trouwens het recht om hier met dat gevaarlijke kanon rond te lopen...? Allo! Zet het daar in die hoek, en ik zal een keurig proces-verbaal opmaken. En als morgen de hoofdagent terugkomt, zullen wij óók nog komen kijken wat er allemaal van klopt..."

Hij doopte zijn pen weer in de intkpot en begon te schrijven: Op heden, den 9den oktober 1904...

Toen hij opkeek stond het meisje lijkbleek bij de deur.

„Ik zal er zelf op af moeten..." sprak zij toonloos. „Er zijn inderdaad geen kerels meer op Bordö..."
Zij trok de deur met een slag achter zich dicht en zij ging naar de kade. Zij was zo moe, dat het geweer als lood aan haar schouder woog.
Ivarson keek haar na, besluiteloos. Misschien was er tòch wel iets gebeurd, daar in Skard... Wat vervelend dat de hoofdagent nu juist aan de Fundingfjord zat...!

Maar er wáren nog kerels op Bordö... Had de Here God zijn gezant niet naar Klaksvig gezonden om zijn kudde te leiden en het licht ook aan de heidenen te brengen...? Dominee Rasmussen kwam juist uit de pastorie, toen Silvurbjörg hem tegen het lijf liep.
„Héja, rood meisje!" sprak hij vrolijk. „Waar moet jij met dat grote geweer naar toe?"
„Bokum voor z'n donder schieten," zei Silverbjörg bitter, en op hetzelfde ogenblik begon zij hevig te schreien. Zij kon er ineens niet meer tegenop. Zij had een jaar lang de sterke vrouw van Skard gespeeld, maar nu was zij zo moe en zo òp van de zenuwen, dat het eerste vriendelijke woord haar in snikken deed uitbarsten. De godsgezant was even van zijn stuk gebracht door het brute antwoord van zo'n jong meisje, maar toen hij haar berispend wilde toespreken, herkende hij plots de rooie feeks die hem en zijn hele zendingsgenootschap vorig jaar van de steiger van Skard had gejaagd, met achterlating van tien mud tarwe.
„Gods wegen zijn onnaspeurlijk!" sprak hij verwonderd. „Wat drijft jou, arm heidenkind, plots in de armen van de kerk?" Hij sloeg zijn magere armen beschermend om het meisje heen en leidde haar de pastorie binnen, waar nog de geur hing van het gebraad dat hij zojuist had genuttigd.
Misschien kwam het doordat zij wee was van de honger, of alleen omdat zij zo blij was dat eindelijk iemand haar wilde aanhoren; misschien ook was het weer zo'n slimme streek van de God der christenen, maar Silvurbjörg van rooie Eiki stortte haar hart uit voor de verbaasd luisterende predikant, terwijl zij driftig kauwde op het malse vlees van een lund, dat de eerwaarde heer Rasmussen haar voorschotelde.
„Hij heeft mij naar het rif gelokt," snikte zij tussen twee happen door, „en daar heeft de schoft mij... nou ja, ik wou het zelf ook,

anders had ie de kans niet gekregen, ik kan best op mezelf passen... Maar ik heb niet op het dòrp gepast!" kreet zij vol wroeging. „Hij heeft mij daar bezig gehouden tot het tuig onze meisjes te grazen kon nemen...! En die stomme Ivarson gelóóft mij niet! Die wil morgen pas gaan zien wat ervan wáár is...!"

De eerwaarde heer Rasmussen was een geduldig maar doortastend man, speciaal waar het de heidenen betrof. Nu sprong hij overeind, de inspiratie glanzend in zijn ogen. Als de kerk ooit de staat een vlieg voor de neus kon wegvangen, dan was het nú. Als hij ooit die arme heidenen voor de kerk van Christus kon winnen...! Dominee Rasmussen was niet rancuneus. Hij vergat zijn paard en de tien mud tarwe; hij vergat al het leed dat de heidenen hem hadden aangedaan, en de vloek die hij eenmaal over Skard had uitgesproken.

„Kom, rood meisje," sprak hij vervoerd, „want de zon neigt ter kimme en we hebben nog veel te doen! De Heer ziet erop toe dat zijn kinderen geen haar gekrenkt wordt!"

„Dan moet ie verdomd hard opschieten!" sneerde Silvurbjörg, maar zij was blij dat er tenminste iets ging gebeuren. Zij slingerde de dubbelloops over haar schouder en zij volgde die rare man naar het kantoor van Ivar Marsten, die zes dagen per week de sluwste uitzuiger van de Norderöer was, maar de zevende rustte hij en dacht aan zijn naderend einde. Dan speelde hij ouderling en voorganger in de Emmaüskerk, tot stichting van zijn loonslaven, die hem nooit luidop verwensten.

De ouderling keek verbaasd op, toen dominee Rasmussen in gezelschap van de dochter van rooie Eiki zijn kantoor binnenstapte. Maar hij had zich door slimheid tachtig jaren weten te handhaven en was door zijn voortvarendheid geworden wat hij was.

Zodra de man Gods hem in het kort de toestand had geschilderd, begon Ivar Marsten aan een slingertje te zwengelen en in een eiken kistje te schreeuwen, alsof zijn eigen dochters verkracht werden.

Silvurbjörg begreep niets van dat vreemde apparaat, maar het werkte effectief, want binnen tien minuten stroomde het kantoor vol kerels, die ze daar in Klaksvig nog bij de vleet hadden; een paar potige voormannen uit de traanfabriek, en ouderling Leif, en schipper Egholm van de Klaksvig II, die met averij aan de kade lag. De schipper ging weer weg, om zijn bootsman op te trommelen en zijn halve crew. Die mannen vroegen niet waar het om ging; Ivar Marsten had geschreeuwd en dan heb je maar te komen...

Lange Ivarson, die zich meldde met pet en sabel en dienstpistool, hoefde ineens óók niet meer te weten waar het om ging. Hij had het precies zó gedacht als meneer Marsten: direct opstomen naar de Arnefjord en van daaruit verder opereren...! Misschien waren die arme kinderen al weer veilig thuis, maar zo niet, dan zou Ivarson versterking gaan aanvragen in Torshavn, waar ze wel over *vier* agenten beschikten.

„Die versterking kan je beter gelijk aanvragen," beet Marsten hem toe, „want die kinderen *zijn* niet thuis, en ik wil heel Svinö nou metéén gezuiverd hebben, begrepen?"

Natuurlijk, lange Ivarson had het begrepen. Zo had hij het trouwens óók gedacht, maar als hij nog terloops één opmerking mocht plaatsen...

Dat mocht hij.

Wel, eh... niet om vervelend te zijn, maar agent Ivarson zag hier opeens zoveel gewapende mannen... Zij begrepen toch zeker wel goed dat ze hun wapens alléén maar meenamen om indruk te maken, nietwaar...? Dominee Rasmussen zou dat zéker wel met hem eens zijn...

„Vanzelfsprekend," beaamde de man Gods, „wij zijn niet van plan..."

Doch de oude Marsten legde hem met een driftig gebaar het zwijgen op.

„Luister jij es góéd, Ivarson! Ik ken deze godvergeten eilanden een halve eeuw langer dan jij, èn ik ken het tuig van Svinö, dat nou al zoveel jaren een loopje met jullie neemt. Daar moet je geen indruk op maken; die schiet je voor d'r dònder als je ze tegenkomt! En dit beloof ik je, agent Ivarson, als die kinderen van Skard vandáág niet ongedeerd thuiskomen, dan keren wij heel Svinö ondersteboven...!"

Al de kerels juichten hem toe, behalve dominee Rasmussen en de lange Ivarson, maar hun protesten vielen verloren in het algemeen tumult, want schipper Egholm kwam terug met een stuk of tien matrozen, die met harpoenhaken en bijlen gewapend waren. Zij waren de grindedrab misgelopen; nu gingen zij op het tuig van Svinö jagen, dat zich had vermeten de hand aan de kinderen van Bordö te slaan. Dominee kon mooi praten, maar laat hij zijn sermoenen voor de kansel bewaren! Hier was Ivar

Marsten de baas en die hield niet van halve maatregelen.
„We hebben twee motorsloepen klaarliggen, meneer de reder,"
zei de bootsman van de Klaksvig II onderdanig, „en we zijn met
genoeg kerels om het tuig van Svinö de stuipen op het lijf te
jagen...!"
Agent Ivarson wachtte de bevelen van de oude Viking niet meer
af. Hij sloop het rederskantoor uit en haastte zich naar de kleine
politiesloep, die aan de kade lag. Als hij nú niet regelrecht naar
Torshavn voer om versterking, gingen de kerels van Bordö al het
tuig van Svinö uitroeien; de schout zou hèm verantwoordelijk
stellen, en misschien ging Kopenhagen zich ermee bemoeien.
Heel het gezag van de Faröer liep gevaar door de hete meiden
van Skard, die zelf het tuig hadden opgehitst...
Agent Ivarson beefde over al zijn leden terwijl hij zijn snelle
sloep door de Bordövig joeg, en hij bad de Here God dat hij die
bloeddorstige Vikingen vóór mocht blijven...!

Het was rond datzelfde uur, terwijl de zon in purperen vlammen
achter de vogelrotsen daalde, dat Bokums tweede treffen plaats-
vond met zijn ontrouwe vazallen.
Silvurbjörg was bijzonder actief geweest op de dag van het feestje, maar Bokum Torleifson had óók niet stilgezeten sedert de
schoten in het dal van Skard rood meisje uit zijn armen hadden
gedreven... Onder de Glögvar had hij de ontvoerders verrast en
dat kostte hem bijna het leven, maar tenslotte was het toch admiraaltje, die niet meer boven kwam. Bokum dook nog driemaal
naar de kostbare dubbelloops, maar de fjord is daar veel te diep.
Daarom stelde hij zich tevreden met admiraaltjes kano, die stuur-
loos afdreef naar open zee. Hij moest een verduiveld eind zwemmen om de tweepersoons kajak in te halen. Eer hij die had leeg-
gehoosd en zijn eigen bootje op sleep genomen, viel er geen spoor
meer van de ontvoerders te bekennen.
Er was minstens een uur verstreken sedert admiraaltje zijn roem-
loos einde had gevonden en Bokum vroeg zich af waar het tuig
met de kinderen heen was. Hij gokte op Fuglö, want zij zouden
toch niet het lef hebben op Svinö te landen, waar de andere vogelvrijen hun misschien de buit gingen betwisten. Hij moest het
kamp gaan inlichten. Misschien waren er een paar die hem helpen wilden om de ramp van Svinö af te wenden...
Maar toen hij die middag in het kamp aankwam, ontmoette hij

niets dan onverschilligheid. De meesten dachten dat het zo'n vaart niet zou lopen, als de poppen maar onbeschadigd werden teruggebracht. Zij kenden sluwe Tor toch zeker! Die zou zo'n feestje nooit organiseren als het risico te groot was. Kinderen...? Die hete meiden van rooie Eiki zeker...! Tor en Ewald hadden dat stel in kleuren en geuren geschilderd en het speet de kerels alleen dat *zij* niet waren uitgenodigd op het feest.

Verbijsterd over zoveel onbegrip is Bokum in zijn tent gegaan. Hij kwam steeds meer alleen te staan, sedert Tor Heinesen zijn kliek had gevormd, en hij vroeg zich af hoe lang de bende hem nog zou dulden.

Wat later zagen de kerels hem al weer naar de landingsplaats rennen, maar nu had hij zijn karabijn over de schouder. „Zijn de druiven je te zuur?" riep Sven Boye hem na. „Zeg aan de jongens dat wij ze alle lol van de wereld gunnen, zolang ze die poppen maar niet beschadigen...!"

Hóé groot de schade was, kon Bokum slechts vermoeden, toen hij over het purperen water van de Fuglöfjord de kajaks zag naderen. De kerels hingen over de riemen alsof zij door Varig achtervolgd werden en zij merkten Bokum pas op toen zij al binnen het bereik van zijn karabijn waren.

„Jééééézes, Bokum!" schreeuwde Jorund Larssen, en zijn stem klonk schril van angst. „Hou nou op met je rotgeintjes; we hebben al genoeg narigheid aan onze kop!" Zij wilden joviaal kameraadschappelijk doen, ze roeiden op hem af en zij veinsden het geweer niet op te merken, dat hij scherp op hen gericht hield. Zij stelden zich aan alsof zij blij waren hem te zien.

„Ons avontuurtje is lelijk uit de hand gelopen, makker," bekende Tor, „we zullen in de komende dagen met z'n allen bij elkaar moeten klitten, want ik ben bang dat..."

„De meisjes," onderbrak Bokum scherp, „waar hebben jullie die kinderen gelaten...?"

Zij roeiden langzaam op hem toe, maar Bokum hield hen onder schot.

„Doe nou dat verdomde geweer weg!" gilde Sigvard verblekend. „We hebben al ellende genoeg zonder dat we elkáár afslachten! Er zijn er twee verongelukt, Bokum! We konden er niks aan doen; ze sprongen zo maar van de rotsen... Verdòmme, Bokum, je moet ons helpen! Jij bent de leider...!"

Secondenlang zat Bokum hen verdwaasd aan te staren, dan drong heel de afschuwelijke omvang van de ramp tot hem door en een koude hand legde zich om zijn hart.

„O...! Smerige schòften!" kreunde hij.

„Maar we konden er niks aan doen, Bokum!" gromde Djurhüs. „Geloof ons toch! We hadden ze nog geeneens aangeraakt! Ik mag doodvallen als het geen ongeluk was!"

„En de derde?" vroeg Bokum bitter.

„Die hebben wij helemaal niet meer gezien!" kreet Sigvard met overslaande stem. „Dat eiland is behekst! Verdomme, Bokum, zit ons niet zo aan te staren! Zeg liever wat we doen moeten; we hebben dit toch zeker geen van allen gewild...?"

„Maak dat de dienders maar wijs," grauwde Bokum, „en zie dat *die* jullie te pakken krijgen eer al de kerels van de Fundingfjord terugkomen en ons gaan afslachten als walvissen!"

„Ons!" zei Tor Heinesen, en er klonk iets van opluchting in zijn stem. „Hij zegt òns! Zie je wel dat we allemáál in 't zelfde schuitje varen? We moeten bij elkaar klitten, dan maken we nog 'n kans!"

De anderen stemden daar gretig mee in. Zij waren in paniek; ze waren als kwajongens naar Svinö gevlucht, in de hoop zich achter de anderen te verschuilen.

Bokum overzag de toestand en de schrik sloeg hem om het hart bij de gedachte aan de harpoeniers, aan het volk dat met bijlen en haken van de walvisslachting terugkeerde, bloedbelust, en gretig om het tuig van Svinö uit te roeien... Hij hoopte vurig dat de dienders er eerder zouden zijn, dat zij het volk in toom konden houden, of de mensenjacht zou evenzeer uit de hand lopen als het feestje van Tor en zijn kornuiten.

Hij stak berustend zijn hand op en zonder een woord roeide hij naar Svinövig terug. De anderen volgden hem, zwijgend, zij moesten maar bij elkaar klitten, had Tor gezegd.

De schemer begon te dalen over de Norderöer. Achter de rotsen van Bordö hing nog wat purperen gloed, alsof daar een groot vuur werd gestookt. Met het vallen van de duisternis werd de spanning beklemmend in het kamp der vogelvrijen. Het tuig klitte fluisterend bijeen. Met z'n allen op een kluitje maakten ze misschien nog een kans. Kans... op wàt...? Zij waren van hun leven niet zo bang geweest.

Blinde Gudrid hoorde het geluid het eerst...! Een nauwelijks waarneembaar gestamp, ergens in de richting van de Bordövig. Het hoefde niets te betekenen, maar het tuig zat met gespitste oren toen het nader kwam, toen het aanzwol tot een duidelijk geronk onder de Burhella. Het hield aan op Svinö...!

Gudrid begon zenuwachtig te giechelen. Zij was behoorlijk dronken en even moe als de andere hoeren. Zij hadden het die avond nog druk gehad met de mannen, want Bokum had alle foezel verdeeld, ieder een dubbel rantsoen, en gezegd dat hij verder niets meer voor hen kon doen. Zij zaten als ratten in de val en mochten alleen maar hopen dat de dienders van Torshavn erbij zouden zijn, om een slachting te voorkomen...

Toen het geronk hevig aanzwol in de fjord – de vogelrotsen weergalmden het geluid alsof er van alle kanten geschoten werd – begon Jorund Larssen zacht te janken. Bokum sloeg hem vol in het gelaat en daarna luisterden zij weer met z'n allen naar het geronk van de zware motor.

„Als ik wist dat het de sloep van Torshavn was...” mompelde Bokum, „dan ging ik naar de Vig, om de dienders aan land te roepen.” Niemand antwoordde.

Toen begon Jorund plots te lachen, een hoge hinnikende lach. „Jééééezes!” giechelde hij. „Zó ver is het met ons gekomen...! De dienders uitnodigen op Svinö...!”

Sven Boye sloeg hem zijn mond dicht en daarna luisterden zij weer naar het geronk van de boot, die door de Svinöfjord koerste. Mochten het toch de dienders maar zijn...!

Het waren de dienders niet... Zó snel kon lange Ivarson geen versterking halen. Het was de sloep van de Klaksvig II, met zeventien gretige kerels onder leiding van schipper Egholm.

Er werd niet geschoten. Nog niet, want ouderling Marsten was niet aan boord. Ivar Marsten was met zijn mannen naar Skard gevaren om er de dochter van rooie Eiki af te leveren en dominee Rasmussen, in wie nog altijd het heilige vuur brandde. De heidenen hadden zijn vermaningen in de wind geslagen; misschien gingen zij luisteren nu hij woorden van troost en bemoediging kwam spreken. Ouderling Marsten kon dan meteen informeren of de meisjes tegen aller verwachting in waren teruggekeerd, en zo niet, dan zou het tuig ervan lusten...!

Daarom kruiste schipper Egholm nu besluiteloos door de Svinöfjord. Ze koersten al sedert middernacht door de grijze nevel-flarden, die laag over het water dreven, maar zij voerden geen boordlichten. Zolang zij ongeveer het midden van de fjord hielden, tussen de zwarte muren der vogelrotsen, kon er niets gebeuren.

Bij de kop van het eiland verlegde de schipper zijn koers en hij hield op de ondiepe Svinövig aan, langs de oostkust van het eiland. Ze voeren langzaam naar de landingsplaats, waar vroeger de ranke kano's lagen. Op de voorplecht van de sloep flitste plots een zoeklicht aan, dat als een witte voelspriet de duisternis begon af te tasten... de rotsen aan beide zijden van de Vig... het smalle keienstrand... de groenstrook achter de landingsplaats... Doch niets bewoog, geen geluid werd vernomen, Svinö scheen een eiland der geesten geworden. Slechts het zachte stampen van de diesel. Niemand waagde zich aan land, maar het zoeklicht bleef de duisternis aftasten. De witte voelspriet liep verloren in de dunne nevelflarden, die later ineenvloeiden tot een grauwe mist.

„Als de reder nog lang wegblijft, zullen wij tot het daglicht moeten wachten," fluisterde de bootsman spijtig.

„Dat zullen we tòch wel!" gromde schipper Egholm. „Of wou jij soms in 't hartstikke donker op het tuig lostrekken? Zij kennen hier elke scheur en spleet, en wij weten niet eens met hoevelen ze zijn...!" Hij doofde het zoeklicht en liet de boot langzaam draaien. „Neem over!" beval hij. „Koers zuid; wij blijven onze kringetjes lopen tot meneer de reder op komt dagen, en wat daarná gebeurt is voor zijn verantwoording."

Zo verstreek een groot deel van de nacht. De mannen begonnen te verkleumen in de open sloep, die als een spookschip door de grijze mist dreef. Zij begonnen te morren en de schipper liet de kruik met foezel rondgaan, ieder een grote slok, die weldadig in de keel brandde. Hij vroeg zich af waar die sluwe ouwe Marsten bleef... Had hij de hete meiden van Skard misschien tòch in „De Zeemeermin" getroffen, ongedeerd en giechelend om het lollige avontuur, en was hij te beroerd om zijn schipper terug te roepen...? Egholm durfde er niet eens met zijn mannen over te praten. Zij voeren opnieuw de Svinöfjord in, turend in de mist, die naar het oosten al iets scheen op te lichten.

Op dat ogenblik hoorden zij de schrille stoot van een misthoorn. „Daar zijn ze!" riep de bootsman oplevend. „Nou gaat er eindelijk wat gebeuren!"

Zij tuurden allemaal over bakboord, waar het gestamp van een machtige diesel hoorbaar werd, en opnieuw de schrille kreet van de misthoorn. Een zoeklicht scheurde het nevelgordijn aan flarden.

„Vergéét het maar!" bromde de schipper. „Het is de politiekruiser van Torshavn. Nou gaat er *niks* gebeuren!"

Hij liet snel de boordlichten ontsteken en gaf drie schorre stoten op de misthoorn. Even later lagen de boten langszij en de schipper kreeg alweer gelijk.

Misschien had de oude vos toch het meest aan zijn eigen huid gedacht. Marsten wist hoeveel voorsprong hij lange Ivarson had gegeven en zelf had hij in Skard zo lang getalmd, dat de snelle politiekruiser hem bij het uitvaren van de Arnefjord de pas kon afsnijden. Nu was de reder met al zijn goede bedoelingen naar huis gestuurd en schipper Egholm mocht tot nader order op de Svinöfjord blijven kruisen.

„Doe het maar kalm aan," zei de commandant van de Torshavn beminnelijk. „Wij stomen rustig op naar de Vig en zullen daar bij het eerste daglicht aan land gaan. Laat de hele operatie gerust aan ons over, schipper; wij hebben ervaring en we brengen die meisjes veilig thuis. Intussen houden jullie de westkust maar in het oog, voor het geval daar iemand mocht proberen te ontsnappen..."

Met deze vage order werd schipper Egholm de mist ingestuurd en de politiekruiser zette ronkend koers naar de Svinövig.

„Lekkere jongens!" gromde de bootsman bitter. „Die gaan natuurlijk beleefd vragen of het tuig een paar loslopende meiden gezien heeft...!" Hij spuwde over bakboord. „Met de mitrailléur d'r op in maaien, dàt is wat ze moesten doen!"

„Hèbben geeneens een mitrailleur!" hoonde de harpoenier van de Klaksvig. „Zijn trouwens te sloom om geweld te gebruiken! Had ons daarstraks maar aan land laten gaan, schipper, dan hadden wij het tuig al lang uitgeroeid!"

Daar stemden de anderen mee in. Nu zij veilig aan de westkant van het eiland koersten, hadden zij de mond vol over de bloedige slachting die zij zouden hebben aangericht wanneer de schipper hen maar in de Vig had laten landen.

Egholm gromde wat onverstaanbaars in zijn baard en hij liet de kruik met foezel nog eens rondgaan, maar in zijn hart was hij even blij als Marsten, dat de dienders het karwei nu klaarden.

De dienders van Torshavn hebben het karwei toch zeker niet geklaard... Die harpoenier van de Klaksvig ging nog gelijk krijgen, want toen de zon boven de rotsen van Svinö rees, een bloedrode lampion over de Norderöer, had nog geen schot weerklonken.

„Zitten natuurlijk gezellig met het tuig te onderhandelen!" sneerde de harpoenier, die met zijn groot geweer op de voorplecht stond en hunkerend voor zich uit staarde. „Verdomme, schipper, had òns maar laten begaan...!"

Zij waren weer tot de kop van Svinö genaderd, aan de ingang van de Fuglöfjord. Daar wendde de bootsman de steven voor opnieuw een nutteloze trek door de Svinöfjord. De foezel maakte de mannen slaperig; de meesten zaten in de kraag van hun jopper gedoken een beetje te dommelen. De aardigheid was er al lang af.

„Wachten op nadere orders," had die verwaande diender gezegd. Als kwajongens waren zij weggestuurd van de plek waar het feest kon losbranden.

„We pakken nog éénmaal de hele fjord," besloot de schipper, „en dan kunnen ze me verrèkken! Dan gaan we naar huis, order of géén order...!"

De zon rees hoger boven de vogelrotsen, de mist scheurde in vurige flarden uiteen en slechts hier en daar dreef nog een vale sluier laag boven het water.

Daarin meende een van de mannen plots een boot te onderscheiden.

„Dáár!" kreet hij. „Verdòmd als ik het niet gedacht had! Het tuig gaat er tòch nog vandoor...!"

Ineens waren zij allemaal klaar wakker. De sloep draaide zo scherp op zijn roer, dat de mannen zich aan de boorden moesten grijpen om niet in de fjord te duikelen.

„Wàt! Wáár?" riep de schipper. „Ik zie niks!"

„Stront in je ogen!" grijnsde de harpoenier. „Dáár! Twee streken over bakboord...! Ze proberen in die mistflarden te ontkomen! Volle kracht, boots! Volle kracht! Beetje bakboord...!"

Nu zagen zij het opeens allemaal. Een kleine, ranke sloep, die snel wegaleed in de grijze mistflarden, het tuig, dat onder hun ogen trachtte te ontsnappen...!

„Héja! Héja!" juichte de harpoenier. „Beetje bakboord, boots, beetje bakboord...!"

Hij zat met zijn lang geweer op de plecht geknield alsof hij eindelijk de walvis had zien spuiten, en de anderen hielden de adem in voor het beslissende schot.

„Beetje stúúr! Beetje stúúr...!"

Nu doemde de kleine boot op uit de nevel.

„Verrek! Ze hebben die *kinderen*...!" kreet de schipper verbijsterd. „Schot voor de boeg, Jensen, en verder geen gedonder!"

„Hóúen, zo!" schreeuwde de harpoenier. Zijn schot daverde over de fjord en deed de vogels krijsend opwieken in de jonge dag. Het énige schot dat aan de Svinöfjord werd gelost, maar de harpoenier van de Klaksvig miste nooit...

Hij trof de kerel die zich nog schreeuwend in zijn boot wilde verheffen, de schoft die op het punt stond om twee kinderen te ontvoeren...!

Hij trof Helgi houtepoot midden in zijn hart.

Pas toen de echo's waren weggerold tussen de vogelrotsen, begonnen de meisjes te gillen alsof er iets ergs gebeurd was.

22

Klein ongeluk

Er is niet zo veel veranderd in het dal van Skard. Alles vertraagt met het korten der dagen. Alles ligt verstild onder de sneeuw, die zich als een zuivere lijkwade over de Faröer heeft gespreid. Het wachten is weer begonnen, het geduldig wachten op een nieuwe lente.

Nee, er is niet veel veranderd voor de vrouwen van Arnefjord. Het grootste verschil is dat zij nu weer thuisblijven en zelf op hun kinderen passen, want Grimur eenoog vaart niet tussen november en maart; niemand waagt zich buiten de fjord in de donkere maanden.

De vrouwen zitten 's avonds bijeen rond de grote kachel in „De Zeemeermin", waar de heks nog altijd doet alsof zij het dorp leidt, en ze halen herinneringen op aan de mannen van Skard. Dàt waren nog eens kerels...! Het worden halfgoden in hun gedachten, want zij hebben nu een zomer lang de mannen van Klaksvig leren kennen; daar was er niet één bij die in de schaduw van rooie Eiki kon staan... of van Rall Purkhüs, die de laatste reus van de Norderöer is geweest... of zèlfs van Helgi houtepoot, die tenslotte nog een der hunnen is geworden, èchte Vikingen, zoals je ze nergens meer tegenkomt...!

Daar peinzen zij over, terwijl zij luisteren naar de wind, die over het lage dak rent. Terwijl Kristianne met haar zonnige lach de foezel ronddraagt en vrouwtje Kliffell, bijna blind, in een hoek van de gelagkamer zachtjes zit te snurken. Daarom praten zij met gedempte stemmen. Vrouwtje Kliffell heeft een kwaaie dronk; ze laten haar liever slapen.

Eydbjörg leunt vermoeid tegen de muur. Zij neemt aan het gesprek geen deel, zij heeft haar eigen dromen. En Silvurbjörg heeft haar angst, die zij als de sterke vrouw van Skard met niemand kan delen.

In het dal achter de trollekop waren twee nieuwe grafheuvels verrezen, naast de bulten die het lijk van Tor Wadslund bedekten en het weinige dat de ratten van gekke Oli hadden overgelaten. Hanna lag daar naast haar vader, die zich de laatste man van Skard had gewaand. Nu was een ander die eer komen opeisen en na alles wat hij voor de dochters van rooie Eiki had gedaan, konden de vrouwen hem dat recht niet onthouden.

Alleen de heks had zwak verzet geboden; zij zag houtepoot nog altijd als de moordenaar van Hornsirk, die zich tussen de kerels van de Gardar kwam verschuilen voor het gerecht. Zij zag nòg het dolkmes, dat hij met één flitsende beweging in de tapkast had geplant, op die lollige avond, eer de Gardar uitvoer voor de laatste reis. Sigga herinnerde zich dat Helgi houtepoot een onderbetaalde scheepsjongen was, door schipper Eiki slechts geduld zolang hij geen andere kon krijgen, en diep in haar hart bleef zij hem wantrouwen.

Maar de vrouwen van Skard dachten daar anders over. Hij was de laatste levende mens geweest die met hun kerels had gesproken! Misschien hadden zij nog naar zijn grote verhalen geluisterd terwijl plotseling die storm opstak. Dat hij als enige de kust van Fuglö had gehaald, zat hem natuurlijk in die houten poot, en in de geweldige kracht van zijn armen. En dat hij zich een jaar lang op het vogeleiland verscholen had, was zijn goed recht; daar dankten Eydbjörg en Kristianne nu hun leven aan...

En zo was Helgi Hildurson onder mokkend protest van Sigga naast Hanna Wadslund bijgezet op de dodenakker van Skard, een plechtigheid zoals daar aan de Arnefjord nog nimmer was vertoond.

De beide dienders van Klaksvig waren er in compleet uniform, en ouderling Marsten met zijn dikke zoon, en àl de dappere kerels die aan de jacht op het tuig van Svinö hadden deelgenomen. Alleen Jensen ontbrak, de harpoenier die dat ongelukkige schot had gelost... Die werd in Torshavn vastgehouden tot de hele zaak zou zijn uitgezocht.

Dominee Rasmussen kreeg zijn eerste grote kans onder de heidenen, want tot Sigga's giftige woede had vrouw Wadslund hem verzocht een gebed op Hanna's graf te spreken. Hij sprak er twéé. Eén voor de maagd die haar lamp brandende had gehouden en bereid was gevonden toen de Bruidegom haar riep... En één voor het verdoolde schaap, dat na talloze omzwervingen eindelijk rust had gevonden aan de schouder van de Goede Herder... De heidenen van Skard begrepen er geen barst van, maar de christenen van de overkant stonden instemmend te knikken. Joan Wadslund was er ook bij, en schipper Solstein van de Bordövig, die juist van de walvisslachting terugkwam.

Aan het slot van de plechtigheid trad ouderling Marsten naar voren en zorgde voor het incident dat nog wekenlang de gemoederen in beroering hield. Hij legde een grote krans op Hanna's graf, een krans van donkerbruin eikeloof met een breed wit lint eraan. „Firma I. J. Marsten & Zn." stond daar in koeien van letters op te lezen, en daaronder, heel bescheiden: „Zij ruste in vrede."

Over de hoofden van de toegestroomde eilanders begon de oude vos het kind zalvend toe te spreken, al zal dat Hanna in haar eeuwige rust weinig gestoord hebben. Hij deelde haar mee dat haar offer niet vergeefs gebracht was, integendeel, het kwam alle kinderen van de Norderöer ten goede. Niemand hoefde meer in angst te leven, want haar moordenaars hadden zich bevend van angst aan de aardse rechter overgegeven. Zij hadden de dienders gesméékt hen tegen de dappere kerels van de firma Marsten te beschermen...! Hij keek rond, schraapte zijn keel en verhief zijn stem.

„En hier past een woord van lof aan àl de trouwe werknemers die ik hier rond mij verzameld zie...! Dank zij hùn trouw, lieve kleine, zullen je moordenaars hun gerechte straf niet ontlopen! Zo wáár er een wrekende God in de hemel is, die mij tot zijn willig werktuig koos..."

„Hoeveel...?" klonk plots een rauwe stem uit de menigte.

Ouderling Marsten keek woedend rond. Hij was gewend dat iedereen eerbiedig luisterde wanneer hij het woord voerde.

„Eén vanzelf!" kwam dominee Rasmussen vervoerd. „Er is maar één God, die..."

„Dat bedoel ik niet, hufter!" schreeuwde Jens Poul Högnesen, de trotse boer van Oyri. „Wij willen weten hoeveel van het tuig zich hebben overgegeven!"

Er ontstond een luid gemompel onder de toeschouwers. Sommigen waren het met hem eens; zij wilden eindelijk wel eens weten waar zij aan toe waren. Maar de loonslaven van Marsten keerden zich tegen de boeren van Oyri, die met heel hun aanhang over de fjord waren geroeid om hier een rel te schoppen.

„Alle vier!" antwoordde Marsten nijdig. „En wilt u de eerwaarde heer Rasmussen alstublieft niet met hufter aanspreken, en zéker mijn grafrede niet onderbreken?"

„Hij is 'n hufter!" hield de boer koppig vol. „En wat jij daar houdt, Marsten, is geen grafrede, maar een reclamepraatje voor je eigen bedrijf, en een linke manier om jezelf schoon te praten! Want wie heeft die vossejacht georganiseerd...? Jij en die hemeldragonder! En wie waren nergens te vinden toen de zaak uit de hand liep en een onschuldige werd neergeknald...? Geef antwoord, ouderling...!"

Ouderling Marsten verwaardigde zich niet hierop in te gaan. Hij stapte van de steen die hem tot kansel had gediend en liet het aan de kerels van Bordö over om de boeren van Oyri naar hun boten terug te drijven. De dienders van Klaksvig namen eraan deel met de blanke sabel, en daar Jens Poul Högnesen nog altijd kreupelde vanwege zijn laatste bezoek aan Skard, nam hij geen verder risico. Een begrafenisfeest moet tenslotte plechtig verlopen, laten we eerlijk zijn...

Dat was het grootste feest geworden dat Skard ooit had gekend. Nooit was er zó veel volk aan deze zijde van de Arnefjord geweest. Eydbjörg telde er wel veertig in de gelagkamer van „De Zeemeermin", waar de firma Marsten het dodenmaal aanbood, en er liepen er zeker nog een half dozijn buiten rond, nieuwsgierig hoe de heidenen hier leefden.

Malena Jörleif kwam niet helpen bij het ronddragen van de spijzen; zij had een paar vlugge klanten uit Helledal. En dominee Rasmussen kwam pas later zijn plaats naast ouderling Marsten innemen; hij had eerst de weduwe Wadslund naar haar huisje begeleid en haar op de hoogte gesteld van het verbijsterende feit dat Hanna, sámen met lamme Tor, nu het eeuwig „heilig heilig heilig" zong, ergens boven de wolken van de Faröer.

Een paar van de aardse stervelingen in „De Zeemeermin" waren al aan een veel frivoler lied toe op het ogenblik dat hij daar binnentrad, want de foezel had de gemoederen verhit en Ivar Marsten toonde zich een gulle gastheer.

Zo werd het achteraf tòch nog een gezellige boel, daar in het dorp van de heidenen. De laatste feestgangers die naar huis voeren, waren die uit Helledal; zij zongen zó luid dat het schalde over de Arnefjord.

Daarna keerde de rust weer, de stilte die bij de doden past. Op de grafheuvel van Hanna lag nog altijd die mooie, grote krans, maar vrouw Wadslund had het witte lint eraf gehaald. Dat hing nu in haar hut boven de lege krib.

„Firma I. J. Marsten & Zn. Zij ruste in vrede."

Zo had die moeder iets om naar te kijken in de lange, stille winteravonden, terwijl de kleine Helga sliep en de vrouwen gezellig bijeenzaten in „De Zeemeermin..."

Silvurbjörg had ook iets om naar te kijken... Zij stond voor de verweerde spiegel onder de dakspanten en zij keek naar haar buik. In het wakkerende licht van de olielamp verbeeldde zij zich dat zij wat dikker was dan drie maanden geleden, toen het allemaal was gebeurd.

„Je bent hartstikke gek!" gniffelde Kristianne, die haar vanuit de krib lag te begluren. „Als het zo *is*, kan je daar nou toch nog niets van zien. Kom maar gauw in bed, of je bevriest daar in je blote kont!"

Silvurbjörg nam een duik tussen de dekens en zij was opeens weer onbezorgd rood meisje, giechelend en gekscherend met lachebek, die warmte en levenslust uitstraalde.

„Ik lach me rot," fluisterde Kristianne, „grootje krijgt een rolberoerte als zij er achter komt! Geen kerel in Skard te bekennen, en jij ziet kans om even gauw zwanger te worden! Héja, rooie, hoe ging dat? Vertel mij er alles van, hè!"

„Even gauw..." Dat had zij niet moeten zeggen. Silvurbjörg voelde zich ineens niet meer zo gelukkig.

„Je doet verdomme of ik Malena Jörleif ben!" mokte zij. „Die dingen dóé je niet even gauw... Het... het was ècht, tussen ons... ik wil maar zeggen..." Plots lag zij te huilen tegen Kristiannes schouder. „O, Krissy... Ik hield toch echt van hem! Als jij hem gezien had zoals ik hem ken..."

„Dan had ik niet eens zo lang gewacht," lachte Kristianne, „ver- rèk, je zal de kans maar *krijgen*! Toe, hou op met grienen en ver- tel het nou es allemaal aan grote zus!" Zij sloeg haar arm om Silvurbjörgs schouder en zij veegde haar tranen weg.

Rood meisje werd weer rustig. Bij Kristianne hoefde zij nooit de grote, sterke vrouw van Skard te spelen. Krissy met haar eeuwig goed humeur en haar parelende lach, zij bracht al je zorgen tot hun ware proporties terug; niets was belangrijk, zolang je maar bij elkaar bleef...

Het lachen was Krissy maar eenmaal vergaan: in die nacht op Fuglö, toen zij vreesde kleine zus te verliezen, toen zij Hanna Wadslund had gevonden op de richel en voor het eerst ontdekte hoe ver de mannen gaan om het oudste spel te spelen. Maar het- zelfde noodlot had Helgi houtepoot behouden om de dochters van rooie Eiki veilig naar huis te voeren. Daarna kon niets haar meer deren, en Krissy lachte zich door het leven, dat meestal wel meeviel.

Zolang je maar bij elkaar blijft...

De twee grote zussen lagen in de brede krib van rooie Eiki en mooie Myrna. Die waren niet bij elkaar gebleven. Zij waren schimmen uit het verleden, maar zij luisterden misschien mee, terwijl Silvurbjörg met gesloten ogen haar omstandig verhaal deed.

De wind bulderde langs de besneeuwde kruin van de Murgandyr en over de schouder van de Burhella, maar het verhaal speelde drie maanden geleden, toen een verlate zomerzon nog het rif langs de Svinöfjord verwarmde en rood meisje haar plicht vergat in de armen van een jonge god.

Kristianne zuchtte toen het ten einde was, zo'n oud en simpel verhaal, dat altijd nieuw blijft. Het had haar opgewonden en bezorgd gemaakt tegelijk, want haar gedachten waren nu bij

Bokum Torleifson, en zij hoopte vurig dat de dienders hem niet al te ijverig zochten.

„Je mag van geluk spreken," zei ze zacht, „dat je hem niet bent tegengekomen toen je om hulp naar Klaksvig ging. Je wist toen nog niet hoe hij voor ons gevochten had, daar onder de Glögvar..."

Silvurbjörg huiverde. Zij staarde naar de gording boven het bed en zij doorleefde haar ontgoocheling opnieuw.

„Ik val altijd van het ene uiterste in het andere," fluisterde zij rouwmoedig. „Daar op het rif... je moet mij gelóven, Krissy, dat ik... nou ja, dat ik ècht verliefd op hem was."

„Geloof ik best!" giechelde Kristianne. „Ik ben zo jaloers als de pest."

„En een dik uur later, toen ik hoorde wat het tuig hier in Skard had aangericht, dacht ik meteen dat... dat Bókum daar de hand in had..." snikte Silvurbjörg, „dat ie mij alléén maar... had bezig gehouden om die schoften in de kaart te spelen...! O, Krissy, ik zou hem dóódgeschoten hebben, als ik hem toen had ontmoet!"

„Maar het is niet gebeurd," zei lachebek nuchter, „en nou gaat het er alleen maar om, wat je verder van plan bent."

„Van plan..." schrok Silvurbjörg, en bitter vervolgde zij: „Wat kan een meisje hier in dit godvergeten oord voor plannen maken?"

„Je bènt geen meisje meer," grinnikte Kristianne, „je bent een vróúw, wéét je nog...? Wat daar in jou groeit, rooie, dat is van hèm en van jou... Hij heeft er óók een beetje recht op, als het waar is dat je van hem houdt; hij mag het minstens wéten..."
Silvurbjörg schreide zacht voor zich heen.

„Hoe zal hij het ooit te weten komen? We zitten hier ingesneeuwd, en... en wie zegt dat hij nog op Svinö huist?"

„Over twee maanden is het hier weer lente!" lachte Kristianne. „Dan vaar je naar Svinövig en je schiet nèt zo lang met dat kanon van opa Koyring in 't rond tot al het tuig om d'r moeder begint te roepen. Maar we kennen er één die niet voor jou op de loop gaat, en die moet je hebben! ‚Bokum Torleifson,' zeg je dan, ‚kijk es naar m'n dikke trommel, daar heb jij wat ingestopt, en gaan we hier op Svinö wonen, of kom je mee naar Skard?' "

„O, Krissy...!" lachte Silvurbjörg door haar tranen heen, „Wat kan je toch fantaseren! De dienders zoeken hem, weet-ik-waarvoor...!"

„Kan nooit moord of doodslag geweest zijn!" zei Kristianne vol overtuiging. „En de dienders zoeken niet te hard; ze zijn al blij dat die *vier* zich zo gretig overgaven, en daar was een zekere Bokum niet bij."

„Ze gaan heel Svinö ondersteboven keren, heeft Marsten gezegd!" huiverde Silvurbjörg, maar Kristianne lachte haar vierkant uit.

„Die ouwe gek heeft een hoop drukte, maar als het erop aankomt, doet hij niks, en de dienders van Klaksvig komen zelfs deze kant niet uit. Nou ja, die van Torshavn zullen af en toe es door de fjord ronken met die mooie boot van hen, maar zolang de vogelvrijen zich koest houden en geen kindertjes meer opvreten, laten ze Svinö veel liever links liggen. De Faröer telt éénentwintig eilanden, heb ik gehoord, nou, wat móéten ze dan met die vier dienders...?"

„Je bent een schàt!" fluisterde Silvurbjörg dankbaar. „Ik begin echt te geloven dat we nog 'n kans maken..."

Kristianne lachte zacht. Zij hoopte dat de dienders van Torshavn werkelijk zo sloom waren als zij ze had geschilderd, maar voorlopig was Silvurbjörg gerustgesteld en méér kon zij er ook al niet aan doen. Ze ging met een zucht het bed uit, om de lamp uit te blazen. De ijzige kou streek langs haar blote voeten en zij wist niet hoe zij vlug genoeg weer in de hoge krib moest komen. „Goed idee van jou," grinnikte zij, „om kleine zus voortaan beneden te laten maffen; ze sterft er niet van de kou, en ze wordt trouwens veel te groot om tussen ons in te liggen. Héja, rooie, hoor je me niet...?"

Silvurbjörg mompelde wat onverstaanbaars. Met een glimlach om die malle Krissy zonk zij weg in een geruste slaap. Bij lachebek hoefde zij niet de sterke vrouw van Skard te zijn. Kristianne lachte al je zorgen weg...

Het werd geen wrede winter als de vorige, toen sneeuwstormen de Norderöer geteisterd hadden en het leven ingekapseld lag in de afgelegen stiften.

De vrouwen van Arnefjord leden nauwelijks gebrek; zij hadden voldoende eten voor hun kinderen en zelfs aan kleren ontbrak het niet. Daar zorgde de firma I. J. Marsten voor, die een lange zomer van hun krachten had geprofiteerd en er nu iets tegenover stelde. De voorraadschuur van „De Zeemeermin" was in de dagen na het begrafenisfeest volgestouwd met turf, en in de kelders lagen al de victualiën opgeslagen waaraan zo'n scheet-van-'n-dorpje in de donkere maanden behoefte kan krijgen. De mannen van Marsten hadden alles nog juist op tijd binnengedragen, want eind november begon het te stormen. De laatste sjouwers hadden de gammele steiger van Skard verlaten, met weemoed nageoogd door Malena Jörleif, die nog vlug een kleinigheid aan hen had verdiend.

Daarna was voor iedereen het lange wachten begonnen. December bracht sneeuw, en in januari vroor het dat het kraakte, maar de fjorden bleven altijd open. Nutteloze, bitter koude zeegaten, waarop niemand zijn leven riskeerde in de korte dagen.

Het geduldig wachten... Die van de Norderöer zijn eraan gewoon, zij hebben leren berusten in de dingen die onvermijdelijk zijn, zoals de duisternis van de lange winternacht en de kou die door je kleren vreet. Alleen de honger leer je nooit verdragen, en daarom werd dit geen wrede winter, want er was voedsel in overvloed.

Toch bracht ook deze winter zijn rampspoed mee; het leek wel of dominee Rasmussen zijn vloek in onbeheerste drift over de heidenen had geslingerd en deze niet herroepen kon, nu zij toch met de onheilsprofeet op voet van gewapende vrede leefden. Het is zeker zijn bedoeling niet geweest, ná de crew van de Gardar ook hun vrouwen en de onschuldige kinderen te treffen, maar de vloek werkte door. Wilde de God der christenen zijn dienaar tonen hoe lichtzinnig hij met zijn macht was omgesprongen...? Eerst waren de kerels van Skard getroffen, zelfs lamme Tor en zotte Oli, die part noch deel hadden aan die geschiedenis met het paard. Later had Hanna Wadslund het moeten ontgelden, misschien wel omdat zij de godsgezant een dwaas had genoemd op de dag-van-het-paard. De God van dominee Rasmussen bleek een vreselijke God, die niets vergeven of vergeten kon. Hanna zal het zo erg niet bedoeld hebben toen zij hem voor dwaas schold, en de profeet evenmin, toen hij zijn vloek over de heidenen van Skard slingerde, maar hij had die krachten nu eenmaal ontketend en er was geen houden meer aan. De vloek weergalmde tegen de hemel, tussen de Murgandyr en de Arnefjord, tot zijn laatste echo alles vernietigend in het dal van Skard.

De zee had er geen deel aan, deze keer, en de ratten slechts zijdelings. Die vraten zich te barsten aan de giftige tarwe, die op vlieringen en in kelders werd uitgestrooid, en zij wentelden zich op hun gezwollen pens, eer zij met schuim op de bek crepeerden. Wat is nou een rat? Wat zijn honderd ratten? Smerige vuile krengen, die krijsen in doodsnood...

Maar de moeders werden roekeloos met het gif dat zo probaat werkte. Zij strooiden het met gulle hand en zij vergaten die handen te wassen na dat gewoontegebaar.

Het kindje van Malena de hoer groeide voorspoedig op. Het was nu al acht maanden oud en het kroop tevreden mummelend door de hut. De moeder was daar niet weinig trots op. Met zijn rooie haartjes en fletse blauwe ogen begon het steeds meer op schipper Eiki te lijken. Soms nam zij het kind mee naar „De Zeemeermin", waar het door de gelagkamer mocht rondkruipen op zijn mollige handjes en voetjes. Dan nam Silvurbjörg het op haar schoot en zij kon het kindje knuffelen en ernaar zitten kijken met zo'n warme blik, alsof zij zèlf een jonge moeder was.

„Sprékend onze vader!" lachte Kristianne. „Hij kijkt zelfs een beetje scheel! Héja, rooie, kon het geen bróértje van ons zijn...?"

Zij keken allen tegelijk naar Sigga en zij betrapten de valse blik in haar koolzwarte ogen.

„Jullie kletsen naar dat je verstand hebt!" kakelde de heks. „Dat klein ongeluk lijkt op houtepoot, en het is zijn naam die het draagt!"

„Ik had het toch zó graag Eiki genoemd," zuchtte Malena en, met een schuwe blik op de oude vrouw: „Nergens om, hoor, zó maar... omdat ik Eiki zo'n mooie naam vind."

„Een hoerenjong zal die naam nooit dragen!" krijste de heks, en zoals altijd wanneer zij zich opwond, kwijlde zij uit haar ene mondhoek.

Malena Jörleif keek haar met grote schrikogen aan. Het wijfje deed haar aan de schuimbekkende rat denken, die zij vanmorgen in de keuken had gevonden. Maar de heks had het boze oog, en dat richtte zij vol haat op de kleine Helgi, die aan haar voeten kroop. Zij stampte driftig met haar stok op de grond.

Zij zal het zo niet bedoeld hebben, maar haar kruk kwam op het handje van de kleine terecht en het krijste hartverscheurend. Met een verschrikte vloek sprong Silvurbjörg overeind en griste het kind voor Sigga's voeten vandaan. Zij drukte het aan haar borst en zoog voorzichtig op zijn gekwetste handje, terwijl de tranen haar over de wangen biggelden.

„Smerig oud wijf!" krijste Malena de hoer. „Je wilt mijn kindje dood hebben! Je wilt mijn kindje dóód hebben!" Zij snelde naar Silvurbjörg toe en zij rukte haar het kind uit de handen.

„Doe hem zijn doek om!" riep Kristianne haar na. „De stakker zal het besterven in die kou!"

Doch Malena, trillend van de zenuwen, was de gelagkamer al uit. Lachebek liep haar na met de lamswollen omslagdoek en zij wikkelde het kind warm in, eer de moeder haar huisje bereikte. Zij ging mee naar binnen, om kleine Helgi te troosten en Malena wat op haar gemak te stellen.

„En tòch lijkt hij sprekend op mijn vader!" lachte zij, terwijl het kind al weer zoetjes mummelend over de grond kroop.

De jonge vrouw keek haar aan met zo'n dankbare blik dat Kristianne er verlegen onder werd.

„De toverkol kan mij nog méér vertellen!" zei Malena zacht. „Maar voortaan noem ik hem Eiki, een mooiere naam kan geen jongen dragen, hier aan de Arnefjord... Eiki zal hij heten, al wordt ie honderd jaar! Ik hoef mij verdomme van de heks toch niks aan te trekken...?"

Lachebek sprong op en zij vond het kind in de keuken; het was zo'n rap diertje op zijn vier dikke pootjes; het kroop vlugger dan een ander kind lopen kon.

„Klein ongeluk," giechelde zij, „ik kom je wat vertellen... Je moeder en ik hebben zojuist besloten dat je voortaan... Ah bah! Wat doe je nóú, kleine vuilak...?"

Zij veegde wat kruimels van zijn mondje. Het kind stak met een vies gezicht zijn tongetje uit, en ook daar zat nog wat korrelig spul op. Ze kon het niet zo goed onderscheiden in het vale licht van de winteravond, maar zij veegde zijn mondje af met de zoom van haar onderrok. „We hebben zojuist besloten dat je Eiki zal heten," lachte Kristianne, „en dat grootje daar niks in te vertellen heeft. Ik ga het Eydbjörg ook vertellen, en Silvurbjörg lacht zich ròt als ik het haar zeg. Eiki! Eiki, kleine rooie Eiki...!"

De moeder stond het lachend aan te zien; die voelde zich zo gelukkig alsof haar kindje werkelijk een vader had.

Kleine Eiki heeft zijn schone naam niet lang door het leven gedragen...

De volgende morgen, toen Malena bij de krib kwam, lag het kind haar aan te staren met glazen ogen en een beetje groen schuim op het verstarde mondje.

„Het kan niet veel geleden hebben," verklaarde de heks, „anders had het Malena wel wakker gekrijst, en zijn buikje was nauwelijks gezwollen..."

23
De nacht van de windjammer

Toen de sneeuw begon te smelten op de flanken van de Burhella en de wolkenkraag zich herstelde rond Murgandyrs nek, moesten de vrouwen van Arnefjord erkennen dat déze winter geen wrede was geweest. Er was eigenlijk niets ergs gebeurd en zij begonnen al reikhalzend uit te zien naar de dag waarop zij de schapen naar de bergweiden zouden drijven en Grimur eenoog hen uit hun isolement kwam verlossen met de motorvlet. Dan zouden zij weer optrekken naar Klaksvig, samen met de meiden van Helledal en Skälanes, en samenwerken met al die schijnvrome loonslaven van ouderling Marsten. Zij gingen de grote verhalen aanhoren van wat er over de Arnefjord was voorgevallen, en zelfs berichten vernemen van de grote eilanden, Strömö, waarop de hoofdstad ligt met meer dan vijftienhonderd inwoners, en Osterö, en Vaagö, waar de ijzeren schepen soms aanleggen. Zelf hadden zij weinig nieuws te vertellen, want na het begrafenisfeest was er hier niets voorgevallen, behalve de dood van kleine Helgi, maar wie bleef dáárbij stilstaan...? Alleen Malena de hoer, die zo graag een vader voor haar kindje had gevonden en het een naam had gegeven die de mensen tot nadenken stemde.

„Eiki, zeg je...?" En zij zouden naar haar kindje kijken, dat rooie krulletjes had en heel fletse blauwgrijze ogen. „Wij kennen maar één zo'n naam langs de Arnefjord; hij was de zoon van Olaf de reus, de laatste Vikinghoofdman, en hij roofde de mooiste maagd van Koningsdal. Hij doodde het paard van de prediker, en hij lachte zich rot om de vloek die over de heidenen werd gesproken. Héja, Eiki...!" Zij zouden een blik vol bewondering op de stevige knaap werpen en aan zijn haren en de ietwat schele ogen de vader herkennen, die een legende was geworden op de eilanden van Norderöer.

Daarom dreinde Malena Jörleif dat zij straks mee wilde met de vrouwen die voor Marsten gingen werken. Zij wilde met Eiki pronken, die zo sprekend op zijn vader leek.

Zij droeg hem nu overal met zich mee, een zatgevreten monsterrat, die onverschillig bleef voor al haar liefkozingen. Neuriënd warmde ze zijn papje in de vroege morgen en zij sprak hem moederlijk toe, terwijl zij hem de lekkerste hapjes voerde.

„Nou moet m'n grote jongen braaf z'n spekje eten... Nou moet Eiki rond en dik worden, en sterk als zijn vader... Maar òpgepast! Eiki mag nooit meer in de keuken komen, want dan wordt ie ziek... En nooit meer in de kroeg; daar woont de heks, die Eiki slaan wil met haar stok...!"

De zatgevoerde rat was te goedaardig of te vadsig om naar haar te bijten, wanneer zij voorzichtig zijn rechtervoorpoot tussen haar lippen nam om de pijn van zijn handje te zuigen, zoals zij Silvurbjörg had zien doen op die avond in januari, toen de heks zijn knuistje met haar stok had bezeerd. Zij streelde Eiki over zijn zachte vel en zij kuste hem op zijn roze snuitje, en 's avonds maakte zij een warm holletje voor hem in de ronding van haar arm, opdat Eiki rustig kon slapen... opdat hij niet wéér ontwaken zou met groen schuim op zijn mond en een buikje zo hard als een spijker. En ook overdag verloor ze hem nooit meer uit het oog, zij sjouwde met hem rond, en zij toonde hem aan de vrouwen, die vol deernis de blik afwendden, en aan de kinderen, die genadeloos kunnen zijn en zo genadig, die hem Eiki gingen noemen... Zij sjouwde hem overal mee in de lamswollen omslagdoek en zij wiegde hem zoetekens in slaap. Hij nam toe in gewicht en in monsterlijkheid; het werd de grootste volgevreten rat die ze op Skard ooit gezien hadden.

Maar ook anderen moesten haar kindje bewonderen. Zij droomde van Klaksvig, waar iedereen hem als de zoon van schipper Eiki herkennen zou en een blik vol bewondering op de moeder werpen, en zeggen dat zij dat bij zo'n vrouwenoverschot maar mooi versierd had.

Zo barmhartig is de Alwijze, dat Hij een moeder soms het verstand ontneemt omdat haar leed anders niet te dragen zou zijn. Malena Jörleif voelde zich in die dagen bijna gelukkig. Er waren er slechts twee die haar monsterkind kwaad konden doen, en die haatte zij met heel haar hart: de heks met het boze oog, en de verschrikkelijke God van dominee Rasmussen, die een heel dorp verdoemd had omwille van een kreupel paard. Mochten de vrouwen van Skard niet meer in die vloek geloven, dan hielp Malena hen er wel aan herinneren. Zij trad hun huisjes binnen, met Eiki in zijn vunze doek gewikkeld. Zij stonk onderhand waar zij ging, want zij had de rat in overmaat van liefde getemd, maar nog altijd niet zindelijk weten te krijgen. Hij liet zijn water lopen, hij deed zijn behoefte op haar schoot en de laatste tijd moest hij vaak braken, hetgeen haar met grote zorg vervulde. Malena de hoer, die zoveel mannen op haar fris lijf had gewiegd, was in enkele maanden een vunzig wijfje geworden uit waanzinnige liefde voor haar monsterkind.

De vrouwen zagen haar niet graag komen, maar zij waren zèlf moeders en zij wisten wat Malena had doorgemaakt. Daarom trachtten zij haar wat op te monteren en zij jaagden hun kinderen niet weg, als die vroegen of zij Eiki mochten zien.

„De heks…" zei Malena, „hou je kinderen altijd bij de heks vandaan, want zij kan ze betoveren, zodat er schuim komt op hun mond. Pas òp voor de heks, kindertjes, want zij heeft het boze oog…"

De kinderen lachten verlegen en zij streelden huiverig de rat op haar schoot. Daarna renden zij naar buiten om hun vriendjes te vertellen wat zij hadden gedurfd.

Ook voor de vrouwen had Malena haar goede raad.

„Bereid je maar voor op het ergste, want de God van de prediker is nog lang niet klaar met ons! Zijn vloek hangt nog altijd over Skard. Eerst trof hij de mannen, en toen Hanna Wadslund, die niemand kwaad had gedaan. En kijk nu naar m'n kleine Eiki, die echt ziek is, de laatste tijd… Verdomd, hij moet alwéér overgeven…!" Zij staarde de buurvrouw aan, met de doodsschrik in haar ogen. „Je hebt toch geen giftige tarwe gestrooid…? Eiki zal toch niet in de keuken geweest zijn…?"

„Je hebt hem alleen maar overvoerd," zei zo'n moeder met afgewend gelaat, en bij zichzelf dacht zij: Laat het smerige beest zich toch gauw te barsten vreten; misschien krijg je dan je verstand terug…! Of misschien spring je dan wel in de Arnefjord, stakker, dan was je veel beter af…

Wat later vertrok Malena, met haar monsterkind in de doek gewikkeld. Zij wiegde het op haar armen, zij ging het in een ander

huisje laten bewonderen, en zij bracht ook daar haar boodschap: dat de God van de prediker nog niet kláár was met Skard...!
De vrouwen waren zeer met haar begaan, maar de monsterrat begon op hun zenuwen te werken en Malena's voorzeggingen drukten allen terneer. Zij dachten over haar woorden na, en ze vreesden dat zij gelijk ging krijgen. Spreekt de geest niet vaak door de mond van de dwazen? Misschien wàs die wrekende God nog niet klaar en de vloek van de prediker nog lang niet uitgewerkt. Mochten zij hun kinderen dan wel achterlaten onder de hoede van de heks, die zelf nauwelijks meer uit de voeten kon, en van Malena Jörleif, die niet meer bij zinnen was...? Of van vrouwtje Kliffell, half blind en meestal dronken...? Hanna Wadslund was er niet meer, die zo goed op de kleinsten kon passen, en de dochters van rooie Eiki zouden het weer druk krijgen met de kroeg, al kwamen de jagers dan niet meer voor Malena de hoer... Als Loki er nog maar was geweest, dat zou al een hele geruststelling betekenen. En wie durfde Silvurbjörg nog vertrouwen, na wat er allemaal was gebeurd... Nu zij die boot bezat, gekwanseld met het tuig van Svinö, zou zij het dorp meer dan ooit in de steek laten, en werd er niet gefluisterd dat zij op een van die kerels haar oog had laten vallen...? Dat zij die kostelijke boot helemaal voor niks had gekregen...? Voor niks! Ja, gelóóf het maar...! Vrouwtje Kliffell had zich in een dronken bui laten ontvallen dat Silvurbjörg zwanger was, en dàn beginnen de stukjes in elkaar te passen...!
Zo hadden die moeders van Skard heel wat te bekonkelen buiten de vertrouwde muren van „De Zeemeermin". Zij beleefden daar hun heimelijk plezier aan, maar ook hun grote zorgen. De zorgen groeiden hun boven het hoofd; daarom besloten zij vóór het nieuwe werkseizoen eens openhartig met de heks te gaan praten...

Het bleek niet meer nodig, de volgende dag...
Misschien was de God van de prediker tòch wel barmhartig en wilde Hij die zorgen van hun schouders nemen.
Of misschien was Hij zó wraakzuchtig, dat de vloek van dominee Rasmussen tot aan de laatste echo in vervulling moest gaan... Je krijgt er nooit kijk op; Hij troont zo ongenaakbaar hoog boven het gedoe der kleine mensen, dat hij alles veel beter kan overzien en zijn alwijze besluiten nemen.

Die nacht kromp de wind naar het westen en begon daar luid te jammeren, zoals hij wel vaker doet wanneer de lente niet ver meer is. Hij blaast wolken sneeuw voor zijn mond, maar zijn adem mist de winterse kou en de sneeuw begint te smelten, en op het berglijf vertonen zich de eerste donkere plekken, blinkend nat. Daar vormen zich de ruiselbeekjes, twinkelend en klaterend langs het grote berggelaat. Zij ontmoeten elkaar, zij verenigen zich, zij bruisen rommelend en grommend samen verder. Zij omspoelen een machtige rolsteen, die daar eeuwen heeft gelegen in labiel evenwicht, zij ondermijnen zijn basis en de steen begint te schuiven. De steen kantelt, hij davert langs de flank van de Murgandyr en komt terecht in het dal van Skard, dicht bij de trollekop, die eenmaal dezelfde weg heeft gevolgd, toen er nog geen mensen woonden aan deze kant van de Arnefjord.

Het water stroomt bruisend langs de flanken van de Murgandyr en door de huidplooien van de Burhella, die het naar Tjörndal leiden, en naar het Glögvardal, en een deel naar het dal van Skard. Het stroomt in de blinkende fjorden, die er nauwelijks door worden verstoord, want rondom de fjorden ligt de zee, die het allemaal wel opneemt in haar brede schoot.

De eilanders die het horen in de nacht, het gejammer van de wind, het geruis van het water langs de rotsen en het bulderend lawaai daar in het dal, zij kijken elkaar bedachtzaam aan en zij zeggen: ,,Héja! De Murgandyr loeit! De lente is op komst...''

Daar zijn er ook, de bangen, die elkaars blikken mijden en die alleen maar denken: Vorig jaar was het de hut van Sigurd Stilling... Die donderde met één klap in de Svinöfjord, en wij hebben zijn gezin niet eens hoeven te begraven...

De bangen luisteren ademloos of zij de rolstenen horen daveren langs de hellingen van de Murgandyr, of op de flanken van de Burhella, en zij berekenen voor de zoveelste maal dat hùn huis op een veilige plaats is gebouwd, en dat hun nooit kan overkomen wat Sigurd Stilling overkwam... Doch zij blijven angstig de nacht van de windjammer doorwaken en schrikken bevend overeind als de volgende rolsteen langs het berglijf davert en ergens neerploft in het dal.

In Skard ging het anders...

Daar sliep iedereen toen God als een ,,mené tekèl'' de steen losliet die met zoveel kabaal bij de trollekop terechtkwam. Slechts een paar werden ervan wakker.

Malena Jörleif...
Zij staarde in het duister rond, geschrokken, bang dat er iets met haar kindje was gebeurd... Maar zij voelde het monstertje warm en zacht in de ronding van haar arm; zij had het kunnen ruiken, als zij niet zo gewend was aan de stank.

„Stil maar, m'n kind," zei Malena, „'t is niks... Alleen de Murgandyr schudt zijn kop, dat doet hij ieder jaar. Dan is de lente in aantocht, Eiki. Zal ik je es wat vertellen? Binnenkort varen we naar de overkant, en ik ga je laten bewonderen door al de kerels van Klaksvig! Slaap zoet, m'n kleintje, moeder waakt."

Zij begon zacht een liedje te neuriën, en het monster sliep in haar armen, met zachte snottergeluidjes. Die moeder hield spoedig op met neuriën. Nu lag zij in het duister omhoog te staren, grootogig luisterend naar het geraas daar buiten. Zij streek Eiki over zijn zachte vel en ze hoopte maar dat het bij die éne steen mocht blijven; Eiki had zijn slaap zo nodig, om een grote, sterke Viking te worden.

En vrouwtje Kliffell...
Dat klein venijnig wijfje schoot met een gil overeind in haar krib boven de stokerij. Zij luisterde als Malena naar het groot gerucht daar buiten en zij begreep dat de Murgandyr zijn manen had geschud. De weduwe Kliffell hoorde tot de bangen, die rusteloos de nacht doorwaken als de wind jammert en de berg zich roert. Vroeger, toen zij nog met Birgir leefde in de kleinste hut van Skard, was dat nooit zo erg geweest.

„Als 't je tijd is, ga je tòch de pijp uit," placht Birgir te zeggen, „want je noodlot staat in de sterren beschreven." Daarom was Birgir Kliffell een roekeloze durver geweest, die alle risico's nam in de vaste overtuiging dat niets hem deren kon vóór hij aan de beurt was. Hij zal de enige zijn geweest die zich niet verbaasde over de ondergang van de Gardar.

Maar nu was drieste Birgir al bijna vergeten en vrouwtje Kliffell bijna blind. Sigga had haar in „De Zeemeermin" opgenomen, waar zij in het magazijn tussen de wintervoorraden sliep. Zo was de foezelstokerij nog een poosje verzekerd, tot de duisternis over haar ogen zou vallen en vrouwtje Kliffell een onnut ding werd, een blok aan Sigga's been.

„De Murgandyr...!" beefde het wijfje, starend in het duister. „Nou gaat de vloek over ons komen...! Straks dondert heel die

berg op ons neer en de profeet lacht zich te barsten...!"
Maar omdat zij niet het fatalisme van Birgir bezat, dacht zij het noodlot nog een kool te stoven. Zij kroop op handen en knieën naar de keldertrap en zij liet kreunend het zware luik boven haar sluw kopje zakken. Hier kende zij elke meter van haar terrein. Hier ging de wrekende God haar vàst niet vinden.

En rood meisje...
Die lag in de brede krib en zij ontwaakte terwijl lachebek zich over haar boog.
„Héja!" zei Krissy. „De Murgandyr loeit...!"
„Dan is het bekant lente," mompelde Silvurbjörg met een geeuw, en zij draaide zich op haar andere zij; ze wilde zo graag slapen. Maar Kristianne was klaar wakker; die onderging de veranderingen der seizoenen alsof zij er deel van uitmaakte.
„Nou kunnen we binnenkort es naar Svinö varen," zei Kristianne, „en Bokum op zijn plichten wijzen!"
Bij die naam schrok Silvurbjörg wakker.
„Wat... wat zei je...? Wat is er met Bokum...?" Zij zat overeind en zij trachtte haar zusje te onderscheiden in het duister.
„Niks," lachte Krissy, „tenminste... ik hoop dat alles goed met hem is. Hij zal net als wij naar de storm luisteren en zich afvragen of de wereld vergaat. Oei! Ik heb daarnet een rolsteen horen donderen, rooie... Ik dacht dat heel Skard naar de haaien was!"
Nu luisterden zij samen naar het gebulder van de wind, die met de stem van een reus langs de bergen loeide, en naar de bruisende stromen in het dal.
„'t Is wel erg, deze keer, hè..." aarzelde Silvurbjörg. „Zo heb ik het nog nooit gehoord..."
„Murgandyr schudt de sneeuw van zich af," zei Krissy luchtig.
„Als hij anders niets schudt, is 't mij goed," huiverde Silvurbjörg. „Maar ik weet daar boven een paar *keien* te liggen... Verrek! Ik ga slapen...!" Zij trok de deken over haar hoofd, alsof die haar kon beschermen.
Kristianne kwam dicht tegen haar aan liggen en sloeg een arm om haar heen. „Ik heb gekke Oli eens horen beweren dat de trollekop er nog niet lag toen hij zijn hut bouwde, maar dat is onzin, natuurlijk."
„Ja, da's onzin," beaamde Silvurbjörg, „zulke kanjers van stenen vallen maar één keer in de honderd jaar, of nog minder mis-

schien... Zouden er op Viderö ook stenen losslaan, vannacht...?"
„Waarom niet evengoed als hier?" flapte Krissy eruit. „Het ge-
beurt toch op de hele Norderöer in de dagen van de windjam-
mer...?"
„Maar de Murgandyr is veel hoger dan de bergen van Svinö!"
beet Silvurbjörg haar toe, alsof zij iets hatelijks had gezegd.
„Dáár hoeft het zo gevaarlijk niet te zijn!"
Kristianne lachte om haar bezorgdheid.
„Kan je nooit meer aan iemand anders denken dan aan Bokum?"
Met een nijdige ruk wendde rood meisje zich van haar af. Het
was voor het eerst in hun leven dat die twee dochters van rooie
Eiki ruzie hadden.
„Jij denkt alléén aan jezelf!" snikte Silvurbjörg onredelijk.
„En jij alleen aan je jonge god!" sneerde Krissy. „Maar ver-
beeld je niks; hij bekommert zich om jóú geen pest...!"

Toen begon de óúde God zich om hen te bekommeren; die van
dominee Rasmussen, de God van de vloek... Hij wordt ook wel
de Barmhartige genoemd.
De oude God strooide met speels gebaar wat stenen uit zijn hand
en die bolderden langs de Murgandyr naar beneden. Zij volgden
de huidplooi in het berglijf en een paar sloegen met een oorver-
dovende klap tegen de trollekop te barsten. Maar één miste die
geweldige buffer en buitelde dwars door de hut van gekke Oli,
en door het lege kot van vrouwtje Kliffell, dat een heel eind lager
stond.
Nu sliep er geen mens en geen schaap meer in het gevloekte dorp.
De honden huilden alsof Loki hen had geroepen. De vrouwen
van Arnefjord graaiden in paniek hun kinderen bijeen en zij
vluchtten schreeuwend de geitewei in, tussen de kroeg en het
huisje van lamme Tor. Er was geen tijd om iets aan te trekken,
want de berg bleef stenen strooien en de wind bulderde de vloek
van de prediker over het dorp. Een kind gilde daar ijl tegenin,
het riep om zijn moeder. Het viel. Het sprong als een lenig zwart
diertje overeind en het volgde met dwaze sprongetjes de gestalten
die naar de steiger vluchtten. Het schreide niet meer, de wind
sloeg hem in het gezicht en het staarde met grote verbaasde ogen
de anderen na. De steiger...! Waarom renden ze allemaal naar
de steiger? Er zou toch geen boot aanleggen in die razende
storm...?

Ieder dacht aan zichzelf. Nee, de móéders niet; die dachten aan hun kinderen. Die sleurden zij voort door de geitewei. Zij droegen de kleinsten op de arm en zij hadden maar één gedachte: wèg van de stenen die uit de hemel donderen...! Zij wisten niet hoe ver de Barmhartige reiken kan, als Hij de uitverkorenen verzamelt onder zijn aanschijn. Daarom vluchtten zij met de kinderen tot op de steiger van Skard, waar het water hen tegenhield.

Malena Jörleif kwam er ook aan, met haar kindje aan de borst geklemd. Zij was met een krijsende gil uit het nest gesprongen dat zij met het luie monster deelde. Toen zij de stenen hoorde bolderen en krakend door de hut van vrouwtje Kliffell barsten, was haar eerste gedachte voor Eiki geweest. Zij sleurde hem uit de krib, zij wilde hem in zijn warme doek wikkelen, maar de volgevreten rat was op zijn rust gesteld, die klauwde met zijn scherpe nagels haar borsten open en hij beet haar nijdig een tepel af. „Eiki!" schreide zij. „Eiki, m'n kind, ik doe het toch allemaal voor je bestwil? Toe, m'n kleintje, laat moeder je helpen, ja?" En zij had het tegenspartelende monster in de lamswollen doek gewikkeld en zij droeg het naar de steiger, waar die andere moeders hun kinderen bijeendreven. Zij voelde de pijn niet meer, en niemand zag het bloed dat haar nachtpon bevlekte.

Zij waren daar allemaal bijeen in dezelfde ontreddering. Ook de heks, de moeder en boze geest van Skard. Zij stond er te midden van de dochters van rooie Eiki, die haar zonder kruk hadden meegevoerd. Zij stonden daar in een schamele groep bijeen, kleumend in het windgeweld en angstig starend naar het water van de fjord, dat kolkend aan hen voorbijraasde.

En niemand vroeg: „Waarom de steiger...?" Een beest in doodsnood en een mens in paniek vlucht zo ver hij gaan kan; tot de muur die hem de weg verspert, of tot het water hem omringt. Want de Murgandyr heeft zijn kruin geschud, zevenhonderd meter boven het dorp, en de stenen bolderen nog bij tussenpozen. „Straks is het over!" zei een moeder aan het oor van haar kind. „Straks is het over, en dan mag je weer slapen."

„We zijn gèk!" schreeuwde vrouw Purkhüs met haar rauwe stem plots boven het gebulder van de wind. „De kinderen besterven het hier van de kou! Terug naar 't dorp; een steen valt nooit twee keer op dezelfde plek...!"

Zij had gelijk, maar terwijl de meesten haar aarzelend volgden en een paar nog draalden op de steiger van Skard, kwam de laatste steen langs de bergflank gebolderd. Een steen zo groot als een huis... Die volgde de lange huidplooi in de Murgandyr. Die miste de trollekop en sloeg met donderend geraas in „De Zeemeermin". Daar werd bang vrouwtje Kliffell met één gul gebaar van Gods hand in haar zelfgekozen graf bedolven.

De anderen wisten dat niet; die hadden haar nog niet gemist. De moeders van Skard vluchtten met al hun kinderen in paniek naar de gammele steiger van de Gardar terug, die kreunde onder de druk van het water, die stond te schudden onder de kracht van de wind... Het schamel gewicht van een handvol veroordeelden mag daar geen betekenis in hebben. Het moet een van de pijlers geweest zijn, weggerot bij de waterlijn, of een harde windstoot, wie zal het zeggen...? De oude God is daar boven, maar die zwijgt wijselijk; die zegt niet eens of hij de Wreker of de Barmhartige is...

Op het ogenblik dat heel het volkje van Skard de steiger op vluchtte, brak de verrotte pijler die rooie Eiki al had moeten vernieuwen, en krakend stortte de hele stellage in de Arnefjord...

Er verdronken er slechts een paar, zó inhalig is die oude God nu óók weer niet. Hij heeft de tijd om te wachten tot de jongste dag.

Alleen de kleine Eric Joensen was een slechte zwemmer, die hield het maar uit tot het midden van de fjord.

En het grut dat op moeders armen zat, duikelde met een kreet in het ijskoude water.

De andere kinderen waren binnen de kortste keren op de kant, ze leren vlug zwemmen daar langs de Arnefjord.

De kinderen schreiden niet meer, zij drongen bibberend bijeen rond de moeders, van wie er een paar gilden alsof zij vermoord werden...

En dan waren er nog de vrouwen die het verst op de steiger gestaan hadden, om te voorkomen dat er een kind in de fjord zou vallen.

De heks en haar kleindochters.

Malena Jörleif met haar monsterkind.

Die dreven in het duister rond op planken en balken, of wat zij in hun eerste schrik maar konden grijpen. De stroming voerde hen naar het midden van de fjord en zij zouden bij Helledal wel weer aan land spoelen, als zij een beetje geluk hadden.

Lachebek had het niet, deze keer. Die zal àl haar geluk wel hebben opgebruikt in de vijftien vrolijke jaren die zij aan de Arne-fjord had doorgebracht. Zij dreef op een dikke plank naar de overzij, maar de hemel hing zo zwart over de Norderöer, dat zij de steiger van Helledal niet kon vinden en de windjammer blies haar genadeloos de open zee in. Daar zal het lachen haar zijn vergaan, want Krissy geloofde in het leven, zolang je maar bij elkaar bleef.

Rood meisje moet aan hun laatste en enige ruzie gedacht hebben, terwijl zij op een stuk van het plankier over de fjord gedreven werd, want zij richtte zich telkens half op en schreeuwde wan-hopig om Kristianne, alsof die alleen in gevaar was.

Eydbjörg lag naast haar op het reddende vlot. Zij hield zich krampachtig aan het drijfhout vast en zij had bij al haar ontred-dering een kinderlijk vertrouwen dat zij wel ergens aan land zouden geraken.

„Stil nou! Stil nou toch!" smeekte zij grote zus. „Krissy kan zwemmen als..." Een golf sprong over het vlot en sneed haar woorden af. Later hadden zij alle adem nodig voor eigen lijfs-behoud; het plankier botste hard op een schoeiingpaal, schampte af en werd door de loeiende wind naar zee gedreven. Maar de zusjes doken samen in de wilde stroming en sámen bereikten zij de landingsplaats van Helledal, waar hun evennaasten de storm-nacht doorwaakten achter gegrendelde luiken.

Nu waren alleen de heks en de hoer nog op de fjord, die twee moeders die elkaar haatten totterdood, omwille van het kind dat de naam van schipper Eiki niet door het leven had mogen dragen. De barmhartige God had die twee samengedreven op hetzelfde stuk plankier, want de oude Sigga kon niet zwemmen en de moeder van Eiki hield krampachtig de doek tegen haar lichaam gekneld waarin het monsterkind zich met klauwen en tanden verzette tegen haar waanzinnige liefde. Malena bloedde uit vele wonden, maar welke moeder offert zich niet voor haar kind? Zij zat een beetje voorovergebogen op het plankier, met haar rug naar de ijzige wind, maar uit haar ogen straalde de warme blik die zoveel mannen tot kinderen had gemaakt in haar armen. On-der de luide stem van de wind begon zij met schel geluid het oude wiegelied te zingen, dat haar kindje altijd in slaap had ge-sust. Maar nu was het bezeten van een dierlijke angst en het verweerde zich heftig in de kletsnatte doek, het dacht dat het als de ratten verzuipen ging.

Toen die moeder een kreet van pijn niet onderdrukken kon en haperde in haar lied, keek Sigga op van de plek waar zij gelegen was en haar ogen fonkelden van haat. Zij had al haar krachten nodig om zich aan haar laatste restje leven te klampen; daarom kwamen haar woorden in korte stoten, maar geladen van gif.

„Hoer...!" siste zij. „Vuile hoer...! 't Is een ràt...!"

Verbijsterd wendde Malena zich in de richting van het geluid. „Het is mijn *kindje*!" zei ze heftig. „Het is mijn kleine Eiki, sprékend zijn vader...!"

De rat deed een laatste wanhopige poging om zich te bevrijden; daarom boog zij zich weer over het spartelende pakje op haar schoot. Zij wikkelde de doek nòg vaster rond de volgevreten pens en zij smoorde Eiki in haar overmaat van liefde. Met een bijna menselijke kreet stierf het monster in haar armen.

„Hóór je wel?" siste de heks. „'t Is een ràt...! Ga kijken! Hij heeft schuim op zijn bek...!"

Secondenlang was daar alleen het gebulder van de wind, die het vlot genadig naar de oever dreef. Malena zat grootogig op het bundeltje neer te staren, dat zich plots zo willig liet plooien in haar handen. De woorden van het oude wijf vielen als stenen op haar hart.

„Nee..." fluisterde zij, „dat... dat mag je niet zeggen...!" En smekend wendde zij zich tot de oude vrouw. „Zeg dat het niet waar is, Sigga! Zeg dat het niet wáár is, alsjeblieft! Mijn kindje hééft geen schuim op z'n mondje! Toe, zeg dat het niet waar is!"

„Kijk zèlf wat ervan waar is!" kreet de heks, en toen Malena vol angst naar het stille bundeltje bleef staren: „Nou...! Dùrf je niet...? Zal *ik* het voor je doen...?" Zij strekte een klauwige hand naar de doek, doch Malena, in haar angst om het kind, sprong met een gil overeind, drukte het bundeltje tegen haar borst en week een stap achteruit. Het vlot kantelde. Het stond een ogenblik verticaal, eer God er zijn fiat over blies.

Er was nog wat heftig geplons in het water, daar onder de steile oever van Helledal. Het kan niet lang geduurd hebben; die ene moeder was al zo uitgeput, en de andere zo stram in haar broze botten. Ze zijn wel samen aan het einde van hun reis gekomen en Malena hoefde niet te weten of haar kindje schuim op zijn mondje droeg...

259

DE LAATSTE KOLONIE

HOOFDSTUK 1

Dit verrukkelijke, duizendmaal verdoemde eiland...!
Drie maanden lang loopt de zee zich met loeiend geweld te
barsten tegen de granieten kust, waarop de oude Sarden hun
Nuraghetorens bouwden. Murw gebeukt tenslotte, in slaafse
onderworpenheid, likt zij voor de rest van het jaar de plompe
voeten van de berg Tavolare, fluistert langs de schaarse witte
stranden, waarop het te bleke vlees van Engelsen en Duitsers,
van Zweden, Hollanders en Belgen zachtjes ligt te stoven onder
de koperen zon.
Dit eiland is de laatste kolonie.
Beter dan Congo en minder riskant, want er sneuvelen alleen
wat inboorlingen af en toe. De kolonisten gaan vrijuit; die
moorden niet en verkrachten niet. Zij nemen slechts het land
van de herder en verkopen het aan de fabrikant, aan de dokter,
de beenhouwer, en aan ieder die genoeg zwarte francs bezit om
een stukje kolonie te kopen...
Dit eiland is een behaagziek, mooi wijf; even verrukkelijk, even
wulps, onbetrouwbaar, lui en vol tegenstrijdigheden.
Hier wordt nog ouderwets gemoord, geplunderd en met
beesten op mensen gejaagd. Hier wordt geroofd, verkracht, ge-
zopen en alle soorten liefde bedreven. Hier wordt gegokt, ge-
sjaggerd en hevig gehaat. Luid gebeden ook, door de inboorlingen, maar de oude God verstaat ze toch niet; de kolonisten
vloeken te luid.
In het hart van dit verrukkelijke eiland, in de Barbagia, vermoorden de inboorlingen elkaar in koelen bloede; daarna slaan
zij eerbiedig een kruis en schreeuwen om de priester. De
begrafenis geschiedt altijd plechtig, met koorknaapjes, wijwater
en wierookwalm (want we leven hier dicht bij Rome) en méér
druipende kaarsen, naar gelang de overledene meer kogels in
zijn arme donder kreeg... Doch daar hebben de kolonisten
geen schuld aan.
In het noordoosten, aan de superluxe Costa Smeralda, leidde de
directeur van Cala di Volpe die dag zelf zijn eerste seizoen-
gasten rond; enkele gekroonde – en ook een paar warhoofden,
maar alles exclusief. De meeste dames waren zeer summier
gekleed, al droegen zij wel iets meer dan hun juwelen, maar het
décolleté schijnt zich te verdiepen met het stijgen der jaren, en
de zomers zijn heet op Sardinië. Er waren verslaggevers en
fotografen uit alle westerse landen. Die van 'Der Spiegel' likte

zich de vingers af; die van 'De Telegraaf' ontbrak helaas, en 'Ons Land' beweerde later dat de Aga Khan daar op Sardinië een nieuw Aards Paradijs aan het scheppen was. Dit gebeurde in het noorden.

Wat lager, aan het kleine strand van Terrata, waar zelfs de zee een ogenblik de adem inhield, liet juffrouw Irma Deceuckeleire uit Mannekenskerke (West Vlaanderen) zich vakkundig in de liefde onderrichten door een geitenhoeder uit Olbia. Zij had er dertig lange jaren naar gehunkerd, doch nooit verwacht dat het híer gebeuren zou. Per slot van rekening was zij alleen maar van Zavetem vertrokken om een stukje kolonie te kopen, en zij wist nog niet eens of zij dat bij Van Alfen, bij Rudie van der Paal, of bij slimme Lowieke zou doen. Het viel haar allemaal echt een beetje tegen...

Nog dieper in het land, waar de kolonisten niets te zoeken hebben, op een boogscheut van het bergnest Orgosolo, lag Giuseppe Parera langzaam dood te bloeden uit een paar kleine kogelgaten. Hij kon het zelf niet geloven, hij was nog zo jong. Vorig jaar een veelbelovend student; nu de kreperende bandiet, op wiens hoofd de prijs van tien miljoen lire was gesteld. De carabiniëri van Nuoro gingen die zeker opstrijken, want Giuseppe voelde de levenssappen uit zijn jong, soepel lichaam druipen en voor het eerst werd hij echt bang. Hij dacht aan het meisje dat hem de nacht vóór zijn laatste dag terwille was geweest. Alsof zij ervan geweten had... Nu leefde hij misschien voort in haar, wanneer zijn lichaam reeds ging verrotten... Dit was een bitter kleine troost. Hij dacht aan zijn moeder met haar heldere blik en hij hoopte tegen beter weten in, dat niemand hem zou herkennen in zijn herderslompen en met zijn luizenbaard. Hij was in geen maanden geschoren en had zich zelden kunnen wassen, sedert de carabiniëri met de honden op hem jaagden. Zijn makkers hadden zich besmeerd met wolvevet tegen de honden. Graziano strooide peper in zijn voetsporen en Filippo de kralen van zijn rozenkrans, terwijl zij schietgebedjes prevelden of zachtjes vloekten van angst. Het mocht allemaal niet baten; de mensen of de beesten vonden je tenslotte toch.

Nu lag Giuseppe verkrampt onder de zinderende, genadeloze hemel in zijn eigen stank, in zijn éígen donker bloed, dat al trager begon te druipen, en hij vroeg zich af of daar boven dat helle licht nu de wrekende God hem beloerde... Hij was bang, maar meer nog voor de honden dan voor God... Een gifgroene hagedis liep over zijn borst, op jacht naar een paar glanzende strontvliegen. Die konden op zijn dood niet wachten. Ook de blauwe baretten niet, die zich voor het eerst in niemandsland hadden gewaagd, tot over het ravijn van Cosseddu, en die hij lager op de bergflank wist. Je kon ze niet horen, maar zij wáren er met hun geweren. Zij zouden hem nu wel gauw een genadesalvo komen geven, als zij hun eigen angst overwonnen hadden en precies wisten waar hij zich tussen de struiken had gesleept, of welke vernieling hun kogels reeds in zijn lichaam hadden aangericht. Giovanni en Filippo waren wel ontkomen, misschien, en Ignazio ook. Giuseppe hoopte het voor hen, al had hij zijn makkers nu wel graag bij zich gehouden. Hij was bang om zo alleen te sterven.

Na het tweede treffen met de mensenjagers hadden zij hem geholpen om zich hier te verschuilen achter de blauwe rots. Zij wisten niet hoe slecht hij er aan toe was; het valt soms nog mee. Maar later was alles beklemmend stil geworden op de bergflank en beneden in het dal. Zij begrepen dat de carabiniëri op versterking wachtten, God, misschien wel met de honden...! Toen was Ignazio Testa het eerst onrustig geworden. Je kon Ignazio nooit vertrouwen. Hij lag zacht te janken achter het rotsblok en hij was niet eens gewond. hij had zijn Winchester nog en een koppel handgranaten. Ignazio had geen enkele reden om te janken, het donkere bloed sijpelde niet uit zíjn lichaam. „We moeten er vandoor!" snotterde hij, „nu kan het misschien nog, maar ze zijn versterking halen! Ze komen straks met de honden...!"

Giuseppe had het allemaal gehoord, terwijl hij vergeefs poogde de dingen rondom hem te onderscheiden. Er was iets met zijn ogen, al zetelde daar niet de pijn; alles werd zo wazig... Later merkte hij ook dat iemand zich over hem boog, een duistere schim tegen de hemel, Filippo misschien, of de jankende Testa. Ja, het was Testa... die stroopte hem zijn lange schepersmantel af, en zijn wollen vest. Het deed zo'n vervloekte pijn, dat hij nog even terugglipte uit de schaduw van de dood.

Hij zag het bezwete gelaat van Testa over zich gebogen, hij rook zijn adem en wilde vragen waarom ze hem zijn spullen afnamen. Verdomme, moesten zij hem al beroven eer hij gepeigerd was...? Nee, het ging alleen om de Christoffelmedaille, die hij aan het zilveren kettinkje om zijn hals droeg. Caterina had er eens haar witte tanden in gezet toen hij bij haar was, en later had zij gevraagd of Sint Christoffel hem ook tot haar had geleid. Caterina had het geloof van haar kinderjaren, en die laatste nacht, onder het wapperende kaarsvlammetje, had zij beschaamd haar grote, donkere ogen gesloten toen hij de dingen met haar deed. Haar vochtigrode lippen vlak voor zijn hijgende mond. Of, was het zijn eigen bloed, dat nu in kleine krampstoten uit zijn longen barstte...?

Caterina... Hij poogde wanhopig haar beeld vast te houden, maar ook zij trok zich allengs terug in het duister dat hem overhuifde, en er waren nog alleen de klauwen van Testa, die zijn lichaam aftastten, en die zich meester maakten van zijn lamswollen vest. Testa had er geen en de winter was bitter koud geweest in de bergen. Ignazio Testa had hem dat dubbelgeweven vest altijd benijd, de hond. Nu rukte hij het hem van zijn deerlijk gehavend lijf, snotterend alsof híj de pijnscheuten voelde, en hij kleedde zich ermee, onbekommerd om het bloed dat zijn hemd besmeurde.

Er was nog wat hees gefluister; Giuseppe trachtte hen te verstaan, zich verstaanbaar te maken, maar zij spraken een taal die niet meer van zijn wereld was. Toen Giovanni een rozenkrans tussen zijn vingers frommelde, wist hij dat ze hem hadden afgeschreven en de angst lag op zijn borst als een bloeddorstig beest. Of, waren het toch reeds de honden...? Later bewogen zich weer schaduwen boven zijn gelaat, takken van de blauwe myrthe, en daarboven trilde onbarmhartig wit licht. Als hij zijn ogen sloot, bleven zij in een rood waas op de retina getekend. De takken vormden een kruis. De cicaden zongen hysterisch en de strontvliegen gonsden nu in drommen om hem heen; ze streken neer op zijn lippen en op zijn kin, waar het bloed begon te stollen. Hij rook zijn eigen stank en hij moest ineens denken aan het wolvevet van Ignazio... om de honden te verdrijven... Ze zouden hem nu wel gauw vinden; hij stonk een uur in de wind.

Zij hadden samen veel beleefd dit jaar, deze ongekend barre winter in de bergen... Hij hoorde niet tot hun milieu, maar de bende van Graziano had hem aarzelend toch opgenomen, nadat hij in paniek die twee carabiniëri had neergeschoten. Iedereen had ervan gehoord en het was zelfs tot de vogelvrijen in de spelonken van de Oliena doorgedrongen. De kranten – tot op het continent – hadden het over de hele frontpagina vermeld: Duplice omicidio...! Giuseppe Parera, student uit Nuoro, schiet in koelen bloede twee carabiniëri neer, die hem naar zijn rijbewijs vragen... Dat gebeurde op de 14e mei 1967.

In de holen en spelonken van de Sopramonte, waar twee kleine bandietenbendes zich sedert jaren aan de lange arm der wet wisten te onttrekken, vroegen ze naar geen rijbewijs. Graziano Mesina, verwaand leider van de groep die zich meestal ten zuiden van de Oliena ophield, constateerde alleen maar dat hij goed kon schieten en nam hem genadig in zijn bende op. De lange zomer werd een zwetende nachtmerrie, want de grote klopjacht van mensen op mensen was dat seizoen geopend...

Prins Karim, zo werd er verteld, was zich hoogst persoonlijk in Rome gaan beklagen dat zijn luxe gasten zich aan de Costa Smeralda niet veilig voelden, zolang het banditisme in het binnenland van Sardinië niet was uitgeroeid. Hij had pas vorig jaar zijn zevende hotel 'Luci di la Muntagna' geopend, maar de verwachte filmsterren bleven weg en Onassis had met zijn welbeladen jacht reeds na drie dagen de steven gewend, omdat hij liever op zeemeerminnen, dan op Sardische bandieten jaagde. Maar er wordt zoveel verteld...

In de vroege lente, de sneeuw was nauwelijks van de bergtoppen geblazen, werden er een paar honderd 'blauwe baretten' met wolfshonden van het continent naar het verdoemde eiland overgeheveld. De luxe gasten konden aan de Costa Smeralda nu veilig hun cocktails drinken, hun lieven kozen en hier en daar een brok van de laatste kolonie opkopen.

Dat er die lange, hete zomer slechts een handjevol bandieten werd gevangen en één herdersjoch door de honden verscheurd, valt alleen te begrijpen door wie de grimmige Sopramonte kent, met z'n holen en spelonken hoog boven de kurkwouden en ver van de gebaande wegen. Alle veroveraars de eeuwen door, van Hasdrubal tot Hitler, hebben zich tevreden gesteld met slechts de Sardische kusten te bezetten en wat Nuraghetorens te slechten. In het centraal bergmassief weet niemand de weg, dan de ratten die er hun holen hebben en niet willen kreperen op hoog bevel...

Nu was Giuseppe zo'n stervende rat. Hij had in zijn hol moeten blijven, tussen de flikkers van Graziano's uitgelezen gore troep, dan was hem niets gebeurd. Maar Giuseppe had die andere liefde gekend en hunkerde terug naar het meisje uit Orgosolo. Ook Filippo en Giovanni hadden daar een lief, en Ignazio 'De Jankerd' was met hen meegegaan omdat hij evenzeer de prikkel in het vlees voelde. De drie hadden hem argwanend bekeken, toen hij in hun voetspoor volgde en Filippo had op de grond gespuwd. Zij wisten dat 'De Jankerd' nergens een lief bezat. Wat deed hij dan mee te gaan naar Orgosolo? Had Graziano hem opgedragen zijn makkers te bewaken...? Het gebeurde wel meer, dat een van de mannen zich 's nachts tot in Orune of Bitti waagde om weer eens bij een vrouw te zijn, maar nooit zonder toestemming van de bendeleider. De blauwe baretten konden op pad zijn met de honden... Er kon verraad dreigen van een afgewezen minnaar, of het stomme toeval kon je parten spelen. De Heilige Maagd, die even vurig door de jagers als door het wild werd aangeroepen, kon soms in tweestrijd staan en haar gunsten verlenen aan wie de dikste kaarsen op haar altaar brandde... Je weet die dingen nooit. Graziano had zijn kaarsen veel te hard nodig om in de grotten en spelonken van de Sopramonte zijn weg te vinden en dat kon wel eens kwaad bloed zetten daar boven; de vogelvrijen waren nu eenmaal niet van die fervente bidders...

Daarom moest hij het zekere voor het onzekere nemen en had hij iedereen verboden, zonder zijn fiat de Sopramonte te verlaten. De lust van de een kon de dood van de ander betekenen, nu Marcano, de grootste bandietenjager van Italië, naar het eiland was gekomen. Wie zijn lust niet langer baas kon, moest dan maar naar andere bevrediging uitzien.

De andere bevrediging. Giuseppe Parera kon ervan kotsen. Hij hunkerde naar Caterina en was koppig besloten, haar deze nacht te zien. Giovanni Campus en Filippo Bianchi, die samen met hem de eenzame wacht aan de rand van het ravijn moesten betrekken, waren er even lichtzinnig van overtuigd dat hun liefjes op hen wachtten en dat zij best voor de dageraad op de Oliena terug konden zijn. Doch zij hadden niet op Ignazio Testa gerekend, die zich ongevraagd bij hen aansloot, terwijl zij wisten dat hij geen lief in Orgosolo had.

„Je gaat niet met ons mee!" grauwde Filippo, „jij hebt maar op je post te blijven vannacht!"

„Een andere keer zullen wij jóuw wacht overnemen," trachtte Gianni de pil te vergulden, „als we met vier man tegelijk weglopen, komt Graziano het aan de weet..."

'De Jankerd' staarde zijn makkers aan, alsof hij hun taal niet verstond, maar toen zij zich omdraaiden en langs de rotsen naar beneden begonnen te klauteren, volgde hij hen op korte afstand.

„De vervloekte ellendeling!" siste Filippo tussen de tanden, „als hij niet gauw teruggaat, trap ik hem in elkaar."

„Wie breng je daarvoor mee," hoonde Testa, „de capitano

soms? Als die merkt dat we onze posten verlaten hebben, legt ie ons alle vier om. Ons alle vier..."

Daar mee had 'De Jankerd' de zaak op zijn punt gesteld. Zij voeren in hetzelfde schuitje en met geen van vieren zou Graziano genade kennen, als hun desertie aan het licht mocht komen.

De anderen deden er het zwijgen toe. Voorlopig dreigde het gevaar achter hun rug, bij de eigen bendeleden, die zich veilig waanden met vier wachters aan de rand van het ravijn. Pas later hoefden zij de jagers te vrezen, als zij zich in het dal waagden en in de donkere straatjes van Orgosolo.

Het was een uitgelezen nacht voor hun driest avontuur; geen maan aan de hemel en de schaarse sterren werden telkens weggevaagd door langsjagende wolkenflarden. De Oliena troonde in een mantel van grauwe nevel, die door hun lange schepersmantels drong en hen tot op hun huid verkleumde. Beneden in het dal zou het behaaglijker zijn, maar even duister. De nachten waren nog bitter koud op de flanken van de Sopramonte en het had zelfs nog even geregend, deze week. Giuseppe was blij om het dubbelgeweven vest. Caterina had het hem geschonken toen die barre winter begon; zij had er de warmte van haar liefde en de warmte van haar soepel lichaam in verweven. Het had hem de bittere kou doen verdragen, maar evenzeer vervuld van een knagend heimwee naar het jonge wijfjesdier, dat hem vanuit de verte lokken bleef. Nu was hij naar haar op weg en drie bronstige dieren volgden hem, en een ongekend aantal beesten lag op de loer tussen de Sopramonte en het slapende dorp.

Giuseppe kon aan niets anders dan aan beesten denken, sedert hij het wild was geworden, waarop gejaagd werd, dag en nacht. Hij wist niet meer of hij nog spijt had om de twee die hij had neergeschoten in een vlaag van paniek... Dat was geen eerlijke jacht geweest. Hij was niet het wild toen, en zij niet de jagers. Zomaar een veiligheidspatrouille op weg naar Nuoro. Zij hadden de rode lamp gezwaaid en de plak geheven om hem te doen stoppen. Drie jonge kerels, die de veiligheid moesten verzekeren van Prins Karim en zijn luxe gasten. Maar hij had die wapens in zijn wagen, een kistje handgranaten in de koffer en het machinepistool op de dodemansplaats... Als zoon van de schatrijke Parera had hij notabene een wapenvergunning op zak, maar, nee, hij moest in paniek raken en schoot er op los, eer het tot hem doordrong dat de brigadier hem slechts om zijn rijbewijs had gevraagd... De kogels scheurden door de borst van brigadier Mulas, die hem met een blik vol ongeloof had aangestaard, eer hij begon te wankelen en langs de Fiat afgleed. De agent Birina stuikte ineen, eer hij zijn pistool had kunnen ontholsteren en een eindje verder, in het duister langs de berm, had Giuseppe een derde gestalte ontwaard.

Het waren niet de twee doden, die zijn nachten kwamen verstoren, maar de andere, die hij gillend had achtergelaten, die dwars over de weg gevallen was, huilend als een angstig kind. En wàs het geen kind misschien, dat hij een verbijsterend ogenblik in de lichtplas voor zijn lampen ving, eer de Fiat er bonkend overheen danste...?

In zijn doorwaakte nachten bleef hem de vraag kwellen of hij dat lichaam niet had kunnen vermijden, of hij er niet met gierende banden langs had kunnen zwenken, zelfs op die smalle weg. Maar het had allemaal geen zin meer; hij was het wild geworden en de jagers lagen in hinderlaag, misschien wel tussen de Sopramonte en Orgosolo, misschien tussen hem en Caterina. Ze gingen hem zeker een keer vinden en dan zou hij eindelijk weten waarom die brigadier zo verbijsterd had gekeken naar twee kleine kogelgaten in zijn tuniek.

Zij kwamen aan de rand van het dal en Filippo Bianchi hurkte neer achter een myrthestruik. De anderen drongen om hem heen, Ignazio Testa het laatst, aarzelend of zij hem tenslotte toch aanvaard hadden. Tot zover was alles goed gegaan, maar ergens in het dal konden de blauwe baretten liggen, ergens konden de honden zijn, die je nooit ontloopt.

Het dal was drie kilometer breed, daarna kwam de steile klim naar het dorp. In Orgosolo sliepen de mensen. Onder een laag pannendak, op de vliering boven de bakkerij van Tonio Devaddis, lag Caterina. Zij zou wachten, als vele nachten daarvoor; zij zou blijven wachten, met het kleine venster open. Giuseppe wist hoe zij daar gestrekt lag onder de binten en hij kon zijn hunkering nauwelijks bedwingen.

„Hier gaan wij uit elkaar," fluisterde Filippo, „verder is het ieder voor zich, en wie voor de dageraad niet terug is op de Sopramonte, heeft zijn eigen vonnis getekend."

Zij wisten het: langer dan een paar uren konden zij niet in het dorp doorbrengen, daarna wachtte hun de barre tocht omhoog, door de wijngaard van Corraine en het eikenwoud, terug langs ravijnen en spelonken naar de post die zij hadden verlaten. Misschien zouden zij zich bitter afvragen of het al die moeite waard was geweest. Of, zij konden onderweg de jagers ontmoeten en niets meer te vragen hebben... Zij waren alle vier zwaar gewapend, zij zouden hun huid duur verkopen, maar nu stelden zij hem in de waagschaal voor een kort ogenblik van vergetelheid. Even zichzelf verliezen in de schoot van het lief en niet willen weten dat daar buiten in de wijngaard of op de bergflank de dood op de loer ligt...

Zij verspreidden zich zonder nog een blik op de ander te werpen. Giuseppe voelde het beven weer beginnen, zoals altijd wanneer hij zich alleen in de buurt van de mensen waagde. Het begon in zijn knieën en het kroop langzaam omhoog in zijn onderlijf. Het had met zijn hunkering naar Caterina Sorighe en met haar zoete verleiding niets van doen. Het was de angst die langzaam bezit van hem nam, tot de haren in zijn nek overeind stonden en hij zijn eigen zweet kon ruiken. Het bloed bonsde door zijn slapen, terwijl hij op handen en voeten door de wijngaard van Jacomo Corraine kroop, tot aan de stapelmuur, waarlangs de weg zich naar het dorp kronkelde. Zijn gespannen zenuwen signaleerden een vaag gerucht op de weg en hij strekte zich languit aan de voet van de muur. Het kon een van zijn makkers zijn, die de weg overstak; het konden evengoed de jagers zijn...

Hij trachtte het beven te bedaren door zich stijf als een dode te houden, maar hij dacht vol afschuw aan de dode die hij niet wilde zijn en het beven nam weer bezit van hem. Het doorzinderde hem van zijn knieën tot zijn nek en hij hoorde het dorre onkruid ritselen, waarin hij onder de hemel gestrekt lag. Het ging over. De weldadige stilte en de milde duisternis overhuifden hem. Hij wilde zo wel blijven liggen in de geur van de bittere thijm, in de zure geur van zijn zweet. De honden zouden hem ruiken, als hij zoveel angst uitwasemde en voor het eerst vroeg hij zich af of Caterina zijn angst ook kon ruiken, wanneer hij bij haar lag. Zij hadden er nooit over gesproken, want hij was voor haar het ontembare mandier, dat bezit van haar nam en haar angst versmoorde onder zijn geweld. Later snikte zij een beetje aan zijn schouder en hij poogde haar met kleine woordjes te troosten. „Stil, stil nu maar, Carina, mijn lief... het komt allemaal weer goed."

Zij wisten, maar wilden niet toegeven, dat het nooit meer goed zou komen. Zij hoefden elkaar niets wijs te maken. Deze nachtmerrie zou eindigen zoals hij was begonnen, een jaar geleden, met het bruut geweld van kogels die in een lichaam sloegen.

15

Alleen zou het deze keer zíjn vlees zijn, dat onherstelbaar verscheurd werd en zou hij verbijsterd naar de kleine gaten staren, waaruit zijn leven wegsijpelde. Het angstvisioen overweldigde hem telkens weer, in zijn doorwaakte nachten, of wanneer hij zichzelf verloor in Caterina's armen. De jagers en de honden kun je een tijdlang ontlopen, maar de wrekende God zette hen toch weer op je spoor. Vroeg of laat gingen ze hem vinden...

Eenmaal had hij gepoogd God te vermurwen. Had zijn moeder hem niet vroom opgevoed, met de Heilige Mis op zondag en het gemurmel van de rozenkrans voor het slapen gaan? De biecht voor elke doodzonde, of je nu met je plassertje hebt gespeeld, of je zusters begluurd bij de zaterdagse wasbeurt. 'Onkuisheid is de ergste zonde, m'n kind; daarvoor heeft de lieve Jezus bloot aan 't Kruis moeten hangen, en denk toch aan de molensteen voor hem die de onschuld belaagt...' Haar fantasie reikte niet verder dan de misbruikte plassertjes en de molensteen om de hals van de ergernisgever. En er was maar één remedie: de maandelijkse biecht met nauwkeurige vermelding van getallen en omstandigheden. Dàn alleen zou de Goede Herder het verloren schaap weer op de schouders nemen en het zelfs tegen zijn wrekende Vader beschermen...

Heerlijk eenvoudig geloof van moeder Parera! Vele generaties van vrome Sarden drukken een stempel op je ziel, als het brandmerk op de schoften van hun runderen. Daarom hoopte Giuseppe nog altijd de wrekende God te ontlopen, door zich achter de mantel van de Goede Herder te verschuilen.

Op een donkere nacht, kort na zijn misdaad, wist hij ongemerkt in het bergnest Oleddu door te dringen en zich toegang te verschaffen tot de pastorie naast het gammele kerkje van padre Angelino, die als toegift op een lang en deugdzaam leven nog wat zieltjes trachtte te verschalken voor zijn Heer.

De oude man werd met een schriksnork wakker, toen Giuseppe, slechts gewapend met een zaklantaarn, zijn slaapvertrek binnendrong en trachtte met knipperende ogen de gestalte achter de lichtkegel te onderscheiden. Hij verschanste zich achter de deken, die hij optrok tot aan zijn grijze baardstoppels. Er vielen bij hem geen duizend lires te stelen en hij wist zich niet betrokken bij een der talrijke vendetta's, maar toch beefde hij als een riet. Iedereen is bang in de binnenlanden van Sardinië wanneer het donker wordt. De oude sloeg een kruis, en nog een, maar het was zeker satan niet, die zich achter de lamp verschool; hij weigerde krijsend in de eeuwige verdoemenis te vluchten.

„Padre," zei Giuseppe schor, „ik kom alleen maar om te biechten... Kijk, eerwaarde, ik ben ongewapend, ik wou alleen maar biechten." En om de oude man op zijn gemak te stellen, liet hij de straal van zijn zaklantaarn over zijn forse gestalte spelen en tot rust komen op zijn blozend jongensgelaat.

Als het zijn bedoeling was geweest padre Angelino een hartinfarct te bezorgen, had hij niet effectiever kunnen handelen. Met een krijs sloeg de oude zijn handen voor het gelaat en bleef door zijn gespreide vingers naar de baarlijke duivel zelf staren met puilende ogen. Hij had hem herkend van de foto's in 'La Nuova Sardegna', in 'Sassari Sera' en van de opsporingsbiljetten bij het gemeentehuis.

„Giuseppe Parera! Mandato di cattura per duplice omicidio...!" Zwaar woog de stilte na de kreet van de oude man. Giuseppe stond onbeweeglijk tegen de muur, recht onder de koperen Kruislieveheer, die daar zo bloot moest hangen omwille van de onkuisheid. Hij trachtte boven het bonzen in zijn slapen het gerucht van naderende voetstappen te beluisteren. De jagers konden het beest al op het spoor zijn... Buren konden zich afvragen waarom de padre zo tekeer ging in zijn eenzaamheid. Maar alles bleef stil daar buiten en langzaam bedaarde ook het bonzen in zijn slapen.

„Jij... jij bent de gezochte moordenaar..." fluisterde de padre vol afschuw. „Jij hebt de hand aan je medemens geslagen..." Hij greep naar zijn hart en week met pijnvertrokken gelaat terug naar de verste hoek van het ledikant. Hij leek een oude gier, zoals hij daar achter zijn gebogen neus zat te staren met zijn karbonkels van ogen fonkelend in het lantarenlicht. Hij zag asgrauw van schrik en ellende en een straaltje helder speeksel liep uit zijn scheve mondhoek in z'n stoppelbaard.

„'t Is dàt juist wat ik biechten wil," zei Giuseppe schor, en wanhopig als de kleine jongen die met zijn eerste onanie geen raad had geweten: „ik ben gekomen om te bíechten, padre, begríjp dat dan toch!"

Maar de oude man was tezeer van angst vervuld om iets te begrijpen. Uitgebuite herders en deemoedige sloofjes van huismoeders hadden hem een halve eeuw lang geconfronteerd met dagelijkse en doodzonden, keurig in vakjes ingedeeld en vroom geboet met 'een tientje van de rozenkrans' of 'de litanie van Alle Heiligen op je blote knieën'. In zijn simpel geloof was voor de zonde van Kaïn geen vakje; déze misdaad was te groot. „Je moet weggaan…" smeekte hij, „je moet je bij de politie gaan aangeven… je hebt mensen vermoord… je broeders in Christus!"

Giuseppe dacht aan zijn broeders in Christus, die met de honden op hem jaagden en hij lachte wrang. „'t Zal met die broederschap wel loslopen!" sneerde hij, „maar met Christus wil ik in het reine komen, daar heb ik m'n huid voor geriskeerd, om u hier te zoeken."

„Nee! nee, míj niet!" weerde de padre af, „jouw zonde is zó groot… Je zult ervoor naar Monseigneur de Bisschop moeten!" ontdekte hij opeens met een gevoel van opluchting, „ja, ga naar Monseigneur zelf, en zeg hem…"

„Ben je priester, of niet?" kreet Giuseppe woedend. „Als ik verdomme wil biechten…"

Toen zweeg hij abrupt en keek verdwaasd naar padre Angelino die, voor zijn woede achteruitdeinzend, op de rand van het hoge bed zijn labiel evenwicht verloor. Zo'n oud lichaam valt zwaar en volkomen ongratieus. Zijn vereelte voeten fladderden nog uit het lange nachthemd, toen zijn brosse schedel de plavuizenvloer raakte met de klap van een rijpe meloen. Daarna verstarden ook de voeten, en de blik van padre Angelino, die recht omhoog lag te staren, alsof hij zijn Hemelse Vader nog om raad kon vragen in dit geschil… Maar het geschil was al opgelost. Bijgelovig als alle diepgelovige Sarden, was Giuseppe er meteen van overtuigd dat de wrekende God hem treiterend de laatste strohalm ontfutselde.

Hij overtuigde zich nog even dat de oude definitief dood was. Er droop een beetje donker bloed uit zijn linker oor en op de groene plavuizen vormde zich een uitdijend plasje. Geslachten van vrome Parera's schreeuwden hem toe dat hij een dienaar Gods zo schaamteloos niet mocht laten liggen. Daarom trok hij het grauwe nachthemd neer over de knokige knieën en dekte de oude man met een deken, eer hij de nacht in sloop, bitter in het besef van eeuwige verworpenheid…

Nu, een jaar later, liggend in de wijngaard van Corraine, in de wasem van zijn angstzweet, moest hij ineens weer aan de padre denken, die zijn zonde te groot voor vergeving had geoordeeld, en hij was er meer dan ooit van overtuigd dat de wrekende God hem spoedig voor de honden zou werpen. Hij wist met ontstellende zekerheid dat dit zijn laatste bezoek aan Caterina ging worden... Een vlaag van diepe neerslachtigheid overviel hem, terwijl hij gestrekt lag in het onkruid langs de stapelmuur en zijn hart was verbitterd om al het geluk, waarnaar zij vruchteloos hunkerden. Vannacht zou hij zijn zoete lief niet kunnen troosten. Niets zou ooit meer goed komen voor hen. De laatste illusie ging hem spoedig ontnomen worden en hij was zo bang als de oude monnik, die ook voorvoeld moest hebben hoe ontluisterend zijn einde zou zijn... Hij zag de kwijlende oude man neergehurkt achter zijn masker van angst. Had hij hem ook geroken, eer hij neerfladderde in zijn beschamende dood?

Giuseppe betrapte zich erop dat hij kleine jankgeluidjes maakte, als een stervende hond. Hij vroeg zich af of die man in de Hof van Olijven ook gejankt had als een beest, toen hij wist dat ie sterven moest, en meteen was hij beschaamd om de vergelijking. Die man had bloed en tranen geweend, maar het bloed van anderen niet vergoten.

Hij rukte zich los uit zijn somber gepeins en tastte naar zijn geweer. Zwaar wogen de handgranaten in zijn zakken. Als een schaduw kwam hij overeind en luisterde secondenlang. Geen gerucht drong meer tot hem door van de andere zijde van de muur. Hoe lang had hij daar gelegen, gestrekt onder de lage hemel...? Filippo was misschien al bij zijn lief; hij had een kreupel meisje in de Maria Goretti-straat. En Ignazio zou de eerste de beste vrouw verkrachten, waar hij de hand op kon leggen, al moest hij intussen haar hele gezin onder schot houden. In Graziano's bende was geen bruter beest dan 'De Jankerd'.

Giuseppe trok zijn schoenen uit en zette ze aan de voet van de stapelmuur. Daar zou hij ze later wel ophalen, als dit avontuur nog tot een goed einde mocht komen. Terwijl hij over de muur klom, bedacht hij grimmig dat hij de honden van Marcano geen beter spoor kon achterlaten, maar als de carabiniëri in Orgosolo waren, deze nacht, was hij tóch verloren. Op zijn dikke sokken sloop hij als een kat de weg over en toen hij opgeslokt werd door het zwarte labyrinth van steegjes, had hij geen geluid vernomen, dan het bonken van zijn eigen hart. Zweet droop tappelings langs zijn gelaat, hij proefde het zout op zijn lippen, zijn nekharen stonden overeind van angst. Vanuit elke duistere hoek konden de blauwe vlammetjes knetterend losbarsten en hem uiteenscheuren, zonder hem nog tijd voor de verbijstering te laten. Doch hij putte moed uit de wetenschap dat de anderen voor hem het dorp waren binnengedrongen. Als

19

de blauwe baretten met hun honden in Orgosolo rondzwierven, zou de hel allang losgebarsten zijn. Giovanni en Filippo moesten al veilig bij hun willige meisjes zijn. Alleen Ignazio Testa vormde een gevaar; die was op roof uit...

Geruisloos op zijn stukgelopen sokken bereikte hij tenslotte het onooglijke straatje in de buitenwijk, waar de bakkerij van Tonio Devaddis vermoeid tegen het huis van de schoolmeester aanleunde.

De bakker was een reus van 'n kerel, met een onooglijk mager wijfje dat hem tyranniseerde, maar zij deden voor elkaar niet onder in hun angst voor de vogelvrijen.

Evenals alle inwoners van Orgosolo wisten zij dat de bandieten soms het dorp bezochten in het holst van de nacht, maar niemand zou zijn nek riskeren door erover te spreken. Op het ommuurde kerkhof, aan de voet van de plompe toren, lagen tientallen slachtoffers van de 'faïda', en ook enkelen die alleen maar hun mond voorbij gepraat hadden. Daarom sliep Orgosolo zo vast, zodra het donker werd, ook al lag menig huisvader de nacht te doorwaken met het angstzweet in zijn klamme handen... ook al ritselden onder het dek de kralen van moeders onafscheidelijke rozenkrans, wanneer zij haar dochters huwbaar en begeerlijk wist... 'Gli frigge la bocca prima o poi a chi tanto parla.'*

Tonio Devaddis had geen huwbare dochters, goddank, maar Caterina Sorighe was een onbetaalbare hulp in de bakkerij. Toen zijn wijfje hem eens bevend van angst had toegefluisterd dat de meid 's nachts bezoek ontving, had hij Caterina er niet over durven ondervragen. Legale bezoekers kwamen door de winkeldeur, op klaarlichte dag. De geheimzinnige geliefde van Caterina kon alleen maar een van die bandieten uit de bergen zijn, en God verhoede dat zij hem ooit zouden ontmoeten.

„Bijt liever je giftige tong af, dan er ooit nog over te reppen; 't is maar dat je 't weet!" brieste Devaddis zijn vrouw toe, en voor het eerst sedert de trouwfeesten boekte hij de kleine overwinning van gehoorzaamd te worden. Haar angst was even groot als de zijne en 's nachts lagen zij naast elkaar, starend in het duister en luisterend naar de wind die over het lage dak rende. Soms piepte even het vensterluik boven de bakkerij, dan

---

* Oud Sardisch spreekwoord: 'Wie zoveel praat, zal vroeg of laat de mond verbranden.'

20

verstarden zij van schrik. Het kon de adem van de ponente zijn, of de vogelvrije, die bij Caterina binnenklom, de man, wiens gelaat zij niet wilden kennen... Zij durfden de meid niet vragen haar venster te sluiten, of het luik te vergrendelen zoals al de luiken van hun kleine vesting. Men kan beter horende doof, en ziende blind zijn in Orgosolo.

Guiseppe trachtte het bonzen van zijn hart te smoren, toen hij tenslotte onder het open vensterluik stond. Met verwilderde blikken spiedde hij het straatje af, dat in duisternis gehuld lag. Ergens verderop klonk het dun geween van een kind achter de gesloten ramen. Dat klein geluid verdiepte slechts de stilte van de nacht. En de ponente kreunde langs de flanken van de Oliena; die ging de mistflarden wegblazen, peinsde hij bezorgd. Morgen zou het een uitgelezen dag zijn voor de mensenjacht ... In een nacht als deze luisterden ook Marcano en zijn braniejongens naar de wind. Morgen vroeg op pad, de ponente waait van de Sopramonte, dan ruiken de honden een bandiet op 'n mijl afstand.
M'n enige kans om tijdig in het ravijn terug te zijn, is rechtsomkeert te maken... dacht Giuseppe. Maar hij blikte op naar het open luik, dat zachtjes wiegelde op de wind, en hij hunkerde naar het lief dat hem wachtte. Caterina, gestrekt onder de lage binten, oase van vrede in de angst die zijn leven beheerste. Caterina Sorighe, zwoel, warm wijfjesdier, waaraan hij zich nog eenmaal verliezen wilde, eer de jagers hem gingen vinden. Nog eenmaal kind zijn aan haar hart, en al zijn angst schaamteloos bekennen... Caterina...!
Het beven minderde en allengs daalde vrede in hem, bij de gedachte aan de glans van haar ogen in de kaarseschijn. Caterina, mijn zoete lief! Oase van rust...! Zomaar dwaze, onsamenhangende gedachten van een groot, bang kind. Had hij zich niet de vrede ingedronken aan haar troostende woorden, en zichzelf verloren in de warmte van haar schoot...?
De niet-bangen, de veilige zelfverzekerden zouden haar een hoer noemen en een slet. Voor hem hadden zij niet eens een passende term, maar zij kenden ook de honden niet, en niet de jagers... Hij wist met gruwbare zekerheid dat ze zijn spoor zouden vinden, eer de dag aanbrak. Hij wist als de oude monnik, dat zijn einde ontluisterd zou zijn door stank van drek en angstzweet. Maar, als padre Angelino, getekend door de dood, wilde hij er niet in geloven, nu nog niet...

Daarom wierp hij nog een verwilderde blik om zich heen en legde zijn geweer op het afdak van de bakkerij. Toen hij zich optrok aan het raamkozijn, joeg de wind een wolkenflarde langs de hemel en voor het eerst deze nacht toonde de maan haar halve gelaat. Giuseppe vloekte in zichzelf om het bleke gezicht, dat plots langs de gevels droop en het beven nam weer bezit van hem, tot heel zijn lichaam schokte in razende angst. Zo zag Caterina hem, die met een glimlach uit de slaap in de nuchtere werkelijkheid gleed toen hij haar arm beroerde. „Giuseppe, mijn schat! Ach, Giuseppe!"
Zij staarde een tijdlang naar hem op en Giuseppe kon in de streep maanlicht zijn eigen angst herkennen, die in haar ogen gestalte nam.
Maar de glimlach bleef om haar vochtige lippen spelen. Zij spreidde haar armen om hem te ontvangen. Zo had zij nachtenlang bereid gelegen, standvastig dromend van de mooie jongen die al zo lang verworden was tot de luizige schooier. Die nu gebogen stond onder de gebinten.
Hij durfde zijn gelaat niet te tonen. Hij wendde zich af en sloot met bevende hand het vensterluik. Nu was er slechts de duisternis, die hen barmhartig omhuifde. Daarin gingen zij elkander vinden, twee jonge dieren met hun vroege pijn aan het leven, hun verbijstering om het broze geluk, dat in één nacht verloren ging, en hun angst voor de honden om de legerstee. Giuseppe huilde met heftige schokken van zijn groot lichaam. Hij kon er zich om vervloeken, maar hij huilde aan de borst van zijn lief en het was de zwakke vrouw, die hem nu troosten moest. „Stil maar, stil nu, m'n jongen, het komt allemaal wel goed… Kom, leg je hoofd hier aan m'n schouder. Toe, m'n sterke beer, huil dan ook maar, het zal je opluchten…" Zij speelde met haar vingers door zijn warrige baard en tegen het duister boven haar hoofd zei ze bitter: „God in de hemel, hij stinkt! Vader God, je laat hem kreperen in zijn eigen vuil, waar bidden we nog voor? De honden gaan hem ruiken eer de jagers hem zien. Waarom moeten wij zo zwaar gestraft?" En aan Giuseppe's oor fluisterde zij de kleine woorden die een vrouw in de overmaat van haar liefde weet te bedenken. Zij wist zijn pijn te verzachten, maar de angst bleef in het duister leunen, de angst wachtte geduldig tot zij zich in elkander hadden uitgeput. „Ik wil licht," hijgde Giuseppe, „ik wil je nog één keer zien…" Hij gleed van het bed en tastte naar de blaker, die bij de gipsen madonna stond. Zij trachtte hem te weerhouden, niet uit

schaamte, maar om de dingen die hij had gezegd. 'Voor de laatste keer...'
Zij wisten beide dat het definitief was... Dat hij slechts de herinnering aan haar mooi, rank lichaam wilde bewaren voor later. Voor spoedig misschien, als zijn eigen vlees ergens verscheurd zou liggen, ergens, waar zij niet bij hem kon zijn... Met bevende handen stak hij de kaarsstomp aan en toonde haar schaamteloos wat er van hem geworden was, een smerige zwerver met holle wangen en diepliggende ogen waarin de angst gloeide. Hij blikte op haar neer en dronk gulzig haar beeld in. Was zij niet altijd het mooiste meisje van de streek geweest en begeerd door alle jonggezellen? Waarom had het noodlot juist haar aangewezen om haar hart te verliezen aan Giuseppe Parera, die gedoemd was te kreperen, eer zijn zaad in haar kon rijpen."
„Je bent zo mooi..." fluisterde hij ontroerd. Hij legde bijna eerbiedwaardig zijn vuile hand op haar borst en hij voelde hoe een huivering haar doorvoer. Hij had misschien toch die kaars niet moeten ontsteken; daarstraks in het donker had zij geen angst getoond, had zij ook het verval niet kunnen zien, dat zijn lichaam ondermijnde. „Je bent veel te mooi voor mij..." herhaalde hij schor.
Het meisje antwoordde niet. Zij lag met vochtige ogen naar hem op te kijken en zij vroeg zich af of wat zij zag slechts was overgebleven van de mooie jongen, die haar vroeger opwachtte bij de kerk, na de Mariacongregatie. Er waren andere knappe jongens geweest op de Piazza en in de Corso, maar geen zoals Giuseppe Parera... Nu kon er ook niet een meer zijn als hij, zo vervuild en verkommerd, zo opgejaagd als een wild dier. Hij had het besmeurde gelaat van een verdrietig kind, met vuile vegen van driftig weggeveegde tranen, maar zijn ogen waren die van een oude man die de dood nabij weet, en hij verspreidde de penetrante geur van zijn angstzweet.
Zij sloot haar ogen, om hem niet te zien zoals hij was geworden. „Giuseppe, mijn lief, mijn mooie jongen, wat hebben ze met je gedaan...!"
Hij zweeg. Zijn ogen dronken gulzig haar beeld in, zoals hij het wilde bewaren, want hij was geheel vervuld van wat ze met hem gingen doen, als hij de jagers ontmoette; ze hàdden hem nog niets gedaan. De stank die hij met zich mee droeg was zijn eigen angst en het vuil was van zijn eigen nest. Hij mocht het leven niets verwijten, nadat hij er zichzelf aan had vergrepen.

23

Hij dronk haar schoonheid in. Hij betastte met bevende handen heel haar soepel lichaam en hij wist met gruwbare zekerheid dat dit de laatste aalmoes was, die het leven hem schonk. „Nu moet ik gaan," gromde hij, „ze wachten op mij..."

Beneden lagen Tonio Devaddis en zijn giftig wijfje in het duister te staren. Zij hielden elkanders hand vast, voor het eerst sedert vele jaren door de angst naar elkaar gedreven. Zij hadden hun oren gespitst op ieder gerucht. Nu hoorden zij Caterina een zachte kreet slaken, gesmoord door het kalmerend gebrom van de man zonder gezicht. Het meisje begon hysterisch te snikken.

„De hoer!" siste vrouw Devaddis, „de vuile slet! Doet nog of zij berouw heeft, zeker..." Tonio legde verschrikt een hand op haar mond. Het vensterluik had even gepiept, maar niet op de adem van de wind. Caterina's minnaar ging vertrekken... Met spijt luisterde Tonio naar zijn sluipende voeten op het afdak. Het had voor hem veel langer mogen duren, de hittige fantasie, en die gesmoorde geluiden daar boven. De mooie hoer, die hij daar wist liggen, onderworpen aan het mandier. En zijn mager wijfje, dat plots zijn handen in de hare had genomen. Angst voor het beest uit de bergen? Zij waren in geen jaren zo dicht bijeen geweest. Nu nam zij zijn hand van haar mond en leidde die langs haar lichaam, voerde hem naar haar dorre schoot. „De hoer!" hijgde zij aan zijn oor, „de smerige slet! Waar wacht je nou nog op, ouwe geilaard!"

HOOFDSTUK 2

Pas in de wijngaard van Corraine durfde hij even op adem te komen. Zijn schoenen lagen aan de voet van de muur, zoals hij ze had achtergelaten, maar Filippo Bianchi zat er met een vies gezicht naar te kijken. Het onbarmhartige maanlicht bescheen de twee mannen terwijl zij neerhurkten tussen de struiken. „Ik dacht al, welke idioot heeft hier zijn spoor voor de honden achtergelaten," siste Filippo, „is het niet mooi genoeg dat de maan is opgekomen?"

Giuseppe haalde onverschillig de schouders op en begon de zware schoenen aan te rijgen. „Als de honden hier komen, zijn we toch afgeschreven, met of zonder schoenen. Heb je Teresa gezien?"

„En hoé!" grinnikte Filippo alweer vrolijk bij de herinnering, „jij had zeker ook niets te klagen?"

„Rozegeur en maneschijn," pochte Giuseppe, toen wierp hij een blik op de bleke halve maan en hij huiverde. „Als die verdomde mist maar niet was opgetrokken, dan maakten we nog een beste kans. Fideel, dat je op mij gewacht hebt."

„Louter eigenbelang," gromde Filippo, „ik zou zelfs op 'De Jankerd' gewacht hebben als het moest; samen maak je een betere kans. Gaan we?"

Giuseppe aarzelde nog. Ignazio interesseerde hem niet, maar hij had graag nog even op de kleine Gianni gewacht.

„Ze kunnen ons al een eind voor zijn," meende Filippo, „'De Jankerd' heeft natuurlijk geen meid gevonden en Giovanni is niet zo lang van stof; ze zijn vast al voor ons uit en we hebben geen tijd te verliezen."

Langzaam kwamen zij overeind, schimmen die uit de grond rezen. Zij slopen dicht langs de stapelmuur tot aan de westelijke ingang. Daar aarzelden zij lange tijd, eer zij zich durfden prijsgeven aan het verraderlijke maanlicht. Een naakte rotswand achter het karrespoor. Het geitepad waarlangs zij waren gekomen, bood hun geen enkele beschutting. En het dal was drie kilometer breed...

„Ik moet pissen," bibberde Filippo, „verdomd, ik doe het in m'n broek, eer we die vlakte door zijn!" Het zweet liep hem tappelings langs het gelaat. Giuseppe kon de grêle angst in zijn ogen zien blinken.

Zij knielden samen neer en ontlastten zich. Het gaf geen soulaas voor de angst, die tastbaar over hen gebogen stond. Vervloekte maan... Als de blauwe baretten op de bergflank lagen, konden zij hun prooi op een mijl afstand onderscheiden... Twee bange dwergen, die het dal doorkruisten. Twee wezels onder het genadeloze, bleke licht, en nergens een hol om in de grond te kruipen. De honden moesten hun angst wel ruiken en overal, wijd in het rond lagen de jagers tegen de bergflank gedrukt, de geweren in aanslag. Zij lieten de wezels komen... Zij hielden ze scherp in het vizier... Ieder ogenblik konden de honden beginnen te blaffen en dan brak de hel los.

Filippo zag met grimmige voldoening hoe de tranen in Giuseppe's baard lekten. Hij putte er een schrale troost uit; hij was dus niet de enige lafaard. Hij wilde zijn makker wel moed inspreken, maar hij was bang dat zijn stem zou overslaan, dat de jagers hem zouden horen en dat de blauwe vlammetjes gingen losbranden. De honden konden er niet zijn, bedacht hij, die hadden hun angst wel geróken, als zij op de bergflank waren. Dat gaf hem wat moed. De jagers kun je soms ontlopen, de honden nooit. Hij boog zich naar Giuseppe. „Geen honden...” fluisterde hij, „er zijn geen honden.”

„Ja...” zei Giuseppe staarogend, „ze heeft de hele tijd op m'n medaille gebeten... ze wist dat het de laatste keer was... ik... ik heb gehuild...”

Filippo wierp hem een zijdelingse blik toe. Verdomd, de jongen wist niet eens dat hij nóg liep te huilen. Als er de meisjes maar niet waren met hun lokkende lichamen, dan lagen zij nu veilig in het ravijn, waar de jagers niet durfden te komen. Als er die verdomde meiden maar niet waren... Doch zijn hart smolt van vertedering bij de gedachte aan het lief, dat hem de honden een uur lang had doen vergeten, de honden en de jagers. „'n Lekkere meid,” fluisterde hij, „ik ga ervoor door de hel!”

„Wacht maar,” antwoordde Giuseppe bitter, „we zijn er nooit zo dicht bij geweest.” En wanhopig bad hij: „God, laat die vervloekte maan toch niet schijnen! Ze zien ons mijlen ver. God, laat 't gauw over zijn, laat 't geen pijn doen; ze gaan ons vinden, varnacht...” Hij tastte naar het zilveren kettinkje om zijn hals en begon op de Christoffelmedaille te zuigen. Caterina had er de indruk van haar sterke tanden in achtergelaten. Sante Christofore, protege nos...! Stel je niet aan. Sint Christoffel beschermt geen zwijnen, die hoort aan de andere kant, bij de blauwe baretten misschien...

De verbittering gaf hem een betrekkelijke rust. Het beven in zijn knieën bedaarde wat en hij veegde met een mouw langs zijn ogen. Hij poogde zich op te werken tot onverschilligheid, maar de angst bleef op zijn schouders leunen als een sluw dier, gereed om toe te bijten. De angst liet zich sussen, niet afschudden. De angst zat in zijn bloed, in zijn rommelende darmen. Angst was een deel van zijn wezen geworden. Je kon ze niet uitzweten, want er was te veel van. Het straalde uit je lichaam en zond seinen naar de jagers en de honden. Nee, niet naar de honden; die waren er niet, had Filippo gezegd. God, asteblieft geen honden, die zijn nog erger. Geen honden...!

Na een eeuwigheid bereikten zij de zoom van het naakte dal en zij knielden naast elkaar in het kreupelbos aan de voet van de berg. Giuseppe vroeg zich af of Filippo daar zat te bidden, maar hij jankte zijn opgekropte zenuwen uit. „Godver..." zei hij, „dat hebben we gehad... 't ergste is voorbij... Die verdomde maan! Wie had daar op gerekend?"

Giuseppe knikte slechts. Hij vreesde dat hij opnieuw zou gaan huilen en hij had al reden genoeg zich te schamen. Hij vroeg zich af, waarom hij Ignazio 'De Jankerd' had genoemd. Ze jankten allemaal, als zij door het naakte dal moesten onder het bleke maanlicht. Hij ging voorover liggen en Filippo volgde zijn voorbeeld. „Even wachten," fluisterde hij, „we geven 'De Jankerd' en Giovanni een kwartier de tijd... daarna moeten zij zelf hun weg maar vinden."

Zij speelden een kinderspel. Zij geloofden elkaar, al wist de een dat de ander zijn angst lag te ondergaan, dat hij het kreupelbosje niet durfde verlaten om zich op de bergflank weer bloot te stellen aan het licht van de maan. Zij lagen grootogig te luisteren naar de geluiden van de nacht; het duizendstemmig koor der cicaden, het geritsel van de hagedissen in de varens. De kreet van een nachtvogel deed hen bevend overeindveren. Toen was er duidelijk het geluid van sluipende voetstappen en Giuseppe omklemde zijn geweer. Een vreemde kalmte daalde over hem... Nu ging het gebeuren. Het angstvisioen ging werkelijkheid worden; de jagers waren op hun spoor.

Filippo tastte naar een handgranaat en keek hem aan met puilende ogen, maar Giuseppe schudde het hoofd; de granaat moet je altijd tot het laatste bewaren, als ze met een troepje tegelijk komen, als ze je willen insluiten... Hij hield zijn geweer omklemd en luisterde scherp toe, iedere zenuw gespannen. Hij beefde niet meer en misschien verspreidde hij zelfs geen geur van angst, nu de beesten naderden om hem te verscheuren. Maar het waren de beesten niet... Plots herkenden zij met ongelovige verbazing het melodietje, dat Giovanni zacht begon te neuriën, toen hij zich binnen gehoorsafstand wist, en het volgende ogenblik braken de twee achterblijvers met veel lawaai door de struiken. Filippo begon zacht te vloeken, van opluchting en ergernis tegelijk. „Wat zijn jullie voor verdomde klootzakken! Ons de stuipen op het lijf jagen en heel dé gendarmerie hierheen lokken met je kabaal! Jezus, ik had bijna de pal uit m'n granaat gebeten! Denken jullie soms dat je al op de Oliena zit?"

Ignazio Testa liet zich languit naast hem in de struiken vallen en Gianni hurkte hijgend neer. „We hadden jullie gezien!" fluisterde hij, „heel 't dal door hebben wij achter jullie aangezeten, maar we durfden niet te roepen, vanzelf... Die verdomde maan! We zagen jullie een kilometer ver. Waarom kon je niet even wachten?"

„Ik heb 'n lekker mokkel gehad!" pochte Ignazio, „Jezus, wat ben ik uit geweest! Het had maar een haar gescheeld, of ik was in Orgosolo gebleven!"

De anderen antwoordden niet. Filippo zat hem met strakke blik aan te kijken en ineens liepen 'De Jankerd' tóch nog de tranen over de wangen. „Durf es te beweren dat ik 't lieg!" kreet hij met overslaande stem. „Waarom zou ík geen wijf gevonden hebben. Dacht je dat jullie alleen..."

Filippo greep hem bij de keel, heel rustig. „Als jij je grote bek nog eens durft opendoen, eer wij in het ravijn van Cosseddu zijn, sla ik je buiten westen en laat je voor de honden liggen," fluisterde hij hem toe, „jij hebt geen wijf gehad, en je had geen recht om met ons mee te gaan." Hij duwde 'De Jankerd' van zich af en kwam voorzichtig overeind. „Laten we gaan," mompelde hij, „er is geen tijd meer te verliezen."

Ineens was er de jachtige haast om het dal zo ver mogelijk achter zich te laten. Filippo ging met lange, behoedzame passen voorop. Dan kwam de kleine Gianni en achter hem sloop Giuseppe. Niemand schonk meer aandacht aan Testa, die op enige afstand volgde, snotterend van verontwaardiging en angst. „De schooiers..." snikte hij, „denken dat de wijven voor hen alleen klaar liggen...! Denken dat ík er geeneen heb kunnen vinden! Straks schieten de blauwmutsen mij in de rug, en ze zullen er nog om lachen!" Hij weende zacht van bitter zelfbeklag en in zijn geniepig kopje wentelden de gedachten... Filippo en die mooie meneer, dat rijkeluisjong van Parera... Altijd gingen zij samen... Alsof zij beter waren dan het uitschot dat hen had opgenomen... Alsof het in de spelonken van de Sopramonte wat uitmaakte, dat de oude Parera de grootste landeigenaar van de Nuoro werd genoemd! Zijn zoon was een doodgewone vogelvrije, op wiens hoofd een prijs van tien miljoen lire stond ... Tien miljoen! Stel je voor, dat híj die eens verdienen kon! Dat hij Filippo en Giuseppe tegelijk in de val kon laten lopen ... Filippo stond ook voor tien miljoen genoteerd ... Misschien, als hij zich bij kolonel Marcano kon melden eer er op hem geschoten werd ... Híj was tenslotte maar een klein mannetje, niet eens een echte vogelvrije. Hij had vee gestolen; geen manslag gepleegd. Misschien zouden ze hem de prijs uitkeren en vrije aftocht garanderen naar het continent... Twintig miljoen lire... Daar kun je jaren van in weelde leven en alle meiden kopen die je lust...

Maar op dat ogenblik ritselde er iets tussen de struiken links van hem; een trage schildpad misschien, of een van de vele nachtdieren, en de haren gingen in zijn nek overeind staan van schrik. Hij versnelde zijn pas en liep Giuseppe bijna op de hielen. Ineens wist hij dat hij het Judasgeld nooit zou durven verdienen, dat hij slechts veilig was in de schoot van de bende. Hij had eens een kerel met méér moed dan hij kon opbrengen, zien slingeren aan de kurkeik voor het hol van de capitano. Met dikke tong en puilende ogen had hij in de barre zon te kijk gehangen voor ieder die de gedachte aan verraad durfde koesteren. Hij zou nooit die twintig miljoen verdienen...

„Loop niet te janken," siste Giuseppe wrevelig over zijn schouder, „we zijn allemáál bang, maar het ergste is voorbij. Het ergste was het dal, daar heb ik ook bijna in m'n broek gezijkt van angst. Wie had er nou op zo'n heldere maan gerekend?"

Zij trokken in ganzepas door het kurkwoud en het terrein begon allengs meer te stijgen. Zij bereikten de helling van de Sopramonte tegen het ochtendgloren en er was niets verontrustends voorgevallen. Zij hielden halt om even uit te rusten voor de grote klim. De halve maan begon al te verbleken.

„We hebben gezwijnd," gromde Filippo tevreden, „nog een uurtje klimmen en we zijn op de Oliena." Hij keek omhoog naar de beboste berghelling. Daar kon geen hond hen vinden. Daar was het domein van Graziano en zijn troep. „Even tijd voor een sigaretje en dan vlug door naar het ravijn van Cosseddu," besloot hij. „Verdomme, wat heb ik in m'n stinkerd gezeten, daar beneden in het dal."

Zij strekten zich dicht bijeen onder een machtige kurkeik, die zijn afgeschilderde stam als een obscene fallus naar de hemel strekte. De vogels begonnen zich te roeren in de takken en overal ontwaakte het leven in de prille dag. De ponente kreunde over de bergflank en in het oosten gloeide de purperen dageraad.

„Verdomme," grijnsde Filippo, „wat hebben we gezwijnd!" Hij lag met gesloten ogen in de macchia gestrekt en inhaleerde diep.

De kleine Gianni lag met zijn hoofd op Giuseppe's borst en Ignazio Testa zat er naast gehurkt met een jaloerse blik op de kameraden, die voor elkander door het vuur zouden gaan... „Jullie hoeven het niet te geloven," begon hij, „maar ik heb dat wijf van Tomazzo te pakken genomen toen zij juist even naar buiten kwam."

„Jij houdt je gore kop dicht, zoals ik je heb gezegd!" brieste Filippo. Hij ging driftig overeind zitten om 'De Jankerd' zijn vet te geven. Toen werd zijn oog plots getrokken door iets op de berghelling diep beneden hen... Iets, dat hij zo gauw niet kon thuisbrengen, maar wat er niet behoorde te zijn... Een glinstering. Een korte flikkering van de purperen zon in iets dat blonk. Een wapen misschien, of het glas van een verrekijker! Vervloekt, ja! Nu wist hij het zeker! Eén ondeelbaar ogenblik was de zon in flikkering van glas gevangen, daar tussen de struiken diep beneden hen...

Eer een van zijn makkers overeind had kunnen komen, drukte Filippo hen tegen de grond. Als verkrampt bleven zij liggen, met angststarende ogen. De schrik, die altijd op de loer lag, had hen besprongen en behoefde geen uitleg. Secondenlang bleef hij over hen gebogen liggen. Toen hij zich voorzichtig op handen en knieën wat oprichtte, volgden zij zijn bewegingen slechts uit hun ooghoeken.

Dit is het... wist Giuseppe en hij voelde het beven weer in zijn knieën beginnen en zijn hele lichaam doortrekken. Nu gaan wij er toch nog aan... ik heb het de hele nacht geweten... Zijn hoofd bonsde, toen hij het voorzichtig wat draaide om Filippo aan te kijken. Deze knikte slechts en bleef gespannen naar een punt op de lagere bergflank turen. Gianni stopte zijn vuisten in de mond om het niet uit te schreeuwen van angst. Het was te wreed, te onverwachts gekomen, toen zij zich al veilig waanden. 'De Jankerd' lag grimassen te trekken, alsof hij hevige pijnen leed. Bijna onmerkbaar strekte Filippo zich weer tussen hen. Niemand verroerde zich.

„Ze zijn er..." fluisterde Filippo, „minstens een paar... iemand had ons in de kijker... de zon flikkerde in het glas..."

„Dichtbij...?" Het was Giuseppe die het vroeg, uiterlijk rustig, nu de droom kille waarheid werd, maar diep in hem schreide het kleine kind dat troost gezocht had bij Caterina Sorighe. Hij betastte zijn geweer en keek vragend naar Filippo.

„Die met de kijker niet... Kilometer misschien, of meer... Maar er zullen nog wel anderen zijn..."

De stilte woog zwaar tussen hen. Koortsachtig werkten Giuseppe's gedachten. Eén mensenjager waagde zich niet alleen op de Sopramonte. Dat zou te mooi zijn. Ze konden van bange wezels in dappere jagers veranderen en hem overhoop knallen, daarna vlug er vandoor. Maar ze jaagden altijd in groepen. Ze organiseerden een snelle drijfjacht. Met honden misschien, maar toch zéker met een overmacht aan jagers...

Hij ging langzaam overeind zitten en loerde op zijn beurt door de struiken. De prille dageraad overspoelde de bergflank met een purperen gloed. Bloed, dat weldra zou vloeien uit hun verscheurde lichamen. Zíjn bloed. Hij wist dat hij veroordeeld was door de bange man, die zijn biecht niet had willen horen... Een doffe onverschilligheid daalde in hem, verkilde en verstarde zijn angst. Hij beefde niet eens meer, liet slechts zijn scherpe blik langs de berghelling dwalen, alsof híj de jager was. Nu speurde hij het wild op dezelfde plaats die Filippo had aangeduid. Hij zag slechts de twee glazen ogen, star omhooggericht en gevangen in de morgenzon. Hij noteerde dat punt haarscherp in zijn geheugen en liet zijn blik verder langs de bergflank dwalen, langs struikgewas en kale rotsblokken, in de struiken vooral en langs de zoom van het eikenbos lager op de helling. Hij kon geen teken van leven ontdekken, maar hij wist met verlammende zekerheid dat zij er moesten zijn, ergens, nog dichterbij misschien. Op wilde beesten jaag je niet alleen maar...

Hij sterkte zich naast de grimassende Testa. „We zijn eraan..." fluisterde hij. „Die met de kijker zit op zo'n achthonderd meter. Anderen kunnen boven ons zijn. We hebben 't gehad." Gianni sloeg een kruis en sloot de ogen. Hij leek opeens een kind in de wijde schepersmantel. Ignazio Testa maakte een schielijke beweging, alsof hij wilde opspringen en wegrennen, doch Filippo drukte hem neer. „Liggen, klootzak, we hebben nog een kans..." Hij wees naar het kreupelbosje, een vijftig

meter hoger op de bergflank. „Als ze alleen benéden ons zijn
... als wij ze achter ons hebben, kunnen wij een voor een naar
de zoom van dat bosje kruipen en vandaar naar het ravijn.
Eerst naar dat rotsblok daar links, en dan 't bos in. Laag bij de
grond blijven; die met de kijker kan ons van zíjn plek af niet
zien, als je doet wat ik zeg..." Zij keken naar het kale stuk, dat
zij kruipend moesten nemen. Dertig meter tot het rotsblok...
iets minder tot de zoom van het kreupelbos. En de zon klom al
hoger, spoot geen bloed meer, maar geelkoperen glans.
„Ze gaan ons zien!" snikte 'De Jankerd'.
„Niet als ze nog daar beneden zijn! 't Is onze enige kans. Ik zal
't eerst gaan. Zitten ze ook daar boven, dan ben ik 't stomme
haasje, zo niet, dan dek ik jullie wanneer je mij een voor een
volgt."
„Ze gaan ons zien! God, ze gaan ons..."
Filippo gaf hem een stomp in zijn maag en 'De Jankerd' piepte
even. Daarna had hij al zijn energie nodig om de adem terug
in zijn longen te persen.
De anderen keken gespannen toe, hoe Filippo uit de struiken
begon te kruipen, telkens zijn geweer omhoog schuivend en
dan zelf er achteraan, als een wanstaltige hagedis, maar trager.
Nu schoof hij over de naakte bergwand, slechts aan de glazen
ogen daar beneden onttrokken door het bosje, waarin de drie
hun angst uitzweetten. Als er andere ogen waren, daar boven,
zouden nu de kogels moeten gaan fluiten, moest nu de hele hel
losbranden... Maar alleen de cicaden gilden hun wanhoop uit
en hoog aan de morgenhemel hing een zwarte vogel te bidden.
Misschien hing dáárboven de wrekende God, flitste het door
Giuseppe's hoofd. Nou, die kreeg dan zijn kans. Die hoefde zijn
kostbaar geduld niet lang meer te bedwingen... Maar Filippo
bereikte het grote rotsblok en de wrekende God had niet toe-
geslagen, er was geen schot gevallen.
„Jouw beurt..." fluisterde Giuseppe de kleine Giovanni toe, „ik
zal tot het laatst wachten." Gianni staarde hem aan, alsof hij
zojuist uit een boze droom ontwaakte, maar 'De Jankerd' had
zich uit de struiken losgemaakt. „Ik eerst, verdomme!" Eer Giuseppe hem kon tegenhouden, was hij al op weg, op handen en
knieën, veel te snel en bijna alle dekking vergetend nu de weg
tot het rotsblok veilig scheen...
„Jezus!" schrok Giusseppe, „het zijn er twéé...!"
Hij had zich half opgericht en tuurde de berghelling af naar de
plek met de glazen ogen. Die waren er nog, alleen gloorden zij

nu geel, als de ogen van een monsterachtig insect, en uit het eikenwoud sloop een ander te voorschijn, gewapend met een Winchester.

„Vlug, Gianni! Achter 'De Jankerd' aan! Ik dek je tot de rots!" Hij wachtte niet af of de jongen zijn raad zou volgen. Met al de rust die hij kon opbrengen, richtte hij zijn geweer op de man, die zojuist uit de bosrand te voorschijn kwam en drukte af. Het geluid daverde tegen de nuchtere hemel, deed de rusteloze cicaden tot wijd in het rond verstommen en weergalmde duizendvoudig tussen de rotsen. De man met de Winchester gilde. Struikelde. Bleef liggen. De gele ogen van het monsterinsect verduisterden als bij toverslag, maar aan de woudzoom begon een mitraillette te ratelen. Steensplinters spoten van de rots, op het ogenblik dat Giovanni de beide anderen bereikte, maar hij was ongedeerd.

„Liggen!" grauwde Filippo, en zij gehoorzaamden maar al te graag. Zelf stond hij tegen het rotsblok gedrukt en wachtte tot de mitraillette daar beneden eindelijk zou ophouden te blaffen. Onmiddellijk daarop spoot hij zijn wapen leeg in de richting van het bos. Daarvan maakte Giuseppe gebruik om zich met grote sprongen bij zijn makkers te voegen. „Verder!" brulde Filippo boven het gehuil van zijn eigen wapen en de drie sprongen als klipgeiten omhoog naar het kreupelbos. Eer Filippo hen kon volgen, zigzaggend in zijn gang, begon van beneden de mitraillette weer te ratelen. Hij bereikte de zoom van het bosje, maar zijn laatste sprong brak af, alsof hij over een draad gestruikeld was. De pijn sloeg brandend door zijn hersens, al kon hij niet zeggen waar de kogel hem getroffen had... Pas toen hij op handen en knieën naar zijn makkers wilde kruipen, voelde hij dat zijn linker arm niet meedeed.

„Verder!" schreeuwde hij, „'t bos in! Hier spelen wij ze kwijt!" Hij richtte zich op en struikelde achter Giuseppe aan. Giovanni en Testa waren al met grote sprongen vooruit, trokken slechts een spoor van krakende takken, waren uit zicht verdwenen en spoedig ook buiten gehoorsafstand.

Giuseppe draaide zich om. „Ze hebben je te grazen!" huilde hij, „je bloedt als een rund!"

„Lopen!" hijgde Filippo, „we redden 't misschien...!"

Giuseppe greep zijn rechter arm en trok hem voort. Het kreupelbos werd dichter.

Achter hen viel de stilte over het dal. „Kan je nog even volhouden? Tot het ravijn van Cosseddu, misschien? Jezus, nee! je

verliest teveel bloed. Ga liggen; ik blijf bij je..."
Filippo kokhalsde, maar hij schudde van neen. „Doorgaan... 't
ravijn..." Zij struikelden dieper het bos in. Als een blinde liet
Filippo zich leiden, maar hij wilde van geen ophouden weten.
Het bloed liep warm langs zijn elleboog, langs zijn pols. Zijn
vingers kleefden, maar de pijn zetelde in zijn hersens. Alles
werd zo zwart voor zijn ogen. Hij viel.
Giuseppe rukte hem overeind en ze struikelden verder.
Hij viel.
Hij wilde overeind komen, maar Giuseppe drukte hem neer.
„Ver genoeg!... Eerst die wond afbinden, of je gaat eraan!"
Zij luisterden scherp toe, terwijl zij neerlagen tussen de varens,
maar geen ander geluid drong tot hen door, dan het tergend
sjirpen der cicaden. De blauwe baretten durfden hen niet te
volgen in hun domein; niet tot het ravijn van Cosseddu... niet
in niemandsland... hier waren zij veilig...
„Ik ga je afpellen," mompelde Giuseppe, „tanden op elkaar, het
valt misschien nog mee." Filippo knarsetandde toen hij hem
voorzichtig de zware schepersmantel afdeed. Met een wee gevoel in zijn maag staarde Giuseppe naar de bloeddoordrenkte
mouw. Dan sneed hij het wollen vest open en aanschouwde de
ravage die zo'n kogel kan aanrichten in bot en vlees. Een bloe-
derige klomp, waar een scherpe splinter van het bot doorheen
stak. En met elke seconde vloeide het leven weg uit de man die
daar lijkbleek in de varens lag.
„Ga maar," zuchtte Filippo, „ik loop leeg. Maak dat je in het
ravijn komt..."
„Om de verdomme niet!" gromde Giuseppe, „we gaan samen!"
Filippo's mager gelaat vertrok zich tot een grijns, zijn witte
tanden bloot. Klam zweet parelde op zijn voorhoofd. „Makker!"
zei hij, en daarna verloor hij tot Giuseppe's opluchting het bewustzijn.
Giuseppe gooide zijn eigen jas af en zijn dubbelgeweven vest.
Hij was een der gelukkigen die er een hemd onder droeg, hoe
smerig ook, en dat trok hij aan repen. Het geluid scheurde
scherp door de stilte van het kreupelbos, maar de jagers konden het niet horen, die waren te bang voor het wild om het tot
in zijn leger te achtervolgen. „Er zijn geen honden, gelukkig,"
peinsde Giuseppe, „die hadden ons allang gevonden." Hij was
blij dat Filippo buiten westen lag, want hij had totaal geen
verstand van vastbinden en die beensplinter stak zo gemeen
door het vlees. Toch slaagde hij erin, de wond af te binden,

zodat het bloed niet meer pulseerde. Een dikke dot vuile lappen tussen de schouder en de opperarm, te strak gebonden misschien, maar, God, al dat bloed... hoeveel kan een man ervan missen...?

Hij greep naar de tinnen flacon in zijn achterzak en nam een slok grappa. Het vocht brandde in zijn nuchtere maag zodat de tranen in zijn ogen schoten, maar hij goot er een weinig van tussen Filippo's lippen en dat hielp. Hij opende zijn ogen, alleen maar het wit; later draaiden daar de pupillen in en Filippo leefde.

„Santa Maria," zei hij, „de klootzakken hebben me te grazen. Waar is m'n geweer, wat heb je eigenlijk met mijn arm uitgevreten...?"

De cicaden lachten schril, begonnen weer aan hun eeuwige klaagzang en Giuseppe hielp zijn makker overeind. Hij droeg de twee geweren en Filippo's jas en vest. Met ontbloot bovenlijf wankelde de man naast hem voort. De vuile lappen begonnen alweer rood te kleuren, maar een fikse teug grappa deed de warmte door zijn lichaam stromen. Hij had nog de kracht om mee te strompelen, hij voelde het leven terugsijpelen in zijn sterk lichaam. „Santa Maria, de vervloekte honden! Als ik ze nog een keer in m'n vizier krijg! Waar zijn de anderen?"

„Die wachten op ons in het ravijn van Cosseddu," beloofde Giuseppe gul. Maar toen zij, na een uur?... na een eeuwigheid?... aan de rand van het ravijn kwamen, grijnsde de verlatenheid hun tegen. Giuseppe vloekte hartgrondig, terwijl hij zijn blikken naar beide zijden langs de bosrand liet dwalen. Het ravijn van Cosseddu was een brede scheur in de bergflank. De afdaling was niet bijzonder moeilijk, maar aan de overkant rees de berg bijna loodrecht naar niemandsland en Giuseppe vroeg zich af hoe Filippo, verzwakt en gekweld door pijn de steile rotswand moest beklimmen. Zonder hulp van de anderen kon hij hem evengoed gelijk maar achterlaten.

„'t Is die vervloekte 'Jankerd!" gromde hij, „die heeft Gianni natuurlijk overgehaald om er snel vandoor te gaan. Gianni is zo niet..."

„Ze zijn allemaal zo, als ze goed in d'r stinkerd zitten..." mompelde Filippo, „jij niet, kameraad, maar de meesten denken alleen aan hun eigen huid." Hij liet zich met een kreun van pijn in de bosrand neer en staarde met doffe blik naar de diepe scheur in het berglichaam. Aan de overkant lag het kleine rijk van Graziano. Daar waren zij tot nu toe veilig geweest voor de carabiniëri en zelfs kolonel Marcano was er nog niet doorgedrongen met zijn keurkorps. Het zou trouwens niet lang meer duren, nu Prins Karim zich zorgen begon te maken over zijn filmsterren en dure troetelkinderen... Misschien was Marcano al achter hen. Misschien was Marcano het glazen oog, dat hen star begluurd had in de purperen dageraad. Misschien was hij de man met de mitraillette, die Filippo's arm tot pulp geschoten had... Marcano was achter hen...!

Aan de overzij van de diepe scheur rekten Graziano en zijn vogelvrijen, en een ongekend aantal veediefjes van kleiner kaliber, hun ellendig bestaan. Marcano ging de ratten uit hun nesten roken, vroeg of laat, al moest hij er de hele Sopramonte voor slechten. Het eeuwenoude banditisme van Sardinië liep op z'n eind...

De pijn begon razend door Filippo's schouder te vreten. Hij zat met schele ogen voor zich uit te staren, naar de kloof, die hij zonder hulp niet overbruggen kon. Giuseppe gaf hem de laatste slokken grappa, die als vitriool in zijn lege maag brandden, maar Filippo leefde ervan op. „We gaan 't proberen," sprak hij met dikke tong, terwijl de tranen hem in zijn baard liepen van de straffe dronk. „Beter te barsten vallen in 't ravijn, dan me door de honden te laten verscheuren... Ik heb de kleine Mario Petella gezien, vorig jaar... Ze hebben geen stukje van hem heel gelaten... gewoon levend in stukken gescheurd, omdat ie zich verzette..."

„Mario had geen wapens," zei Giuseppe nors, „wij schieten de hersens uit hun rotkoppen, als ze zich durven vertonen. Ik heb twee handgranaten, die maken een rotzooi om van te kotsen."

Zo zaten zij elkaar moed in te spreken, daar aan de rand van de onoverkombare kloof. Maar achter hen groeide de angst tot een reus die hen ging vermorzelen. Achter hen rees het schrikbeeld van Marcano en zijn keurbende, speciaal van het continent ontboden om de laatste kolonie te zuiveren van het bandietendom, dat gekweekt was op onrecht en onderdrukking.

„Laten we gaan," zei Filippo dof, „over een kwartier heb ik er de kracht niet meer toe." Hij kwam onzeker overeind en Giuseppe steunde hem bij de afdaling in het ravijn. De zon begon te branden. Hij had de zware schepersmantels wel willen weggooien, zich van alle ballast ontdoen, maar hij wist dat de honden ze zouden vinden en er hun spoor aan ruiken. Het zou trouwens te koud zijn, beneden in het ravijn, waar de zon niet doordrong. „M'n rozenkrans..." zei Filippo, „als ik de kralen in m'n voetspoor strooi, gaan ze ons misschien niet vinden..." Hij tastte met zijn gave hand zijn zakken af, maar Giuseppe weerhield hem met een sneer.

„Marcano heeft ook een rozenkrans," schamperde hij, „en ik wed dat hij elke zondag te communie gaat. Hou je rozenkrans maar; wie zegt dat de Moedergods aan onze kant staat?" Filippo keek hem aan met gepijnigde blik. Een groot, dom kind, dat voor het eerst een blasfemie hoort. „Ze heeft mij nog nooit in de steek gelaten, als ik echt in de narigheid zat!" zei hij schril. „Als ik haar óók al niet meer kan vertrouwen..."

„Goed, goed," suste Giuseppe, „geloof wat je wilt. Ik vertrouw liever op m'n geweer, maar je kan gelijk hebben. Hier, geef mij je goeie arm, we gaan langs deze richel naar beneden."

Een tijdlang hadden zij het te druk om aan de Moedermaagd of aan Marcano te denken. De steile rotswand eiste alle aandacht en iedere gespannen zenuw. Filippo waggelde als een beschonkene en ieder ogenblik vreesde Giuseppe dat hij zijn doodsmak zou maken. Maar klauterend van rots op rots bereikten zij de grens van het zonlicht en later de bodem van het ravijn. Een smalle beek zocht er klaterend zijn weg naar het dal. De zon drong tot hier niet door en het water was bitterkoud. Filippo rilde van de koorts. Giuseppe hing hem voorzichtig de zware schepersmantel weer om, maar het gewicht drukte te pijnlijk op de wond.

„Even liggen," hijgde Filippo, „even m'n kop in het koude water en een beetje drinken. Straks gaat het weer beter."

Maar het beterde niet. Ook niet toen hij uit de beek gedronken had en kreunend overeind kroop.

Giuseppe keek wanhopig omhoog, naar de steile rotswand, die zij waren afgedaald; naar de ongenaakbare muur, die zij moesten beklimmen. Een gezonde kerel met twee sterke armen kon zich best van richel tot richel hijsen, maar Filippo was een aangeschoten beest, met slechts één voorpoot. Hij had teveel bloed verloren en de pijn scheurde door zijn lijf. Filippo Bianchi was een prooi voor de honden, als de blauwe baretten zich tot aan de bosrand waagden. Misschien lagen zij daar boven al op de loer met hun glazen oog. Zij konden rustig hun geweren richten en het moede beest afmaken. De mitraillette kon weer beginnen te blaffen tot beide dieren een hoop rode pulp waren op de bodem van het ravijn. Zij waren met open ogen in de val van Cosseddu gelopen, in hun laatste nest...

Maar nog eenmaal scheen de Moedergods, of misschien wel

vader God zelf, Filippo's vertrouwen te willen belonen. Had hij niet meer dan twintig jaren de kralen van zijn rozenkrans geteld, en kaarsen geofferd in het kerkje van Sant Effisio, vóór hij zijn faïdamoord pleegde...? 'Een kind van Maria kan nooit verloren gaan', had zijn vrome moeder hem geleerd, en nu begon het erop te lijken dat de oude vrouw toch nog gelijk zou krijgen... dat het aangeschoten beest misschien een kínd was, ondanks de faïda... Je kunt die mysteries nooit begrijpen... Van de steile muur, aan de zijde van niemandsland, duikelde een kleine steen naar beneden en plofte in de kille beek, vlak bij de twee mannen. Giuseppe schouderde bliksemsnel zijn geweer en keek in paniek omhoog, geen tijd om dekking te zoeken, Marcano was er voor de dodendans...!

„Santa Maria!" kreet Filippo, „ik heb 't geweten! Ik heb 't je gezegd!" en hij huilde van vreugde. „Die Gianni toch!" lachte hij door zijn tranen heen, „en die verdomde 'Jankerd!' Ze doén 't toch maar...! Kind van Maria..." snotterde hij, „m'n oudje heeft het altijd gezegd; jij met je verdomde wantrouwen! Jij heidense hond!" Hij keek Giuseppe aan, alsof die verantwoordelijk was voor al het ongeloof dat in Sardinië was doorgedrongen.

Giuseppe gunde hem zijn kleine troost en volgde gespannen de verrichtingen van Giovanni Campus en Ignazio Testa, die langs de steile muur klauterden naar de diepte van het ravijn. Gianni viel de laatste drie meters, maar hij was weer vlot op de been en struikelde op hen toe.

„Waren al haast op de Oliena," hijgde hij, „Ignazio wou er vandoor, maar ik dacht... Filippo kan niet alleen omhoog."

„Waar blijven jullie toch," gromde 'De Jankerd', die naderbij kwam, „moet dat de hele dag zo duren?" En met een blik op het doordrenkte verband rond Filippo's arm, „godver... wat 'n bloed! Jij bent eraan, man, je gaat kapot!"

„Nog in geen twintig jaar!" grijnsde Filippo plots goedgehumeurd, „als jullie me naar boven helpen, leef ik tot in de eeuwen der eeuwen, amen!" Hij lachte met pijnvertrokken gelaat. Hij had in de hel gekeken en zag de hemel opengaan voor een arme rat, die niet kreperen wilde in naam der gerechtigheid. „Ik heb 't geweten!" lalde hij met dikke tong, „m'n eigen moedertje heeft 't gezegd: kind van Maria..." De tranen lekten in zijn baard en de drie keken elkaar veelbetekenend aan.

„Laten we zien dat wij hem boven krijgen," zei Giuseppe, „het zal een heel karwei worden, maar jullie zijn tenslotte teruggekomen." Hij keek achterom, naar de hoge bosrand, waarin

Marcano en zijn troep verscholen kon zijn.
'De Jankerd' volgde zijn blik. „We zijn grote gekken," gromde hij, „wij hadden al veilig in de krocht kunnen zijn! We zitten nou met ons allen in de val..."
Niemand antwoordde.
Filippo strompelde naar de eerste richel en de anderen steunden hem. Zij trokken aan zijn gave arm en zij duwden met hun schouders onder zijn zitvlak. Zij moesten hem vasthouden waar de richel te smal werd en als een voddenbaal sleurden zij hem van rots tot rots, zwetend als koelies, zachtjes vloekend en kermend om genade.
„Kind van Maria," lalde Filippo, en zijn primitief geloof gaf hem de fysieke kracht om de marteling te doorstaan. Hij zocht zelf de richels en kloven die steun aan zijn geteisterd lichaam konden bieden en hij verbeet de pijn die door zijn schouder flitste.
Zij kwamen boven.
Zij bereikten de rand van het ravijn en de zoom van het dichte woud dat langs de Oliena omhoog groeit. Uitgeput lieten zij zich in de varens vallen en er was geen gevoel van triomf meer in hen, alle gevoel was dood. Zij waren te moe om nog angst te voelen en zij lieten de seconden zich aaneenrijgen, tot minuten, tot een kostbaar uur van de eeuwigheid. Zij waren veilig. Zij lagen aan de grens van niemandsland...
Tot Giuseppe met een vloek overeind kwam! Zijn geoefend oor had een licht gerucht gevangen, boven het schril gezang der cicaden, boven de donkere stem van de ponente, die langs de Oliena gonsde. Een kort en scherp geluid. Het knappen van een twijgje misschien, een dwalende mouflon misschien. Het hoefde niets te betekenen aan deze kant van het ravijn, maar zijn zenuwen waren ineens weer tot het uiterste gespannen.
En het wàs geen mouflon!...
Santa Maria! Het waren de jagers, die zich nooit over het ravijn van Cosseddu hadden gewaagd!
Eer hij tijd had om zich weer tussen zijn kameraden te laten vallen, verscheurden schoten de stilte van het woud en weergalmden duizendvoudig in het ravijn, weergalmden in zijn hersens, die explodeerden...
Giuseppe voelde een vlijmende pijn in zijn borst en staarde verbaasd naar de twee kleine gaten die in zijn schepersmantel vielen.
Hij ging zitten, ongelovig, te versuft om iets anders te ondergaan dan de grote verdwazing om het ongehoorde. Dit... dit

kon niet bestáán… aan deze kant van het ravijn, in hun eigen niemandsland…! Dit had nooit mogen gebeuren… Dit was krankzinnig…!
Maar de anderen drukten hem neer in de struiken en begonnen aan hem te rukken. Zij sleurden hem mee in hun overhaaste vlucht, door dicht struikgewas, dieper het bos in. Filippo, het beest met de verminkte voorpoot, ging voorop. Gianni en 'De Jankerd' sleurden Giuseppe met zich mee, hijgend als trekhonden. Hij liet maar met zich doen, nog steeds vol ongelovige verbazing. Twee ronde gaatjes in zijn borst, en slechts een klein beetje bloed, dat traag begon te druipen. Nauwelijks pijn, na die eerste bliksemflits, maar het verlammend besef van verrast en verraden te zijn in hun eigen gebied.
De echo's waren weggerold in het ravijn. Verder bleef alles stil. De zon hing in koperglans over het gebladerte en daarin krijsten de eeuwige cicaden. Het was een smerige nachtmerrie, het kon niet waar zijn!… Maar die twee kleine gaten in zijn jas, en de makkers die aan hem rukten. Zijn voeten, die loodzwaar door de myrthe zeulden, door varens en laag kreupelhout. De pijn, die, eerst dof, nu toch kwam knagen aan zijn borst. En niemand zei dat het zíjn beurt was voor de dodendans…
Filippo viel en kroop weer overeind.
„De blauwe rots!" zei hij, zomaar een zinloos gebazel, maar ze sleurden Giuseppe tussen zich voort in de richting die Filippo had aangeduid. Weer lieten zij de jagers achter zich; het ging nog meevallen, misschien, al daalde in Giuseppe het besef van eeuwige verdoemenis.
„Padre Angelino…!" stamelde hij.
De anderen begrepen niet wat hij bedoelde. Zij kenden zijn mislukte biecht niet en zij hadden de oude man niet zien spartelen in zijn beschamende dood.
„Ze zijn ons weer kwijt," hijgde Filippo, „volhouden! Ze… ze gaan ons hier nooit vinden! Volhouden, Giuseppe, m'n kameraad… 't is maar 'n schampschot…"
Giuseppe voelde opeens de behoefte om onbedaarlijk te lachen. Maar met de lach barstte een straaltje bloed uit zijn longen en hij viel voorover als een gedolde stier.
Zij stonden om hem heen en keken elkander verschrikt aan. Toen Giovanni hem op zijn rug draaide, zagen zij pas de twee keurige kleine gaten in Giuseppe's jas, en het bloed, dat traag uit zijn ene mondhoek droop.
„Santa Maria," zei Filippo zacht, „Santa Maria…"

Er werd niet veel praat meer over gemaakt. Zij droegen hem naar de blauwe rots, een monumentale kei temidden van het kurkwoud, en legden hem daar in de schaduw van een myrthestruik. Meer konden zij niet doen...
Filippo en de kleine Gianni stonden met brandende ogen naar hem te kijken. Zij konden het niet geloven, al bleef het bloed traag uit zijn mond lekken, al roken zij de stank, die zijn ontluisterend einde aankondigde. Maar Ignazio Testa begon hem huilend de zware schepersmantel uit te trekken en het lamswollen vest, dat hij begeerde. De anderen dachten dat hij zijn makker nog wilde verbinden, maar wendden zich af, toen zij de gaten in zijn borst zagen, en de uitdijende, donkere plek in zijn kruis. Giuseppe Parera was een dode kameraad, al zwoegde zijn borst nog in ademnood. Giuseppe was bezig aan zijn dodendans. Ze konden niets meer voor hem doen.
'De Jankerd' ontnam hem zijn dubbelgeweven vest en de zilveren Christoffelmedaille, waarin Caterina Sorighe haar felle tanden gebeten had op het hoogtepunt van haar lust.
„Nee," kreunde Giuseppe, toen Gianni een rozenkrans tussen zijn vingers frommelde, „nee, dàt niet!" En hij wist dat hij hiermee was afgeschreven.

Na nog wat hees gefluister was het stil geworden om hem heen ... De makkers waren weggeslopen, zachtjes, zoals je afscheid van een dode neemt. Maar Giuseppe Parera wás nog niet dood. Hij rukte de rozenkrans aan stukken en verjoeg de gifgroene hagedis, die op zijn borst naar vliegen jaagde. Hij wentelde zich op zijn buik en de pijn vlamde door zijn wezen. In een rode waas ontdekte hij het geweer naast zich en de twee handgranaten, die 'De Jankerd' niet had willen meenemen. Ze waren te zwaar, en hij zou er de pal niet uit kunnen bijten; hij zou ze niet meer kunnen werpen naar de jagers, die achter de blauwe rots lagen. Maar hij kroop wankelend overeind, tot hij tegen de rots geleund stond en slaagde erin, het geweer te schouderen. Hij ging Marcano zijn glazen oog verbrijzelen. Hij ging de jagers ontvangen, zoals het een prijsvarken betaamt. Tien miljoen lire voor een stervend zwijn ...
Zijn benen trilden onder hem, maar hij leunde tegen de rots en wist dat hij niet ging vallen, eer hij het licht in het glazen oog van Marcano zou hebben uitgeblust ...
Hij luisterde scherp, maar het bloed gonsde in zijn oren en de zon verduisterde voor zijn starende ogen.

In een rode mist zag hij ze komen, de jagers. En zij hádden geen glazen ogen...! Zij leken op kinderen, die soldaatje spelen. Eén had een klein geweertje en de andere wees naar hem. „Marcano...!" schreeuwde Giuseppe, en zijn kreet weergalmde tussen de rotsen. „Marcano...! waar is je glazen..."
Temidden van zijn kreet, in zijn wijd open mond, ving hij de kogels die zijn nek verbrijzelden.
En nóg was hij niet dood. Nog wentelde hij zich in de blauwe myrthe en trachtte het beeld van Caterina te bereiken. Haar donkere ogen, haar vochtigrode mond, die hem toelachte, oneindig lief.
Hij spoog een golfje bloed.
Hij besmeurde haar gelaat en zij lachte niet meer.
Hij leefde in haar; hij was onsterfelijk in haar...
Zijn leven vloeide weg in de schrale bodem van Sardinië.
Het laatste wat hij hoorde, waren de cicaden, die hun schril gezang hervatten...

Brigadier Tosca was pas zevenentwintig, maar vanwege vroegere wapenfeiten gold hij als een veteraan in de strijd tegen de bandieten van Graziano. Nu voélde hij zich een veteraan... Hij was sedert het eerste treffen deze morgen tien jaar ouder geworden en de angst straalde uit zijn poriën. Hij poogde vergeefs het weeë gevoel in zijn maag te onderdrukken bij de gedachte aan het laatste salvo, waarmee hij de schreeuwende bandiet midden in het gelaat getroffen had...
Hij was alleen maar over het ravijn van Cosseddu gegaan omdat Carlo Curtis, die uitslover, er beleefd permissie voor had gevraagd. 'Brigadier, mogen wij ze achterna tot over het ravijn? Die ene moet half verrotgeschoten zijn, en misschien is het een van de prijsvarkens!' Toen moest hij wel mee gaan; hij mocht zijn angst niet laten blijken. Dus waren zij afgedaald in het ravijn, een eind zuidelijker dan de sporen leidden. Curtis was in de Barbagia opgegroeid en een spoorzoeker van belang. Hij wees hun waar zij veilig de steile rotswand konden beklimmen. De jongen scheen geen angst te voelen, of, was hij te bot om het gevaar te onderkennen...? Hij had in niemandsland het spoor teruggevonden en de weg geleid naar de blauwe rots. Einde van de jacht... Slotaccoord voor de student-bandiet Giuseppe Parera, die amper een jaar lang zijn partij had mogen meeblazen in het orkest van koning Graziano. Een dissonant, die nauwelijks opviel in de kakafonie van de faïda. Tóch een

prijsvarken, op wiens kop tien miljoen lire was gesteld... Maar de drie mannen, die in de hete middag rond zijn schamel lijk stonden, herkenden hem niet eens als zodanig. Zijn eigen moeder zou hem niet herkend hebben, zoals zijn vurige wens was geweest, daarstraks, toen hij nog te wensen had.

Een vermagerde, vuile schooier, met een luizenbaard en lange haren. De mond was een groot, rood gat, alsof het opgejaagde beest in zijn doodsnood nog schreeuwen wilde. Maar de nek ontbrak bijna geheel; het uitschotgat is altijd wreder.

„Dat was het dan," zei brigadier Tosca en hij vloekte in zichzelf, omdat zijn stem oversloeg als van een puber met teveel bravour. „Die anderen zijn er tussenuit geknepen, we moeten voor Pittoru zorgen. Het heeft geen zin ze met zo'n paar man te achtervolgen."

„Geen schijn van kans," beaamde Curtis, „verdomme, ik hoop maar dat dit een van de prijsvarkens is, brigadier! Er is niet veel van zijn smoelwerk over, maar 't zou me niks verbazen als het die Bianchi was! Tien miljoen lire voor de gelukkige vinder! Dat moet je niet uitpiesen!"

Hij duwde met zijn voet het kadaver om, zodat Giuseppe Parera nu regelrecht omhoog naar zijn wrekende God lag te staren, die hij niet meer vreesde, maar de anderen waren het erover eens dat dit Bianchi niet kon zijn, want die telde pas zevenentwintig en de vent zonder mond leek veel ouder. „Hoewel ... je kan er zó weinig van zeggen," aarzelde Mario Chillè, „zo zonder bek..." Hij moest zich opeens omdraaien en braakte met worgend geluid in de struiken.

Curtis keek hem minachtend aan en wendde zich tot zijn meerdere. „U moet rekenen, 't is zijn eerste lijk, brigadier. Vervloekt, ik had toch zó gehoopt dat 't 'n prijsvarken was! Graziano zelf kan het niet zijn, wel? Dan zou u promotie maken, verdomd!"

Brigadier Tosca voelde zich eerder aan zijn pensioen, dan aan promotie toe, na de tien zware jaren van deze morgen, en hij vroeg zich af of zíjn kruis ook nat was, als van de dode bandiet, en of zijn mannen het zouden merken, doch de een had het te druk met braken en de ander met zijn dromen.

„Curtis, jij gaat in looppas terug naar Pittoru, die we aan de bosrand moesten achterlaten!" blafte hij, „en jij, hé, ellendeling, hou op met kotsen! Jij gaat bij Corraine om versterking bellen. Vraag naar kolonel Marcano; zeg dat je hem zèlf moet spreken, dat we een van de vogelvrijen hebben neergelegd en dat een andere gewond moet zijn!"

De jonge Chillè wist niet hoe snel hij het bevel moest opvolgen. Hij schaamde zich over zijn onpasselijkheid en haastte zich met nog tranende ogen terug naar het ravijn. Curtis volgde met trage pas. Hij was veel liever bij de gesneuvelde bandiet gebleven, dan de gewonde Pittoru te moeten verzorgen.

„Een prijsvarken," mompelde hij, „als het toch es een prijsvarken is...!"

Hij keek nog eenmaal achterom, eer hij in het kreupelhout verdween en hij zag hoe de brigadier neerhurkte bij de dode man. „Heeft 't verdomd in z'n broek gedaan van angst," grijnsde hij, „maar straks komt Marcano en dan is hij de grote dappere jongen, straks gaan de bonzen met de eer strijken en het klootjesvolk komt er natuurlijk niet aan te pas..."

Met veel onnodig lawaai brak hij door de struiken en daalde af in het ravijn van Cosseddu.

HOOFDSTUK 3

„Brandhout!" zei de dronken fotograaf met de enorme teletoeter op zijn buik, „allemaal versierde ouwe taarten, en niet één lekkere meid erbij. Wat Karim dit jaar van plan is, weet ik niet, maar de mooie poezen zijn thuis gebleven."
„Ze zeggen dat Onassis alles wat bruikbaar was heeft ingescheept," grinnikte de verslaggever van 'Ubitore', die na zijn zoveelste sambucca ook niet helder meer uit zijn ogen keek. „Hij moet hier vorige week een paar dagen voor anker gelegen hebben, maar hij is weer gauw vertrokken. Heb jij nog wat lollige plaatjes kunnen schieten?"
„Brandhout!" geeuwde de dikke man, „ik was veel liever het binnenland ingegaan, daar moeten ze vanmorgen Graziano te barsten geschoten hebben."
Zij hingen verveeld tegen de bar van 'l'Abi d'Oru', het hotel waar na het galadiner aan de Costa Smeralda, de pers en de mindere goden zonder lijfwacht waren ondergebracht.
„Graziano!" smaalde de verslaggever, „vergeet het maar! Ze hebben een doodgewone jongen te grazen genomen, een van de vogelvrijen weliswaar, en ik had er evengoéd graag bij willen zijn voor 'n primeurtje, al zie ik liever een levend wijf dan 'n dooie kerel, maar Graziano zit veilig in z'n hol; die krijgen ze zomaar niet. Hé! kijk dáár es wat 'n stuk! Is dat Ira von Fürstenberg niet? Die moet hier vlakbij een villa hebben."
Die met de teletoeter schudde misprijzend het hoofd. „Het wijfje van de eigenaar," fluisterde hij, „of elk geval een van die Belgische groep; dit hotel is onlangs door een stel Vlamingen opgekocht."
Zij keken met kennersblikken naar het jonge vrouwtje, dat zojuist de bar was binnengekomen en een gin-fizz bestelde. Zij droeg minimini, hetgeen haar magnifieke benen alle eer aandeed toen zij zich nonchalant op de barkruk hees. Tot ergernis van 'Teletoeter' schonk zij alleen aandacht aan de kleine, breedgeschouderde man, die naast haar plaats nam en zijn hand op haar arm legde. „Da's verdomme haar eigen kerel, waar ze mee zit te flikflooien!" kreet de dikke verontwaardigd, „kan je dáár nou bij…?"
Die van 'Ubitore' kon nergens meer bij, sedert het galadiner, waarbij de champagne zo rijkelijk gevloeid had. Bovendien was hij niet gewend sambucca te drinken. Hij was een man die alles nam wat hij krijgen kon en in zijn lucide buien verbeeldde hij

zich dat dat de hele wereld was, met de sexgodinnen voorop. Daarom struikelde hij nu naar het einde van de bar en leunde tegen het knappe vrouwtje aan, dat hem verbaasd aankeek. „Toni," zei hij, „Toni van de 'Ubitore'. Ik geloof niet dat wij al aan elkaar zijn voorgesteld, signora."

„Ik wist niet dat dat nodig was," lachte het vrouwtje onzeker, „amuseert u zich hier nogal?" Haar Italiaans was uit de snelcursus Assimil, maar de dronken man verstond haar toch wel. „Vervloekte rotparty bij de Aga Khan moeten verslaan," sprak hij met dikke tong, „allemaal ouwe wijven en uitgedroogde taarten, maar nu ik joú ontdekt heb, wordt het leven weer mooi. Hoe heet je ook weer, zus?"

De blonde Vlaming liet haar arm los, gleed van zijn kruk en plaatste zich rustig tussen zijn vrouw en de verslaggever. „Neem een borrel van mij," zei hij, „en zoek dan je kamer op, want de sambucca druipt je neus uit." Hij blikte met zijn trouwhartige blauwe ogen op naar de grote man. Hij had méér dronken kerels ontmoet, maar die zochten geen steun aan de schouders van zijn vrouw.

„Verdomde kleine rotneet," zei de man van 'Ubitore', „m'n hele dag is al naar de bliksem, en nèt nou 't gezellig begint te worden, kom jij me voor de voeten lopen."

Ook de Vlaming had zijn Italiaans uit de Assimil, daarom verstond hij niet alles wat de man van 'Ubitore' zei en 'verdomde kleine rotneet' kwam gewoon niet in het boekje voor. Maar hij voelde de handen van Toni zwaar op zijn schouders drukken en schudde ze af. Sardinië was één groot Babylon geworden, sedert half Europa de laatste kolonie verdeelde, maar de heer Dossy had nog archaïsche opvattingen omtrent de vrouw in het algemeen, en zijn eigen opvallend stuk in het bijzonder.

„Neem die borrel nou van mij aan en ga op je kamer uithuilen," nodigde hij vriendelijk, „want als je m'n vrouw nog een keer lastig valt, zal ik je naar buiten moeten smijten."

„Wie breng je daarvoor mee?" kreet Toni met overslaande stem, „hé, dikke, hoor je dat?"

De dikke had juist met veel moeite een lege kruk beklommen en zijn camera op de bar gedeponeerd. Hij schroefde de telelens er af en borg die in het leren foudraal.

„Ben bezig," mompelde hij verstrooid, „die teletoeter is veel te duur en ik loop er de hele dag al mee op m'n buik. Tóch al zo'n rotdag, was veel liever naar de Nuoro gegaan, toen ze die bandiet te grazen namen."

Er werd gelachen door de andere lui aan de bar, maar het ging niet van harte. De gesprekken gingen meer over de gesneuvelde bandiet, dan over prins Karim en zijn luxe gasten. Een paar verslaggevers volgden met verstolen blik het toneeltje aan het einde van de bar, toch wel belust op sensatie en nieuwsgierig hoe de kleine Vlaming die reus van 'Ubitore' dacht af te schudden.

Het vrouwtje zette haar glas neer en gleed sierlijk van de kruk. Zij wist dat bewonderende blikken haar volgden.

„Kom, Léon, laten we naar boven gaan," stelde zij voor, „die vent is zo zat als een Maleier en wat heb je aan de herrie?"

Zij had Vlaams gesproken, tot grote ergernis van de dronken man. Hij deed een onzekere stap opzij en boog zich tot haar over. Zijn drankadem wasemde haar in het gelaat; zij deed een pas achteruit.

„Het enige lekkere mokkel dat we vandaag te zien krijgen," gromde hij, „en zo'n kleine rotneet wil er beslag op leggen! Kom, zus, drink 'n sambucca van Toni, want de 'Ubitore' betaalt. Laten we 't gezellig houden."

Doch de kleine rotneet voelde niets voor de gezelligheid van de 'Ubitore' en liet dat onomwonden blijken. Hij moest nogal hoog reiken om de grote man bij zijn revers te kunnen grijpen, maar daarna verliep alles vrij snel. Eer Toni wist waar hij aan toe was, lag hij buiten op het terras en toen hij een paar maal zijn duizelig hoofd had geschud, kwam weer de kleine Vlaming in focus, die hem met een scheve grijns vroeg, of hij de nacht buiten, of in de voor hem gereserveerde kamer wilde doorbrengen.

Er was daar een oploopje ontstaan van sensatiebeluste gasten, maar niemand koos partij voor de man van 'Ubitore', dan alleen juffrouw Irma Deceuckeleire uit Mannekenskerke. Zij vond het schandalig, om een dronken man zomaar buiten te smijten en bood Toni galant haar arm, die nog de blauwe plekken vertoonde van de herder uit Olbia, die haar aan het strand van Terrata wat te stevig had beetgenomen.

„Kom, lieve ziel," zei ze vertederd, „dan gaan wij een eindje langs de zee wandelen; daar zal je van opknappen." Daar zij, als het gros van de kolonisten in dit deel van Sardinië, Vlaams sprak, verstond de gevallen grootheid haar niet, maar de taal van de willige liefde wordt in heel Babylon gebezigd. Daarom krabbelde Toni overeind, mompelde nog wat loze bedreigingen aan het adres van de heer Dossy, en liet zich door juffrouw Irma naar het strand leiden, waarover een bleke halve maan hing te schijnen. De zee lispelde zo geheimzinnig aan hun voeten en de ponente kreunde zo hartstochtelijk over de bergkam ... juffrouw Irma was zo warm en meneer Toni zo moe, dat zij een poosje later maar zijn gaan liggen in het krijtwitte zand van Marinella.

Vol verwachting klopte juffrouw Irma's hart. Zij stond in Mannekenskerke bekend als een bleke bloem, waar de mannen niet naar omkeken. Maar nu zou het gebeuren, voor de tweede keer in haar leven... Haar schrale boezem deinde als een blaasbalg op en neer en zij kon haar ongeduld nauwelijks bedwingen. Zo'n grote, sjieke kerel, een man van de krant nog wel! „Ik heb jou toch veel liever dan zo'n smerige kleine geitenhoeder," zuchtte zij.

Toni van 'Ubitore' smekte een paar maal met gesloten ogen en liet een hele rits kleine boertjes achter elkaar. „Verdomde sambucca..." mompelde hij, „heb er nooit tegen gekund..." Toen begon hij zonder overgang de serene nacht aan flarden te snurken.

Naast hem in het lauwe zand lag juffrouw Irma Deceuckeleire met haar verlepte liefde en onbevredigd verlangen.

Zij kreunde niet en zij deinde niet meer.

Zij lag zomaar zachtjes te snikken...

Dat geschiedde allemaal op die ene dag op het verrukkelijke, duizendmaal verdoemde eiland. In de laatste kolonie, waar het land van de herder wordt verkocht aan de prinses uit Oostenrijk, de dokter uit Beveren-Waas, of gewoon aan de beenhouwer uit Roeselare...

Er gebeurde nog veel meer.

Bakker Devaddis, die bange reus uit het bergnest Orgosolo, lag naast zijn vinnig wijfje, dat de kralen van de rozenkrans door haar dorre vingers liet glijden, en samen luisterden zij ingespannen naar de mooie meid, die op de vliering zo hartstochtelijk lag te snikken. Zij begrepen er niets van, want de vrijer zonder gezicht was deze nacht niet komen opdagen. Zij hadden alleen maar de ponente gehoord, die langs de flanken van de Oliena kreunde en het vensterluik had niet eenmaal gepiept op z'n roestige scharnieren. Zou Caterina nu het raam gesloten houden en snikte zij dáárom zo luid...? Tonio Devaddis had zó gehoopt op een herhaling van de vorige nacht, toen het hese gefluister en het voortdurend gekraak van het bed boven hun hoofden zijn venijnig wijfje zo hitsig had gemaakt, dat zij hem tenslotte wel dwingen moest tot dat, wat zij hem in geen jaren had toegestaan. Maar deze nacht was anders. Nu was er niet de dreiging van de vrijer zonder gelaat, de vogelvrije, die zij niet kennen mochten. Nu was er alleen maar de beklemmende stilte, met de donkere stem van de ponente ergens ver in de bergen, en boven hun hoofden, boven hun onvruchtbaar huwelijksbed, die mooie meid, die zo lag tekeer te gaan, alsof zij haar lief voorgoed verspeeld had.

„Waar jankt ze nou zo om, de slet?" fluisterde vrouw Devaddis nijdig, „haar vrijer is er toch niet? Of... zou hij er tóch zijn en hebben wij hem niet horen binnenkomen...?" De bakker legde verschrikt een grote hand op haar mond. De angst voor de vogelvrijen ligt diep geworteld in het volk van Orgosolo.

„Ik heb het luik niet gehoord," fluisterde hij dicht aan haar oor, „maar je kunt nooit weten met die lui uit de bergen."

Hij maakte van de gelegenheid gebruik om zijn wijfje over haar schrale boezem te strijken, doch zij weerde hem af met een driftig gebaar. „Weg, ouwe geilaard! Je dacht toch zeker niet dat het alle dagen feest was?"

Nee, dat dacht Tonio Devaddis niet. Hij kon zijn feestdagen aftellen op de vingers van een hand en zich dan nog afvragen wat dit giftig wijfje had bewogen, hem zoveel jaren geleden trouw en gehoorzaamheid te beloven voor het altaar van Sant'Effisio.

Hij keerde zich met een ruk van haar af. „Vervloekte onvruchtbare teef!" fluisterde hij tegen de witgekalkte muur, en in eindeloze zelfkwelling herhaalde hij deze woorden in zijn gedachten. Achter zijn brede rug ritselden de kralen van haar eeuwige rozenkrans. Op de vliering schreide de mooie deerne...

Caterina Sorighe wist nu dat zij nooit meer het vensterluik hoefde open laten... Giuseppe ging niet meer komen. Laat in de middag, toen bakker Devaddis naar de mulder was, had zij de boodschap gekregen. Ada Sanna, de oude heks, was de winkel binnengestrompeld met haar broodkorf aan de arm. Iedereen was bang van Ada Sanna, want de vrouwen beweerden dat zij het boze oog had en het ongeboren kind in je schoot kon doden, als zij haar donkere blik op je buik liet rusten. Zo was ook vrouw Devaddis onvruchtbaar geworden, die de heks niet op haar bruiloftsfeest had willen nodigen, en Maristella

49

Cannas had een monstertje ter wereld gebracht, omdat zij de heks een aalmoes had geweigerd. Toch genas de oude vrouw ook wel kinderen van stuipen, en dauwworm, en buikloop en spruw. Je kon Ada Sanna maar beter te vriend houden...

„Geef mij een gerstebrood," zei de oude vrouw, terwijl zij Caterina scherp opnam, „ik ga het je niet betalen."

„Geen lires, geen brood," lachte Caterina; „je weet hoe vrouw Devaddis daarover denkt." Zij ging aan de deur luisteren, die naar het woonvertrek leidde en kwam snel achter de toonbank terug. „Ik betaal het wel," fluisterde zij gejaagd, „maar laat de bazin het in godsnaam niet merken!" Zij legde een groot, rond gerstebrood in Ada's mand en diepte uit haar rokzak dertig lire op, dat zij luid in de geldla liet rinkelen.

„Onzelieveheer zal 't je lonen, m'n kind," fleemde de heks, „in het hiernamaals; niet hier..." Zij zuchtte diep en schudde meewarig haar verschrompeld kopje. „Ach, ach, wat een oude vrouw allemaal zien moet... ik wou dat mijn oog zo scherp niet was en mijn tong niet zo rap."

Zij liet haar donkere blik op Caterina rusten, die zich achter de toonbank probeerde te verbergen. „Giuseppe Parera leeft eeuwig voort in jou," fluisterde de heks, „want je hebt hem de dingen laten doen, die doodzonde zijn volgens onze Moeder de Heilige Kerk... en elke doodzonde roept de dood af over de zondaar..."

„Maar vrouw Sanna, nee!" kreet het meisje ontdaan, „wat denk je wel van mij, en wat durf je van Giuseppe te beweren...!"

De oude vrouw keek sluw de winkel rond. In het straatje scharrelde juist de manke vossenventer voorbij met een bos rood-bruine huiden over zijn schouder. Hij stonk een uur in de wind en niemand wilde zijn vellen kopen, al schreeuwde hij zich schor.

„Die ouwe vos daar heeft wel zijn haren verloren, maar niet zijn streken," kakelde zij, „jouw vosje heeft al zijn streken verspeeld en er zoveel haren aan overgehouden, dat zijn eigen moeder hem niet herkennen zou. Maar hij heeft zich eerst nog onsterfelijk gemaakt in het meisje dat hij verleidde... Hij zal eeuwig leven, Caterina, want jij draagt zijn kind, en je gaat uitgestoten worden uit Orgosolo, omdat je de vader niet kunt noemen."

„Vrouw Sanna," beefde het meisje, „als je nou je valse mond niet houdt..."

Doch de oude heks had met veel omhaal van woorden een

boodschap te brengen, die Caterina niet verstaan wilde. Zij boog zich over de toonbank en haar blik rustte op de schoot van het meisje, dat zich van schaamte en ergernis geen raad wist.

„Giuseppe Parera zal leven in zijn kind, en in de kinderen van zijn kind," orakelde zij, „maar de stamvader zal er niet zijn om zijn zaad te erkennen. Ze hebben hem vanmorgen...."

„Nee!" kreet het meisje onzet, „je liegt! Vrouw Sanne, omwille van de Moeder Gods, zeg dat het niet waar is...!"

Zij keek de oude vrouw aan met de ogen van een gemarteld dier. Zij steunde zich aan de toonbank en legde een hand op haar schoot, als om haar kind te beschermen tegen het boze oog, doch het kind was wel het laatste dat Caterina beschermen wilde, en de oude vrouw had geen kwaad in de zin. „Ik zeg maar wat mij is opgedragen," mompelde zij verdrietig, „ik zeg maar wat ik weet... Je mooie vrijer is zo mooi niet meer, na wat de blauwe baretten met hem gedaan hebben... Hij is in feite zo lelijk, dat zijn vader hem pas vanmiddag heeft herkend..." En, om balsem op de wonde te strijken, fleemde zij: „Wees blij dat hij in je kind voortleeft, Caterina, dat maakt de mens onsterfelijk."

Maar het meisje hoorde niet meer wat de oude vrouw daar allemaal stond te bazelen. De toonbank en de broodrekken, de winkel van Tonio Devaddis wervelde als een mallemolen om haar heen en in het zonlichte gat van de buitendeur verscheen de schim van Giuseppe Parera, die zich tot haar overboog. 'Ik leef in jou!' riep hij haar toe, 'en ik ben eeuwig in joú, mijn lief!' Doch Caterina Sorighe had nooit naar een eeuwige Giuseppe verlangd en zij wilde het leven niet, dat in haar parasiteerde. Zij wenste slechts de levende, minnende Giuseppe; niet het naamloze kind, dat uit haar schoot ontspruiten kon, niet de schande van de ongehuwde moeder, die op het verdoemde eiland uit de gemeenschap wordt gestoten.

„Zeg dat het niet waar is," smeekte zij, „bij de liefde van de Moeder Gods, vrouw Sanna, zeg dat het niet waar is, alsjeblieft! alsjeblieft! alsjeblieft, vrouw Sanna!"

Er kwam een kind de winkel binnen, een klein meisje uit de buurt. Dat bleef met verschrikte ogen naar Caterina staan kijken en durfde haar boodschap niet te zeggen. Vrouw Sanna streek het kind over de sluike zwarte haren en slofte de winkel uit. „Die heb ik nog van de tering genezen," mompelde zij, „leven en dood liggen zo dicht naast elkaar..." Haar schaduw

51

verdreef de schim van Guiseppe uit de zonlichte deur en plots daalde een vreemde kalmte over Caterina Sorighe. Zij veegde de tranen weg met een slip van haar blauwe voorschoot en zij hoorde zichzelf vragen wat het kind wenste.

„Een half gerste."

„Asteblief, dat is vijftien lire." In een zelfde gebaar als de oude vrouw Sanna streek zij het kind over het haar en zij glimlachte wrang. „Leven en dood," zei ze, „leven en dood, kleine Maria, liggen..."

Het kind keek haar nog even aan met grote vraagogen, daarna holde het de winkel uit.

Vrouw Devaddis kwam uit haar kamer.

„Was dat Ada Sanna niet?" vroeg zij achterdochtig, „heeft ze betaald?" „Zij kwam om een gerstebrood, en ze heeft dertig lire betaald," zei Caterina automatisch en met een huivering voegde zij er aan toe: „ze weet alles."

„Ze weet níks!" sneerde vrouw Devaddis, „Ada Sanna is een dom oud wijf, dat zich graag voor heks laat verslijten. Je moet niet bang voor haar zijn."

„Je bent zelf ook bang," zei Caterina mat, „alle mensen zijn bang voor de heks; zij heeft het boze oog, en ze weet alles wat we doen."

Vrouw Devaddis keek het meisje van terzijde aan. Zij was er bijna zeker van dat zij gehuild had en zij brandde van nieuwsgierigheid om de reden te vernemen. Maar Caterina Sorighe had omgang met een van de vogelvrijen en was dus even gevaarlijk als die kerels uit de bergen. Zij kon de vrijer zonder gelaat vertellen dat de vrouw van de bakker iets vermoedde... Zij kon misschien de hele bende van Graziano wel te hulp roepen, of... wie weet was het Graziano zélf wel, die haar 's nachts bezocht...! Vrouw Devaddis huiverde bij die gedachte en zij besloot de mooie deerne geen kans op wraak te geven. „Je ziet er moe uit, m'n kind," huichelde zij, „ik neem de winkel wel waar, als je soms naar boven wilt."

Caterina knikte slechts. Met bevende knieën ging zij de trap op naar de vliering. Daar grendelde zij de deur van haar kamertje. Daar sloot zij het vensterluik, om de zon te weren, die zo uitbundig de Sopramonte bescheen. Zij stak de kaarsstomp aan voor het gipsen beeldje van de Moedermaagd, die met sereen gelaat in het vlammetje staarde.

„Hij is dood..." huiverde Caterina, „Marcano heeft hem gevonden... ik wist dat het eens gebeuren zou..." Zij keek hulpeloos naar het gipsen beeldje, dat er niet koud of warm van scheen te worden. „Maar hij is dóód!" herhaalde het meisje wanhopig, „begríjp dat dan toch! En ik zit misschien met zijn kind... De heks zegt dat ik zijn kind in mij draag... De heks wéét die dingen... Zij zegt dat ik uitgestoten word uit Orgosolo, en dat Giuseppe eeuwig voortleeft in mij..."

Bij het noemen van zijn naam begonnen de tranen weer in haar ogen te branden, maar zij veegde ze driftig weg met haar blauwe schort. Zij wilde zich wapenen met verbittering jegens de hemelse machten, die zo wreed haar wereld hadden doen ineenstorten, die deze ramp hadden kunnen, maar niet willen voorkomen. Zij voelde zich bedrogen in het geloof van haar vrome jeugd. Sint Christoffel, die Giuseppe niet geleid had op zijn pad, maar wiens medaille zij bijkans had stukgebeten op het hoogtepunt van haar lust. De gipsen Madonna, die daar nu zo sereen naar de kaarsvlam stond te glimlachen, alsof Caterina's wereld zojuist niet was vergaan... De kuise Sint Jozef in zijn zwarte lijst boven het bed, waarin zij hun zondige liefde hadden bedreven... Allemaal hadden zij samengespannen om haar daarvoor te straffen. God zelf, de wrekende, had Giuseppe in zijn nekvel gegrepen en hem tot prooi voor de honden gesmeten... Caterina drukte haar gebalde vuisten tegen de ogen om het schrikbeeld niet te zien van de hijgende jongen, achtervolgd door de honden van Marcano. Maar het hele afschuwelijke toneel speelde zich af in haar geest. Zij stopte de vingers in haar oren, doch zij hoorde tussen de rotsen de schoten weergalmen, waarmee zijn jong en sterk lichaam werd uiteengereten.

'Je mooie vrijer is zo mooi niet meer, na wat de blauwe baretten met hem gedaan hebben... Zijn eigen vader heeft hem vanmiddag pas herkend...'

Caterina staarde boven de kaarsvlam naar de glimlachende Madonna en plots vloekte zij hartstochtelijk. Het gaf haar een schok, maar het minderde niet de pijn. Vroeger had zij nooit de moed kunnen opbrengen om een onvertogen woord te spreken, maar nu voelde zij zich in de steek gelaten en verraden. Nu dacht zij vol haat aan het kind, dat wellicht groeide in haar schoot, en in wanhoop aan de vader, die er niet zou zijn om het te erkennen. Nu zag zij hoe de hemelse machten, met de glimlachende Moedermaagd voorop, hadden samengespannen om hun zonde te straffen. Als een kind, dat zijn eerste vieze woorden durft spreken, herhaalde zij de vloek, maar het ging niet meer van harte; het gaf geen soulaas voor de smart die haar verteerde.

Met driftig gebaar rukte zij de plaat van de Heilige Jozef van de muur en verscheurde zijn beeltenis. Zij sloeg de glimlachende Madonna in scherven en zij rukte haar rozenkrans aan stukjes. De kralen huppelden over de planken vloer en rolden onder het bed. Nu wist zij zich van God en mens verlaten, door zondaars en heiligen prijsgegeven aan het volksgericht dat onontkoombaar naderen zou met het groeien van de kleine parasiet in haar schoot; het kind, dat zij even hartstochtelijk haatte, als zij de vader bemind had. Het kind leefde, daar was zij nu wel van overtuigd, maar de vader was dood... opgejaagd door de honden van Marcano en prijsgegeven door de wrekende God, die haar jeugd had beheerst en haar 'braaf' gehouden tot zij Giuseppe had leren kennen. *'Je mooie vrijer is zo mooi niet meer, na wat de blauwe baretten met hem gedaan hebben...'*

Waarom had zij de heks niet haar boze ogen uitgeklauwd, toen zij die woorden sprak? Waarom was zij bang voor de heks, terwijl zij de wrekende God niet meer vreesde, niets ergers meer van Hem te vrezen had, dan wat Hij haar nú had aangedaan?...

„Ik ben van de heks en van de heiligen niet meer bang," zei ze bitter tegen de sputterende kaars, „ik heb niets meer te verliezen, dus waar zou ik nog bang voor zijn?"

Zij wierp het vensterluik open en liet het zonlicht binnen, dat laag over de bergkammen gloorde. Daarna bond zij de linnen voorschoot af en verwisselde haar werkjak voor de zondagse bruine rok en de rijkgeborduurde bloes. Zij sierde zich op, alsof zij naar het feest van Sant'Anania ging, maar er was niets feestelijks aan haar. Zij was volkomen dood van binnen en poogde zich slechts te wapenen met bitterheid. Jegens de Moedermaagd, die haar verraden had... jegens Vader God, die tóch de grote wreker was gebleken, ondanks de bewering dat hij 'enkel liefde' was...

„God van liefde!" schamperde zij, „God van liefde!... En wat heeft hij met míjn lief gedaan...? Voor de honden gegooid! Verraden aan Marcano! O, God van liefde, o wrekende God, en wat heb ik gebeden om erbarming...! O God, ik heb zijn dood geroken toen hij het leven in mij wekte dat ik niet begeer. Ik wist meteen dat hij verraden en verkocht was om onze jonge liefde..."

Zo stond daar de mooie Caterina haar verbittering te koesteren in de valse hoop dat deze haar sterken zou tegen het leed, dat zij niet dragen kon, tegen de tranen, die achter haar ogen brandden. Zij kleedde zich op haar paasbest en sloeg haar zwarte mantel om, want zij moest een bezoek gaan afleggen. Tweemaal had Giuseppe, toén nog de mooie jongen waar geen honden op aasden, getracht haar mee in huis te tronen. Tweemaal had moeder Parera haar verontwaardigd de deur gewezen. 'Wat verbeeld jij je wel, Caterina Sorighe, arbeidersdochter, dat jij mijn enige zoon verleiden kunt? Eruit, voor ik de honden achter je vodden jaag!'

Er was toen van verleiding nog geen sprake geweest, zéker niet van Caterina's kant, en Giuseppe had een enorme heibel geschopt, maar de Parera's bleven onvermurwbaar. Stand bij stand, en geld bij geld; de wet van het eiland. Geen arbeidersdochter bij de zoon van een grootgrondbezitter. Giuseppe was woedend het huis uitgelopen en had zich daar in geen weken laten zien. Waar bleef de jongen...? Wie waren de vrienden die hen onderdak verschaften in die dagen...?

Toen korte tijd later de honden inderdaad werden losgelaten, waren het niet die van de rijke landeigenaar... Het waren de herders van kolonel Marcano, die op het spoor werden gezet van de student-bandiet Parera, tweevoudig moordenaar, op wiens hoofd de prijs van tien miljoen lire was gesteld...

Toen Caterina tenslotte verleid werd, was het door de vogelvrije Giuseppe Parera, die zich maanden later tot in Orgosolo waagde bij nacht en ontij, omdat het gerucht wilde dat hij met het geld en de invloed van zijn familie allang een veilig heenkomen had gevonden op het continent. Vervuild en vermagerd was hij die nacht doorgedrongen tot op de vliering van bakker Devaddis, gedreven door zijn hunkering naar die éne vrouw ter wereld, voor wie hij door de hel van de angst wilde gaan. Zij hadden er een klein stukje hemel voor in ruil gekregen, onder de verwijtende blik van de kuise Sint Jozef boven het nest der zonde.

En Giuseppe was nog twee keer weergekeerd, ondanks de angst, ondanks Marcano en zijn blauwe baretten, ondanks de honden, die door het dal konden dwalen. Zijn hunkering was sterker geweest dan de angst. Het mandier tartte alles om het wijfje te kunnen benaderen. Hun zondige liefde...

De Moedermaagd met haar serene glimlach in de kaarsvlam. Padre Angelino, die zijn biecht niet had willen horen en kwijlend zijn doodsmak had gemaakt op de tegelvloer... Caterina wist dat allemaal, omdat zij de enige was, bij wie Giuseppe de hel kon ontvluchten, bij wie het opgejaagde beest zijn wonden kon komen likken en een ogenblik wanen weer mens te zijn. Maar nu was Giuseppe dood en Caterina Sorighe droeg zijn kind in zich. In haar leefde hij voort. Dat zou zij Signora Parera gaan zeggen. 'Je hebt mij uit je huis gejaagd, opdat ik je zoon niet zou kunnen verleiden. Nu draag ik zijn kind, en je mág de honden op mij loslaten. Ik ben de enige die hem mijn liefde gaf toen hij ernaar hunkerde. Nu ben ik de vrouw in wie hij voortleeft. Vraag maar aan de heks van Orgosolo of het niet waar is. Ada Sanna weet alles.' Zo zou zij het Signora Parera gaan zeggen en als de enige vrouw ter wereld haar rechten opeisen om tenminste bij de begraving (duizend kaarsen...? een solemnele Mis-met-drie-Heren...? twaalf koorknaapjes...?) aanwezig te zijn.

Zij was niet bang meer, Caterina Sorighe.

Na de wrekende God had zij niemand meer te vrezen.

Na de misprijzende Sint Jozef en het vergruizelde beeldje van de Moedermaagd kon niets of niemand meer geschonden worden.

Zij tartte het volksgericht; zij tartte de familie Parera, die geen stamhouder zou hebben, dan het kind van hun enige zoon, die in haar leefde. Of... lééfde het wel, nadat de heks het boze oog op haar schoot had laten rusten...? Caterina wist niet meer wat zij wensen moest. Zij wist alleen dat zij nu naar het patriciërshuis in Nuoro moest gaan, waar diepe verslagenheid zou heersen nadat Signor Parera in het neergeschoten beest het lijk van zijn zoon had herkend...

Zij verliet haar zolderkamertje, zonder zich te bekommeren om de rommel, die zij daar achterliet; de gipsen scherven op de vloer, de verscheurde Sint Jozef op haar bed, haar werkplunje slordig rondgestrooid zoals zij die had uitgetrokken. Het liet haar allemaal volkomen koud, wat de mensen nog van haar mochten denken.

Zij ging de krakende trap af en negeerde de nieuwsgierige blik van vrouw Devaddis, die uit de winkel kwam gelopen.

„Santa Maria!" zei het wijfje, „je kon wel naar een feest gaan! Je bent helemaal opgetuigd, alsof je ..."

„Ik ga naar een feest," sneerde Caterina, „God in de hemel nogtoe, ik ga naar het grootste feest van mijn leven!" Haar stem had een vreemde schrille klank, maar het was een ander,

die sprak in haar. „Zo'n feest heb jíj nooit meegemaakt, vrouw Devaddis!"
Met opgeheven hoofd stapte zij de winkel uit en vrouw Devaddis sloeg een kruis. Zij oogde de mooie deerne na, en zij besloot er met Tonio over te praten. Die meid werd met de dag brutaler! Vrijer of géén vrijer, maar daar moest een eind aan komen; Tonio Devaddis moest maar een andere meid zoeken voor de winkel.
„Slet...! hoer...!" fluisterde zij giftig, terwijl zij het meisje nastaarde, dat de smalle straat uitliep, „vuile slet! je maakt m'n kerel zo geil als een rat, en je ontvangt de vogelvrijen in je nest! De wrekende God zal je weten te vinden, vandaag of morgen; het zal nog slecht met je aflopen...!"
Niemand was daar dieper van overtuigd dan Caterina zelf. De boze machten die haar jeugd beheerst hadden, waren allemaal tegelijk tegen haar gekeerd, en de goede geesten had zij nu zelf vernietigd. Wat bleef er voor haar nog te hopen?
Zij keek er dan ook niet eens vreemd van op, toen zij de blokkade ontdekte van de uitvalsweg naar de stad. Een patrouille branieschoppers van Marcano hield ieder voertuig aan, dat de weg naar Nuoro wilde inslaan en onderzocht het naar wapens en eventuele verstekelingen. Wie zich niet voldoende kon legitimeren werd afgevoerd voor nader verhoor. Er was daar langs de weg een oploopje ontstaan van druk gesticulerende dorpers, want ook de voetgangers werden aangehouden en de provinciale bus keerde leeg terug naar de halte op de Piazza.
Van verre zag Caterina de gehate blauwe baretten heen en weer lopen en zij begreep al dat zij Nuoro vandaag niet zou bereiken, tenzij er een wonder gebeurde, en in wonderen geloofde zij sinds kort niet meer. Zij keerde op haar schreden terug, eer een van de braniejongens haar zou opmerken. „Het geeft niet," zei ze tot zichzelf, „voortaan kan er niets meer goed of verkeerd gaan... het is allemaal tevoren al bekonkeld door de machten. Ik heb er toch niets in te zeggen."
Zij slenterde onopvallend het dorp weer in en bereikte het smalle straatje, dat bijna geheel versperd werd door de ezelwagen van Tonio Devaddis. De bakker keek haar met grote ogen aan, toen zij zo schoon opgetuigd de winkel binnenstapte. „Dio mio! Mooie Caterina, waar kom jíj nou vandaan! Ik dacht dat je aan het werk hoorde te zijn!"
„Ze heeft feest!" kakelde vrouw Devaddis schel, terwijl zij als

een rat uit het donkere kamerhol kwam gestoven, „zie je dan niet dat Caterina Sorighe feest heeft? Een feest, zoals ík nog nooit heb meegemaakt!" voegde zij er giftig aan toe. „Die meid wordt zo brutaal als de pest! Midden in de week haar werk in de steek laten en zich opsieren alsof het Assunta is! En ik dacht nog wel dat ze ziek was, dat ze maar es voor een keer alléén naar bed moest!"

Tonio Devaddis staarde vol ontzetting naar zijn wijfje en van haar gleed zijn blik naar Caterina, doch wat hij vreesde gebeurde niet. De meid deed geen uitval naar de bazin en zij rende ook niet de winkel uit om de vogelvrijen te hulp te gaan roepen.

Zij slofte de steile trap op, steun zoekend aan elke krakende tree. Zij leek opeens een oude vrouw.

Zij sloot zachtjes de deur van het zolderkamertje achter zich en schoof er de grendel op.

HOOFDSTUK 4

Maar nu was het eindelijk nacht geworden en Tonio Devaddis lag met zijn gezicht naar de witgekalkte muur hel en verdoemenis af te smeken over zijn onwillig wijfje, dat onverdroten de kralen van haar rozenkrans bleef tellen. Intussen luisterden zij naar de mooie meid, die boven hun hoofden zo hartstochtelijk tekeer ging.

Het was een nacht als de vorige, met een bleke halve maan en het donker gegrom van de ponente over de bergen. Maar daar boven bij de meid was het toch anders, en zij begonnen er steeds meer van overtuigd te raken dat de vrijer zonder gelaat er nu niet zijn kon... En te hopen dat hij misschien nooit meer komen zou...

Wellicht was dát de reden van Caterina's verdriet? De kerel kon haar de bons gegeven hebben, nadat hij haar de vorige nacht...

Tonio Devaddis begon ervan te zweten en vergat zijn verwensingen aan de blinde muur toe te vertrouwen. Hij luisterde scherp naar het geschrei van het meisje en plotseling zat hij met een schok overeind in het duister. „Dio mio!" fluisterde hij verbaasd, „Dio mio... dat ik daar niet eerder aan gedacht heb! Nou wéét ik het ineens...!"

Het wijfje hield op met haar kralen te tellen. Zij wenste hem te negéren, doch zij popelde van nieuwsgierigheid. „Jij weet wat!" smaalde zij, „heb jij wel es ooit wat geweten...?"

Devaddis luisterde niet eens naar haar. Koortsachtig werkten zijn gedachten, moeizaam paste hij de stukjes aan elkaar van de puzzel, tussen wat hij gehoord en vanmiddag gezien had.

„Santa Maria..." gromde hij, „maar dat moet die van Caterina zijn...! Dáárom ligt zij zo te janken!"

Hij sloeg met een vuist in de palm van zijn hand en hij kon wel juichen van overmoed. Al de angst van de doorwaakte nachten viel van hem af; alleen de hittige herinneringen bleven, genoeg om er zijn schamel leven mee te vullen. De vogelvrije van Caterina bestònd gewoon niet meer. De vrijer zonder gelaat zou nooit meer zijn kleine vesting binnen dringen om hem de stuipen op het lijf te jagen en Caterina Sorighe, mooie Caterina, was voortaan maar gewoon de meid van bakker Devaddis...

Tonio lachte tegen het duister en wierp zich op zijn rug, zodat het ledikant kraakte.

Doch nu was het vrouwtje Devaddis' beurt om overeind te

gaan zitten. Zij kon het niet meer harden van nieuwsgierigheid en boog zich over hem heen. „Wat ìs er dan toch?" fluisterde zij hem in het bezweet gelaat, „waaróm ligt zij zo te janken?" Tonio keek met een voldane grijns naar haar op. In het geblindeerde hol van hun haat kon hij slechts haar aanwezigheid voelen, haar hete adem vangen, en die rook niet eens fris; een glimp van haar ogen, en hij wist hoe die misprijzend op hem neerblikten. Als altijd, als twintig eindeloze jaren, misprijzend en...

Tonio de reus lachte diep, het gegrom van een te lang geketende beer. De beer hief zijn klauwen en rukte geheel onverwacht het wijfje aan zijn borst. Zij liet een kreet van schrik en begon hem met venijnige nagels te klauwen waar zij hem maar raken kon. De beer lachte. Hij prangde haar aan zijn borst tot zij naar adem snakte en voelde zijn wijkende angst in háár overvloeien.

„Tonio weet nìks, hè!" gromde hij aan haar oor. „Tonio Devaddis is altijd het stomme rund geweest, dat niks wist en niks mocht. Die zich liet ringeloren door zijn onvruchtbare teef!" „Tonio!" gilde zij, en ze klauwde vergeefs naar zijn gezicht, „Tonio! laat me los!"

„Maar nou zal ik jóu es vertellen wat ik allemaal weet, en luister goed, want je oren zullen tuiten. Ik ben niet bang van die vogelvrije daar boven, want hij bestaat niet meer! Ze hebben hem vanmiddag op de Sopramonte te grazen genomen, dáárom jankt Caterina nou de longen uit haar mooie lijf! De weg was geblokkeerd toen ik naar de mulder ging en die braniejongens van Marcano waren overal. Paulo Mattu wist mij te vertellen dat er een paar blauwe baretten gewond zijn en minstens één prijsvarken neergepaft. Een andere moet ergens liggen te kreperen; die zoeken ze nog. En als je dan het een met het ander combineert, dat gesnotter boven m'n kop, en de vrijer die pas in de kleine uren vertrokken is..."

„Jij combineert wat!" schamperde vrouwtje Devaddis buiten adem. Zij wilde zich losrukken, zij voelde zich niets op haar gemak.

„Dat doe ik zeker," gromde de beer in drieste overmoed, „het een met het ander combineren, en van de duvel en z'n ouwe moer niet meer bang zijn. Van jou ook niet, m'n zure lief, 't is maar dat je 't weet, jij bent ook maar zo'n wijfje van niks, waar ik mij altijd door liet ringeloren."

Zijn arm knelde rond haar lende alsof hij haar ging breken en zij begon nu echt bang te worden. „Waar heb ik mij toch zo druk om gemaakt, klein, giftig rotwijf? Ik néém toch zeker wat je mij niet gunt!"

„Santa Maria!" hijgde zij en ze sloeg naar zijn gelaat met het snoer van haar rozenkrans. Maar eer het besef tot haar doordrong, dat zij te láng gepoogd had het beest in hem te temmen was het brullend losgebroken. Tonio Devaddis wentelde plots zijn volle gewicht over haar heen en scheurde met een ruk het zedig nachthemd aan flarden.

„Beest...! geilaard!" kreet zij, klauwend naar zijn verhit gelaat. „Santa Maria, dat zal ik je be..." Doch de beer gromde vergenoegd en smoorde haar kreten onder zijn brede borst. Zij beet naar hem. Hij leunde zwaar op haar wijd open mond. Zij snakte naar adem. In de paniek die haar besprong wilde zij alle heiligen uit de hemel te hulp roepen, maar de heiligen hoorden haar niet meer en in het stuipachtig bewegen meende Tonio Devaddis de uiteindelijke overgave van zijn nietig wijfje te ervaren.

Toen haar lichaam verslapte en het kralensnoer uit haar vingers gleed was de reus zijn tijd ver vooruit; hij droomde Caterina Sorighe te bezitten, die hij boven zijn hoofd nog zacht hoorde schreien. Hij verloor zich in mooie Caterina... híj was haar vrijer zonder gelaat... Tonio Devaddis wist niet meer wat in een nacht vol haat en liefde allemaal verloren kan gaan.

Langs de vensterluiken kreunde de ponente.

Over de Sopramonte hing een bleke maan.

Deze nacht mocht eeuwig duren...

„Dat zal je léren, wie het hier voortaan voor het zeggen heeft ..." gromde de beer tenslotte gemoedelijk. Hij richtte zich een weinig op en het bed kraakte onder zijn gewicht. „En durf mij nu nòg eens voor geilaard uit te maken, als ik neem wat mij toekomt!"

Hij zat in het duister over haar geknield en trachtte een glimp van haar ogen te vangen. Misprijzend, die twìntig jaar misprijzende blik. Haar haatvol zwijgen wekte hittige woede in hem. „Wat mij volgens de wet en onze Moeder de Heilige Kerk toekomt!" brieste hij haar in het gelaat. „Of níet, soms...? Zeg eens dat het niet waar is, zeg eens dat ik..."

Hij zweeg abrupt en luisterde huiverig naar de stilte, die plots over zijn kleine vesting leunde. De ponente, die even de adem scheen in te houden... Het meisje daar boven op de vliering, dat niet meer weende... Lag zij te luisteren naar wat Tonio

Devaddis zijn vrouw te verwijten had...? Hij strekte zich neven haar en liet zijn stem tot een schor gebrom dalen. „'t Is maar dat je 't weet. 't Is maar dat je 't wéét, verdomme, wie hier de baas is. Je hoeft je niet aan te stellen als de verdrukte onschuld want, vervloekt, als ik die rare fratsen nog van je neem...!"

De wind neuriede zachtjes aan het vensterluik, nam in kracht toe, bulderde even later weer als een woedende stier.

„Nou, goed, goéd, een volgende keer zal ik je waarschuwen," gromde de beer toegeeflijk, „maar 't is maar dat je voortaan wéét wie het hier voor het zeggen heeft; die fratsen van jou neem ik niet meer, 't is maar dat je 't weet..."

Hij draaide zich met een ruk op zijn zij en sloot de ogen. Hij poogde zich van haar mokkend zwijgen niets aan te trekken. Hij voelde zich herboren: Tonio Devaddis, de reus zonder vrees. Hoe had hij haar twintig jaren lang naar de misprijzende ogen kunnen zien...? Twintig lange jaren aan de leiband van zo'n klein, giftig wijfje gelopen, terwijl het zó eenvoudig bleek haar verzet te breken...! Tonio Devaddis lachte even bij zichzelf om de herinnering. Hij vertrouwde zijn overwinning aan de witgekalkte muur toe, die zijn wanhoop en verbittering had aangehoord: dood en verdoemenis, over zijn onwillig wijfje afgeroepen.

„Ik heb 'r klein..." grinnikte hij, „Dio mio! Eindelijk heb ik haar zo klein als ze nooit geweest is. Waarom moest dat verdomme twintig jaar duren? Nou is ze verlept vel over been!" Hij vloekte hardgrondig en even later voelde hij de tranen over zijn wangen lekken van zelfbeklag. Om die twintig verloren jaren. Om de bloem, die hij naar het altaar van Sant'Effisio had gedragen... Of, was het tóch maar zweet dat langs zijn gelaat droop en jeukte in de haartressen op zijn borst?

„'t Is hier om te stikken," gromde hij tegen de vrouw achter zijn rug, „wat let mij om een raam open te gooien? Ik ben van de duvel en zijn ouwe moer niet meer bang."

Hij kwam overeind.

Hij stapte over haar heen en ging naar het raam.

Met een ruk schoof hij de grendel terug en wierp het vensterluik open. De wind besprong hem en het maanlicht spoelde binnen, tekende een bleke rechthoek over het bed. Daarin bewoog zich zijn groteske schaduw. Onder de schaduw lag het vreemd verkrampte lichaam van vrouw Devaddis. Tonio zag het niet. Hij boog zich over de vensterdorpel en liet de wind langs zijn bezwete bovenlijf spelen. Hij liet zijn blik dwalen over het karrespoor en de oleanders achter zijn huis. Hij kon hier tot in het dal kijken en nog juist de wijngaard van Corraine onderscheiden, die in blauwe nevel sluimerde. Daar achter lag het geheimzinnige niemandsland. De ponente rende zoevend over de Sopramonte. Daar hadden ze de vrijer zonder gelaat te grazen genomen... Daar was misschien de jacht op de andere prijsvarkens nog aan de gang... Devaddis gunde ze de lol. Hij hoopte dat ze Graziano en heel zijn bende mochten uitroeien vannacht, dan kon Sardinië weer vrijer ademhalen. Hij richtte zich op en ademde diep de zuivere nachtlucht in. Hij was een herboren mens, een wat late misgeboorte misschien, maar de man toch die het voortaan voor het zeggen had... Hij wendde zich van het raam.

„ 't Is maar dat je 't weet," zei hij trots, „ 't is maar dat je 't nu eens en voorgoed weet, m'n zure druif, dat ik mij voortaan door jouw rotstreken niet laat ringeloren...!"

Toen stapte hij weg uit het maanlicht en de bleke rechthoek omlijstte het stille lichaam van vrouwtje Devaddis, dat met wijd open mond en puilende ogen naar het plafond lag te staren. Zij lag er zo obsceen bij in haar ongewilde naaktheid, dat het beest weer opsprong in Tonio Devaddis. Toen gleed zijn blik naar haar gapende mond, een zwart gat in de grauwheid van haar gelaat, die het licht vingen zonder glans. „Dio mio...!" stamelde hij verbijsterd en zijn grote hand bewoog zich naar zijn voorhoofd. Hij maakte het kruisteken niet af. De hand zakte bevend voor zijn ogen en hij staarde naar het schamele lijk door zijn gespreide vingers.

Toen achter zijn rug de wind het venster binnensprong en haar dorre haren deed wapperen, dacht hij dat het leven terugvloeide in de vrouw, die hij duizendmaal de dood had toegewenst. Hij viel naast het bed op de knieën en betastte haar nog klamme gelaat.

„Giuseppina, mijn lief!" smeekte hij, „Pina, zeg eens wat! Carina, liefste, dat... dat heb ik zo niet bedoeld...!"

Wanneer had hij die woorden nog gesproken? Een eeuwigheid geleden? In die eerste nacht, toen hij meende dat het leven een feest en dit slaapvertrek een liefdesnest ging worden. Sedertdien had hij zijn verbittering aan de witte muur toevertrouwd en haar nooit meer bij de volle naam genoemd. Met het verstrijken der jaren was zijn hoop de bodem ingeslagen, was dit vertrek het geblindeerde hol van de haat geworden, waarin twee mensen langs elkaar lagen te ademen, zoals zij langs elkander leefden. Geen feest meer voor Tonio Devaddis, die met zijn overtollige energie geen raad wist. Geen hoop op de stamhouder die hij zich gedroomd had, die hem in de huwelijkspreek belóófd was door de pastoor van Sant'Effisio. Teleurstelling, groeiend tot wanhoop, langzaam rijpend tot het kankergezwel van de haat in het duister van zijn doorwaakte nachten. De witte muur was zijn enige getuige; de muur en de wreker, die zijn vervloekingen had aanhoord, zwijgend, zoals het hoge machten betaamt.

Nu lag Giuseppina verstard in de dood, die hij in haar longen had gedreven toen hij met geweld zijn leven trachtte te persen in haar schoot. Met wijd open mond had zij naar hem gebeten in een laatste, wanhopig verzet. Haar verwrongen gelaat straalde nog de haat jegens het mandier, dat haar eindelijk onderworpen had.

„Zo klein is ze nog nooit geweest..." fluisterde Tonio verbijsterd, „zo heb ik het niet bedoeld. God is m'n getuige dat ik dìt niet bedoeld heb...!"

De witte muur kraakte even onder een stoot van de aanwakkerende ponente. De muur was zijn getuige van jarenlang gekoesterde haat, van zoveel wredere doden, die bakker Devaddis over zijn wijfje had afgesmeekt...

Aarzelend legde Tonio een zware hand onder haar kin en drukte de gesperde mond dicht. Hij huiverde bij de aanraking, maar hij kon de aanblik van dat zwarte gat niet verdragen. Hij pijnigde vergeefs zijn hersens af naar de laatste woorden die zij hem had toegesnauwd, maar hij kon zich er niets van herinneren; hij was tezeer vervuld geweest van zijn overwinning, te trots, dat Tonio Devaddis geen angst meer kende.

Nu deed de angst zijn groot lichaam trillen. Bakker Devaddis, het sloomste, gemoedelijkste rund uit de stallen van Orgosolo, had een moord gepleegd en de carabiniëri gingen hem vinden, eer de dag ten einde liep. Hij kon geen toevlucht zoeken bij de vogelvrijen in de bergen, nu heel de Sopramonte werd uitgekamd door Marcano en zijn mannen. Hij zou de braniejongens tegen het lijf lopen, of achtervolgd worden door de honden... De bende van Graziano ging hem trouwens niet aanvaarden, daar zijn misdaad niets met de faïda te maken had...

Alleen sluwheid kon hem redden, misschien.

Hij keek neer op zijn tenger wijfje, zo schamel in haar dood, en poogde sluw te zijn.

Hij knielde bij haar neer.

Haar gelaat zag er, met de nu half gesloten mond, zo afschrikwekkend niet meer uit. Het was niet meer alsof zij luidkeels om hulp schreeuwde. Alleen de bolle ogen, die vol afschuw in de hemel staarden... Zou zij al ontdekt hebben dat de poort van 't hemelrijk voor honderdduizend geprevelde gebeden niet open gaat, wanneer je hart van haat vervuld is...? Die ogen, daar moest hij wat aan doen.

Hij vermande zich en schoof met zijn beide duimen haar oogleden toe, maar, recalcitrant haar leven lang, treiterde zij hem ook nog in de dood. De wimpers gleden langzaam terug tot over haar oogbollen en nu scheen zij hem aan te staren met de misprijzende blik, die hij te lang gevreesd had. Tonio Devaddis dacht dat zijn hart uit zijn borst ging barsten. Hij wilde wegrennen, kokhalzend boven de gootsteen gaan hangen, maar hij bedwong zich. Hij bevochtigde zijn lippen en bracht die vlak boven haar mond, om te voelen of zij ademde. Hij tastte naar haar hart en hij vreesde, hoopte, vréésde toch dat zij 'weg geilaard' zou zeggen. Maar vrouwtje Devaddis ging nooit meer spreken; was híj het niet, die het voortaan voor het zeggen had...? Giuseppina was zo dood als hij haar jarenlang gewenst had, en nu kon hij er niet eens blij om zijn. Nu werd hij verteerd door wroeging en angst. Zijn haastig aangemeten sluwheid zou hem niet helpen; hij kon er noch de wreker, noch de carabiniëri mee ontlopen, tenzij ze gingen geloven dat vrouw Devaddis een natuurlijke dood gestorven was...

Kon dat mogelijk zijn?

Omtrent God maakte hij zich geen illusies, maar misschien was hij sluw genoeg om de mensen om de tuin te leiden?

Hij pijnigde zijn botte hersens af, maar kwam niet verder dan de conclusie dat alles 'gewoon' moest lijken.

Gewoon. Het verscheurde nachthemd? Haar mond, die telkens weer een eindje open viel? Lag een gewoon gestorven vrouw met de mond half open? En de misprijzende blik, die hij steeds op zich gericht voelde?

Tonio Devaddis had enige ervaring met dode mensen.

Hij herinnerde zich zijn moeder, vredig gestorven na een lang, vroom leven. De rozenkrans rond haar benige vingers en het gewijde palmtakje op haar borst waren daar het onomstotelijk bewijs van, paspoort voor de eeuwige zaligheid, waarin zij regelrecht was opgenomen.

Maar zijn moeder was een van die heilige vrouwen, waaraan

65

Sardinië zo rijk meent te zijn. Zij had haar man elf kinderen geschonken en hem nooit voor geilaard uitgemaakt of de bedgeneugten geweigerd als hij de kittel in het bloed voelde.

Wat later had Tonio, met al de mannen uit de buurtschap, de nachtwake gehouden bij zijn schoonvader, Luigi Barresi, die langzaam weggerot was aan de kanker. Zij hadden al de luiken van zijn armetierig huisje vergrendeld en een handvol gerstekorrels op de vensterdorpels gestrooid om de boze geesten buiten te houden, en nog hadden de mannen van de Barresi-clan angst gehad in die broeioven met het riekende lijk tussen de kaarsen. Na elk tientje van de rozenkrans. *Heer geef zijn ziel de eeuwige rust, en het eeuwige licht verlichte hem,* hadden zij de dorstige kelen even gesmeerd met grappa en met fil o'ferro. Naargelang de nacht vorderde en de kruiken leger werden, was de stemming erop vooruitgegaan. Tot zij tenslotte bij elke nieuwe ronde een dronk uitbrachten op de dierbare afgestorvene, *dat hij ruste in vrede, amen!* Maar Giuseppina's vader had zijn mond en zijn ogen stijf dicht gehouden, zoals het een dode betaamt. Al de doden die hij had gekend, lagen keurig opgebaard tussen de walmende kaarsen, met gesloten mond en vredig geloken ogen. Alleen zíj, treiterend tot in de eeuwigheid, maakte een uitzondering.

Hij kon nu met meer woede, dan wroeging op haar neerzien en trachtte zelfs een minuut lang haar misprijzende blik te weerstaan.

„Kijk maar," gromde hij, „je ziet mij tòch niet. Laat je scheur maar open vallen, kwaad wijf, alsof je om genade schreeuwt; zelfs de heiligen in de hemel hebben je niet gehoord! Straks bind ik een handdoek om je kin en ik leg penningen op je ogen. Ik ga alles doen wat ik doen kan om je ... om mijzelf ... om het allemaal gewoon te doen schijnen."

Het zweet droop hem tappelings langs het gelaat. De ponente gromde rond het huis, maar bracht geen verkoeling.

„ 't Is maar dat je 't weet!" siste hij haar toe, „Tonio Devaddis laat niet meer met zich sollen!"

Toen hij zichzelf zo tot de broodnodige woede had opgewerkt, begon hij de dingen te doen die hij nodig achtte.

Met bevende vingers stroopte hij het verscheurde zedigheidsgewaad van haar lijf. Toen lag zij voor hem, zoals hij het in zijn stoutste dromen begeerd had, doch haar weerspannig lichaam wekte nog slechts afkeer in hem en schaamte.

„Nu ga ik je kleden in een proper hemd," zei hij, „ik weet best

66

waar je al je spullen bewaart, al droeg jij je sleutelbos. Dio mio, voortaan ben ik de baas in m'n eigen woning, en zo hoort het ook."

Hij doorzocht haar rokken, die keurig over de stoel hingen, en in de zak van haar sitzen onderrok vond hij de sleutelbos. Hij voelde zich een indringer in zijn eigen vesting. Hij keerde haar de rug toe. Zij had er niets mee te maken, wat hij daar uitspookte in het holst van de nacht; zíj was de indringster, die hij zo snel mogelijk uit zijn leven moest zien te bannen.

Misschien kon alles nog goed komen.

Misschien lag de wereld nog open voor Tonio Devaddis, als hij maar sluw genoeg kon zijn...

Hij paste een voor een de sleutels op de antieke muurkast. Dat gaf een helder gerinkel in de stilte van het huis en hij moest opnieuw beginnen, omdat zijn vingers zo beefden. Toen hij eindelijk de deur open kreeg, wist hij tussen de keurige stapeltjes linnengoed haar lange nachthemden niet te vinden. Duivel en hel nogtoe, zo'n keurig wijf als hij had... gehad had... zo vervloekt secuur en zo zeker van zichzelf.

Maar waar moest hij die hemden nu zoeken? De vierkante lichtplas reikte niet tot in de kast. De maan bescheen genadeloos het bed, en wat daarin lag, waar hij niet meer naar kijken wilde. Hij graaide drie, vier stapeltjes rechtlijnig gevouwen ondergoed van de plank, eer hij eindelijk zo'n lange nachtpon vond. Zijn woede was tijdens het zoeken nog toegenomen, maar toen hij zich uit de schaduwduistere hoek naar het bed wendde en haar starende blik ontmoette, kreeg zijn angst weer de overhand. Hij rook zijn eigen zweet. Hij moest even gaan zitten, maar niet hier. Niet in haar alomtegenwoordigheid.

Hij sloop langs het bed en liet het zedigheidsgewaad over haar starre naaktheid vallen. Hij schuifelde op blote voeten de kamer uit. De zware sleutelbos rinkelde in zijn hand. Was hij geen heer en meester nu in eigen huis? Wist hij niet waar Giuseppina de grappa, de sambucca en een paar flessen Costa Smeralda bewaarde, voor als haar lieve familie op bezoek kwam...? Verdomd, hij had een fikse dronk nodig...!

De tegels van de pronkkamer voelden kil aan onder zijn blote voeten. Ook hier had hij de luiken willen opengooien, maar hij besloot zich in het duister moed in te drinken, opdat hij het licht over haar bed zou durven weerstaan.

Op de tast vond hij de kleinste sleutel; die paste op het kabinet met de geldtrommel en de boekhouding, de dranken en de sieraden en al de kostbare zaken, waarover vrouwtje Devaddis geregeerd had. In den blinde graaide hij een fles tevoorschijn. Dat gaf een onverwacht schel gerinkel waar hij schichtig van opveerde, alsof zij hem nog betrappen kon. Hij luisterde naar de ponente om het huis.

Hij dacht voor het eerst weer aan de mooie meid op de vliering, en hij vroeg zich af of zij zich tenslotte in slaap had geweend. „Caterina..." fluisterde hij tegen het duister, „Caterina Sorighe... op jóu heb ik gepeinsd terwijl ik... terwijl zij..." Hij zuchtte diep. De wreker hing nog zwaar over de alomme duisternis geleund en zijn stem hoorde hij in de aanrennende wind.

Tonio Devaddis was een groot, bang dier. Hij kromp ineen onder de stem van de meester en poogde zich in het donker te verbergen.

Misschien... als hij nu schielijk kon drinken. Alles is anders na een halve fles grappa.

Hij trok de kurk los met zijn sterke tanden en spoelde gulzig een paar slokken door zijn keelgat. Het brandde in zijn strot en deed de tranen in zijn ogen wellen. Het was geen grappa. Het was de groene, zoete likeur, die vrouwtje Devaddis haar zusters schonk op de feesten van Assunta en Sant'Anania. „Costa Smeralda," smaalde hij, „vrouwendrank, waar ik wel van kotsen kan! Ze denkt mij nog de ene streek na de andere te blijven spelen, maar dat zal haar niet glad zitten..."

Hij liet de geopende fles op de tafel staan en vond op de tast een andere; die met de zilveren sierdop. Grappa. Honderd procent mannendrank, om langzaam te genieten.

Tonio Devaddis had geen tijd voor langzaam genieten in deze radeloze nacht, punt tussen twee eeuwigheden. Hij liet zich met de fles in een van de rieten stoelen zakken en dronk de grappa alsof het bronwater was. Pas toen zijn hoofd opeens begon te zweven, zei hij: „Ho, ho," en „ik moet wat nuchter zien te blijven, er is nog veel te doen daar in het maanlicht..." Hij boerde. Dat deed hem goed. Hij zei nog eens: „Ho, ho, ze was een zuur wijf, en ze speelt mij nog streken, nu zij er geen recht meer op heeft."

Zijn hoofd zweefde terug op zijn romp, tolde nog even na en kwam langzaam tot stilstand.

Alles was vredig en goed daar in het duister. Jammer alleen dat de wreker zo loeide om het huis. Die moest ook maar es kalmeren, had hem al van kind-af-aan de stuipen op het lijf ge-

jaagd met hel en verdoemenis om de kleinste vergrijpen.
„Ho, ho, Dio mio!" zei Devaddis oneerbiedig, „ik heb haar gewoon één keer te grazen willen nemen en dat was mijn goed
recht, daar heb ik niets kwaads mee bedoeld, maar zij gunde
mij nooit een verzetje."
Toen dronk hij de fles leeg als een gulzig kind en stommelde
overeind. Zijn draaihoofd vergiste zich in de richting. Daarom
botste hij nog eenmaal tegen het kabinet en eenmaal tegen de
tafel, eer hij de weg terug vond naar het slaapvertrek met de
dode pop.
„Ho, carina mia," zei hij, „ik ben teruggekomen om je te fatsoeneren, Giuseppina, mijn zure lief...! Ik ben je streken zat; 't
is maar dat je 't weet... Je mag kijken zo je kijkt, maar straks
leg ik penningen op die bolle ogen."
Toen zat hij neer in het maanlichte vierkant en hij tilde zonder
schroom haar weerspannig klein lichaam op zijn schoot. Een
kind dat haar pop gaat kleden. Onhandiger nog.
Het werd een macabere worsteling tussen hem en Giuseppina,
tussen haar en het lange nachtgewaad, waar haar hoofd niet
door wou, dat zich niet plooien wilde naar haar tenger lijf.
Eenmaal verloor hij zijn wankel evenwicht en viel achterover
op het bed. De pop gleed over hem heen met slappe leden.
Toen hij zijn duizelig hoofd weer wat onder controle kreeg,
kroop hij overeind en zei: „ho, ho, ...zo heb ik het niet bedoeld,
maar ik krijg je wel klein, carina mijn lief, wij gaan het samen
wel vinden, nu jij geen bevelen meer geeft."
Zij vonden het samen.
Voor het eerst in die verzuurde eeuwigheid vonden zij samen
de oplossing van een probleem. Zij liet hem haar handen door
de mouwen van het nachthemd trekken, en zij bood zelfs geen
weerstand toen hij opnieuw zijn duimen op haar oogleden
drukte. De wimpers gleden niet meer terug. Daar staarde hij
naar in ongelovige verbazing. Voor het eerst miste hij haar
misprijzende blik en het deed hem niet eens zo erg veel plezier.
Ook aan een valse waakhond ga je wennen op de duur.
„Ik ben bezopen," vertrouwde hij haar toe, „Pina, m'n zure carina, ik ben stomdronken, 't is maar dat je 't weet, want dan ben
ik gevaarlijk, ik had veel eerder bezopen moeten worden, toen
je nog 'n bloem was."
Met onzekere bewegingen schuifelde hij naar de tafel met de
lampetkan en hij kwam terug in het licht met een linnen doek,
die hij rond haar gezicht knoopte, alsof zij hevige kiespijn leed.

Haar mond sloot nu in een scheve grijns, maar dat was beter dan het open zwarte gat, vond hij. „Ik heb die fles grappa uit het kabinet gehaald," zei hij, „die met de zilveren dop waar je alleen jouw mooie familie uit schonk. De Barresis zullen raar opkijken, als het hier niet meer de zoete inval is..."

Zijn hoofd wilde weer loskomen van zijn romp en zij maag kwam er achteraan. Daarom wankelde hij overeind en wist nog juist het open venster te bereiken, eer de grappa met worgend geluid uit zijn keel spoot. Hij dacht dat hij stikken zou en hing lange tijd kokhalzend te kermen, eer hij zich met een schok realiseerde dat er iemand naar hem keek...

De haren gingen in zijn nek overeind staan van schrik.

Was dat Giuseppina weer met een van haar streken...?

Kon een vrouw zich zó dood houden en je later weer de stuipen op het lijf jagen met haar misprijzende blik...?

Hij wendde zich langzaam van het venster, hij moest de tranen uit zijn ogen vegen om haar te kunnen onderscheiden, zoals zij daar veilig dood in haar nachthemd lag. De ogen staarden hem niet aan en haar mond was een scheef litteken in het bleke masker. Het wàs zijn zure druif niet, er moest een ander zijn...

Hij veegde nogmaals langs zijn ogen met de rug van zijn hand en hij boog zich uit het venster. Het slaapvertrek lag aan de achterzijde van het huis, waar oleander en unedo welig tierden langs de rand van het karrespoor. Er waren geen buren die hem hier konden bespieden, maar zijn gespannen zenuwen waarschuwden hem...

Er wàs iemand die hem zag... die hem misschien al had gadegeslagen in zijn worsteling met de dode pop...

Hij duizelde. Hij voelde de neiging om opnieuw te gaan overgeven, maar hij wist het te bedwingen en loerde scherp naar het struikgewas in de berm van de weg. Het maanlicht filterde door de bladeren, die suizelden op de wind.

Toen, opeens zag hij de zwarte gestalte tussen de corbezzolo gehurkt en zijn mond viel open van schrik.

Hoe lang had zij daar al gezeten, haar boze oog gericht op al zijn handelingen...? Of had de heks van Orgosolo het maanlicht wel nodig, om te getuigen van zijn misdaad? Drong haar blik niet door muren en deuren, en kende zij niet je geheime gedachten?...

Hij bleef verbijsterd staan, wiegelend op onzekere benen, starend naar de oude vrouw, die niet poogde zich te verbergen, die geen aanstalte maakte om er vandoor te gaan.

Zij stak een vuile hand op, alsof zij de beste vrienden waren. „Buona notte, Tonio Devaddis," koerde zij, terwijl zij haar boos vogelkopje scheef liet hangen, „is 't je gelukt, ja? Heb je haar eindelijk waar je haar wilt...?"
Zij kwam moeizaam overeind, maakte zich los uit de struiken en kwam grijnzend over het karrespoor gesloft. Zij hield stil bij het open raam. Ze blikte naar hem op en haar lach klonk als het gekras van de raaf. „En dat heb je helemaal alleen bedacht, bakker Devaddis? Heeft niemand je daarbij geholpen? Auguri, m'n jongen, dat is een felicitatie waard...!"
Zij lachte weer en het geluid deed bakker Devaddis verstijven. Hij voelde de wereld onder zich wankelen. In de ponente die met hernieuwde kracht van de Sopramonte kwam gerend, hoorde hij slechts de loeiende wreker en de maan verduisterde voor zijn starende blik.
„Nee..." zei hij schor, „nee... het is niet waar... Jij kan niet weten..." Hij zonk met een bons door de knieën.
Hij zocht steun aan de vensterdorpel en lag in ongelovige verbazing het wijfje aan te zien, dat hij niet goed in het oog kon krijgen. Haar gestalte verwaasde, verdween als een nachtmerrie, stond plots weer zwart getekend tegen het maanlicht. En zij giechelde. Zij lachte koerend en vertrouwelijk, alsof zij samen een zoet geheim bewaarden. Hij vond geen woorden van verdediging; hij pijnigde zijn dronken kop om een slimme ontkenning, een sluwe leugen te vinden, maar hij wist dat er maar één sluw was... dat hij was overgeleverd aan het wijfje met het boze oog.
Zij leunde naar hem over.
Hij kon haar ruiken.
Langs zijn schouder gleed haar blik naar het bed met de pop. „ 't Is zonde voor God," giechelde zij, „zo klein als zij maar is, zo'n scheet van 'n wijfje. Het moet je niet de minste moeite gekost hebben."
„Nee..." hoorde Devaddis zichzelf stamelen, „niet de minste moeite...?" Hij keek haar aan, geschrokken. Had hij zich versproken...? Wat bezielde het oude wijf...? „Het ging vanzelf!" huiverde hij, „geloof me, vrouw Sanna! Ik... ik heb haar niets gedaan!"
De heks deed een paar dribbelpasjes terug en liet haar vogelkopje op een schouder rusten. Hij volgde haar blik langs de gevel omhoog, naar het gesloten luik op de vliering.
„En heeft het onschuldige duifje daar boven je niet een heel

klein beetje geholpen, bakker Devaddis?" fluisterde zij, „een ideetje aan de hand gedaan, misschien...? Ben jij niet verliefd op die mooie meid, en waren jullie niet één in je haat jegens dat daar op het bed...?"

Devaddis sloeg de handen voor het gelaat. Wat bezielde dit boze wijf? „Vrouw Sanna!" kreunde hij, „wat wil je van me? Waar dènk je aan?"

„Ik denk dat bakker Devaddis in grote narigheid zit," zei het wijfje zacht, „ik denk dat hij het heel moeilijk gaat krijgen met de commissario, en met de hele clan van Barresi... als ik hem niet vlug uit de nesten help."

Hij liet zijn handen zakken en staarde haar aan in ongelovige verbazing. „Helpen?" zei hij schor, „kan jij mij helpen, vrouw Sanna...? Geloof mij toch, ik heb haar niets willen doen, en Caterina heeft er niets mee te maken! Geloof me toch, vrouw Sanna...!"

Zij legde hem met een klein gebaar het zwijgen op. „Laat mij er in," fluisterde zij, „doe de achterdeur open, dan zal ik zien wat ik voor je doen kan. Ada Sanna is zo beroerd niet als de mensen denken."

Zij slofte naar de deur van de bakkerij. Zij hield haar kopje scheef op het zolderluik gericht, alsof zij toch vreesde dat Caterina Sorighe haar daar bespieden zou. Toen zij de deur opende, legde zij een vinger op haar lippen. „Als het duifje er niets van weet, kunnen wij haar beter laten slapen; ze heeft het zelf al moeilijk genoeg."

Tonio knikte; het drong nauwelijks tot hem door, wat zij bedoelde. Hij wist alleen dat hij nu was overgeleverd aan de willekeur van Ada Sanna, die het boze oog had en je geheimste gedachten doorschouwde. Wat had haar in het holst van de nacht naar zijn huis gedreven...? Had Giuseppina hem misschien tòch nog een streek gespeeld en de heks aangeroepen toen de heiligen haar niet wilden horen...? Tonio huiverde, terwijl hij de oude vrouw voorging naar het slaapvertrek. Daar stak hij de lamp aan, terwijl zij het venster sloot. „Ik heb haar echt niks willen doen," stamelde hij, „ 't is maar dat je 't weet, vrouw Sanna, zij is vanzelf doodgegaan, en ik wìst het niet eens!"

„Hou maar op met jeremiëren," snauwde zij hem toe, „licht mij liever bij."

Zij stond over het lijk gebogen en betastte het grauwe masker. Toen zij de doek rond het gelaat losknoopte, viel de mond weer wijd open en Devaddis dacht dat hij het allemaal opnieuw moest doormaken. Hij wendde zich bevend af.

„Je hebt haar gewurgd, dat ziet een kind," constateerde de heks rustig, terwijl zij met een vuile duim de oogleden opschoof. „Maar dat is niet waar!" bezwoer hij, „ik wist niet eens wat er gebeurde... ik lag gewoon..."

„Geen sporen van geweld," mompelde zij tevreden, „dat maakt de zaak een stuk beter, misschien kom je hier zonder kleerscheuren af, als je mij maar laat begaan. Toe, sta daar niet te dreutelen en licht es wat bij!"

„Ja, vrouw Sanna," zei hij, „ik zal alles doen wat je zegt, maar help mij asjeblieft... ik... ik heb het allemaal zo niet bedoeld ... ik..."

„Ik...! ik...!" bauwde zij hem na, terwijl zij het stijve nachthemd los maakte en vergeefs naar blauwe plekken zocht, „jullie vervloekte kerels zijn allemaal eender! Ik, ik, ik! het eindeloze lied! Goed, je hebt haar niet gewurgd, want met zo'n paar bereklauwen laat dat allicht sporen na. Je hebt haar gewoon maar onder dat grote lijf gesmoord. Dat is precies hetzelfde, als de medico het ontdekt en meent dat hij de politie moet waarschuwen. Zeg es dat ik 't lieg!"

„Nee, vrouw Sanna... ja, zo moet het wel gebeurd zijn," bekende hij deemoedig, „maar, Dio mio, ik wist het niet; ik zag het later pas, toen ze..."

„En nu dacht jij de medico een rad voor de ogen te draaien door haar in een schoon hemd te steken en haar mond op te binden!" smaalde zij. „O, wat ben je toch een stom rund, bakker Devaddis. Als ik een uurtje later was gekomen, viel er niets meer te verdonkeremanen en kon jij morgen gaan uitzweten in de gevangenis."

Hij knikte bedrukt. Het was allang tot hem doorgedrongen dat je van de ene dag op de andere niet sluw kunt worden... Maar Ada Sanna was een sluw wijf, en zij ging hem helpen.

„Ik zal je betalen," beloofde hij, „ik zal je dik betalen, als je mij uit de drek helpt! Je wéét toch dat ik haar geen kwaad wilde doen?"

De oude vrouw besloot hem nog een poosje in zijn angst te laten sudderen, dat kon haar prijs alleen maar verhogen.

„Wat ìk weet, telt niet mee," zei ze stroef, „het gaat er maar om wat de medico zou ontdekken, en wat hij daarom aan de commissario moet vertellen. Allo, vort, laat mij met haar alleen en ga jij het verdriet verzuipen dat je niet voelt; bij m'n heksetoeren heb ik geen pottekijkers nodig. Wacht, doe de linnenkast voor mij open, en ga de moor boven het vuur hangen, ik heb heet water nodig. En zuip niet te veel, want ik zal je straks nog nodig hebben, misschien."

„Ja, vrouw Sanna, nee, goed, vrouw Sanna, je zegt het maar, je zegt..."

Hij opende de linnenkast en sloop de kamer uit als een geslagen hond. Nauwelijks had hij zijn kleine meesteres afgeschud, of hij liep aan de leiband van een andere. Maar diep in zijn bange hart gloorde de hoop. Déze meesteres was maar tijdelijk, en zij was gekomen om hem uit de kooi te houden. Zij zou haar prijs vragen en hem verder in vrede laten. Zij ging de medico om de tuin leiden, zodat de politie er niet aan te pas hoefde te komen. Zij kón dat; zij had al vaker met hem overhoop gelegen, omdat de herders meer vertrouwen hadden in haar kruidenbrouwsels, dan in heel de liflaf die híj verstrekte. Bovendien zochten de jonge meisjes heil bij de heks voor kwaaltjes waar de dokter zijn handen niet aan wenste vuil te maken... Zij had kinderen genezen door handoplegging en sterke kerels doodziek gemaakt, door alleen maar haar boze oog op hen te laten rusten. De vrouwen meden haar als de pest, wanneer zij 'in gezegende staat' verkeerden, maar wie bereid was haar gunsten te kopen, mocht rekenen op een voorspoedige bevalling...

Zo zat de bange reus zichzelf moed in te spreken, terwijl boven het blokkenvuur de moor begon te razen. In het nevenvertrek hoorde hij de oude vrouw druk pratend heen en weer sloffen. Soms kreunde zij, als onder een zware last. Soms klonk haar kakelende lach, alsof zij en de dode vrouw veel plezier beleefden aan wat daar gebeurde. Devaddis durfde er niet heen te gaan, al spreidde het blokkenvuur een verstikkende hitte in de kamer en brandde hij van nieuwsgierigheid. Hij begon aan het meisje op de vliering te denken. Hij hoopte maar dat zij zich in een diepe slaap had gehuild; één getuige was meer dan genoeg bij dit macabere avontuur. Hij schrok op, toen de heks de deur van het vertrek op een smalle kier zette en hem boosaardig aanstaarde.

„Komt er nog wat van?" bitste zij, „als ik nog lang op heet water moet wachten, kun je je beter gelijk bij de commissario gaan melden!"

Hij haalde de moor van de haak en droeg hem tot de kamerdeur. „Kan ik nog iets doen, vrouw Sanna...? Kan ik nog ergens mee helpen, misschien?"

Over haar hoofd wierp hij een blik door de deurkier. Giuseppina lag weer naakt, doch haar mond was vredig gesloten, zonder dat er een handdoek aan te pas kwam.

De heks volgde zijn blik. „Haar tong was dik geworden," kakelde zij, „en zij had geen aasje lucht meer in haar longen. Iedere gek kon zien dat ze gestikt was, maar nu niet meer." Hij keek haar aan met onverholen bewondering, dat streelde haar trots. „Ik heb haar tong moeten masseren tot ik kramp in m'n vingers kreeg," verklaarde zij, „en een beetje lucht heb ik ook weer in haar longen moeten blazen. Allo, vort, hoepel op; ik heb nog meer te doen. Als ik klaar ben, zal ik je wel roepen!" Hij knikte wezenloos en trok zich weer terug in de snikhete pronkkamer. „Dio mio," verzuchtte hij, „lucht in haar longen geblazen..."

Hij bleef peinzend in de vlammen zitten staren. Het duizelde hem. Hij vroeg zich bezorgd af, of de heks ook kans zou zien het leven terug te blazen in Giuseppina's lichaam, als hij daarom vroeg. Maar hij zou er niet om vragen, vanzelf; één hel op aarde was wel genoeg. Hij begon zich weer bijna plezierig te voelen in het vooruitzicht van de vrijheid die hem eindelijk tegenlachte. Hij besloot er alvast maar een borrel op te drinken, een fil o' ferro, als er geen grappa meer in huis was. Hij zou de heks straks de costa smeralda wel meegeven, als dank voor haar hulp. Misschien zou zij wat méér vragen... Een paar duizend lire was het hem altijd waard... Hij had nog nooit zo diep in de cel gekeken.

Hij opende het kabinet.

Hij stond juist met de geopende fles in zijn handen, toen hij in de verte de honden hoorde blaffen...

Het gaf hem een schok, alsof zij om hèm kwamen...

De fles viel uit zijn handen en spatte op de plavuizenvloer aan scherven uiteen. Maar... het kon voor hem niet zijn, begreep hij. Als de honden van Marcano tekeer gaan in de nacht, is het altijd om de vogelvrijen te doen. Een razzia op het dorp, misschien. Goed, maar dan zaten zij toch achter een prijsvarken aan, dat zich tot in Orgosolo waagde...?

Eer hij zichzelf tot rede had kunnen brengen, barstte de deur van het slaapvertrek open en de heks kwam binnen gestoven, alsof de baarlijke duivel zelf haar op de hielen zat.

„De honden!" kreet zij, „Marcano komt er aan met de beesten! Ik ben hier niet geweest, hoor! Pas op! Ik ben hier niet geweest, pas op...!"

Met een rapheid die hem verblufte, snelde zij de kamer uit naar de bakkerij.

„Ho, ho!" schreeuwde Devaddis, „hier blijven! Híer jij! Het gaat om een vogelvrije, vanzelf! Het is niet om ons te doen!"

Hij snelde het wijfje na. Hij stootte zijn blote voet zo gemeen tegen de deegtrog, dat hij met een vloek door de knieën stuikte. „Het gaat om die meid daar boven!" krijste de heks. Zij was al buiten. Het maanlicht vloeide door de open deur. Het gebas van de naderende honden deed zijn bloed verstijven. Hij struikelde overeind, hij wilde haar met geweld binnen sleuren, doch de wind sloeg de deur in zijn gelaat. Toen hij die open gebeukt had en eindelijk buiten kwam, was de heks verdwenen, alsof de ponente haar over de Oliena had geblazen... Paniek daverde door zijn leden. Hij schreeuwde met gesperde mond. Hij brulde luidkeels om vrouw Sanna, baken tussen twee eeuwigheden, waaraan hij zich volledig had toevertrouwd.

Maar in de duizeling die hem beving, loeide de wind, die aan zijn nachthemd rukte.

Of, was het de wrekende god, die zo tekeer ging...?

Het was de ponente niet en niet de wreker.

Een van de bassende herders had zich losgerukt van zijn riem, scheurde hem zijn broek en het wapperend nachthemd van het lijf en bakker Devaddis stond naakt onder de hemel.

Hij deed een belachelijke poging om met een grote hand zijn schaamte te bedekken en met de andere het woedende beest te weren, dat met blikkerende tanden naar hem beet. Zjn wijd gesperde mond was een zwart gat, dat geen geluid voortbracht. Het gebas van de honden werd oorverdovend nu. Laarzen kletterden op de rotsen en in de macchia. Tussen de oleanders klonken scherpe bevelen. Drie, vier honden stoven langs hem heen, stevig aan de riem gehouden door jonge kerels, die zwaar hijgden van het harde lopen. Zij sloegen nauwelijks acht op hem. Zij hadden een andere taak. De braniejongens omsingelden de vesting, waarin Parera's meid misschien nog een prijsvarken verborgen hield...

Zij sprongen binnen door de achterdeur, die klepperde op de wind. Anderen renden de hoek om, naar de winkel, naar het magazijn en de stal, waar de ezel in paniek begon te balken. De losgebroken hond kalmeerde wat, nu Devaddis geen tegenstand meer bood. Zijn baas had hem met een woedende schreeuw tot de orde geroepen en wendde zich tot de naakte man. „Bakker Devaddis, hè?" Hij wachtte het antwoord niet af, dat Tonio in de keel bleef steken; hij duwde hem meteen de bakkerij in, waar de braniejongens stoer deden met pistolen en luid geschreeuw naar elke duistere hoek. Zo spelen kinderen bandietje op de Piazza... *Peng...! peng...! mi chiamo Mesina...!*

„Wat doe je godbetert buíten, man?" snauwde de brigadier hem toe, „wou je er zó vandoor? Zeg op, waar verberg je de bandieten...?"

Geblaf van de opgehitste honden rond het huis.

Laarzen, bonkend op de trap.

Boven begon Caterina Sorighe te gillen alsof zij werd aangerand.

De hele vesting van Tonio Devaddis was vol leven...

Maar in het slaapvertrek stond een jonge kerel verdwaasd te staren naar een dode vrouw, zo naakt als de reus die in de bakkerij zijn zenuwen zat uit te snikken.

Op de vliering en in de stal, in de winkel, de kelder, het magazijn, overal kwamen de jongens met hun stampende laarzen, hun groot geschreeuw, de wapenen waaraan zij hun bravour ontleenden.

Binnen tien minuten was heel het huis grondig doorzocht.

Er was geen schot gevallen.

Zij vonden geen prijsvarken in Tonio Devaddis' huis.

Alleen de schreeuwende meid van Parera werd afgevoerd voor een nader verhoor door kolonel Marcano zelf.

En dan was er nog het raadsel van die dode vrouw in het slaapvertrek. Dat gaf te denken... Zij hadden haar verscheurde nachthemd gevonden en de rommel die rond haar lijk was achtergelaten. Door bakker Devaddis...? Een van de carabiniëri had zijn lange jas om de schouders van de reus geworpen, die op de deegtrog zat te bazelen.

„Twintig jaar lang heeft ze mij aan de leiband gehouden, de zure teef, en nu zij wist dat ik het voortaan voor 't zeggen had, speelt ze mij zo'n rotstreek! Maar ik heb haar niet vermoord... God is mijn getuige dat ik dìt niet gewild heb..."

„Ik hoop voor jou dat je andere getuigen hebt, bakker Devaddis," zei de brigadier sceptisch. „Wij zullen je naar kolonel Marcano brengen, die de waarheid wel uit je strot weet te knijpen."

Allemaal grootspraak. Kolonel Marcano was nog nooit handtastelijk geworden met de verklikkers en de kleine geniepigaards. Hij was de jager op groot wild, die prijsvarkens opdreef en Graziano uit zijn nest ging roken. Maar zijn naam alleen al

deed de Sarden beven; de grote boeman, die het eiland ging zuiveren van het bandietendom.
Toni de reus kromp ineen van schrik. Hij was bereid àlles te bekennen, als zij hem maar niet met de vogelvrijen in verband brachten... als de brigadier maar wilde geloven dat hij niet te maken had met die meid daar boven, en haar vrijer zonder gelaat... Hij had zijn wijfje gesmoord, misschien, maar de lieve God was zijn getuige dat er geen boos opzet bij was geweest, en de heks had hem overgehaald om de medico hier niet in te betrekken...
„De heks, hè...?" Er flikkerde plots een vals lichtje in de ogen van de brigadier. „Dus tòch nog een aardse getuige! Kom, hou op met janken en trek je spullen aan; wij gaan je leren praten op het bureau..."

Toen zij door het smalle straatje gingen, bleven al de luiken gesloten, alsof niemand het gebas van de honden had vernomen en niet het luid geschreeuw van de braniejongens. Het is beter, horende doof – en ziende blind te zijn.
Misschien loerde toch iemand hem na door een deurkier?
Als de dag aanbrak, die de angst verdrijft, als de honden en de schreeuwers verdwenen waren, zouden zij elkaar weten toe te fluisteren dat mooie Caterina van haar bed was gelicht in het holst van de nacht... Hadden zij niet altíjd geweten dat die meid met de vogelvrijen verkeerde?
En bakker Devaddis, had hij de schande niet laten gedijen in zijn huis...? Er werd beweerd dat hij een kontaktman voor Graziano was.
Wat hadden de blauwe baretten anders nog in zijn huis te zoeken...?
Ook de heks van Orgosolo was gearresteerd, en vrouw Devaddis was opeens dood. Dood...? Ja, vermoord door zo'n kerel van Graziano! Misschien wel omdat zij het prijsvarken had verraden, dat door kolonel Marcano in hoogst eigen persoon was neergepaft na zijn bezoek aan mooie Caterina... „Gli frigge la bocca..."
Wat deed zij zich ook met de faïda in te laten?
Weet niet iedere Sard dat het beter is, ziende blind – en horende doof te zijn...?
Stom, stóm vrouwtje Devaddis...!

HOOFDSTUK 5

Bakker Devaddis...
Tonio de reus...
Wat was hij blij, eindelijk veilig in de cel te zitten, met rust gelaten te worden en zichzelf te hervinden in het stenen hok met de brits en de riekende beerton in een hoek.
Kolonel Marcano had hem niet de keel afgeknepen, zoals de brigadier had beloofd. Tonio was niet geschopt of geslagen. Er was zo weinig geweld meer nodig, om hem klein te krijgen. De gebroken nagel aan zijn grote teen die hevig klopte, had hij zichzelf bezorgd toen hij de heks achterna wilde en tegen de deegtrog was opgebotst. Hij had wat beten van de woedende hond opgelopen, toen hij naakt onder de hemel stond; daar kon dat stomme beest toch niets aan doen? Had hij zich maar rustig moeten houden.
En de wilde hoest die nu zijn strot verscheurde, had Marcano daar schuld aan...? Wie had hem gevraagd met bezweet bovenlijf uit het raam te gaan hangen, terwijl de ponente hem besprong en achter zijn rug de dode pop lag...?
Alleen God was verantwoordelijk voor zijn ellende, maar die roep je niet op het matje... die smeek je radeloos om erbarming als je een gelovige Sard bent en diep genoeg in de hel hebt mogen kijken. Nee, de hogere machten hadden geen schuld.
De beer kreupelde naar de hoek van zijn kooi en ging op de ton zitten. Zijn leeg hoofd duizelde. Hij had zoveel niet moeten drinken. Zijn maag kroop worgend omhoog naar zijn keel.
Het volgend ogenblik was hij weer van de ton en ging er op zijn knieën voor liggen, omdat hij niet durfde overgeven op de plavuizenvloer, maar hij had geen macht meer over zijn groot lichaam. Het ontlastte zich vanzelf en nu had hij zijn eigen nest bevuild. Nu wàs hij het beest waarvoor ze hem hadden uitgemaakt.
Tranen biggelden langs zijn wangen en dropen tussen zijn grote handen in de ton,.tussen de bereklauwen, die zich vergrepen hadden aan zo'n vroom wijfje met haar eeuwige rozenkrans.
De hoest scheurde uit zijn borst en er was stank en drek en het groeiend besef van eeuwige verdoemenis.
Achter het traliekruis boven zijn hoofd klom de zon naar de hemel. Maar nòg loeide de ponente om het gevang, loeide de

wreker, en Tonio de reus kromp ineen. Hij was niet meer zo blij met de rust van de cel. God was veel erger dan de mensen, die hem urenlang verhoord hadden en doorgezaagd over de vogelvrijen, die hij niet kende.

De wreker, opgehitst door heilig vrouwtje Devaddis, ging hem overal vinden, al kroop hij weg in de cel, al zou hij zich verbergen in de ton. Hij was verdoemd...

Tonio Devaddis richtte zich op. Hij veegde de tranen weg met de rug van zijn hand. Hij liet zich voorover op de brits vallen en schreide als een kind. Hij verborg zijn gelaat in zijn armen, maar hij kon het beeld niet kwijt raken van de stille pop met het gapende mondgat en de bolle ogen in het maanlicht. Hij huiverde bij de gedachte dat zij nu een heilige in de hemel moest zijn, vanwege haar steile vroomheid, haar ontelbare gebeden, de zeven missen in de week en de aalmoezen aan de armen van Orgosolo.

Twintig eindeloze jaren had hij met een heilige geleefd, haar nukken en grillen verdragen, vergeefs haar dorre schoot begeerd en gehunkerd naar de zonde die hij niet durfde bedrijven. Toen hij eindelijk de moed had opgebracht, was de zonde zo zwaar op hem neergekomen, dat hij nu als een beest in zijn kooi lag, vernederd en gehoond door de vertegenwoordigers van recht en orde.

Hoe lang lag hij daar nu al...?

Hij ontwaakte uit zijn verdoving door de geluiden, die van buiten tot hem doordrongen, vaag en onbestemd eerst, later dreigend als van een opstekende storm.

Er had zich voor de politiepost een troepje mensen verzameld. Er was iemand die schreeuwde, een helle kreet plots in de zomermorgen. Tonio richtte zich half op, gespannen, verward. Was het om hèm dat zij riepen...?

Wat had hij nog met de mensen te maken...? Hij was toch een beest! De honden hadden hem achterhaald, de jagers hadden hem gevangen en opgesloten in een kooi. Hij had zijn nest bevuild en lag hier als een dier in zijn eigen stank. Ze moesten hem met rust laten...

Maar het gerucht daar buiten zwol aan; er moesten tientallen opgewonden mensen zijn, met boze, dreigende stemmen.

Hij luisterde scherp toe, doch kon ze niet onderscheiden. Tóch...

„Assassino!" schreeuwde er een, „wij willen de moordenaar van Giuseppina!" Een bekende stem, luid opklinkend boven het

dreigend gemompel van de menigte.
Ineens wist hij het met gruwbare zekerheid: de hele clan van de Barresis dromde rond de politiepost! De broers van Giuseppina, de neven, de ooms, al het manvolk van de Barresi-clan... Zij schreeuwden om zijn smerige huid. Zij kwamen de vrome, lieve, tedere Giuseppina wreken en eisten op hoge toon toegang tot het cachot.
Uit de stegen en straatjes kwamen zij naar de Piazza, gewapend misschien, of bereid de moordenaar met hun blote handen te verscheuren.
„Assassino...! assassino...! assassino...!" Het geroep schalde tegen de muren en weergalmde in de holle gang achter de ijzerbeslagen celdeur. „Moordenaar, wij komen je halen!"
Tonio Devaddis kromp ineen van angst.
De clan van Barresi telde meer dan honderd leden. Zij hadden hun aanhang in Orgosolo, in Mamoiada, in Oliena en Orune. Zij deinsden voor niets terug, als het er om ging hun rechten te verdedigen of vermeend onrecht te wreken.
„Assassino...! assassino...! assassino...!"
Hij had een van de vrome vrouwen vermoord, waar de Barresi-clan zich zo op beroemde; een pand dat zij hem hadden toevertrouwd voor het leven en voor de eeuwige zaligheid daarna. Maar nu was Giuseppina Barresi een dode pop, onteerd en verkracht, vermoord door de man die zij verachtten... „Assassino...! assassino...!"
Het gejoel werd abrupt gedempt door een zware deur, die dicht sloeg. Grendels knarsten. De kleine bezetting van de politiepost nam geen risico met de clan van Barresi.
In de holle gangen verstierf het rumoer; buiten klonk het luider op, verontwaardigd, zocht zijn weg door het tralievenster boven Antonio's brits en bleef dreigend over hem hangen.
„Assassino...! wij komen je halen...!"
Het klamme zweet perste zich uit al zijn poriën. Zijn nekharen stonden overeind en hij beefde. „Dio mio!" kreunde hij, „ze komen mij vermoorden; en ik had geen kwaad in 't zin! God, hou de beesten van mijn lijf, ik heb niets gedaan. Vader God, ik wou alleen maar wat eeuwigheid tot amen mijn recht was, nadat ik mijn bruid in eer en deugd naar het altaar had geleid..."
Zo smeekte hij om bescherming tegen de beesten.
Of was het beest alleen maar bang van de mensen?
Tonio Devaddis, Tonio de reus, hij wist niet meer waar zijn plaats was. Hij zat ineengedoken op zijn brits en hij wist alleen

dat hij bang was, dat hij nergens meer houvast aan had, aan God niet en niet aan de mensen die hem belaagden. Hij viel op de knieën en hij kroop over de vloer van zijn cel. Zijn gebroken nagel knarste over de plavuizen en zijn wonden deden hevige pijn. Hij hoorde het loeien van de menigte daar buiten en hij onderging de doodsangst van een beest in de val. De honden blaften rondom, gretig om hem te verscheuren. Er is geen soulaas voor de gewonde beer, een hoop voor het beest dat door de wreker aan de meute wordt prijsgegeven.

Alle Sarden voelen zich zware zondaars, levend onder het doem van een grimmige God, die hun jeugd heeft beheerst, die dreigend over hun eerste liefde hangt en zijn adem moet blazen over hun huwelijksbed.

„In deugd en eer..."

De onwillige bruid laat de kralen van moeder's rozenkrans nog door haar vingers glijden, terwijl de beschroomde bruidegom haar tracht te ontmaagden. Daarna wacht hij af, of God zijn adem erover geblazen heeft en zijn zegen geschonken aan dit echtverbond.

Zij wachten lang.

Vader God heeft de tijd van eeuwigheid tot amen.

Soms schenkt hij zijn zegen...

Soms moeten zij door de hel van onbevredigde verlangens. Dan worden de vrouwen steeds vromer en de ongeduldige mannen alsmaar slechter.

Tonio de reus was een van de 'slechten' geworden en zijn giftig wijfje stierf in geur van heiligheid.

Stierf...? Vermóórd was zij! Een martelares als de zalige Antonio Mesina, waardig om tot de eer der altaren verheven te worden...

Maar eerst afrekenen met die ploertige moordenaar! Eerst dat smerige beest uit zijn hol roken...!

Tonio Devaddis stond doodsangsten uit, al kwamen zij met hun groot geschreeuw niet verder dan de vergrendelde deuren van de politiepost.

Toen werden de honden losgelaten en de blauwe baretten veegden de hele Piazza schoon, dreven de Barresiclan terug tot in de straatjes en stegen waarin zij thuis hoorden.

De geluiden verstierven in de verte.

Het werd weer benauwend stil in de cel met het tralievenster.

Zittend op de rand van de brits, zijn groot, dom hoofd in de handen gesteund, snikte Tonio Devaddis zijn zenuwen uit. Hij wilde niet meer sluw en niet meer dapper zijn, hij dacht niet meer aan de vrije kerel, die het voortaan voor 't zeggen had... Hij had alleen nog maar een afschuwelijke angst voor de clan der Barresis. Ze gingen hem vermoorden. Hij wilde alleen maar wegkruipen, beschermd worden tegen de wet van de faïda: oog om oog, tand om tand... lijk om lijk...

Ze gingen hem vinden!

Sluwe Tonio, je zult de dans niet ontspringen; je kunt van de ene op de andere dag niet sluw worden...

Stomme Tonio...!

Hangen zul je, vroeg of laat.

De heks.

Die was altíjd sluw geweest.

Vrouwtje Sanna wist wanneer zij gegokt en bíjna verloren had. Zij wist dat zij nu al haar streken moest uitspelen om de dans te ontspringen. Zij kende de opgeblazen figuur, die zich graag Signor Commisario liet noemen al van toen hij nog een schreeuwende snotpork was.

Zij had hem van de dauwworm genezen met een brouwsel waar de varkens van zouden kotsen en toen hij zijn eerste communie deed in een wit matrozenpakje, had zij hem de gewijde kaars geschonken, die zijn zieltje zuiver moest houden van zinnelijke lusten.

Nu zat hij tegenover haar aan zijn morsig bureau, Salvatore Cuchedda, een kalende vijftiger met de achterdochtige blik van een oude aasgier. Maar zij wist wat er achter het lage voorhoofd schuil ging; ze kende zijn vroomheid en zijn diep geworteld bijgeloof. Was hij geen late zoon van Sardus Pater, roomser dan de paus en bijgelovig als de pest? Daarom zou zij aan Signor Commissario maar braaf alles opbiechten...

Hoe zij kruiden was gaan zoeken in de maneschijn. Wassende maan, en de bulderende stem van de ponente over de macchia, een beter recept ís er bijna niet om de juiste kruiden te mengen.

Nu ja, èn de halve testikels van een jonge bok met het nog warme hart van een drachtige moufflon, als je er aan wist te komen, want de moufflons worden al schaars op Sardinië. Maar zij wilde Signor Commissario niet vervelen met haar zwarte magie, al had hij daar zelf eenmaal zijn leven aan te danken gehad. Dat was hij nog altijd niet vergeten, wel...?

Zij wilde alleen maar zeggen dat zij kruiden was gaan zoeken onder de wassende maan, hoewel volle maan eígenlijk nog veel beter werkte...

Ondercommissaris Cuchedda luisterde met diep geworteld ontzag naar het breedsprakig verhaal van de oude heks.

Rome schreeuwde ergens in zijn achterhoofd dat de zwarte magie verwerpelijk was en dat dit oude wijf met haar halve testikels en uitgerukte harten behoorde te branden in het eeuwige vuur, ad eternum...

Maar Rome lag helemaal aan de andere kant van de Thyrreense Zee híj zat hier in de Barbagia, in de schoot van het verdoemde eiland, waar vele generaties van bijgelovige Sarden waren gefokt en uitgestorven... Deze heks was misschien een der laatsten die nog branden zou. Ook de heksenprocessen behoorden tot het grijs verleden op het continent, maar wist Rome hoe lang de tijd in de Barbagia had stil gestaan...?

Daarom wankelde Cuchedda tussen het steile geloof van Onze Moeder de Heilige Kerk en het bijgeloof van zijn roemruchte voorvaderen. Daarom luisterde hij even sceptisch als eerbiedig naar een oud wijf, dat hem een mooi verhaaltje op de mouw trachtte te spelden.

Als hij de heks moest geloven, dan had een innerlijke stem haar gewaarschuwd dat de vrome ziel van Pina Devaddis in een verschikkelijke strijd met haar aards omhulsel gewikkeld was, alsof zij zich met tegenzin opmaakte om voor haar Heer een Schepper te verschijnen...

Nou, vrouw Sanna had er eerst geen acht op geslagen, omdat zij de bakkersvrouw nog diezelfde dag gezond en wel in de winkel gezien had en niets bijzonders aan haar gemerkt. Maar toen de stem bleef aandringen, was vrouw Sanna toch door de macchia naar de achterkant van Devaddis' huis gedwaald. Je mag met de hoge machten niet spotten; het kon God, of de duivel geweest zijn, die haar had gewaarschuwd, en zij wilde ze beide te vriend houden...

„Terzake, vrouw Sanna!" gromde de ondercommissaris, terwijl hij een 'nazionale' opstak en de vettige rook diep inhaleerde, „laten wij bij de feiten blijven. Wat gebeurde er in het huis van Devaddis?"

De heks keek hem verontwaardigd aan.

„Alsof ik dat weet! Waar ziet u mij voor aan, signor commissario? Dat ik door muren en deuren kan kijken? Ik mag dan het boze oog hebben, en soms met de duivel slapen, maar..."

„Terzake!" blafte Cuchedda geschrokken, „met jouw zwarte praktijken wil ik niets van doen hebben. Je zit hier voor een verhoor, vrouw Sanna! Bakker Devaddis heeft toegegeven dat hij zijn vrouw vermoord heeft, en ik wil weten wat jouw aandeel daarin is geweest. Wat je in zijn huis te zoeken had, en waarom je aan de haal ging toen de mannen van kolonel Marcano daar een inval deden!"

Even was de heks uit het veld geslagen; zij wist niet dat Tonio de reus zo vlot bekend had. Maar het was zíjn woord tegen het hare.

Een sluw lachje plooide haar dorre lippen. „Wel, signor commissario, zou ú niet op de loop gaan voor de honden van Marcano? Iedere Sard neemt de benen als hij die krengen hoort blaffen, of hij wat heeft uitgevreten, of niet. Ik wilde gewoon naar huis, toen ik die bijtebekken hoorde, maar ik ben even onschuldig als..."

„Wat dééd je in het huis van Deváddis!" onderbrak Cuchedda haar nijdig. „Je zit om de pot te draaien! Moet ik je soms doorsturen naar kolonel Marcano? Die weet iedereen aan de praat te krijgen!"

Het hoefde al niet meer. Omstandig vertelde de heks hoe zij zich een beroerte was geschrokken, toen zij, achter het bakkershuis gekomen, een vensterluik zag open staan. De bakker, in zijn hemd, was aan het worstelen met vrouwtje Devaddis, die helemaal niets aan had.

„Nou, u kunt mij geloven of niet, signor commissario, maar ze was zo spiernaakt als de goede God haar op de wereld heeft gestuurd. Even later merkte ik trouwens dat ze deze wereld alweer verlaten had, want ze was zo dood als een pier; m'n inwendige stemmen hadden dus wel gelijk gehad. En bakker Devaddis was helemáál niet aan het vechten; hij probeerde gewoon om haar een schone nachtpon aan te trekken. Maar Pina is nooit van het meegaande soort geweest, dat weet 't hele dorp. Zij stribbelde tegen wat ze kon en die arme Tonio wist er geen raad mee, maar tenslotte heeft ie haar toch aangekleed. En, u mag het geloven of niet, signor commissario, maar hij práátte gewoon met haar, alsof zij nog leefde...! Nou ja, hij zei dingen die hij nooit had durven zeggen toen zij nog in leven was, en ze gaf antwoord, vanzelf."

„Wát voor dingen?" wilde Cuchedda weten, „probeer je precies te herinneren wat hij gezegd heeft."

De oude vrouw dacht diep na, haar tanig kopje plooide zich in duizend rimpeltjes.

„Hij zei, dat ie bezopen was, en dat ie dan gevaarlijk is... enne

... en dat hij veel éérder bezopen had moeten worden... O ja, en dat haar familie raar zou opkijken, als het in zijn huis niet meer de zoete inval was. Nou, en toen opeens, ik schrok me een beroerte, signor commissario, ineens gaat hij met zijn dikke pens uit het raam hangen en kotst de hele boel onder. Nou, en toen zag hij mij... en hij viel op zijn knieën voor het raam en hij begon te kermen, en hij zei dat ie zijn zure druif niks gedaan had, dat zij zomaar vanzelf was doodgegaan. Ik geloofde hem natuurlijk, want Tonio Devaddis kan nog geen vlieg kwaad doen, dat is evengoed in heel Orgosolo bekend als dat zij een verrekte schijnheilige dweepster was, die hem twintig jaar lang getreiterd heeft."

„Jaja," zuchtte Cuchedda, „en dáárom heeft hij zijn vrouw gewurgd..."

„Gesmóórd!" zei de heks verontwaardigd, „dat is heel iets anders, per ongeluk gesmoord onder zijn groot, dik lichaam, toen hij voor het eerst van zijn leven eens een kerel wilde zijn. Hij moet straalbezopen geweest zijn toen ie haar onderhanden nam, anders had hij nooit de moed kunnen opbrengen. Ik ken hem toch zeker zoals ik u ken... Tonio Devaddis is geen moordenaar, al zal hij in zijn zenuwen alles bekennen wat je hem in de schoenen schuift, alleen maar uit angst voor die braniejongens van Marcano, en om van 't geouwehoér af te zijn. Laat het lijk onderzoeken. Ze zullen geen spoor van geweld vinden, evenmin als ik; ik heb haar zèlf onderzocht, toen Tonio mij vroeg, zijn schijnheilig wijfje af te leggen."

Cuchedda hief een weke hand op. „Hoho! je spreekt over een dode, vrouw Sanna!"

„En ik pleít voor een levende!" beet zij hem toe, „voor een stomme goedzak, die zich altijd liet afblaffen door de kleine keffers."

„Je had de politie moeten waarschuwen," zei Cuchedda moe, „of minstens de medico erbij moeten halen, eer jij je met de dode ging bemoeien." Vrouw Sanna haalde de schouders op. „Ik loop tegen de tachtig," zei ze, „ik heb tientallen lijken afgelegd zonder dat er een medico aan te pas kwam. Vóór deze pillendraaier hier kwam, heeft niemand zich ooit met de doden bemoeid, tenzij er geschoten was, of gestoken. Vrouwtje Devaddis is niet vermoord, dat zweer ik u bij de Allerheiligste Moedermaagd!"

De ondercommissaris sloeg een kruis. „Je moet de Moedermaagd niet als getuige roepen," zei hij stroef, „jij husselt altijd hemel en hel door elkaar. Wáárom ging jij er als de hazen vandoor, toen de politie kwam, als je geen slecht geweten had dan...?"

„Om dezelfde reden waarom de hazen er vandoor gaan wanneer zij de honden horen blaffen," repliciteerde de oude vrouw, „en om dezelfde reden waarom Tonio Devaddis 'moord' bekent, waar ieder ander van een ongeluk zou spreken! Bakker Devaddis heeft een hazehart; ik misschien ook, en de meeste dorpers hier. Wij zijn allemáál bang van de braniejongens met hun smerige rotstreken, met hun smerige honden! Moet ik ú nog aan de kleine Mario Petella herinneren? Hij is vorig jaar door de honden verscheurd, levend uiteengereten, omdat hij gillend wegliep toen de meute los brak! Per ongeluk, natuurlijk! De honden breken altijd per òngeluk los! De blauwe baretten voeren hier een schrikbewind onder de burgers, terwijl zij van Rome gestuurd zijn om de bandieten te vangen. Zeg aan je fraaie kolonel Marcano dat hij zich beter met Mesina en z'n prijsvarkens kan bemoeien, als hij daar niet te laf voor is, dan met hazen als Tonio Devaddis!"

Driftig sloeg de ondercommissaris met de vlakke hand op zijn bureau. De schrijvende brigadier achter in het vertrek schrok op en poogde zijn scheve grijns te verbergen achter een strak masker, maar Cuchedda had het gezien en memoreerde het in zijn achterdochtig brein. Er viel een geladen stilte, waarin hij de heks vijandig aanstaarde. Zij liet haar koolzwarte ogen op hem rusten en haar dorre mond plooide zich tot een verachtelijk lachje.

Het verhoor had een pijnlijke wending genomen, waarin vrouw Sanna de leiding behield, en het beroerste was, dat hij de oude vrouw gelijk moest geven, dat hij eigenlijk, aan haar kant stond. Niemand wist beter dan ondercommissaris Cuchedda, hoezeer de mannen van kolonel Marcano gehaat en gevreesd waren in de dorpen van de Barbagia, vooral bij de inwoners van Orgosolo, die geslachten lang van de ene terreur in de andere geleefd hadden, maar altijd de zijde van de bandieten kozen.

De kleine knaap die vorig jaar in de bergen verscheurd was, stond niet alléén in zijn angst voor de honden.

De oude vrouw was éven bang en kon haar overhaaste vlucht op die manier verklaren.

Tonio de reus was éven bang; hij had moord bekend, om niet door de mannen van Marcano te worden verhoord en in verband gebracht met de vogelvrijen.

Marcano en de honden...
Marcano en zijn blauwe baretten...
Misschien had de oude vrouw tòch wel gelijk en oefenden zij terreur uit op het verdoemde eiland? Een feit was, dat zij iedere burger tot elke bekentenis wisten te brengen, al kwamen er geen martelingen meer aan te pas, zoals nauwelijks tien jaar geleden.
Deze oude heks had genoeg gezien met haar vreemde, donkere blik. Zij was wreed voor de kleine dieren, die zij voor haar duistere praktijken hart en ingewanden uit het spartelende lijf rukte. Maar ook had zij gezien hoe de carabinièri armen en ribben braken van de kleine mensen die zij verhoorden.
Cuchedda zelf herinnerde zich met walging de verhoren die hij als jong militair had bijgewoond. Sterkere kerels dan Tonio Devaddis hadden jankend alles uitgekreten wat de brigadier uit hun mond wou persen. Zij waren tot iedere bekentenis bereid, als die rotzak maar ophield hen tegen hun genitaliën te trappen. Maar dat was allemaal verleden tijd. Zulke verhoren kwamen niet meer voor... Of, tòch?
Cuchedda sloeg de ogen neer voor haar doordringende blik. Hij zuchtte diep. „Ik zal je verklaringen door brigadier Ennis hardop laten voorlezen," gromde hij, „dan kan je er een kruisje onder zetten, als je het ermee eens bent, vrouw Sanna."
Hij stond op.
„En ik zal je raad misschien wel aan kolonel Marcano overbrengen," grinnikte hij, „dat hij zich beter met de vogelvrijen kan bemoeien. Allo, zet je kruisje en ga naar huis, voorlopig. Misschien laat ik je vandaag of morgen nog wel halen, als dat nodig blijkt..."
„Ik hoéf geen kruisje te zetten," mokte de oude vrouw, „ik kan m'n volle naam schrijven; kruisjes zet je op een graf, en als dat van Marcano mag zijn, zal ik 't met alle plezier doen!"
De brigadier begon aarzelend haar verklaring op te lezen.
Een half uur later slofte vrouw Sanna het bureau uit. Zij vond dat zij haar komedie vrij goed gespeeld had...

Caterina Sorighe...
Mooie Caterina was eerst door brigadier Tosca op zijn brute wijze verhoord en later voor kolonel Marcano in hoogst eigen persoon gebracht.
Tosca was er van overtuigd dat hij weer een goeie slag geslagen had, met groot wild in de val... een meid die met de

gekrepeerde bandiet Parera had geslapen en dus alles wel zou afweten van 'koning' Graziano en zijn bende...
Toen Marcano haar later zelf onderhanden nam, viel het bitter tegen. Het grote wild bleek alleen maar een wilde meid, een mooie wilde meid, die grif toegaf met Parera geslapen te hebben, maar van de bende wist zij niets... Zij kende zelfs de namen niet van Giuseppe's kameraden beweerde zij, en al had zij die geweten, dan zou zij ze toch niet noemen...
„Sla mij maar dood! Laat je honden mij verscheuren; een beter lot staat mij tóch niet te wachten, het kan mij allemaal niet meer schelen, nu jullie Giuseppe vermoord hebben!"
Het meisje keek naar hem op, haar karbonkels vol gloeiende haat, haar bleek gelaat vertrokken van woede. Haar tranen waren sedert lang verdroogd, er bleef Caterina niets meer over dan de haat die haar verteerde.
„Vuile smerige sadisten! Met jagers en beesten zijn jullie de bergen ingetrokken, op mènsenjacht! Met heel de meute hebben jullie Giuseppe in het nauw gedreven en hem toen afgemaakt! Met hoeveel waren jullie? Tìen tegen één? Twintig...? En hebben jullie wéér per ongeluk de honden laten ontsnappen, zoals met de kleine Mario Petella...?"
Kolonel Marcano stak een sigaret op en keek het meisje scherp aan. De rook krinkelde blauw in het felle licht van de schijnwerpers.
Mooi meisje... dacht hij, vervloekt mooi meisje... Hoe kon zij zich vergooien aan een prijsvarken als die Parera...!
„Je draaft door," zei hij zacht. „Je stelt de bandiet voor als een opgejaagd konijn, maar..."
„Giuseppe wàs geen bandiet!" kreet het meisje, „toch niet vóór jullie de rijke toeristen en de grondsjaggeraars kwamen beschermen! Jullie hebben een bandiet van hem gemáákt tot meerdere eer en glorie van prins Karim en zijn filmsterren! Giuseppe was een ijverig student, tot je blauwe baretten op hem gingen jagen met de honden!"
Er viel een stilte, waarin Marcano de ongerijmdheid van haar eigen woorden tot het meisje liet doordringen. Zij was schrander genoeg om zelf wel te merken hoe zij doordraafde.
„Nu ja..." zei ze moeilijk, „hij heeft een fout begaan... hij heeft in paniek op die carabiniëri geschoten, vorig jaar..."
Zij boog het hoofd.
De stilte duurde.
„Twee mannen gedood, en een zwaar verminkt," zei Marcano

tenslotte, „een normale wegpatrouille, die hem naar zijn rijbewijs vroeg... Toen zag de onschuldige Parera, die ijverige student, maar één oplossing: hij schoot die mannen neer, alsof zij wilde beesten waren... Pas dáárna, signorina Sorighe, zijn mijn mannen jacht op hem gaan maken, zoals op elke andere bandiet, die dit eiland onveilig maakt. Hij heeft zichzelf onder het tuig van Graziano Mesina geschaard uit eigen vrije wil. Dat jij toevallig verliefd op hem was, verandert in ònze ogen niets aan zijn schuld... Hij was een levensgevaarlijke bandiet, en aan mij de taak om hem op te sporen."

„Met jagers en honden..." sneerde zij, „God alleen weet wat een angst hij gehad heeft... en ik, die hem troosten moest als een kleine jongen..." Zij vocht wanhopig tegen de tranen die tòch weer in haar ogen welden.

„Die jagers... dat klopt," gaf Marcano toe, „mijn mannen worden jagers genoemd. Er waren toevallig vier van mijn mensen op patrouille, gistermorgen; vier, niet meer. En zij hadden geen honden bij zich, als dat je troosten kan."

Het meisje keek verrast naar hem op, in de richting van zijn stemgeluid. In het witte licht van de lampen kon zij zijn gelaat niet onderscheiden, maar zij was geneigd hem te geloven. Het klonk allemaal zo redelijk, na het drifig geschreeuw van brigadier Tosca, die getracht had haar te overdonderen en tot een snelle bekentenis te dwingen.

Kolonel Marcano draaide de hete spotlight uit en het gelig licht dat door de vensters droop, deed weldadig aan, na de marteling van de schijnwerpers in haar ogen. Hij wenkte agent Podda, die dampende koffie in grote koppen schonk. Hij schoof een capucino naar het meisje aan de andere kant van het bureau. Zij nam de kop met bevende handen en dronk met kleine teugjes, terwijl zij oogknipperend haar ondervrager aankeek.

„Vier van mijn mensen," herhaalde Marcano, „en het was zéker geen ongelijke strijd, want achter de wijngaard van Corraine, op de flank van de Sopramonte, stootten zij op vier zwaargewapende bandieten, die onmiddellijk het vuur openden. De carabinière Pittoru werd bij dat eerste salvo ernstig gewond, en toen bleven er nog vier bandieten, tegen drie jagers..." Er viel een lange stilte. Van buiten klonken vaag de geluiden van het dorp, dat langzaam tot leven kwam.

Brigadier Tosca stond schuin achter de kolonel en keek het meisje vijandig aan.

„Pittoru was een van mijn beste mannen," beet hij haar toe, „hij

90

ligt nu in het hospitaal, en God weet of hij het nog haalt! Jouw vrijer en die makker van hem, Filippo Bianchi, begonnen als gekken op ons te schieten. Wij hadden geen honden èn we waren niet in de meerderheid! Waar blijf je nou met je…" Kolonel Marcano legde hem met een driftig handgebaar het zwijgen op. Tosca had bij zijn eerste verhoor niets uit het meisje weten te krijgen. Zijn groot geschreeuw zou ook nu niets baten, zeker niet als hij zich in de verdediging drong.

„Wat wij willen weten, Caterina," zei de kolonel bijna vriendelijk, „is, wie die twee anderen waren, die Filippo Bianchi hielpen ontsnappen, terwijl hij toch ernstig gewond moet zijn…" Caterina keek verrast op, maar zij sloeg onmiddellijk de ogen weer neer. Dit was het eerste goede nieuws wat zij te horen kreeg. Giuseppe had haar in die laatste nacht verteld dat hij met Filippo naar Orgosolo was gekomen, dat die op hem wachten zou in de wijngaard van Corraine. Zij kende Filippo als zijn trouwste kameraad en zij had gedacht dat beide jongens waren omgekomen. De anderen interesseerden haar niet en zéker Ignazio 'De Jankerd' verafschuwde zij, maar dat Filippo nog voortvluchtig was, vervulde haar met vreugde. Zij dacht aan manke Teresa, die zo blij zou zijn met dit nieuws.

Zij schudde het hoofd. „Jullie begrijpen mij niet," schreide zij, „ik heb met de hele bende niets uit te staan, hoe zou ik hun namen weten?" Zij keek Marcano smekend aan. „Geloof mij toch, dat ik alleen maar verliefd was op Giuseppe, al lang vóór hij door de politie werd gezocht!"

„Vóór hij die dubbele moord beging en zijn heil zocht bij de bende van Graziano!" gromde brigadier Tosca.

„Voor… vóór àlles!" schreide het meisje, „wij kennen elkander van de schoolbanken… van de congregatie…" Tosca lachte smalend. „Van de Sint Aloïsiuscongregatie zeker! We zullen zeggen dat Parera een vrome jongen was, die we voor de gein overhoop geschoten hebben!"

„Ja, mag ik even?" onderbrak de kolonel hem nijdig. Hij legde zijn vingertoppen tegen elkaar en keek het meisje tegenover hem secondenlang aan, peinzend op de woorden die haar wat milder konden stemmen ten opzichte van het gezag, dat louter zijn plicht gedaan had. Met brigadier Tosca achter zijn rug, driftig ijsberend door het bureau en zijn schampere opmerkingen plaatsend, zou hij het ijs nooit kunnen breken.

Tosca was een goed jager, hij zou na deze campagne wel een lintje krijgen, maar voor het verhoor van de getuigen was hij te bruut. Hij had zijn sporen verdiend in zijn meedogeloze jacht op de bandieten van Mesina, maar tegenover dit meisje stond hij slechts als de moordenaar van haar geliefde. Hij zag de haat in haar donkere ogen branden, wanneer zij een blik op de martiale figuur van de brigadier wierp. Zij zou liever sterven dan hèm iets te bekennen.

De kolonel wendde zich tot Tosca met een minzame glimlach. „Gaat u zich nog wat met Devaddis bemoeien, ja?" vroeg hij op een samenzweerderstoon, „ik ben er van overtuigd dat u hem wel aan de praat weet te krijgen."

„Maar ik heb die kerel toch al een paar uur lang..." protesteerde Tosca. Toen bedacht hij zich en verliet met driftige stappen het vertrek.

Agent Podda aan het bureau naast de deur, boog zich dieper over zijn schrijfwerk, blijkbaar geheel verdiept in zijn rapport, maar een smalende glimlach krulde zijn lippen. Hij was er een van Orgosolo; hij kende het volk en deelde hun minachting voor de jagers van het continent.

„Wil je nog koffie?" vroeg de kolonel, alsof zij een gezellig onderonsje hadden. Caterina schudde haar hoofd.

„Je was dus al verliefd op Giuseppe Parera, lang voor hij zich bij de bende van Graziano Mesina aansloot," hervatte hij de draad van zijn hoor.

„Hij heeft er zich niet bij aangesloten," weerlegde zij koppig, „Giuseppe is in moeilijkheden geraakt na dat treffen met die wegpatrouille vorig jaar... Nou, en toen is hij de bergen ingevlucht. Hij moest zich èrgens verschuilen, en de bende heeft hem blijkbaar opgenomen, al hoorde hij er helemaal niet thuis. Wij dachten... ik had gehoopt, dat hij met het geld en de relaties van zijn familie allang naar het continent gevlucht zou zijn, iederéén dacht dat!"

„Dat is ouwe koek, meisje," zei de kolonel verveeld. „Je weet sinds lang dat hij niet naar het continent ontkomen is, want hij kwam je op ongeregelde tijden in Orgosolo bezoeken."

„Een paar keer maar," bekende zij, „ik schrok mij een ongeluk toen hij voor het eerst kwam... ik had zó gehoopt dat hij de dans ontsprongen was... dat hij van dit vervloekte eiland af had weten te komen... Giuseppe wàs geen bandiet!" kreet zij schel, „Geen echte toch," liet zij er zielig op volgen. „Niet zoals al dat tuig van Graziano... Hij kende de bende niet eens. voor dat ongeluk vorig jaar..."

„Ongeluk?" vroeg de kolonel sarcastisch, „m'n lieve signorina,

zie je de zaken nu niet een beetje àl te simpel?"
„Dat met die wegpatrouille..." zei ze zacht, „dat was... hij heeft
dat nooit zo gewild... Giuseppe wàs geen moordenaar. Hij
heeft nooit meegedaan aan een overval, of een ontvoering. Hij
... hij heeft zich door vrienden laten overhalen om wapens te
vervoeren, het juiste heb ik er nooit van begrepen, en hij raakte
in paniek toen hij ineens door die wegpatrouille werd aangehouden... Hij heeft het mij zelf verteld. En hij was er kapot
van... dat hij op mènsen had geschoten..."
„En er twee gedood," vulde de kolonel aan met droge stem, „en
de derde voor zijn leven lang verminkt."
Caterina boog het hoofd.
„Hij heeft geprobeerd het te biechten," fluisterde zij, „het liet
hem niet met rust. Maar padre Angelino zei dat zijn zonde te
groot was...! Dat hij maar bij de bisschop te biecht moest
gaan!"
Verrast keek kolonel Marcano op. Het verhoor van dit
overspannen meisje had weinig zin. Zij zou de namen van Parera's kameraden niet noemen, had hij allang begrepen, maar
nu liet zij zich iets ontvallen dat een nieuw licht wierp op de
plotselinge dood van de oude pastor.
„Padre Angelino...!"
Hij knikte tevreden; dit verhoor ging toch nog iets opleveren.
„De pastoor van Oleddu, bedoel je toch?"
De agent bij de deur hield op met schrijven en keek gespannen
naar het meisje. Het raadsel van padre Angelino's dood was
nooit opgelost, al was er wel geopperd dat de bende van Graziano er de hand in zou hebben, en hier zat me die mooie
Caterina Sorighe zomaar uit te bazuinen dat de student-bandiet
Parera...
„Je beweerde daarstraks toch dat Parera vorig jaar per òngeluk
op die wegpatrouille had losgeknald, nietwaar?" vroeg de kolonel suikerzoet.
„De schoften hadden de arme jongen in paniek gebracht, terwijl
hij alléén maar wat gestolen wapenen vervoerde..." Hij sloeg
zó onverwacht en dreunend met de vlakke hand op zijn bureau,
dat de agent verschrikt overeind veerde en het meisje hem
verbijsterd aanstaarde.
Marcano sprong op. „Smerige huichelaarster die je bent!"
schreeuwde hij. „Zie je dan nòg niet in dat jouw vriendje Parera
zomaar de eerste de beste louche moordenaar was? Dat ver-
voert gestolen wapens...! Dat schiet in koelen bloede twee

mensen neer, die hij op zijn weg ontmoet...! Dat vermoordt een tijdje later een oude priester die hem nooit iets in de weg gelegd heeft...!" Elke zin ging vergezeld van een daverende slag op het bureau. „Maar alleen omdat hij in jouw nest komt uithuilen, hou je hem de hand boven het hoofd! Is het nooit in je slimme kopje opgekomen om de zaak eens van de andere kant te bekijken...? Elke schoft die dergelijke halsmisdaden pleegt, is voor God en voor de mensen een moordenaar, maar nu het jouw vrijer betreft, sluit je de ogen en probeert alles goed te praten!" Hij gaf nog een laatste, dreunende slag op het bureau en liep met driftige kleine pasjes door het vertrek heen en weer, ten prooi aan zijn verstikkende woede. Zijn gelaat zag paars, de aderen zwollen op zijn voorhoofd.

Hij bleef achter het meisje staan en blikte op haar neer.

Hij bedwong de aandrang om haar de haren uit het hoofd te trekken en op dat mooie, hautaine gelaat in te rammen tot zij gillend bekennen zou. Hij kende duizend manieren om koppige getuigen aan de praat te krijgen, en hij had er vele toegepast. Hij sloot zijn ogen en ademde diep.

Fout, dacht hij, ik pak die meid helemaal verkeerd aan, maar vervloekt nogtoe, wat is dit voor een volk, dat zo met de bandieten heult en ze wit wast onder Gods aanschijn?

Zijn stem beefde toen hij zich tot het meisje richtte.

„Wat bezielt je, Caterina Sorighe, om de rotzooi niet te willen zien, die Mesina van dit eiland maakt...? En àls je Giuseppe Parera nog wilt blijven verdedigen door dik en dun, waarom geef je dan de ellendelingen niet prijs, die hem de dood ingejaagd hebben?"

Hij legde een zware hand op haar schouder en boog zich tot haar over, zijn verhit gelaat vlak voor het hare. Hij probeerde vaderlijk bezorgd te kijken, hij trachtte nog eenmaal haar vertrouwen te winnen. „Twéé namen..." fleemde hij, „noem mij alleen maar de namen van de twee, die Filippo Bianchi hebben geholpen om te ontkomen, en ik val jou er verder niet meer lastig mee..."

Caterina keek naar hem op en zij walgde. In zijn vermoeide, bloeddoorlopen ogen zag zij het angstvertrokken gelaat van Giuseppe weerspiegeld. In de geur van zijn adem rook zij het angstzweet van de jongen die schreiend in haar armen gelegen had, eer de jagers hem gingen vinden. Zij rochelde diep in haar keel en spuwde kolonel Marcano midden in het gezicht.

Hij deinsde met een vloek terug, veegde haar speeksel uit zijn ogen en zwoer bij alle heiligen in de hemel en alle duivels in de hel, dat hij die smerige slet wel aan de praat zou krijgen, dat hij nog àndere middelen kende om een muis te laten piepen. Toen viel zijn blik op de agent, die diep over zijn werk gebogen, ijverig zat te schrijven.

Hij voelde zich plots belachelijk, zoals hij daar stond, zijn gelaat afvegend met een onfrisse zakdoek.

„Dit hoeft niet in het rapport," zei hij dof, „ga brigadier Tosca zeggen dat hij Devaddis met rust laat en hier het verhoor komt overnemen."

De agent zette zijn pet op, salueerde overdreven en slofte het vertrek uit. Daarbinnen bleef secondenlang pijnlijk de stilte hangen tussen twee mensen die elkander aanstaarden met onverholen haat.

Caterina was het, die het eerst de stilte verbrak. „Dit hoeft niet in het rapport..." zei ze smalend. „Alsof één van die marionetten iets in zijn rapport zou durven schrijven, dat kolonel Marcano in moeilijkheden kan brengen...! Laat mij niet lachen, ouwe gek!"

„Het lachen zal je vergaan, rotmeid!" beet hij haar toe, „Dio mio, wat zal het lachen je vergaan in de komende dagen!"

„Het lachen is alle Sarden al vergaan, sedert zij voor het eerst jóuw smerige naam hoorden noemen," zei het meisje bitter, „al eens ooit van de sardonische lach gehoord, schertskolonel? Dat is de lach van ons eiland: lachend de dood ingaan, je te barste lachen, terwijl ze je met een bijl de hersens inslaan aan de rand van je graf. Zo lach ik nu om jou en om die uitslover van 'n Tosca, omdat jullie Giuseppe niet meer deren kunnen, en omdat Filippo de dans ontsprongen is; die ga je nooit meer vinden, maar misschien vindt hij jóu op een mooie dag en dan doe je 't in je broek van angst! Je mag mij martelen en doodslaan – en dan aan Rome berichten dat ik verongelukt ben als de kleine Mario – maar ik zal tòch geen namen noemen, wàt je ook verzint."

Marcano liep purper aan van woede. Nog nooit was hij zo toegesproken. Niemand had het ooit in zijn hoofd gehaald, hèm te beledigen, maar hier zat die mooie slet hem af te blaffen alsof hij de eerste de beste kwajongen was!

Zij keek hem spottend in zijn gelaat en zij lachte haar sardonische lach, de mond vertrokken in wrange bitterheid, terwijl de tranen haar nog in de ogen brandden.

Ten aanschouwe van een ondergeschikte had zij hem midden in

het gelaat gespuwd, hèm, kolonel Marcano, de meest gevreesde bandietenjager van het continent, de kerel, voor wie al het tuig van dit vervloekte eiland beefde. En die Sardische agent zou het meesmuilend verder vertellen, daar hoefde hij niet aan te twijfelen.

Ziedend van woede liep hij in het vertrek heen weer, heen en weer. Voorlopig had hij moeite genoeg om het beven in zijn eigen lijf tot bedaren te brengen. Als die verdomde Tosca niet gauw kwam, zou hij nog een ongeluk aan die meid begaan... Als zij nog eenmaal haar brutale bek durfde opendoen, stond hij voor zichzelf niet meer in... zou hij haar de armen uit dat prachtige lijf, of de haren uit die vervloekte mooie kop rukken!

„Schertskolonel," had zij hem genoemd...!

Zij had hem in het gelaat gespuwd...!

Zij lachte hem uit...!

Bij God, hij was aan de uiterste grens van zijn zelfbeheersing! Als zij nu nog één woord durfde zeggen...

Zwaar hijgend bleef hij voor haar staan en keek op haar neer met zijn bloeddooraderde, vermoeide ogen, keek op die mooie meid neer met een blik die haar moest doen rillen van angst voor de wrekende gerechtigheid. Was hij niet de gesel Gods? Waarom kromp zij niet ineen en bekende schreiend haar medeplichtigheid? Bij God, hij zou kunnen vertederen bij de aanblik van die begeerlijke schoonheid, neergeknield aan zijn voeten en badend in tranen van oprecht berouw... Hij zou zeggen dat zij mocht opstaan... Hij zou haar daarbij helpen, misschien, en bijna beschroomd haar uitdagend lichaam aanraken... haar provocerend, zinnelijk lichaam in de ronding van zijn sterke arm nemen, de arm der wet, de arm der gerechtigheid.

Vervloekt, waarom boog zij nu niet beschaamd haar hoofd, als zij toch wist dat hij op haar neerkeek? Waarom lag zij niet aan zijn voeten geknield en weende zij niet...?

Caterina keek smalend naar hem op en zij ving zijn troebele blik. Ze kende zijn gedachten, de begeerte van zoveel mannen. Zij wist dat zij mooi was en dat zij deze oude dwaas kon compromiteren als zij het een beetje handig speelde. Daarom drong zij plots tegen hem aan en lachte honend.

„Wat sta je daar te hijgen, ouwe snoeperd! Ben je te kippig om mij goed te onderscheiden? Hier! Hier ben ik! Heb je ooit zoiets gezien? Maar je blijft van mij af met je beverige klauwtjes! Ik heb aan Giuseppe Parera behoord, die jij de dood hebt ingejaagd. Mijn hele lichaam, waar jij likkebaardend naar staat te hunkeren, behoorde aan hem, maar jij mag er niet eens naar kijken, ouwe smeerlap...!" Domme, domme Caterina... Had zij hem opnieuw in het gelaat gespuwd, hij zou het nog hebben verdragen, misschien. Maar deze belediging op het ogenblik dat de deur openbarstte en de volijverige brigadier Tosca binnenstormde, op de voet gevolgd door de agent uit Orgosolo...

Kolonel Marcano zàg geen begeerlijk meisje meer, en zelfs niet de smalende lach van een mooie feeks.

Hij zag slechts het rode waas dat voor zijn ogen kwam en hij hoorde het hoongelach van vele generaties verdomde Sarden, eer zijn vuist uitschoot die het meisje trof.

Hij was er niet bij. Hij zou niet kunnen zeggen dat hij haar vol in het gelaat had willen treffen, of op die tartende zwoele mond. Al zijn opgekropte zenuwen ontlaadden zich in die ene geweldige vuistslag, waarmee hij haar met stoel en al achterover slingerde.

Een gehuil, diep uit zijn keel, deed de twee mannen bevriezen op de drempel van het vertrek.

Zij staarden van de stille gestalte op de vloer naar de man, die schreeuwde alsof híj mishandeld werd.

Zij keken hem aan, met open mond, naar zijn gesperde muil, naar zijn paarsvertrokken gelaat, dat niets menselijks meer had, naar zijn molenwiekende armen, die geen weerstand vonden na de eerste slag.

„Dio mio, kolonel!" stamelde brigadier Tosca, en luider, als wist hij dat hij die horde van oude Sarden moest overstemmen: „Kolonel Marcano...!"

„Marcano!" loeiden de sluwe Sarden, „Marcano...! Marcanooo! wij gaan je vinden...!"

Het geluid weergalmde honend door de gewelven ergens in zijn gemarteld brein, het botste tegen klamme muren, het werd herhaald en duizendvoud herhaald door geslachten van getergde Sarden die om de faïda schreeuwden. Niet zíj waren de gekwelden, deze keer, maar kolonel Marcano, mensenjager bij de gratie van Rome, die zijn beide vuisten tegen de ogen drukte in een wanhopig gevecht tegen het rode waas dat hem omspon. Het ging over... Langzaam hield de werveling op en verstomden de stemmen. De dingen, de contouren gleden ruggelings terug op hun vertrouwde plaatsen en kolonel Marcano keek verdwaasd om zich heen.

Brigadier Tosca stond vlak voor hem, met bezorgd gelaat en

slechts weinig respect in zijn blik.

De agent zat op een knie over het meisje gebogen. Donker bloed droop uit haar neus en uit haar ene mondhoek, maar hij trachtte verstolen de krappe bloes over haar borsten te trekken, alsof híj zich aan haar vergrepen had.

„Grote zwijnen en kleine zwijnen," peinsde hij, „maar de grote doen het ongestraft en ik mag dit niet gezien hebben; hij staat zo ver boven mij, verdomme, ik heb niks gezien..."

„Bent u wel in orde, kolonel?" fluisterde brigadier Tosca, „wilt u niet even gaan zitten?"

„Of liggen," peinsde agent Podda schamper, „voor tijd en eeuwigheid in je gepleisterd graf liggen, groot, smerig zwijn!" Maar hij wendde zijn blik af van het meisje en kwam moeizaam overeind, want het zwijn was te groot en hij wenste zijn mager pensioen niet te verspelen. „Ze is zeker gevallen," zei hij schor, en hij vervloekte zichzelf om zijn lafheid, „ik dacht dat ik haar zag vallen toen wij binnenkwamen, ze heeft 'n lelijke smak gemaakt, als u het mij vraagt..."

„Maar ik vraag je niets!" klonk de stem van Marcano moeilijk, „ik vraag je niet eens om verontschuldigingen voor mij te zoeken, want die heb ik niet nodig." Hij leunde zwaar tegen zijn bureau en betastte de knokels van zijn rechterhand, die ontveld waren, waarin de afdrukken van haar tanden stonden. „Ik heb je zelfs niet gevraagd het vlees te bedekken, waarmee die slet alles denkt te kopen."

„Jij smerig groot zwijn!" dacht de agent, „wat jammer, dat wij zo gauw binnenkwamen, hè! Maar jij bent te groot geworden en ik moet m'n pensioentje halen."

„Nee, kolonel... ja, kolonel," stotterde hij, „ze staat erom bekend... heel Orgosolo kent haar... Ik dacht alleen maar, dat ik haar zag vallen..."

De twee grote mannen schonken geen aandacht meer aan zijn gebazel, want het meisje opende haar ogen en staarde verdwaasd omhoog. Zij bewoog een arm, zij strekte een been. Met de lenigheid van een jong dier ging zij plots overeind zitten en betastte haar mond. Haar neus bloedde hevig, maar zij spoog wat bloed en een paar hagelwitte tanden uit. Daar keek zij naar, geschrokken. Zij betastte haar voorhoofd, alsof zij een kruis ging slaan.

„Santa Maria," zei ze, en zij sliste als een oude vrouw, „die krijg ik nooit meer terug..."

Zij hief haar besmeurd gelaat omhoog, zij staarde op naar de

mannen, en zij wàs een oude vrouw, die alleen de haat nog restte.
„Vuil, smerig oud zwijn!" kreet zij, „Filippo zal je weten te vinden! Sla me maar dood, vinden zullen ze je toch!"
„Ik twijfel er niet aan," zei Marcano lusteloos, „breng haar naar cel drie, agent, en zorg voor voldoende fris water om haar smerige mond te spoelen. Zeg aan de cipier dat zij alle verzorging krijgt die een dame van haar stand past."
Hij ging vermoeid aan zijn bureau zitten en steunde zijn bezweet hoofd in zijn grote handen.
De brigadier stak een sigaret op en rookte met nerveuze trekjes. „Weet u zeker dat u... in orde bent, kolonel? Kan ik iets voor u doen?..."

Zij gingen door de holle gang, het meisje en de bange agent. Zij hoorden niet meer hoe bezorgd de brigadier voor de kolonel was. Zij hoorden slechts hun eigen stappen weergalmen in de gang die naar de noodcellen voerde.
Andrea Podda was een vroeg oude man, verbitterd en teleurgesteld in het rijke roomse leven, dat hem had afgescheept met een ziekelijke vrouw en, in plaats van de gedroomde stamhouder, een stel half idiote dochters. Hij had altijd aan het einde van de rij gestaan, als God weer eens wat ging uitdelen. Tegen dat hij aan de beurt kwam, was er nog slechts een handvol misère over. „Hier, Andrea Podda, aanvaard in dank de gulheid van Mijn genade; zalig zijn de armen van geest."
Salvatore Cuchedda, de schoolkameraad die hem zijn levenlang getreiterd had, was hem boven het hoofd gegroeid en mocht nu ondercommissaris spelen. Cuchedda tyranniseerde en verachtte hem. Allemaal geschenken van het leven aan Andrea Podda, die er niet om gevraagd had.
Hij was in zijn beste jaren wanhopig verliefd geweest op de mooie, wilde meid, die later de moeder van Caterina zou worden. Maar zij had hem uitgelachen, natuurlijk, iederéén moest altijd om hem lachen, en was met Pasquale Sorighe gaan hokken, de schapendief, die nog vlug dit mooie kind had verwekt, eer hij zich op de Oliena door Salvatore Cuchedda liet neerschieten. Cuchedda werd bevorderd om dit wapenfeit en agent Podda, die even fel aan de jacht had deelgenomen, werd afgevaardigd om zijn ex-rivaal te helpen begraven na een solemnele mis met duizend kaarsen. De nonnetjes van Sint Agatha hadden met hun ijle stemmen de requiem gezongen en

het halve dorp volgde de baar.
Agent Podda liep natuurlijk achter aan de zwarte stoet.
Daarom kon het gebeuren dat een paar van de mannen hem
voor vuile moordenaar begonnen te schelden en hem met stenen gooiden. Ze hebben hard gelachen, toen hij er met een
bloedend gelaat vandoor ging; dat vrolijkte de begraving weer
wat op, het was tòch al zo triest met al die kogelgaten in een
schamel lijk...
Nu, twintig jaren later, liep agent Podda met mooie Caterina
door de holle gangen van de politiepost; alleen, zij was zo mooi
niet meer, en kolonel Marcano had daar schuld aan. Zij miste
een aantal tanden en haar gelaat zat onder het bloed.
„Die vuile slet," had Marcano gezegd, „zie erop toe dat zij veel
fris water krijgt."
Agent Podda begon zachtjes te vloeken, terwijl hij het meisje
bij de arm naar cel drie leidde.
„Ik heb je moeder zo goed gekend," zei hij, „verdomme, je had
mijn dochter kunnen zijn... Ik zal zorgen dat de mannen van
Graziano te weten komen wat Marcano met je heeft uitgehaald
... Ik zal zorgen dat ze hem weten te vinden!"
Caterina keek hem een ogenblik verbaasd aan en daarna
plooide haar gehavend gelaat zich tot de caricatuur van een
lach. Zij kon er niets aan doen; iedereen moest altijd lachen om
Andrea Podda.
„Dat is goed," zei ze, „met Graziano heb ik niets te maken, maar
zorg dat Filippo Bianchi het te weten komt, als hij nog leeft...
Filippo zal hem weten te vinden, hij was Giuseppe's beste kameraad en éven dapper."
Zij spoog wat donker bloed op de plavuizenvloer en ze keek de
slome agent aan met een blik, die hem aan zijn verloren droom
deed denken. „Je bent een gekke ouwe vent, maar ik vertrouw
je, mama heeft mij veel over je verteld..."
Zij giechelde bij de herinnering. „Je hebt het één keer bij haar
gedaan, hè...? Maar je was zeker niet zo'n kei; zij was altijd op
zoek naar een dekhengst. De volgende dag ging Pasquale Sorighe zich met haar bemoeien, en de rest weet je... Verdomd
waar, je hàd mijn vader kunnen zijn, als je niet altijd de kaas
van je brood liet gappen."
Zij lachte zenuwachtig toen hij haar de cel binnenleidde. De
cipier was er niet en zij stonden nog even onwennig tegenover
elkaar. Agent Podda wist niets meer te zeggen, hij had op onbeschaamdheid nooit een antwoord gehad.

Toen in de gang de stappen van de cipier weerklonken, die zijn grote sleutelbos liet rinkelen, fluisterde zij vlug: „Luister, Podda ... als je het méént... als je me echt wilt helpen, ga dan naar de heks. Zij zal Filippo weten te waarschuwen. Zij kent ze allemaal!"

Eer hij kon antwoorden, kwam de cipier de cel binnen met een kruik water en een paar propere handdoeken. Hij keek het meisje onderzoekend aan, en van haar gleed zijn blik naar Podda.

„Cel drie," grinnikte hij, „dat is voor de hoogste gasten, niet waar, Andrea? Cel drie wordt nooit gebruikt, omdat we niet op dames zijn ingesteld; ik weet niet eens of ik de sleutel wel kan vinden, maar dit duifje vliegt tòch niet weg. Ze zal wel gauw op transport gaan, als ik goed ben ingelicht."

Hij keek opnieuw naar Caterina's gehavend gelaat. „Allemachtige goedheid, wie heeft jou zo te grazen genomen? Agent Podda toch niet...?"

Hij lachte, alsof hij een schunnige mop had getapt en Andrea Podda slofte met gebogen hoofd de cel uit, van walging en bitterheid vervuld. Van angst ook, om het zware besluit dat hij had genomen.

Hij trachtte zijn gal te voeden, in de hoop dat die zijn angst zou overheersen, want hij wist dat hij op een keerpunt was aangeland en voor het eerst in zijn armetierig bestaan van de veilige weg der gehoorzaamheid ging afdwalen...

Hij zou een verschrikkelijk pad moeten gaan, en zelf beslissingen nemen. „God," kreunde hij, „Vadergodindehemel, wat ben ik begonnen!"

Maar het droombeeld kwam terug en hij zag de wilde meid, die hij eenmaal in zijn armen had mogen sluiten, eer zij zich lachend van hem afwendde om Pasquale de schapendief te volgen. *Jij wàs zeker niet zo'n kei... Zij was altijd op zoek naar een dekhengst... Verdomd waar, je had mijn vader kunnen zijn, als jij je niet altijd de kaas van je brood liet gappen...*

Hij zag mooie Caterina - en wie zou bewijzen dat ze zijn dochter niet kon zijn - op de vloer liggen in Marcano's bureau, haar gelaat besmeurd met bloed, en de tanden die zij uitspuwde als voze pitten... Nu was Caterina Sorighe zo mooi niet meer. *Allemachtige goedheid, wie heeft jou zo te grazen genomen? Agent Podda toch niet...?*

Om het idee alleen al had de cipier gelachen, dat agent Podda iets zou durven... o, verdommese lafaard! Hij was altijd bang

geweest; daarstraks nog, toen hij het meisje zag liggen op de vloer.
Ze is zeker gevallen, kolonel… ik dacht dat ik haar zag vallen toen wij binnenkwamen, en als u het mij vraagt… Maar de kolonel had hem niets gevraagd, agent Podda werd nooit iets gevraagd, die was een gewone zak. *Ik heb je zelfs niet gevraagd het vlees te bedekken, waarmee die slet denkt alles te kunnen kopen…*
De brutale hond! Had hem weggestuurd om brigadier Tosca te zoeken… Had zich intussen aan mooie Caterina vergrepen en haar neergeslagen toen zij begon te gillen… Schaamde zich niet eens voor zijn ondergeschikten en wierp alle schuld op het meisje.
En hij had het méégespeeld, uit angst.
Laffe, laffe Andrea.
Nee, kolonel… ja, kolonel… ze staat erom bekend… heel Orgosolo kent haar…
Andrea Podda steunde zijn hoofd tegen de kille muur en vloekte hartstochtelijk. Terwijl hij vloekte, vreesde hij nog de hand van de wrekende God uit zijn jeugdjaren. Maar hij bedacht bitter, hoe ver die tijd achter hem lag, en dat hij hier met afgezakte schouders stond, met grijze haren, en een hart vol vergane dromen. Een oude agent die nog even geduld werd.
Vloeken is zonde. Andrea Podda vloekte opnieuw, vloekte hartstochtelijk en sloeg zijn vuisten tegen de muur. Hij zou vloeken wanneer hij dat verkoos, of wanneer hij de tranen niet wilde schreien om de verloren dromen. Hij zou vloeken tot hij Filippo Bianchi gevonden had, en hem vertellen wat de kolonel het meisje had aangedaan.
Wie kon bewijzen dat ze zijn eigen dochter niet was…?
Je hebt het eenmaal gedáán bij mijn moeder, hè? voor Pasquale Sorighe zich met haar ging bemoeien…
Natuurlijk kon zij zijn dochter niet zijn, maar waarom mocht een man zijn dromen niet hebben? Je bent 'n ouwe zak. Een zak vol dromen; die kan niemand je ontnemen. Of toch…?
Jij laat je altijd de kaas van je brood gappen…
Hij zag het lijk van de schapendief, die ook de kaas van zijn brood had gegapt, en hij begreep nu waarom hij zo fervent aan de klopjacht had deelgenomen; dertien jagers, en één stuk wild … De schapendief lag dubbelgeknakt op de flank van de Oliena. Hij was doorzeefd van kogels, maar daar was er niet een van Andrea Podda bij; die had natuurlijk weer achteraan gelo-

pen, op de plaats die Vader God hem van eeuwigheid tot amen had toegewezen.
Hij schudde het hoofd en rukte zich los uit zijn gepeins. Hij ging met lome tred het bureau binnen.
„Ik heb het meisje afgeleverd in cel drie, kolonel..."
De kolonel was er niet meer. Aan zijn bureau zat brigadier Tosca, die verveeld opkeek van het rapport dat hij met gefronste wenkbrauwen zat te lezen.
„De kolonel is vertrokken, agent, die heeft wel wat beters te doen dan dit tuig te verhoren." Hij schoof de dicht beschreven vellen papier over het bureau. „En wat deze... aantekeningen betreft, agent, die kun je beter vergeten; ze zijn onleesbaar en dienen nergens toe."
Agent Podda stond stram in de houding.
„Zeker brigadier. Tot uw orders, brigadier! Zal ik ze in de prullebak gooien?"
„Laat maar," geeuwde brigadier Tosca, „ik neem ze zelf wel mee." Hij verliet het vertrek, zonder de agent nog een blik waardig te keuren.

HOOFDSTUK 6

Het was bloedheet in de straten van Nuoro, waar duizenden zich die middag rond het ouderlijk huis van de gesneuvelde bandiet verdrongen, om de plechtige begrafenis bij te wonen. Nu ja, plechtige... wat héét plechtig op Sardinië...?
Monseigneur de bisschop had hem de zegen van Onze Moeder de Heilige Kerk ontzegd, dus een echte roomse plechtigheid kwam er eigenlijk niet aan te pas. Geen solemnele mis met drie priesters en veertig koorknaapjes, die de oude Parera best had kunnen betalen...
„Non dobbiamo avere pietà degli assassini!" had de bisschop gezegd, en daarmee verviel de kerkelijke begrafenis met alle troost die dat aan de diepbedroefde ouders had kunnen schenken: „Wij moeten geen meelij hebben met moordenaars..."
Christus, twintig eeuwen geleden, had meelij gehad met de goede moordenaar, maar dat was tóén, en Christus wist dat die moordenaar een 'goede' was... De deftige oude bisschop kende dit onderscheid niet. Moordenaars zijn moordenaars, en Giuseppe Parera was niet bij hem komen biechten, ondanks het advies van padre Angelino, zaliger gedachtenis, dus hoe kon monseigneur weten wat voor vlees hij in de kuip had met dat doorzeefde prijsvarken...?
Geen kerkelijke begrafenis dus, geen kwelende nonnetjes, geen wierook, geen kaarsen...
Monseigneur de bisschop had in zijn heilige verontwaardiging zelfs nog verder willen gaan en verbieden dat het kadaver in gewijde aarde begraven zou worden... Maar aangezien elke meter gronds op het verdoemde eiland gewijd en gezegend en opnieuw gewijd is, was er geen stukje ongewijde aarde meer te vinden. Dus mocht Giuseppe Parera, veelvoudig moordenaar, toch aan de rand van het kerkhof ter aarde besteld worden; maar dan ook aan de uiterste rand, mijne heren, en zo ver mogelijk van hen die in de Heer ontslapen zijn...!
Daarom lazen de duizenden inboorlingen en de honderden sensatiebeluste toeristen, en de handelaars die het verkwanselen van de laatste kolonie even onderbraken, op de rouwbrieven die tegen de gevels van de huizen waren geplakt, nièt dat Giuseppe Parera in de Heer ontslapen was...' Een doorzeefde bandiet ontslaapt niet, en een prijsvarken heeft niets met de Heer te maken.
Op de aanplakbiljetten stond gewoon te lezen: „Ieri ha cessato

104

di vivere...". Gisteren heeft opgehouden te leven... En daaronder kwam in koeien van letters zijn naam: Giuseppe Parera, oud eenentwintig jaar...
Oud. Zó oud was hij toch nog geworden, eer de kogels van Tosca in zijn mond en in zijn luizenbaard waren ingeslagen. Eenentwintig lange jaren oud...
Ondanks het verbod van Monseigneur de bisschop, prijkte de afbeelding van Jezus Christus zelf bovenaan het aanplakbiljet, de man van Nazareth, die zich niet had geschaamd om naast een moordenaar aan het kruis te hangen. Christus was er, kompleet met de doornenkroon en zijn smachtende blik omhoog gericht, alsof Hij Zijn Vader in de hemel toch nog om genade smeekte voor Giuseppe Parera, die een moordenaar was geweest en een bandiet. Zou die ouwe, koppige bisschop het dan tòch beter weten dan de Man van Nazareth...?
Er is zoveel veranderd in twintig eeuwen Christendom...
Er is zoveel veranderd op Sardinië...
Maar een lijk blijft een lijk, ook al is het onherkenbaar verminkt. Het kan de gemeenschap niet meer schaden, tenzij je vergeet het tijdig in de grond te stoppen. Daarom had kolonel Marcano dadelijk na de identificatie permissie gegeven, de gedode bandiet naar het huis van zijn ouders te vervoeren en de kerkelijke begrafenis te regelen.
Wist híj veel van de wrok die een oude bisschop kan verteren?

„Geweldig, zeg, dat ik dit nog net even kan meemaken!" zei juffrouw Irma Deceuckeleire enthousiast. „Ik had nooit gedacht dat hier zóveel te beleven viel!"
Tussen de samengedromde menigte hing zij verliefd aan de arm van Toni van de 'Ubitore'.
De verslaggever had aan haar wat goed te maken voor die nacht aan het strand van Marinella. Daarom had hij haar meegenomen naar de begrafenis van het jaar... Komt dat zien, komt dat zien, dames en heren! Een lijk met zeven kogelgaten. Ja zeven...! Géén gezicht.
De 'Ubitore' had hem getelegrafeerd, er een verslagje van te maken en de dikke met de teletoeter had zich na lang aarzelen laten overhalen wat plaatjes te schieten.
'Teletoeter' was de hele reis ongedurig geweest van angst. Het was zijn eerste trip naar het binnenland en de naam van de bandietenleider Graziano was aan de Costa Smeralda uitgegroeid tot een griezelige legende.

Naargelang zij de bewoonde wereld achter zich lieten en dieper doordrongen in het binnenland, was teletoeter heviger gaan transpireren. Hij had per slot van rekening geen officiële opdracht om zijn leven in de waagschaal te stellen, hij had zich gewoon laten ompraten door de verslaggever van de 'Ubitore'. Die Vlaamse griet uit Mannetjesdinges, of hoe dat verwenste gat ook mocht heten, was hartstikke gek, vond hij, gewoon een gefrustreerd wijfjesdier dat nooit aan haar trekken had kunnen komen en zich vastklampte aan elke zak die haar te grazen wilde nemen. 'Teletoeter' kènde dat slag, superkuis in hun eigen beschimmeld milieu, maar onverzadigbaar zodra zij de vaderlandse bodem verlaten hadden. Zij had zich laten overhalen om op het vervloekte eiland haar zwarte francs te beleggen, beweerde zij, maar in werkelijkheid was er heel weinig voor nodig geweest om haar te overreden; het was gewoon haar jaarlijkse bedevaart naar droomland, wáár dan ook ter wereld, als het maar ver buiten Vlaanderen lag. Zij ging zich gulzig te buiten aan alles wat Mannekensvere haar niet te bieden had, en was een willige prooi voor elke vent die haar hebben wilde. Jammer alleen dat zij zo'n onooglijke dorre bloem was. Dat de echte mannen altijd aan haar voorbijkeken...

Maar nú had zij dan toch een reus van 'n knappe kerel getroffen, die haar lonkende blikken verstond: Toni van de 'Ubitore', wat voor rare krant dat dan ook mocht zijn.

Toni had aan het witte strand van Marinella zijn roes uitgeslapen, was wakker gekust door de prille dageraad of door de dorre lippen van juffrouw Irma Deceuckeleire, hij wist het niet precies, en het deed er ook niet toe, hij had een barstende koppijn en een vuile nasmaak in de mond van de sambucca. Maar in ieder geval voelde hij zich schuldig tegenover haar; je gaat niet zomaar liggen snurken naast een hunkerend vrouwmens, zonder haar tenminste eerst wat te kalmeren.

Oké! Toni van 'Ubitore' was de beroerdste niet. Uitgeslapen en geeuwend van de honger, had hij haar zonder veel omhaal gekalmeerd en als twee tortelduifjes waren zij stiekum het hotel binnen gefladderd voor een verfrissend bad – het zand zit verdomme tussen m'n kiezen – en later troffen zij elkaar aan de ontbijttafel in de grote zaal.

Vervloekte sambucca... mergelt een mens van binnen uit tot hij de geeuwhonger krijgt! Alsof ze op dit verdomde eiland niks beters te zuipen hebben... Blij dat ik vandaag weer naar Rome vlieg! Dat galadiner gisteren was ook al een grote sof, de champagne leek wel paardezeik op koolzuur, en dit hotel is een ongastvrij rottroep, gewoon geen respect voor de klanten. Dit hele verrekte eiland kan me trouwens gestolen worden... hoeven ze 't niet meer bij opbod te verkopen.

Irma Deceuckeleire zat tegenover hem, nog geheel in de rossige droom van femme fatale, zij vond het niets aardig, dat hij opeens zo de pest in had. Ze wierp lonkende blikken op haar verovering en zij boog zich over de ontbijttafel om hem tot een diepe inkijk in haar décolleté te verleiden, maar Toni van 'Ubitore' had andere zorgen aan zijn bonkend hoofd. In mistige flarden doemden de herinneringen aan de vorige avond bij hem op en hij keek achterdochtig de ontbijtzaal rond.

Hij begon vaag te beseffen waarom hij de nacht naast deze dorre bloem op het strand van Marinella had doorgebracht, en te begrijpen welk een modderfiguur hij had geslagen tegenover de miniminipoes met haar mooie hoge benen, en tegenover al de lui die rond de bar hadden gehangen.

Irma Deceuckeleire verstond niet de helft van alles wat hij haar toegromde; zij lonkte maar, en zij giechelde wat, en zij hoopte bij God dat ze hem nog een dagje mocht behouden, dat hij niet boos op háár was en zich de tederheid mocht herinneren van het ontwaken aan het strand. M'n God, zij had toch echt haar best gedaan en wat kon je een man meer geven dan dat zij zo gretig gegeven had...?

Toni's stemming werd er bepaald niet beter op, toen de heer Dossy fris en monter de ontbijtzaal binnenkwam vergezeld van zijn mooie minipoes en twee grote mannen met zware aktentassen. De ene was lang, en kaal op de schedel, een beetje excentriek gekleed in groene knickerbockers en kniekousen, een slordig openhangend sporthemd en een nergens bijpassend tweed-colbert, dat hij vanwege de warmte aan een wijsvinger over zijn linkerschouder liet bungelen. Hij had een lange neus, een dunne ontevreden mond en scherpe grijze ogen achter blikkerende brilleglazen. Hij sprak een sappig plat Vlaams, doorspekt met veel kwajongensbravour dat zijn ongemotiveerd minderwaardigheidscomplex moest verbloemen. Zijn geliefkoosde uitdrukking was: „Godverdoeme, Leon, vandaag gaan we d'r weer es een paar op d'r lui smoel slagen..." En de buitenstaanders dachten nog dat hij het méénde ook.

„Da's docter Huyvers," fluisterde juffrouw Irma vol ontzag, „de keizer van 't Vlaams imperium... Ze zeggen dat hij, samen met

Dossy, met niks begonnen is, een paar jaar geleden. Nu zijn zij multimiljonairs en zij kopen half Sardinië op. Ze hebben ook gronden in Griekenland, in Zwitserland in Frankrijk en Noord Afrika. Ze stampen hotels uit de grond of het frituurkraampjes zijn, en ze gaan over lijken als iemand ze in de weg staat! Huyvers en Dossy zijn de twee grootste geldmakers in de grondbizznis en het schijnt dat prins Karim met ze wil gaan samenwerken in 'n consortium..."

Toni van 'Ubitore' wierp even een verveelde blik op haar. De geldmakers van Irma Deceuckeleire interesseerden hem geen bliksem; hij zou geen meter van dit verdomde eiland willen kopen. Maar hij volgde met kennersblik al de bewegingen van de minipoes, die rechts en links een praatje maakte met de hotelgasten, meest Vlamingen, en tenslotte de onbeschaamdheid had om ook bij hun tafeltje te blijven staan en met een ondeugend lachje te informeren of zij goed geslapen hadden. Irma Deceuckeleire bloosde tot in haar décolleté en brabbelde iets van, o ja, heerlijk, madame Dossy! Zo'n chique hotel... en zo'n luxe appartementje... Zij genóót van de Sardiniëtrip!

Toni, iets te schielijk overeind gerezen, grijnsde als een verliefde clown, drukte een kus op de hand van 'Minipoes' en gromde in rad Italiaans een paar onbeschaamdheden die de snelcursus Assimil haar niet had kunnen bijbrengen. Daarom nam madame Dossy met een vriendelijk lachje afscheid van de twee tortelduiven en voegde zich bij de mannen, die al aan een hoektafel hadden plaatsgenomen en zich verdiepten in de stapels papieren, die de derde man uit zijn tas tevoorschijn haalde.

Zo leek het allemaal pais en vree, daar in de ontbijtzaal van l'Abi d'Oru, waar de kelners in smetteloos wit af en aan slopen en de late gasten binnendruppelden.

'Teletoeter' had zich nog niet vertoond en Toni van 'Ubitore' zat zich somber af te vragen wat voor rottruc die verrekte kleine Dossy gisteravond zou hebben toegepast om hem met zoveel gemak buiten te smijten...

„Geen wonder," trachtte hij zichzelf te troosten, „ik was straalbezopen, en misschien heeft die lange met de zouavenbroek hem wel geholpen, of die dikke, die daar naast hem zo zit te zweten in z'n kamgarencostuum..."

De dikke was inderdaad een zweter; het liep hem in straaltjes langs zijn hoogrode wangen en het droop in de boord van zijn zijden overhemd, doch hij scheen er in het vuur van zijn betoog niets van te merken. Hij rookte de ene zwarte Gauloise na de andere en liet het ontbijt onaangeroerd. Minipoes zat er geïnteresseerd bij en mengde zich af en toe in het gesprek. Huyvers en Dossy onderhielden zich met de zweter in het Frans en gaven elkander commentaar in het platste Vlaams dat achter den IJzer gesproken wordt.

„Verdomde windhandelaars!" gromde Toni nijdig. „Zijn dag en nacht in touw om dit vervloekte eiland te verkwanselen, kopen de grond weg onder de poten van die stomme herders en versjaggeren alles aan die verrekte Belgen."

„Aan de Belgen niet alléén," kwam Irma verontwaardigd, „er zijn hier net zoveel Duitsers, Engelsen en Hollanders neergestreken. En Zweden... en vergeet je eigen landgenoten niet, die laten zich ook niet onbetuigd. God, half Europa is aan het vechten om de brokken, nu het nog kan, ze willen allemaal een graantje meepikken. Als jij geld had, zou je toch ook van de grote uitverkoop willen profiteren?"

„Ik...?" De man van 'Ubitore' keek haar aan, alsof zij hardop gevloekt had in de zondagmis. „Waar zie je me voor aan? Voor 'n grote zwendelaar?"

„Alsof het allemaal zwendelaars zijn, die in onroerende goederen doen," zei Irma met een pruilmondje, „ik durf voor Huyvers en zijn groep m'n hand in het vuur te steken. Die verkopen je alleen op een eerlijke contract, en ten overstaan van notaris Campus in Olbia. Nou, wat kan er dan nog scheef gaan...?"

De man van 'Ubitore' grijnsde om zoveel vrouwelijke stupiditeit.

„Nee, m'n gansje, dan kan er niets meer scheef gaan... Je zult wel gelijk hebben..." Hij keek haar spottend aan. „Heb je óók al een stukje van de laatste kolonie opgekocht? En ben je niet bang dat je je zuurverdiende geld in de grote zwendelput gooit zodat...?"

„Ik heb nog niets gekocht," bekende zij stroef, „maar ik was het wel van plan. Ik heb anderhalf miljoen zwart, daar kan ik in België toch niets mee beginnen."

„Gooi het dan in de put," grinnikte hij, „als je er toch niets beters mee weet te doen..."

Gelukkig kwam 'Teletoeter' voor wat afleiding zorgen. Hij slofte de eetzaal binnen, zonder zijn instrumentarium deze keer, maar met de morgenedities van 'Il Tempo' en van 'La Nuavo Sardegna' onder de arm. Zijn stentorstem trok de aandacht van al de rustige gasten op het tweetal, dat juist vanmorgen zo graag onopgemerkt had willen blijven.

„Buon giorno, schone Vlaamse bloem! Of was het Holland...?
Nee, dat kan niet; de Hollanders blijven op hun gat zitten en
kijken het katje uit de boom."
Gelach van de Belgische groep.
„Mag ik er bij komen zitten? Twee stoelen is wel genoeg." En
tot Toni: „Hallo, ouwe rotboef! Toch nog een beetje geslapen?
O nee, ik zie het al, je hebt nog een zevendaagse kater!"
De ouwe rotboef kreunde en wierp een schuwe blik in de richting van 'Minipoes', die haar lach nauwelijks wist te verbergen.
Juffrouw Irma wees niet bijster enthousiast op een van de vrije
stoelen.
Dadelijk kwam een van de hulpkelners toegeschoten om bestek
bij te leggen. „Koffie," beval 'Teletoeter', „maar verrekte zwart
en grote plassen ervan, boy, en 'n hele berg croquants, en neem
die marmeladetroep maar mee, ik heb liever ham."
De kelner trok zich met uitgestreken gelaat terug en 'Teletoeter' begon de kranten uit te vouwen. Hij kletste honderduit en
deed alsof hij zich niets van de vorige avond herinnerde.
„Hier! Al gelezen? Weer één bandiet minder op Sardinië. Vanmiddag begrafenis. Ze stoppen ze hier vlot in de grond, eer ze
gaan rotten. Laat het nou die mooie jongen zijn, die vorig jaar
twee carabiniëri naar de eeuwige jachtvelden hielp en een
derde dwars over z'n donder reed! Dat zal 'n begrafenis worden, zeg! Z'n pa bulkt van de poen; een van de rijkste groot-
grondbezitters in 't binnenland, en die Parera was enig zoontje.
Iedereen dacht dat pa hem allang naar het continent geholpen
had, maar néé hoor, meneer de student had zich bij het schor-
remorrie van Graziano Mesina aangesloten en liep gisteren in
de val."
Toni boog zich over de krant, waarop een vijfkolomsfoto
prijkte van een verkrampt, leeggebloed lijk, omgeven door
trotse jagers, met hun geweren blinkend in de barre zon. Zij
keken allemaal in de lens, die het jachttafereeltje vereeuwigde,
opdat zij later aan hun kinderen zouden kunnen zeggen: „Ik
was erbij... ik was één van hen, en die kerel die daar op de
rotsen ligt, was een èchte bandiet, want hij had twee mensen
gedood..."
Er stonden ook een paar ambtenaren bij, in witte sporthemden
en met zonnebrillen op.
Die keken al even trots in de lens van de fotograaf, want, al heb
je dan niet geschoten, het is toch leuk om met de jagers en het
bloedend wild op hetzelfde plaatje te staan. Parera, il bandito-

studente, gedood na een gevecht van vier uren...
„Allemachtig!" zei Toni van 'Ubitore' vol ontzag, „een gevecht van vier uren! Moet je je dat eens voorstellen!"
„Wat een mooie jongen..." zei juffrouw Irma peinzend, „gewoon niet te gelóven... ik dacht dat het allemaal, nouja, hoe zal ik 't zeggen, halve wilden waren..."
De mannen lachten luid om zoveel onverstand. Onder de plaat met de jagers en het wild was een foto van de andere Parera; Giuseppe de mooie jongen, zoals hij was geweest toen hij nog studeerde, in papa's Fiat rondreed, en het hart van menig meisje sneller deed slaan. Giuseppe Parera met de glanzende, golvende haardos en zonder luizenbaard. Onderschrift: Io studente-bandito, uccisore di due agenti...
Er kwamen wat hotelgasten rond hun tafel staan. Iedereen had het druk over de geslaagde jacht en was van mening dat de bandieten niet te snel konden worden uitgeroeid.
„De troep bijeendrijven en de mitrailleurs erop! Dat duurt nou al 'n halve eeuw en ze maken geen vorderingen. Zo'n paar keer per jaar loopt er een tegen de lamp; wat zijn dat hier voor militairen?"
„Te bang voor hun eígen hachie, zeker. Italianen zijn altijd grote lafbekken geweest; kijk maar naar hun veldtocht in Abessinië... gooiden hun geweren in de rimboe en renden gillend weg voor de strottebijters van de Negus..."
„Wij moesten er eens een stel van onze zwaontjes op af sturen, was die hele rotbende zó uitgeroeid..."
Alleen juffrouw Irma ergerde zich aan de harteloosheid waarmee de omstanders vonnis velden. Zolang zij de Sardische bandieten voor halve wilden kon verslijten, ging zij accoord, maar nu zat zij over de foto van een bijzonder mooie jongen gebogen, en zij vroeg zich af, hoe hij in die troep verzeild was geraakt. Als dit een echte bandiet was, dan wilde zij dadelijk met een bandiet naar bed. Zij giechelde zenuwachtig en keek schichtig het kringetje rond, alsof iemand haar gedachten had raden, doch heel Babylon besprak de snelle acties die elke andere natie zou hebben ondernomen om eens en voorgoed met het banditisme af te rekenen. Iedereen kende wel een verdelgingsmiddel, dat snel en afdoende was. Alleen die stomme Italianen wilden er niet aan, of misschien waren het wel van die grote sadisten, die lang van de jacht genieten wilden...
„Moet je es nágaan, vier uren om deze ene boef af te slachten! Dat moet gewoon een kat en muisspelletje geweest zijn!"

111

„Ja, zo zal het wel zitten; ze willen wat groot wild sparen voor het volgende jachtseizoen, je moet alle zwijnen niet in een keer uitroeien, haha! Misschien zijn wij wel veel te radicaal; je moet de marmelade op veel boterhammen uitsmeren om er lang plezier van te hebben..."

Toni van 'Ubitore's' plezier was in ieder geval allang vergald door de hautaine verachting waarmee de kolonisten zijn land bejegenden. Hij had niet alles verstaan, maar de sneer op de Italianen in Abessinië was in het Frans gegeven en die verdomde tweetalige Belgen hadden er allemaal om gelachen. Hij begreep dat 'de zwaontjes' hùn blauwe baretten waren, die natuurlijk met kop en schouders boven de carabiniëri uitstaken. Alles was beter in het land van de kolonisten, alleen de windhandel niet, daarom kwamen zij die hier bedrijven.

'Teletoeter' had makkelijk lachen, hij was zo'n onbehouwen Zwitser, al sprak hij de taal van Dante; hij behoorde tot het zelfgenoegzame ras, dat aan kolonisten en koloniën, aan Belgen, Duitsers, Fransen, Engelsen, Zweden en aan heel Babylon verdiende.

'Teletoeter' lachte dan ook totdat zijn dikke buik pijn deed. Toen kwam de jongen van de receptie met het telegram, dat hij aan de verslaggever van 'Ubitore' overhandigde, en dat was precies de druppel die de emmer deed overlopen. Signor Toni vloekte uit het diepst van zijn gekweld gemoed en rende met twee treden tegelijk de trap op naar de telefooncellen.

Juffrouw Irma keek verschrikt naar 'Teletoeter', doch die grijnsde haar bemoedigend toe. „Bericht van de opperbollebof, natuurlijk... Wèdden dat ie de rimboe wordt ingejaagd?"

„De rimboe?" vroeg juffrouw Irma dom, „ik begrijp u niet."

„Hij moet natuurlijk die begrafenis verslaan, vanmiddag om vijf uur. Of dacht je dat de 'Ubitore' een beruchte bandiet liet neerknallen, zonder tenminste zijn bidprentje aan de likkebaardende lezer te presenteren? Ze zullen daar op de redactie tòch al des duivels zijn, omdat zij de jacht op het prijsvarken uit de tweede hand moesten overnemen, terwijl zij een van hun mannetjes hier op het eiland hadden. Goed, Toni was er opuitgestuurd om het ouwetaartenbal te verslaan, maar had hij er die zwijnejacht niet gelijk even bij kunnen nemen? Een verslaggever is nu eenmaal een onderbetaalde duizendpoot, en een weekblad als de 'Ubitore' wil altijd voor tien lire op de eerste rang zitten. Ik werk ook wel eens voor die lui, ik weet ervan mee te praten."

De omstanders dropen af naar hun halfgenuttigde ontbijt; er was geen aardigheid meer aan, nu de man van 'Ubitore' er niet meer was om zich te ergeren aan hun geschimp op de Abessijnse veldtocht. Zij zochten weer ander vertier en een groepje leeglopers stak de koppen bijeen voor een excursie naar het binnenland, als er tenminste niet te veel risico aan verbonden was... Stel je voor: een levensgrote bandiet helpen begraven, daar krijg je in je eigen land zo grif de kans niet toe... Zullen wij hutje bij mutje leggen en een busje huren met zo'n Sardische chauffeur? Misschien kunnen wij wel politiegeleide krijgen... Ze zeggen dat je je nooit op eigen risico in de Barbagia mag wagen... Vorig jaar nog een stel toeristen overvallen en volledig uitgeschud... De dames moeten hun juwelen maar in 't hotel laten, en als de mannen niet meer dan tienduizend lire meenemen, blijft de schade beperkt, haha! Stel je vóór, dat we Graziano en zijn bende tegenkomen... Klets niet! Die moet zèlf naar de begrafenis in z'n beste pak!

„Opdracht van de opperste bollebof, en ik moet naar de begrafenis van het prijsvarken," sneerde Toni van 'Ubitore', toen hij even later met hoogrood gelaat de ontbijtzaal binnen kwam. 'Teletoeter' begon luidkeels te lachen. Hij keek juffrouw Irma aan, alsof hij zojuist het konijntje uit de hoge hoed getoverd had.

„Heb ik 't je niet gezegd?" schaterde hij, „heb ik 't je niet in precíes dezelfde woorden gezegd? Bollebof stuurt onze arme Toni naar de begrafenis, om tenminste het bidprentje te verzorgen. Ik lach me 'n beroerte!"

Toni keek hem grijzend aan. „Hou je dan maar vast; ik heb bollebof verteld dat je hier ook was... dat je maar zo'n beetje met je duimen zat te draaien. En nu zouden ze het van 'Ubitore' erg waarderen, als je met me meeging om een paar ontroerende plaatsjes te schieten."

„Ik?" de dikke man verslikte zich in zijn koffie. „Hoe kom je dáárbij? Ik heb van mijn redactie helemaal geen opdracht om naar de kannibalen te gaan."

„Die heb je dan bij deze," antwoordde Toni zuur. „Bollebof zou hoogst persoonlijk jouw chef opbellen om te bedingen dat hij jou en je gereedschap een paar uurtjes kon afhuren, dus je bent tòch al verkocht, want, voorzover ik Busutti ken, zal hij zeker zijn zin krijgen."

„Maar ik wil helemaal niet naar het binnenland," mopperde 'Teletoeter', „ik ben er nog nooit geweest en de verhalen erover

zijn niet bemoedigend, ik ben geen held als het op koppensnel-
len aankomt."
„Wie zou jóúw stomme kop nou willen hebben!" grinnikte Toni.
„Allo, lafbek, ga mee en we maken er een gezellige middag van.
We gaan met mijn wagen, we nodigen onze schone Vlaamse
madonna mee, en we gaan ergens lekker vreten op kosten van
de 'Ubitore'. Ik weet 'n tent, daar hoog in de bergen, waar ze
de verrukkelijkste zwijntjes aan 't spit braden, hmm! Om je
vingers bij op te vreten! En de wijn van de streek, man, je weet
niet wat je mist! Doe je mee, Irma? Als we voortmaken, kunnen
wij die vreetpartij meemaken, en evengoed nog op tijd komen
voor het begrafenisfeest."
Nou, juffrouw Irma Deceuckeleire vond het gewoon dòlletjes!
Zij vloog Toni om de hals en kuste hem ten aanschouwe van
half Babylon op beide wangen.
'Teletoeter' vond het wat minder dolletjes, maar zwichtte voor
de overmacht. Als ze daar in Rome de zaak toch al bekokstoofd
hadden, zat er voor hem niet veel anders op, dan zijn plaatjes
te schieten.

De rit naar Nuoro – slechts honderdveertig kronkelende kilometers, maar vier eindeloze uren lang – was vooral voor de
arme 'Teletoeter' een grauwe nachtmerrie geworden.
Toni van 'Ubitore', baldadig en roekeloos na drie glazen gin-
fizz, had het vertikt om de veilige kustweg langs Siniscóla te
nemen. Hij wilde zijn kennis van de streek wel eens tonen en
was vanuit Olbia over Telti en Monti regelrecht de binnenlanden ingereden, een verrukkelijke, verschrikkelijke weg vol
haarspeldbochten langs torenhoge rotspartijen en peilloze af-
gronden, door dichte kurkwouden en langs eindeloze, levenloze
wijngaarden.
Tot Monti had juffrouw Irma nog enthousiaste kreetjes
geslaakt, verliefd tegen Toni's schouder gehangen en de sombere schoonheid bewonderend van de Monte Limbara, die zijn
kruin in de strakblauwe hemel verhief. „Jasses, wat een griezel-
berg, Toni! Wonen dáár nu de bandieten?"
'Teletoeter' had angstig omhoog gestaard naar de fabelachtige
rotsen, maar de man van 'Ubitore' de held aan het roer, had
spottend gelachen. „Wacht maar, m'n poesje, tot we Punta Con-
chedda voorbij zijn, wacht maar tot na Budduso, dan zul je niet
meer vragen of daar de bandieten huizen, dan zul je het zien!"
„Alsof ze zich zo maar laten zien!" zei 'Teletoeter' schor. „Ze

zullen zich best gedrukt houden; hier patrouilleren toch zeker de carabiniëri?"

„Laten we 't hopen!" lachte Toni met een wijds gebaar op de eenzame weg, „maar als jij ze ziet, zie ìk ze. Toen ze vorig jaar die bus vol toeristen hebben aangehouden en leeggeplunderd – dat was onder Orune, geloof ik – zijn de carabiniëri óók gekomen, ongeveer een uur te laat, maar zo nauw moet je hier niet kijken."

Juffrouw Irma staakte haar enthousiaste kreetjes en de dikke Zwitser zat als één bonk zwetende ellende op de achterbank. Het landschap werd inderdaad grimmiger en eenzamer naargelang zij vorderden. Na Budduso zagen zij vele kilometerslang geen huis of hut meer. In de dichte kurkwouden, waar de weg zich kronkelend doorheen slingerde, heerste een beklemmende stilte. Ieder ogenblik vreesde 'Teletoeter' de vogelvrijen achter de zware stammen te zien opduiken. Maar het eikenwoud maakte plaats voor grimmige bergflanken, bezaaid met naakte rotsen en zwarte kloven. Er kwam een grauwe, desolate streek, die aan een maanlandschap deed denken, vol kraters en holen, ontdaan van elke begroeiïng, een inferno van grillig bazalt. En over alles de blakerende hitte van het middaguur, waarin zelfs de cicaden niet meer sjirpten en geen vogel zich naar de trillende hemel waagde.

Maar het gaat allemaal over. Ondanks de verschrikkingen van de barre tocht, die nog een heel eind door Niemandsland voerde, hadden zij tenslotte toch het stadje bereikt. Telaat weliswaar voor het exquise diner met zwijntjes aan het spit en de wijn van de streek, die Toni zo lichtzinnig beloofd had, maar nog juist op tijd voor de uitvaart van het prijsvarken...

Zij hadden de wagen in een zijstraat moeten achterlaten en waren te voet verder gegaan. Zwaaiend met zijn perskaart had de man van 'Ubitore' zich een weg gebaand langs een paar zenuwachtige carabiniëri en door de somber zwijgende menigte tot vlak voor het oude patriciërshuis. En nu stonden zij dan met een troepje sensatiebeluste Belgen en Duitsers tussen de dicht opeengepakte menigte, wachtend op 'het lijk...' Juffrouw Irma Deceuckeleire stond te trillen op haar benen; zij voelde het klamme zweet onder haar oksels druipen. De koperen zon blakerde de witgekalkte gevels en de zwartgeklede Sarden, maar de kolonisten in hun luchtige japonnetjes en open sporthemden hadden er de meeste last van; die zweetten als koelies en dweilden met witte zakdoeken hun nek uit. Irma hoopte toch zó dat zij waar voor haar geld zou krijgen... Zij klampte zich angstig aan Toni vast. Zij vond het doodeng, met al die stuurse gezichten om zich heen, maar het was toch dolletjes opwindend, zo op de eerste rang te mogen meegenieten van een schouwspel dat nooit meer vertoond zou worden.

Die andere lui uit het hotel waren er ook, constateerde zij met voldoening. Die hadden natuurlijk met het busje de kustweg genomen en stonden hier misschien al een uur lang in de hete zon te bakken. De dames demonstreerden tenminste diverse stadia van verbranding en de heren stonden er zo afgezakt en doorgezweten bij, alsof zij het al lang niet leuk meer vonden... Rondom hen dromde de zwijgende, donkere menigte. God, hoe hielden die vrouwen het uit, in hun plooirokken tot op de enkels, in die zwarte wollen vesten en de omslagdoeken, die niet alleen hun haren, maar ook hun mond en kin bedekten... Niets dan kromme neuzen en karbonkels van ogen, die je vijandig aanstaarden.

Juffrouw Irma voelde zich toch wel misplaatst in haar minuscule zomerjurkje en met die strooien flaphoed, die haar aan de Costa Smeralda nog zo geflatteerd had. Zij drong zich wat dichter tegen de brede schouder van Toni aan en zij was blij dat de andere toeristen er even potsierlijk uitzagen. Vooral de dames leken schaamteloos naakt tussen het Sardische vrouwenvolk in rouw...

'Teletoeter' was voorzichtigheidshalve een eind achtergebleven. Hij was al een paar maal onaangenaam getroffen door de donkere blikken die de mannen vanonder hun grote petten op zijn camera wierpen, en met een schok herinnerde hij zich het verhaal omtrent de Hollandse journalist, die hier vorig jaar overhoop geschoten was, louter omdat hij wat nonchalant met zijn camera had lopen zwaaien en de verkeerde man had vereeuwigd... een gezochte bandiet... Ja, zoiets zou het wel geweest zijn...

'Teletoeter' was geen held en wilde er ook niet voor doorgaan. De 'Ubitore' kon hem nog méér vertellen, maar hij hield zich wijselijk achteraf. Je wist nooit waar je aan toe was met dit volkje. Misschien wilden zij niet eens op de foto, als zij een van hun doden begroeven, en vonden zij dit feest lang zo leuk niet als de toeristen... Giuseppe Parera was er tenslotte een van hen geweest en je mocht niet verachten dat zij verrukt waren over de uitroeiïng van hun bandieten, waaronder zich hun eigen broers, ooms of neven bevonden... Verdomde Toni ook, om

hem er in te luizen voor de illustraties bij zijn artikeltje...!
Zo stond de dikke Zwitser op veilige afstand van het gedrang
zijn angst te koesteren en argwanend rond te loeren. Daardoor
bemerkte hij ook dat de schaarse politiemannen zich van lieverlee in zijstraatjes en stegen terugtrokken en tenslotte – met
nog altijd fiere tred – de aftocht bliezen, toen het ogenblik
aanbrak, waarop de stoet het dodehuis ging verlaten.
Waar waren zij bang voor...?
Of, waren zij niet bang en alleen maar verdraagzamer dan die
oude bisschop?
Tegen vijven viel er in de wijde omtrek geen uniform meer te
bekennen, alsof de wet zich solidair verklaarde met de kerk,
wier dienaren eveneens schitterden door afwezigheid.
Geen priesters, geen wijwater, geen wierook...
Maar de duizend kaarsen waren er! Plotseling waren zij er.
Duizend en meer.
Waar kwamen zij opeens vandaan...?
Wat bewoog dit volk, een bandiet te eren voor wiens slachtoffers zij vorig jaar zo een mooi marmeren praalgraf hadden
opgericht...?
De vrouwen, met hun eeuwige, rinkelende rozenkransen, de
geduldige, zwijgzame vrouwen tastten in hun wijde rokzakken
en gaven de kaarsen door aan de mannen, die er met stuurse
gezichten bij stonden.
Er werd geen woord gesproken. In de barre, drukkende hitte
klonk slechts het gerinkel van de bidsnoeren en het geklik van
de ontelbare waskaarsen tegen elkaar.
De toeristen verstrakten; zij wisten zich met hun figuur geen
raad, zij hoorden hier niet tussen. Het trotse volk negeerde hen
als de lastige insecten, waarmee zij hadden leren leven.
De mannen ontstaken de kaarsen, duizend, tweeduizend wakkerende vlammetjes, alleen meer warmte spreidend, geen licht
in de withete middag.
Nu stonden allen recht in de suizelende stilte.
Nu waren aller ogen op de brede deur van het patriciërshuis
gericht. Die zwaaide langzaam open en als één man knielde
heel de samengedromde menigte neer, alsof Monseigneur de
Bisschop zelf met het Allerheiligste in aantocht was.
„Non avere pietà degi assassini..."
Monseigneur niet, misschien, maar het volk van de Barbagia
hàd meelij met de moordenaar, en met zijn ouders. Bloed roept
om bloedwraak, maar, eenmaal vergoten, wast het de zondaar

wit. Het volk van Sardinië, roomser dan de paus, laat zich door Monseigneur de Bisschop niet voorschrijven wanneer het meelij mag hebben, en met wie.

Daarom knielde de menigte onder de brandende zon, knielden de duizenden in het wervelende stof, namen de mannen hun petten af en bogen allen het hoofd, uit eerbied voor het lijk van Giuseppe Parera, die gisteren 'opgehouden had te leven' en bandiet te zijn...

De kist, op een zwarte baar, maar bedolven onder bloemkransen, werd buitengedragen door acht mannen in rouwkledij. De menigte week uiteen om doorgang te verlenen aan de dragers en aan de familie. Niemand fluisterde: „dat is zijn vader... daar zijn z'n zusters..." Ze wachten met gebogen hoofden tot de grote clan der Parera's zich achter de baar had opgesteld, toen volgden zij in schuifelende rijen van vier, een grote stoet vrouwen met rinkelende rozenkransen, een eindeloze optocht van mannen, die met donkere stemmen antwoordden op het ijle, bijna zingende gebed van de vrouwen.

Zo trok de stoet naar het kerkhof, naar de uiterste rand van de gewijde aarde, waar een gat gegraven was om het lichaam van Giuseppe Parera te ontvangen.

Geen priester om de absoute te verrichten en zijn zondige ziel in Gods erbarmen aan te bevelen. De genade van onze Moeder de Heilige Kerk werd hem onthouden op hoog bevel.

Maar de kaarsen wáren er; meer dan tweeduizend kaarsen, om het duistere pad te verlichten dat niemand kent, omdat niemand er ooit van is weergekeerd.

Dona eis requiem.

Het laatste jaar van zijn korte leven heeft hij weinig rust gekend, Heer, werd hij opgejaagd als het gevaarlijke wilde beest ... het prijsvarken, waarvoor tien miljoen lire was uitgeloofd. Hier ligt hij nu, vermoeid van het vluchten. De wrekende gerechtigheid heeft hem tòch achterhaald en God alleen weet of zijn bloed hem nu ook heeft witgewassen... of de 'duplice omicidio' die de krantekoppen vorig jaar uitschreeuwden, de onbezonnen daad was van een jongen in paniek... of het hem ernst geweest is met zijn biecht bij padre Angelino, die hem niet durfde aanhoren... of Monseigneur de Bisschop gelijk heeft, met hem de laatste troost van onze Moeder de Heilige Kerk te weigeren...

Die oude God daarboven heeft veel wat met zijn kinderen te stellen!

Met Filippo Bianchi bijvoorbeeld, die niet meer terug kan naar Graziano's illustere bende, omdat hij een gewond dier is geworden, de anderen tot last...

Met bakker Devaddis, de bange reus, die door de Baresi-clan vermoord gaat worden, als Vader God niet ingrijpt...

En dan is er nog de heks, die branden moet...

En de mooie Caterina, in cel 3...

En agent Podda, de zak, die zich altijd de kaas van z'n brood liet stelen. Hij maakt zich wijs dat hij haar vader had kunnen zijn, en daar put hij de moed uit om voor het eerst van zijn sullig leven in opstand te komen. Hij zal naar de heks gaan, die Filippo moet inlichten omtrent de kolonel... Alsof Filippo niet genoeg aan zijn eigen zorgen heeft...

De oude God heeft meer met stomme, dan met slimme kinderen te stellen. Maar het is zijn eigen speelgoed.

Hij moet het zelf maar uitzoeken.

HOOFDSTUK 7

FILIPPO.

Ondersteund en voortgezeuld door Gianni, die nooit een kameraad in de steek zou laten, had hij zich een eind voortgesleept, weg van de blauwe rots, waar zij Giuseppe hadden moeten achterlaten, zo ver mogelijk weg van de jagers.
Zij vluchtten het dichte woud in, waar alleen de honden je kunnen vinden. De honden ruiken je, al breek je je rozenkrans in stukjes en strooi je de kralen in je voetspoor. Honden trekken zich daar niets van aan; de bijtebekken zijn niet godsdienstig. De jagers wel, en de bandieten evenzeer; die bidden om het hardst, als zij in hun stinkerd zitten, en wíe moet de Moedermaagd dan verhoren...?
Filippo bad het ene weesgegroet na het andere, terwijl Gianni hem voortsleurde aan zijn ene gave arm, maar later begon hij te bazelen, en tenslotte viel hij op zijn gezicht. Gianni knielde geschrokken bij hem neer. Twee kameraden op een dag verliezen, is te veel. Gianni vloekte en hij streelde Filippo door het klamme haar, en hij smeekte hem op te staan, want de jagers konden komen.
Maar Filippo glimlachte hautain. „Die strontkerels hebben het lef niet, Gianni... ga jij achter 'De Jankerd' aan... ik kan niet meer..."
Hij had te veel bloed verloren. Hij voelde zich zo moe. Hij wilde alleen maar slapen. Doch Giovanni worstelde met zijn zwaar lichaam, om hem overeind te krijgen. Een sterke beer als Filippo had altijd nog reserve. „Sta op, verdomme! Ze gaan ons vinden!"
Hij kreeg zijn makker overeind, tot deze op zijn knieën zat, maar Filippo lachte hem toe met geel weggedraaide ogen, de grijns van een idioot. Toen sloeg hij weer voorover tussen de varens en hij zei: „Als je me nou niet laat liggen, breek ik je poten, wees gegroet Maria... bid voor ons, zondaars. Ze durven hier toch niet, de strontjonkers... in het uur... van onze dood..." Maar het wàs het uur van Filippo's dood niet. Filippo Bianchi was een veel te groot, sterk dier. Hij sliep met diepe ademteugen en er was geen spoor van angst meer op zijn grauw gelaat.
Hoeveel bloed kan een mens missen?
Gianni luisterde naar de rustige, diepe ademhaling van zijn

makker, en hij voelde nu zelf hoe de vermoeidheid van een nacht en dag vol verschrikking zijn leden verstijfde. Hij trachtte zich wijs te maken dat Filippo misschien maar zijn roes uitsliep; had Giuseppe hem niet vol grappa gegoten...? En de wond bloedde nauwelijks meer.

Gianni wierp nog een angstige blik in het rond, dan strekte hij zich naast zijn slapende makker in de struiken. Hij zou maar éven rusten en zeker niet in slaap vallen... Hij omklemde zijn geweer... hij zou over Filippo waken.

De angst en de slaap vochten om zijn bewustzijn. Zijn oogleden werden zo zwaar...

Juist toen de slaap het ging winnen, schokte hij overeind en de angst daverde weer door zijn wezen. Hij had in de verte schoten gehoord! Eén ratelend salvo, dat nagalmde in de bergen. Daarna stilte. Aarzelend begonnen de cicaden hun dodenzang te sjirpen...

Ze hadden Giuseppe dus toch gevonden en het nog nodig geoordeeld een straal lood in hem te spuiten.

„De schoften...!" gromde hij, „de verdommese laffe schoften...!"

Hij sloeg met zijn vuisten op de grond en hij kreunde om een makker die zijn dodenwals had gedanst. Hij had geen tranen voor Giuseppe. Er was alleen diepe verslagenheid in hem en doffe wanhoop.

Hij had Giuseppe leren kennen, een jaar geleden, als de mooie jongen die eigenlijk nergens bij hoorde, niet bij de bende van Graziano, die hem met achterdocht bejegende, en niet meer bij het milieu dat hem had uitgestoten. Hij had geen faïda-moord gepleegd, die hem zijn plaats onder de vogelvrijen waarborgde. Er viel niets te wreken in de clan der Parera's, dat niet reeds lang gewroken was. Maar aan de andere kant had hij op Filippo's verzoek die wapens vervoerd, en dat was fout gelopen door een der grilligste spelingen van het lot.

Graziano was des duivels geweest, toen Filippo hem bekende dat hij een oude schoolkameraad in de arm had genomen voor een riskante taak die hèm was opgedragen... Nu zat de bende opgescheept met de zoon van een grootgrondbezitter, waaraan zij verplichtingen hadden en zij konden niet eens een losprijs voor hem eisen; de oude Parera stelde geen prijs op het zwarte schaap, dat al was afgeschreven toen de grote klopjacht begon.

Zo was Giuseppe een tweeslachtige figuur geworden, nooit ten volle aanvaard door de vogelvrijen en zelf niet getraind om aan hun duister bedrijf deel te nemen. Hij hoorde er niet bij, hij was de mannen slechts tot last. Alleen Filippo hield hem de hand boven het hoofd, en Giovanni had hem leren waarderen als een stille kameraad.

Samen hadden zij de zwaarste wachten toebedeeld gekregen in de barre winter op de flanken van de Sopramonte, bij nacht en ontij aan de rand van het ravijn.

Samen waren zij ook gedeserteerd, tweemaal, driemaal, voor een bezoek aan hun liefjes in Orgosolo. Tweemaal hadden zij vóór de dageraad hun stellingen weer weten in te nemen, eer de wacht werd afgelost. Maar deze keer was het fout gegaan en Graziano zou hen genadeloos vonnissen, als zij eindelijk terugkeerden op hun post.

Als zij terugkeerden...

Daar lag Gianni nu over te denken en hij huiverde.

Giuseppe Parera ging nooit meer terugkeren, hij kon niemand meer tot last zijn.

En Filippo Bianchi hoefde zich evenmin te melden; Graziano kon geen invaliden gebruiken. Misschien, later, als hij genezen was, zou de bandietenleider hem weer in genade aannemen, maar zolang hij met een lamgeschoten arm rondsukkelde, kon hij beter uit de buurt blijven.

En dan was er nòg iets, bedacht Gianni somber: met de carabiniëri zo dicht op de hielen hadden zij niet eens over het ravijn van Cosseddu mogen gaan. Ieder bendelid wist dat hij uit de buurt van de troep moest blijven, zolang hij er niet zeker van was de achtervolgers te hebben afgeschud. De stommiteit van de een, mocht het spoor niet naar het nest van de anderen leiden... Ignatio 'De Jankerd' dacht misschien slim te zijn, met zijn gewonde makkers in de steek te laten, maar hij zou van een koude kermis thuiskomen, de lafbek!

Giovanni opende zijn ogen nog even en wierp een doffe blik op zijn slapende makker.

Het was broeiwarm onder het groene bladerdek. De cicaden zongen een eindeloos, toonloos lied. Het woud geurde naar bederf en trage verrotting, die voor Giuseppe al begonnen was.

„God mag weten waar we nóú heen moeten..." peinsde Gianni nog. „God mag me kraken als ik nóú nog uitkomst zie..."

Hij zag niets meer. De genadige slaap overviel hem midden in zijn somber gepeins en Vader God wilde die twee zeker nog niet kraken...

Zij sliepen, terwijl een eind verder, bij de blauwe rots, het lijk van een bandiet-zonder-bek werd geïdentificeerd.

En ook toen kolonel Marcano in hoogst eigen persoon ten tonele verscheen om zich met het prijsvarken te laten fotograferen.

Leuk plaatje voor het album van de kleinkinderen: *'Opa – de Heer hebbe z'n ziel – was een fameus bandietenjager'.* Soldaat Curtis had het wel goed gezien: *'De bonzen gaan met de eer strijken, en het klootjesvolk komt er niet aan te pas'.*

Zij sliepen nog, toen het lijk al was vrijgegeven en naar het patriciërshuis in Nuoro vervoerd... Toen de heks van Orgosolo het nieuws aan mooie Caterina kwam brengen in ruil voor een gratis gerstebrood.

Zij snurkten, uitgeput, die kostelijke middag te barste, alsof zij niets beters te doen wisten.

Had de dappere brigadier Tosca toen reeds de honden ingezet om de voortvluchtige bandieten op te sporen, dan zouden de jongens geen schijn van kans gemaakt hebben. Maar de brigadier had het te druk met het lijk, en met de journalisten, en de statiefoto... Hij wilde zo graag met kolonel Marcano en met het kadaver aan hun voeten op dezelfde plaat. Is één dode bandiet niet veel interessanter dan drie levende...?

Zo kwam het dat de kleine Gianni laat in de middag met een schriksnork ontwaakte, zonder dat de honden hem naar de keel sprongen.

De jongen richtte zich half op en luisterde scherp toe.

Iets moest hem zo schielijk gewekt hebben.

Een geritsel in de blaren, misschien, het breken van een twijgje ... of, had hij werkelijk sluipende voetstappen vernomen?

Het bloed bonsde hem door de slapen bij de gedachte aan de twee gaatjes in Giuseppe's borst. Had ook zíjn uur geslagen? Met bevende hand omklemde hij zijn geweer, maar hij wist niet in welke richting de vuurmond te wenden.

Hij luisterde naar de suizelende stilte.

Dan overviel hem het verlammende besef, dat de cicaden zwegen!

Er moest een mens of een hond in de buurt zijn, die hun gezang had verstoord...

Hij wendde langzaam het hoofd naar zijn rustig slapende makker, maar hij durfde hem niet te wekken; hij voelde met elke gespannen zenuw de nabijheid van het gevaar.

Als nu, aarzelend, de een na de ander, de cicaden weer begonnen te sjirpen, dan wist hij waar de jager verdoken zat; zij reageerden maar op beweging in hun onmiddellijke nabijheid en op abrupt geluid.

Maar de cicaden zwegen… zij hielden een bewegende mens in de gaten, een die nader sloop, vóór hem, achter hem, verdomme, wáár?

Plots werd hij zich bewust dat Filippo ook luisterde. Hij was zonder overgang ontwaakt, als een dier dat de jager ruikt, en lag met groot open ogen in het bladerdek te staren, terwijl een hand de grond aftastte naar zijn geweer.

Een cicade begon aarzelend te sjirpen, een vals, half gelukt raspgeluid. Links van hem…

De jager moest rechts zijn, bevroren in zijn houding.

Daarheen richtte hij de loop van zijn geweer en de blik, uit zijn ooghoeken, zonder het hoofd te wenden.

Toen zàg hij het… en zijn lippen begonnen te trillen. Hij wilde niet schreien, al waren zijn zenuwen kapot.

„Testa," fluisterde hij, „verdomde, smerige 'Jankerd', hoe kan je ons zó in onze stinkerd laten zitten…! Ik had je wel te barste kunnen schieten!"

Ignazio 'De Jankerd' kroop uit de macchia te voorschijn. „Daaróm juist," siste hij, „moest ik soms fluitend komen aanwandelen? Moest ik roepen: schiet me niet voor m'n donder, ik ben 't maar?"

Hij strekte zich naast Gianni in de struiken, hij verspreidde een zure geur van zweet en angst. „Ik zat tussen twee vuren," gromde hij nors, „'t is eender, of je van de kat of van de hond gebeten wordt, maar achter ons is de kust voorlopig vrij, de hele troep is afgetrokken naar Nuoro."

Filippo wilde schielijk overeind komen, doch hij onderdrukte een kreet van pijn en richtte zich half op, steunend op zijn gezonde arm.

„Hebben ze… Giuseppe gevonden?"

„En hóe!" zuchtte 'De Jankerd', „heb je dat ene salvo niet gehoord? Hij kon ze geen kwaad meer doen, zoals we 'm hebben achtergelaten, maar ze nemen het zekere voor 't onzekere, de vuile ploerten."

Giovanni knikte bedrukt. „Ik heb ze horen schieten," fluisterde hij, „Filippo was al onder zeil. Ik hoorde de schoten naratelen, één salvo, daarna niks."

Zij zwegen een tijdlang. Toen vertolkte Ignazio Testa hun gedachten. „Wij hoeven ons bij Graziano niet meer te melden; we zijn gedeserteerd en hij heeft ons afgeschreven, als de blauwe

baretten ons niet koud maken, doet Graziano het wel..."
Filippo knikte peinzend. „Daar kan je nooit ver naast zitten. Is dat in jouw eigen slimme koppie ook al opgekomen?"
„Bovendien zit jij met die verrot geschoten arm," zuchtte 'De Jankerd', „ik ben teruggekomen om jullie te zoeken, verdomme, ik heb haar en water gezweten toen ik in de buurt kwam, wist niet dat jullie zó dicht bij de blauwe rots durfden te gaan maffen."
„Durfden we ook niet," zei Filippo schor, „maar ik stuikte hier in elkaar en Gianni laat een makker niet in de steek..."
„Ik ben er nou toch ook?" weerlegde 'De Jankerd' verongelijkt. „Wie heeft de blauwmutsen afgeloerd? Wíe komt jullie vertellen dat de kust vrij is...?" Hij sprong op. „Als we 't handig aanleggen, kunnen wij misschien ergens onderduiken, eer ze de honden inzetten. Naar de troep kunnen wij niet meer; ik voel er niks voor, om als afschrikwekkend voorbeeld aan de hoge eik te hangen, maar als alles meezit kunnen wij misschien Orgosolo bereiken."
„Orgosolo...?"
Filippo spuwde het uit zijn mond als een vies woord. In Orgosolo waren de carabiniëri en misschien zelfs de blauwe baretten. „Wil je ons regelrecht in de val laten lopen...?"
'De Jankerd' grijnsde slim. „Achter de vijandelijke linie brengen!" verbeterde hij trots. „We moeten proberen dáár te komen, waar ze ons het minst verwachten. Ik heb dat bedacht toen ik die hele rottroep naar Nuoro zag afzwaaien, Marcano voorop in zijn jeep, met de ouwe Parera en nòg een stel lui in burger, krantenlui misschien, want ze zullen hun overwinning wel aan de grote klok willen hangen. Ik lag daar in de macchia, hoog op de rots en ik durfde geen vin te verroeren; als zij de honden bij zich hadden gehad, was ik levend verscheurd. En 't lijk van Giuseppe hebben ze ook meegenomen, en die klootzak die naar 't hospitaal moest ook, vanzelf. Alles is met een rotgang naar Nuoro gereden, en als wij een beetje vlot vooruit kunnen komen, dan kunnen wij misschien Orgosolo bereiken eer die hufters er aan denken om de honden op de Sopramonte in te zetten... Alles is beter dan hier rustig af te wachten of die bijtebekken ons gaan vinden, snap je dat dan niet? Aan de ene kant wacht Graziano op ons, en aan de andere kant lopen wij straks de blauwmutsen in de armen!"
Filippo aarzelde nog. De koorts daverde door zijn lijf en hij versmachtte van dorst. Hij overwoog Ignazio's plan. In Or-

gosolo hadden zij vrienden, maar de vraag was, of de carabiniëri hen daar niet juist het eerst zouden gaan zoeken...
„Wij kunnen naar Orgosolo niet gaan," sprak hij nors, „Giuseppe had daar zijn meid, en ik ook."
„En ik," zei Giovanni, „maar misschien heeft 'De Jankerd' toch gelijk, ze wéten niet dat wij gedeserteerd zijn, ze denken dus dat Graziano ons weer met open armen heeft ontvangen; ze verwachten ons dus hier in de bergen, niet in het dorp."
„Achter de linies!" herhaalde Ignazio Testa, „ze zullen ons híer gaan zoeken, maar niet in Orgosolo. Als we wachten tot het donker wordt..."
„Het wòrdt vannacht niet donker," onderbrak Filippo hem grof, „maak je niks wijs, de maan zal helder schijnen en we vormen de mooiste schietschijf die het schorum maar wensen kan."
„Maar we moeten toch èrgens heen!" jammerde Testa, „we kunnen hier toch niet rustig afwachten..."
„De heks!" zei Gianni plots enthousiast, „we moeten de hut van vrouw Sanna zien te bereiken, dan hoeven wij het dorp niet in. Zij woont een heel eind buitenaf en langs de muur van Corraine's wijngaard kunnen wij er misschien ongemerkt binnenkomen. Bij de heks zullen ze ons niet zoeken, en zij kan vàst wel wat aan die arm van jou doen! Verdomd, ja, we moeten bij de heks zien te komen, dat is onze enige kans!"
Zijn jeugdig enthousiasme werkte aanstekelijk. Zelfs Filippo fleurde wat op bij de gedachte aan vrouw Sanna, die al zoveel wonderen gewrocht had.
„Als we het proberen willen, moeten we gauw zijn!" hijgde Ignazio, „vóór Marcano de Sopramonte laat uitkammen. Wij zullen wel een paar uren nodig hebben om de wijngaard van Corraine te bereiken, als alles goed gaat, en dan valt de schemer en is de maan nog niet op, misschien, gisteravond was het ook zo mistig. Als het een beetje meezit, zijn we daar veilig, Filippo...!"
„We zijn nergens meer veilig," grauwde Filippo, „maar dit is het enige wat wij nog kunnen proberen."
Hij ging met een kreun op de knieën zitten en kwam daarna overeind. Het klamme zweet droop van zijn voorhoofd en alles werd zwart voor zijn ogen. Maar even later kon hij de omgeving weer onderscheiden en hij gaf fluisterend zijn bevelen. Zij zouden de blauwe rots ver links laten en door het eikenwoud een eind zuidelijker over het ravijn van Cosseddu proberen te komen, steeds gedekt door het dichte struikgewas. Als

alles goed bleef gaan, zouden zij na het ravijn de wijngaard van Corraine zien te bereiken. Ignazio 'De Jankerd' moest dan maar voorop gaan om het terrein te verkennen en Gianni bleef bij Filippo.

Grommend stemde Testa er in toe. Hij voelde er weinig voor, een eind voor de anderen uit te gaan en telkens te moeten terugkeren om verslag uit te brengen. Bovendien vond hij dat hij zijn deel van het werk ruimschoots gedaan had; hij had Marcano en zijn troep afgeloerd en was, haar en water zwetend, op zoek gegaan naar zijn makkers. Waarom kon Giovanni nu niet eens terrein verkennen? Die had goddomme de hele middag liggen maffen en was niet half zo moe! Doch Filippo beval hem botweg vooruit te gaan en op te houden met lamenteren. Er was nu geen tijd om te bekvechten; 'De Jankerd' kon een brok lood in zijn luie donder krijgen als hij niet gehoorzaamde.

Ignazio droop af, diep verongelijkt en vervuld van zelfbeklag. Altijd was hij de gebeten hond en geen van de vogelvrijen had ooit meelij met hem. Die verdomde Gianni was de lieveling van de troep en nu Giuseppe dood was, zou Filippo wel met hem aanpappen. Ze hadden hem niet eens willen meenemen, gisteravond toen zij achter de meiden aangingen, en nu alles scheef gegaan was, nu zij met z'n drieën in hetzelfde schuitje voeren, vertrouwden zij hem nòg niet...

Eigenlijk moest hij de moed kunnen opbrengen, er alléén vandoor te gaan. Nu Filippo gewond was, en geen bescherming meer van de bende genoot, kon hij hem misschien verkopen aan de blauwe baretten, of aan de ondercommisaris van Orgosolo... Filippo was tien miljoen lires waard... hij was een van de prijsvarkens...

Maar met een huivering verwierp 'De Jankerd' deze gedachte weer. Hij was te laf. Hij zou nooit de moed tot verraad kunnen opbrengen, louter uit angst voor zijn eigen smerige huid. Hij had enkele verraders gekend, maar zij leefden niet meer. Zij werden altijd achterhaald door de ijzeren wet van de 'faïda' en stierven duizend verschrikkelijke doden, eer de man met de zeis er een genadig einde aan maakte...

Zij vorderden veel te traag, ondanks hun angst voor de honden en de gespannen zenuwen, die hen voortdreven; ondanks de paniek van Ignazio Testa, die telkens slordig een stukje van het terrein verkende en dan jachtig terugkeerde om zijn makkers tot grotere spoed te manen.

Filippo was zo verzwakt door koorts en bloedverlies, dat hij als een beschonkene door de macchia laveerde en zich soms lange minuten moest steunen tegen een eikestam. Maar zij hadden hier nog de beschutting van het dichte woud, en Gianni, zelf duizelig van de honger, steunde hem zo goed hij kon.

Later, toen de nevels langs de flanken van de Sopramonte begonnen te dalen en de zon zich terugtrok achter de bergkam, toen de cicaden verstomden en de nacht haar klamme grijze hand over de Oliena strekte, begon Filippo weer te bazelen. „Kind van Maria..." kreunde hij, „nooit verloren... Mama heeft 't zelf gezegd... Gisteren m'n lief genaaid, alsof het voor 't laatst was... en nou ben ik al aan de beurt..."

„Jouw beurt komt nog in geen jaren," fluisterde Gianni hees, „nog even volhouden... we komen straks aan de kloof..."

„De hel," kreunde Filippo, „zou Giuseppe in de hel zijn...? Hij heeft nooit meer kunnen biechten..."

Gedekt door grauwe nevelen die hen tot op de huid verkleumden, naderden zij het ravijn van Cosseddu, de diepe kloof, die altijd de grens gevormd had tussen de bewoonde wereld en niemandsland. Het ravijn had steeds een veilige barrière geschapen tussen de jagers en het wild, maar vandaag hadden de jagers zich over de kloof gewaagd en voortaan zou het wild nergens meer veilig zijn, zelfs niet in de doolhof van grotten en spelonken waar 'koning' Graziano regeerde. En voor de drie afvalligen vormde de zwarte kloof nu de grens tussen het beloofde land en het inferno dat zij wensten te ontvluchten.

„Ik kom er niet over," kreunde Filippo, toen hij aan de rand van het ravijn lag uit te hijgen, „proberen jullie het maar; jullie tweeën zijn nog volwaardige beesten met vier gave poten... Doe m'n groeten aan m'n manke Teresa, als je haar nog ooit tegenkomt, en zeg haar..."

„Wij zeggen haar niks!" onderbrak Gianni hem wanhopig, „als je nog even volhoudt, kun je haar morgen zelf weer spreken. Toe, Filippo, alleen nog maar het ravijn over, en je kunt uitrusten in de hut van vrouw Sanna! Niemand gaat ons daar zoeken, en zij kan je arm genezen."

Filippo lachte schor. „Alleen maar het ravijn over..." bauwde hij Gianni na.

Ze wisten alle drie hoeveel naakte rotsen er nog ná het ravijn kwamen, en dat het dal drie kilometers breed was tot aan de wijngaard van Corraine. Zij hoefden elkaar niets wijs te maken, het dal vormde het grootste gevaar. Maar intussen lag hier een volkomen uitgeputte Filippo in de zwarte kloof te staren, die peilloos diep scheen onder de lijkwade van grauwe nevels. De kloof was niet te overbruggen door een koortsig beest met drie poten.

„Als we maar een eind touw hadden," fluisterde Ignazio mistroostig, „met een koord konden wij hem laten zakken."

Het ravijn was hier niet overmatig diep, maar zes meter is te veel voor een gewonde rat, die aan kreperen toe is. Zes meter ... en ongeveer halverwege was een brede richel, waarop zij konden uitrusten. Ignazio kende het ravijn als zijn eigen broekzak. Er was niets aan, voor een gezonde jonge vent. Met één sprong kon je op de richel belanden en verder liet je je zakken tot aan de smalle beek, die zacht ruisend zijn weg naar het dal zocht. De beek was helder en koel, en zij versmachtten van dorst. Filippo zou nieuwe krachten opdoen, als zij dat onooglijke stroompje maar konden bereiken. De overzij van het ravijn was lang zo steil niet, die kon je beklimmen van rots op rots.

„Luister," zei Gianni aan Filippo's oor. „Ik spring op de richel en blijf daar tegen de wand staan... hóór je me, Filippo...? En Ignazio laat jou aan je goeie arm over de rand zakken, tot je op m'n schouders staat. Daarna is het kinderwerk. Je moet even op je tanden bijten, alles hangt er van af, dat je veilig de richel bereikt, want daaronder is het zo steil niet meer."

Filippo lachte dwaas. Hij kon niet op zijn tanden bijten, want die ratelden tegen elkaar van de koorts die door zijn lijf daverde. Hij hoorde nauwelijks wat Gianni daar lag te fluisteren. „Kind van Maria," bazelde hij, „mama heeft 't altijd gezegd, en Teresa..."

„We gáán naar Teresa," beloofde Gianni gul, „als je nou maar even meewerkt."

Als een diep en donker geloei rolde plots de ponente langs de bergflank en veegde met een machtige hand de grijze flarden weg, die boven het ravijn hingen.

„We moeten voort!" kreet 'De Jankerd' in paniek, „de ponente steekt op, met een half uur ligt het dal zo naakt als de Oliena!"

Zij luisterden naar de wind, die nazoefde in de verte. De genadige nevelflarden hingen nog donzig in het dal, maar boven de Oliena begon reeds een bleke maan te schijnen. Ignazio had gelijk, met iedere vlaag van de grommende ponente zou een stukje van hun veiligheid worden weggeblazen, tot zij zich tenslotte poedelnaakt onder de ogen van de jagers waanden. Filippo kwam tot bezinning. De korte rust had zijn taai lichaam goed gedaan en hij besloot een laatste poging te wagen om tenminste zijn makkers een kans te geven. Als hij hals over kop in het steile ravijn donderde, was er gewoon een gewonde rat minder. Hij ging op zijn buik aan de rand van de afgrond liggen, zijn lamme arm hinderde hem, maar 'De Jankerd' hield hem stevig bij de oksel en Gianni had zich al langs de muur laten afglijden, kwam met een lichte sprong op de richel, drie meter lager terecht.

Er kletterde met afschuwelijk geraas een steen naar beneden, die met een plons in de smalle beek rolde. Als de jagers in de buurt waren, dan moest nu het inferno losbarsten met gehuil van honden en het geratel van de mitraillettes.

Ze hielden de adem in, doch alles bleef stil, op de wind na, die in de struiken langs de bergflank zoefde.

„Ik sta hier!" hijgde Gianni, „recht onder je ... laat je zakken op m'n schouders."

„Verdomme, nee!" kreunde Filippo, maar Ignazio Testa kende geen genade en schoof hem met een ruk over de rand van het ravijn. Filippo schraapte met zijn voeten langs de rotswand, kwam zwaar op Gianni's schouders terecht, schampte af en viel naast hem neer, vloekend van pijn.

Gianni, in een impuls, wist niet beter te doen, dan hem maar meteen over de richel te duwen, eer de gewonde zich opnieuw zou bedenken.

Ruggelings duikelde Filippo de laatste meters naar beneden tot hij, als de buitelende steen daarstraks, met een plons in de ijskoude beek rolde.

Zo'n sterk en onverwoestbaar dier was Filippo ... Toen Gianni hem achterna sprong, toen ook Ignazio in paniek naar de richel – en vandaar tot bij de beek was geklauterd, lag Filippo Bianchi met gulzige slokken van het heldere water te drinken. Hij had niet eens de moeite genomen om uit de beek te kruipen. Zijn verbonden arm hing slap neer, maar hij vergat de pijn in zijn allesoverheersende dorst.

Ook de anderen vielen als versmachtende beesten op het stroompje aan, dat ruisend en kronkelend verder dartelde, levensader van de Barbaggia. Daaraan dronken zij zich het leven in, en de moed om nog eenmaal verder te gaan, jonge dieren zijn zo taai.

„Jesumaria," hijgde Filippo, „dacht dat ik te barste viel ... wat 'n rotstreek, om me over de richel te stampen... 'k had dood kunnen zijn!"

„Maar je leeft," zei Gianni eenvoudig, „en de tweede helft is lang zo steil niet, ik wist dat je zou doorrollen... alleen rot voor je arm, maar die is toch niks meer waard."

„Laten we verder gaan!" fluisterde Ignazio hees, zodra hij zijn dorst gelest had, „kom op, nou 't nog kan... we moeten 't dal nog door!"

Zij kropen overeind en waadden door de smalle stroom. Filippo bibberde van de kou; hij had geen droge draad meer aan zijn groot, sterk lijf. Hij voelde zijn arm niet meer, die was volkomen verdoofd tot aan zijn schouderblad, maar de koorts liet zich niet intomen. Ignazio duwde hem in de rug en Gianni trok hem als een onwillig kind voort aan zijn ene gave arm. Zo klauterden zij hijgend omhoog, van richel op rotsblok. Soms moest de een zijn schouder onder Filippo's zitvlak duwen, terwijl de ander hem optrok. Maar hij werkte zelf weer mee, zoveel hij kon en na een kwartier van onmenselijke inspanning bereikten zij de overzijde van het ravijn en het kreupelbos dat langs de bergflank wies tot in het dal. Daar wilde Filippo weer door de knieën gaan, maar zijn makkers waren meedogenloos. De wind wakkerde aan en begon bij vlagen de donzen deken uiteen te rijten, die nog over het dal lag gespreid. Nog een half uur, of minder misschien, dan zouden de laatste flarden verwaaid zijn en moesten zij verder, van struik tot struik, onder het genadeloze licht van een bleke maan. En de wijngaard van Corraine nog zo eindeloos ver...

Het liep tegen middernacht toen zij de zuidelijke stapelmuur bereikten. Dit was het uur, van eeuwigheid voorbestemd, waarin Tonio Devaddis zijn giftig wijfje smoorde... en de heks kruiden zocht in de maneschijn... en juffrouw Irma een bezopen journalist meelokte naar het witte strand van Marinella... Vader God zag ze allemaal bezig, de kleine mensen met hun duistere verlangens. Hij moet de laatste snik van vrouwtje Devaddis verstaan hebben en het bronstig geloei van het beest, dat na twintig lange jaren in Tonio de reus was losgebroken. Hij leidde de heks door de macchia naar het open luik, waar zij niets te zoeken had, en hij liet de honden van brigadier Tosca rondsnuffelen bij de blauwe rots, waar niets meer te vinden was. Zo kwam het, dat de drie uitgeputte schooiers tenslotte veilig de hut van vrouw Sanna bereikten, zonder dat er een hond had geblaft, zonder dat er een schot was gevallen.

Vanuit het dichte struikgewas bleven Gianni en Ignazio een tijdlang de eenzame hut beloeren, eer zij durfden te naderen. Zij hadden Filippo rammelend van de koorts in de macchia gelegd, aan het einde van de stapelmuur. Zij moesten nu maar de zware besluiten nemen. De tocht door het maanlichte dal, en later in de diepe schaduw van de stapelmuur, had de laatste weerstand uit zijn sterk lijf gewurgd en hun zenuwen verscheurd. Nu moest er niets meer scheef gaan, nu mocht geen jager zich vertonen, of zij zouden gillend als kinderen de blauwe vlammetjes tegemoet rennen... Nu moest God hun voor één keer genadig zijn!

Maar God is zo'n grote fantast, die weet altijd wat nieuws te verzinnen...

Toen Gianni zich als een schaduw uit de struiken had laten glijden en bevend over al zijn leden rond het lage huisje sloop, sprong een zwarte kat, bijkans zo groot als een jachthond, hem vanuit het raamkozijn in het gelaat. Volkomen verrast slaakte de jongen een gesmoorde kreet en liet zich de wangen openkrabben, eer hij het blazend ondier van zich af kon slingeren. Maar de kat gaf geen krimp. Met een tijgersprong vloog hij Gianni opnieuw naar de keel, klauwde in één vurige haal zijn onderlip open en en beet hem zelfs in zijn oor, grollend als een jonge panter. Toen pas kwam Gianni tot bezinning. Hij rolde zich over de grond en sloeg woedend van zich af, maar de kat klauwde zich in zijn lange haren vast en begon luid te krijsen. Gianni, getergd tot het uiterste, wist het ondier in de fluwelen nek te grijpen en liet niet los, eer hij de halswervels had horen knappen. Een luide, klagende gil snerpte door de nacht en deed de jongens het bloed in de aderen verstijven. De monsterlijke kat was dood, maar Ignazio Testa moest er aan te pas komen, om zijn klauwen uit Gianni's haren los te rukken. Gianni's gelaat en handen dropen van het bloed; het mocht een wonder heten dat hij er geen oog bij had verspeeld.

Zij doken de struiken weer in, overtuigd dat de wijde omgeving gealarmeerd was, maar het bleef beklemmend stil na de doodskreet van de monsterkat.

Nu snikte zelfs Gianni zijn opgekropte zenuwen uit en zijn tranen vermengden zich met het bloed, dat traag uit de vurige krabbels lekte. Zijn gelaat zag er zo afschrikwekkend uit, dat 'De Jankerd' hem niet durfde aankijken.

„Geen honden..." fluisterde hij, „ze moesten allang hier zijn, als ze in de buurt waren. Jesumaria, heb je ooit zo'n kat gezien...?

Verdomd, ik dacht dat ie je de strot ging afbijten!"
Gianni veegde met een vuile hand langs de ogen en besmeurde zijn gelaat zo mogelijk nog meer.
„Zo'n ondier kun je alleen bij de heks verwachten," gromde hij. „ik zie er haast tegenop om er binnen te gaan. Maar als ze praatjes maakt, sla ik haar de hersens in!" liet hij er vol wrok op volgen, „ik heb gehoord dat zij een hele kattenverzameling heeft, maar ik schop ze stuk voor stuk verrot; ik ben nou gewaarschuwd."
„Maar zo gróót!" huiverde 'De Jankerd' nog, „Jezus! ik heb nog nooit zo'n gróte gezien!"
„Hou je smoel, en laten we de deur kraken," grauwde Gianni woedend, „we liggen hier onze tijd te verdoen."
Hij trok zijn pistool en sloop regelrecht naar de gammele deur. Ignazio volgde hem schoorvoetend. Toen zij zachtjes tegen het vensterluik klopte, klonk van binnen het veelstemmig gehuil van een aantal katten. 'De Jankerd' keek hem aan en wendde onmiddellijk de blik weer af.
„Zie je wel, dat zij ze als waakhonden africht?" fluisterde hij, „pracht idee van jou, om hier onze toevlucht te zoeken. Ik geloof dat ik maar..."
„Als je nou je smerige rotkop niet houdt, sla ik je voor de vlakte!" siste Gianni woedend, „de heks is onze enige hoop, of ze wil of niet."
'De Jankerd' snoof minachtend.
Zij wachtten.
Stijf tegen de muur gedrukt, in de diepe schaduw van het achterhuis, wachtten zij minutenlang.
Daar binnen was het gejammer van de katten verstild en slechts de ponente waarde huiverend door de struiken.
Nog eenmaal klopte Gianni met de kolf van zijn pistool op het vensterluik. Hetzelfde magere resultaat; niets dan het valse gegrol, geblaas en gemauw van een half dozijn katten. Het moest daarbinnen stinken als de hel, veronderstelde hij, en als het niet om Filippo was, zou hij ook liever de smerige hut zijn voorbijgegaan... Als het niet om het vege lijfsbehoud ging...
De maan scheen nu onbarmhartig aan een klare hemel. De ponente, grommend langs de Sopramonte, had de laatste nevels voor zich uitgeblazen en akelig dichtbij, iets hoger de bergflank, tekende zich de witte huizen van Orgosolo af. Zij mochten niet langer talmen. Je mag het lot niet tarten, als het je zo genadig heeft bedeeld. Een eind verderop lag alleen maar een kameraad

te kreperen. En Gianni's gelaat was een kleverig bloedmasker, maar verder mochten zij niet klagen.

Aan Giuseppe, die zijn dodenwals had gedanst, dachten zij niet eens meer. God had naar hem gewezen en zijn uur had geslagen. Zíj vochten om een uurtje langer te mogen opblijven; de pret was voor hen nog in volle gang...

Gianni vloekte hartgrondig. Die smerige heks moest hun pret niet bederven met zich slapend te houden, want hij zou haar krijsend doen ontwaken, katten of geen katten. Hij zou haar de wet spellen met zijn pistool, de enige wet die altijd gehoorzaamd wordt.

Hij lichtte de roestige klink en leunde zwaar tegen de deur. Die gaf niet mee, maar als zij er samen stevig de schouders tegen zetten, zouden zij niet eens een aanloop nodig hebben om het slot te forceren. Ignazio begreep zijn bedoeling.

„Pas wèl op die rotkatten!" waarschuwde hij nog, „misschien houdt zij er meer van dat tuig op na."

Toen duwden zij beiden tegelijk met hun schouders tegen de gammele deur en het volgend ogenblik begaf de schoot het met een droge knal. Met een hand voor het gelaat deinsden zij achteruit, om tenminste hun ogen te beschermen, maar het kattegespuis daar binnen scheen minder agressief dan de gedode monsterkat. Er klonk nog slechts wat geblaas en kwaadaardig gegrol, er lichtten vier paar groene ogen op in het duister van de hut. Verder hielden de katten zich nu rustig.

„Vrouw Sanna," riep Gianni gedempt, „vrouw Sanna... je hoeft niet te schrikken, 't is goed volk."

De heks schrok niet; althans niet van hem. Zij was een paar mijl verderop het schamele lijk van vrouwtje Devaddis aan het fatsoeneren. Later zou zij nog tijd genoeg krijgen om te schrikken, als de honden van Marcano hun woest geblaf lieten horen ... als Vader God weer een van zijn humorloze grapjes ging uithalen en een lijk liet ontdekken waar niemand naar had gezocht...

„Ik geloof verdomd dat zij niet thuis is..." fluisterde Ignazio na een eeuwigheid van gespannen stilte. Zelfs de katten deden er nu het zwijgen toe en lieten slechts hun groene staarogen oplichten in het duister. Dat stelde Gianni gerust. Hij vreesde hier geen hinderlaag. Als er honden waren, zouden de katten zich niet zo rustig houden, en de blauwmutsen hadden hen allang onthaald op een regen van kogels.

„Je zal wel gelijk hebben," gromde hij, „rotwijf! Wat doet ze uit

te gaan, nu wij haar zo hard nodig hebben!"
Schoorvoetend sloop hij het duistere vertrek binnen, nog altijd
bedacht op een onverhoedse aanval van de katten, maar die
trokken zich blazend terug en één stoof er tussen zijn benen
door naar buiten. Hij kon niet zeggen dat het hele huisje naar
de katten stonk, want er hingen zoveel onbestemde geuren, dat
het moeilijk viel uit te maken welke de boventoon voerde.
„Fiamiferi...?"
Ignazio kwam het vertrek binnen, nadat hij de buitendeur achter zich gesloten had, en reikte hem de lucifers. Bij het wakkerende vlammetje vonden zij een kaarsstomp in een blaker op
de tafel.
Zij doorzochten het huisje van onder tot boven, eer zij verlicht
durfden ademhalen. Het bed van de heks in het nevenvertrek
was onbeslapen.
Ook in het keukentje geen spoor van leven. Zelfs de lage
vliering doorzochten zij, niet in de veronderstelling de heks
te vinden, maar om zeker te zijn dat zij niet in de val waren
gelopen.
„En dat was dat," gromde Gianni tevreden, terwijl hij zijn
pistool wegstak. „Moedertje Sanna verwacht geen bezoek; we
hadden haar ook tevoren een kaartje moeten sturen."
'De Jankerd' kon het mopje niet waarderen. Hij was in het
keukentje aan het rondscharrelen, waar hij een andere kaarsstomp gevonden had. „Ik sterf van de honger," mopperde hij,
„hoop dat ze wat te vreten in huis heeft."
„Filippo sterft van wat anders," weerlegde Gianni koel, „en die
gaan we eerst ophalen, of wou je hem nog langer daar buiten
laten liggen?"
'De Jankerd' mompelde wat onverstaanbaars, graaide nog gauw
een stuk worst mee en volgde hem naar het einde van de stapelmuur, waar Filippo met grote koortsogen omhoog lag te
staren naar de klare maan.
„Doe dat licht toch weg!" fluisterde hij, „doe dat verrotte licht
toch weg; ze gaan ons mijlenver zien... Giuseppe hebben ze al
gevonden met hun schijnwerpers, en nou zijn wij aan de beurt,
zie je dat dan niet?"
Gianni knielde bij hem neer en legde een koele hand op Filippo's gloeiend voorhoofd. Het zweet droop tappelings in zijn
baard en, ondanks zijn natte kleren sloeg de damp uit zijn lichaam.
„Ze gaan ons niet vinden, kameraad," sprak Gianni lichtzinnig,

„wij zijn bij de hut van vrouw Sanna, en ze gaat je arm repareren."

„Die schijnwerper!" sidderde Filippo, „zie je dan niet dat ze ons in volle glorie zetten?"

„'t Is de maan, Filippo. 't Is de maan, en er is geen hond of blauwmuts in het wije rond te bekennen. Kom, we brengen je naar vrouw Sanna."

Met vereende krachten trokken zij Filippo overeind en met zijn ene gave arm om Gianni's schouder, strompelde hij tussen hen in naar de hut. „Ze hebben Giuseppe te pakken gekregen," stamelde hij, alsof hij iets nieuws verkondigde. „Bij 't ravijn van Gosseddu hebben ze hem neergeknald, de schoften... twee kleine pestgaatjes, en toch gaat ie er aan kapot, wat ik je smoes!"

Hij raakte in paniek toen zij de hut naderen, hij wilde zich losrukken en er vandoor gaan, doch Gianni greep hem stevig rond zijn middel en sprak kalmerende woordjes, als tegen een klein kind.

„Stil nou, stil nou maar, m'n makker... wij brengen je bij vrouw Sanna, zij gaat je beter maken. Kom op, daar is 'n lekker bed voor je. Wanneer heb je voor het laatst in een echt bed geslapen?" Zij stommelden de hut binnen en Ignazio trok de deur achter zich in de klink.

„Er is te vreten ook," grinnikte hij, „ik heb al een mep salami gevonden en bijna een heel gerstebrood. Ik hoop dat ze ook wat canonau in huis heeft."

Hij wilde dadelijk weer naar het keukentje gaan, doch Gianni hield hem met een grauw terug, terwijl hij een gebaar naar zijn pistool maakte. „Dat had je gedacht, vuile hond! Maar eerst hebben wij de zorg voor Filippo. Straks delen we wat er te delen valt!"

'De Jankerd' keek hem giftig aan. „Verbeeld jij je soms dat jij opeens de leiding hebt? De jongste van ons drie, en de grootste bek!"

Maar hij kwam toch terug en hielp Gianni om de tegenstribbelende Filippo in het bed te leggen. Zij trokken hem al zijn natte kleren uit en dekten hem toe met de paardedeken die aan het voeteneind van het ijzeren ledikant lag. Meer konden zijn voorlopig niet voor hem doen. Giuseppe's vuile hemd, dat deze rond Filippo's kapotgeschoten arm had gebonden, durfden zij niet te verwijderen, uit vrees dat de wond opnieuw zou gaan bloeden. De lappen waren geheel doordrenkt en een eindje

onder zijn schouder stak er een scherpe beensplinter doorheen. „Dorst!" fluisterde Filippo, toen hij eenmaal onder de deken lag, „zo'n dorst..."
Zij vonden een kruik helder bronwater in het keukentje. Gianni vulde een kroes en hield die aan Filippo's gesprongen lippen. De jongen dronk gulzig, daarna lag hij een tijdlang met gesloten ogen te rillen van de koorts. Nu durfde ook Gianni aan zichzelf te denken. Hij schopte een paar katten uit de weg en sloop naar het keukentje, waar hij 'De Jankerd' aantrof met een half gerstebrood op de knieën en een stuk salami in de vuist. Hij kauwde alsof zijn leven er van af hing en keek uitdagend op naar Gianni, die nijdig in de deuropening bleef staan.
„Ik ben maar vast begonnen," sprak hij met volle mond, „maar er is nog genoeg voor jou over, ik heb eerlijk de helft genomen, Filippo zal voorlopig tòch niet eten, denk je wel?"
„Ik denk dat jij het meest egoïstische zwijn bent dan ik ooit ben tegengekomen," antwoordde Gianni nors, „wie zegt jou dat Filippo straks geen honger heeft? We hebben geen van drieën vandaag iets te eten gehad, en als Filippo eerst es een paar uren geslapen heeft, zal hij evengoed wat willen hebben."
„Nou, dan sturen wij de heks toch zeker op nieuwe voorraad uit!" deed Testa optimistisch. „Dat oude wijf zal heus wel terugkomen, al begrijp ik niet waar zij de hele nacht uithangt." Hij wees op de wijnkruik, die aan zijn voeten stond. „Hier, de ouwe kol heeft ook nog wat canonau in huis, daar zal je van opfleuren."
Gianni zette de kruik aan de mond en dronk met langzame teugen de goede wijn van Orgosolo, die koel door de keel gleed, maar zijn nuchtere maag in lichterlaaie zette. Daarna viel hij hongerig op het brood en de salami aan, doch hij legde een deel apart voor Filippo en hij hoopte dat de heks zelf niet al te hongerig zou thuis komen.
„Ben benieuwd waar het oude wijf uithangt," mompelde 'De Jankerd' met volle mond, „je zou denken dat ze op dit uur van de nacht in haar nest hoort."
Gianni haalde onverschillig de schouders op.
„Een bevalling misschien... ze heeft er al zoveel op de wereld geholpen. Sommige vrouwen zijn als de dood van haar, omdat ze het boze oog heeft, maar nergens vind je zo'n goeie vroedvrouw als de ouwe heks, en van ziektes heeft ze ook veel verstand, ziektes onder het vee en ziektes onder de mensen. Ik hoop dat ze wat aan Filippo's arm weet te doen."

Zij aten de helft van het gerstebrood en het grootste deel van de salami. Pas nu de dorst gelest was en de ergste honger gestild, voelden zij hoe ontaard moe zij waren. Ignazio, met zijn geweer steeds bij de hand, zat aan de keukentafel te doezelen, maar telkens veerde hij met schrikgrote ogen overeind en greep in paniek naar zijn wapen, als daarbuiten de ponente de droge bladeren deed ritselen. Gianni had voorgesteld dat zij zich op de stikdonkere vliering zouden verschansen, om op alle gebeurlijkheden voorbereid te zijn, maar 'De Jankerd' wilde daar niet van horen. Als de blauwe baretten op het onzalige idee kwamen, hen hier te gaan zoeken, wilde hij kunnen vluchten. Hier beneden dacht hij nog énige kans op ontsnappen te hebben, maar de vliering voelde hij zich als een rat in de val. Hij raakte in paniek, toen hij in de verte plots de honden hoorde blaffen. Hij greep zijn geweer en wilde al naar buiten rennen, doch Gianni, zelf bevend over al zijn leden, versperde hem de weg.

„Ze kómen hier niet," bezwoer hij lichtzinnig, „ze hebben hier immers niets te zoeken! Ze trekken de bergen in! Jij kwam toch zeker zèlf op het idee, ons 'achter de linie' te brengen? Waar wil je dan in godsnaam heen, als je hier ook weer weg gaat? Naar Orgosolo misschien? Ga je dan maar gelijk op de politiepost melden, maar ìk blijf hier bij Filippo, die zichzelf nu niet verdedigen kan!"

Ignazio luisterde huiverend naar het geblaf van de honden en hij moest Gianni gelijk geven. In de bergen maakten zij nu niet de geringste kans. Hij wierp een blik op de katten, die even een hoge rug hadden opgezet, maar zich nu weer rustig in de hoek van het vertrek terugtrokken. Als de honden hier heen mochten komen, zou het kattegespuis hen zeker waarschuwen, oordeelde Gianni, maar het geblaf was reeds verstomd en zij troostten zich met de gedachte dat de meute aftrok, de bergen in.

Konden zij bevroeden dat bakker Devaddis, de bange reus, op ditzelfde ogenblik zijn zenuwen zat uit te schreien in de deegtrog...? En de naam van Ada Sanna noemde, die hem had geholpen om zijn halsmisdaad te verdoezelen...?

„De blauwe baretten hebben hier niets te zoeken," herhaalde Gianni koppig, „verdomd, Ignazio, je kan er gerust op zijn, het was een goed idee van je, om ons achter de linie te voeren."

'De Jankerd' was er niet gerust op, maar Gianni's lof vervulde hem met trots, en nu de honden niet meer blaften, begon hij zelf in zijn goed gesternte te geloven.

„Je moet zo min niet over mij denken!" glunderde hij, „ik heb altijd wel geweten hoe je die verdomde carabiniëri om de tuin kon leiden. Heb ik je al eens verteld van die keer, toen ik samen met Graziano en nog een paar makkers over de top van de Lolloïne trok?... Nee, dat was vóór jouw tijd, jij bent pas een goed jaar bij ons, hè...? Wel, we waren toen met een man of zes..."

„Stil!" onderbrak Gianni hem gejaagd, „ik geloof..."

Zij grepen beiden tegelijk hun geweer en drukten zich tegen de muur. Buiten klonken haastige voetstappen en onmiddellijk daarna werd knersend een sleutel in het slot gestoken.

De katten kwamen gretig overeind, maar zij kromden hun ruggen niet en begonnen niet nijdig te blazen.

„'t Is de heks maar," fluisterde Gianni, terwijl hij zijn geweer liet zakken. Hij had de kaars nog willen uitblazen, doch tijdig de reactie van de katten gezien, die zacht mauwend naar de deur slopen.

Ja, het was de heks, die eerst verbaasd aan de sleutel stond te morrelen, die loos in het geforceerde slot draaide, en daarna onder argwanend gemompel de klink lichtte.

„Jesumaria!" schrok zij, toen zij hijgend het vertrek binnenslofte en de brandende kaars op de tafel zag staan, „Jesumaria! wie is daar..."

Haar bijziende ogen zochten de schemerduistere hoeken af en zij sloeg een slordig kruis.

„Goed volk, vrouwe Sanna," zei Gianni zacht, „je hoeft niet te schrikken."

Doch de heks slaakte een krijsende gil en wilde hals over kop weer naar buiten vluchten.

Gianni was haar te vlug af. Hij trok de deur in de klink en versperde haar de weg.

„Je hoeft niet bang te zijn," drong hij aan, „wij komen maar om je hulp, vrouw Sanna, ik ben het, Giovanni Campus, ken je mij niet meer?"

„En Ignazio Testa," zei 'De Jankerd' met een brede grijns, „jongens van de Barbagia..."

De heks keek van de een naar de ander alsof zij spoken zag.

„Santa Maria!" kreet zij, „of ik jullie ken..." Zij drukte een hand tegen haar hart en sloot de ogen. Het wijfje hijgde zwaar van het snelle lopen. „Of ik... jullie ken, smeerlappen... Jullie hebben wel een goed moment uitgezocht... Marcano zit met heel zijn troep achter je smerige vodden!" Zij slofte naar de tafel en viel zwaar neer op een van de wrakke stoelen. „Jesumaria! hoe kómen jullie erbij..."

„We moesten èrgens heen, sprak Gianni verontschuldigend, „en 'De Jankerd' kwam op het pracht-idee om..."

Zij keek schichtig de kamer rond.

„En die jongen van Bianchi!" onderbrak zij hem met schrille stem, „ga me niet vertellen dat jullie die óók hierheen gesleept hebben! Hij is gewond hè? Hij was met Giuseppe Parera! Over jullie heb ik niks gehoord, maar Marcano zit met al z'n honden achter Filippo Bianchi aan, God zij hem genadig...!"

Zij kwam overeind, steunend op de tafelrand.

„Jullie moeten hier weg!" kreet zij in paniek. „Snap je dan niet dat jullie hier niet kunnen blijven? Ik kom net van bakker Devaddis, waar die mooie meid bij inwoont, de meid van Parera, God hebbe z'n ziel!"

De jongens begrepen niet wat dit met haar opwinding te maken had en zij geloofden nauwelijks dat de oude vrouw in het holst van de nacht bij Tonio de bakker op bezoek ging. Zij voelden zich hier betrekkelijk veilig, zolang de oude vrouw de prijs niet wilde verdienen die op Filippo's hoofd was gesteld.

„Jesumaria!" hijgde zij, toen Gianni in het licht van de kaars trad, „ze hebben jou óók te grazen genomen, niet?"

„Die smerige rotkat van jou," grinnikte Gianni, „wat een monsters hou jij er op na, vrouw Sanna! Maar Filippo is er veel beroerder aan toe; we hebben hem zolang in je bed gelegd."

Hij likte het bloed van zijn gescheurde onderlip en veegde met een slordig gebaar over de vurige krabbels op zijn wang.

De oude vrouw keek hem aan, alsof zij haar doodvonnis hoorde vellen. Alle kleur week uit haar tanig gelaat. Zij zocht steun aan de tafel en zonk weer terug op haar stoel. Zij sloeg drie slordige kruisen achter elkaar en het leek of haar zwarte karbonkels langzaam uitdoofden.

„Die goeie God maakt flauwe grapjes..." stamelde zij voor zich heen. „Dit... dit had ie niet mogen doen..." Zij sloeg de handen voor de ogen en zat een minuut lang haar bovenlichaam heen en weer te wiegen. „Drie keer heb ik de kleine Filippo in 't leven weten te houden... drie keer ben ik trots op hem geweest ... En waarvoor? om hem nu híér... in m'n huis te moeten uitleveren aan de braniejongens van Marcano!"

„Dat zal je wel uit je smerige koppie laten!" schreeuwde Ignazio dreigend, „wat dacht je wel, hè? De prijs te verdienen, die..."

Maar Gianni legde hem met een woedend gebaar het zwijgen op. „Luister, vrouw Sanna, je gaat hem beter maken, hè? We zijn niet voor niks naar jouw gekomen..."
„Naar de verkeerde!" kreet de oude vrouw, „precies, helemaal naar 't verkeerde adres! De carabiniëri zullen hierheen komen, voor zover ik die stomme Devaddis ken. Die idioot heeft zijn wijfje gesmoord, dat schijnheilige, giftige vrouwtje Devaddis, ze verdiende niet beter! Maar ik heb er de hele rommel zomaar achtergelaten, toen ik de honden hoorde... Ze zullen haar vinden, spiernaakt, zoals ik haar heb achtergelaten... en ze zullen mij komen ophalen voor 'n verhoor, begrijpen jullie dat dan niet, grote stomkoppen?"
Nee, de stomkoppen begrepen niet wat vrouw Sanna daar allemaal zat te bazelen. Zij hadden vrome Pina niet gezien in haar beschamende dood, en zij kenden Tonio de reus als een bange goedzak, die nooit iets met de politie te maken kon hebben. Zij zagen het verband niet tussen Tonio en de honden, tussen de honden en de heks. Voor Gianni telde slechts één ding: dat vrouw Sanna zijn makker zou genezen. Zij had het driemaal gedaan, ze moest het weer doen. Zijn geduld was ten einde, zijn zenuwen kapot. Hij pakte het wijfje vierkant op en droeg haar naar het nevenvertrek. Ignazio legde zijn geweer op de tafel en volgde hem met de kaars.
„Hier!" zei Gianni bars, „en nou geen geouwehoer meer! Filippo heeft koorts, en z'n arm is verrotgeschoten, en God zal je kraken, als je hem niet beter maakt, vrouw Sanna! Met bakker Devaddis hebben wij geen pest uit te staan, maar Filippo krepeert, als jij niet gauw wat aan zijn arm doet."
Sluw vrouwtje Sanna.
Zij wierp nog een blik op de vastberaden knaap, die haar voorzichtig op haar voeten zette, en op de ongure tronie van Ignazio 'De Jankerd', die vast voor niets terug zou deinzen. Zij overwoog snel haar kansen, tussen deze rabauwen en de blauwe baretten en zij besloot dat er geen kansen waren voor een oude vrouw.
„Misschien komen ze nog niet..." aarzelde zij, „misschien wachten ze wel tot het dag wordt. Maar ze hebben geen reden om m'n huisje te doorzoeken, wel? Ze zullen mij alleen maar ophalen voor 'n verhoor. En tot zolang zal ik voor deze arme schooier doen wat ik kan. Stop die geweren weg, lummels, en die smerige jassen, die jullie hier maar laat rondslingeren alsof je hier thuis hoort, en kruip op de vliering als er iemand komt!

Jesumaria, wat ben ik moe, maar ik zal zien wat ik voor die arme Filippo doen kan."
Opeens had zij weer de leiding. De rabauwen gehoorzaamden haar als zoete jongens. Zij droegen hun lange schepersmantels en de natte kleren van Filippo naar de vliering. Zij verstopten er hun geweren en schoenen en alles wat maar op hun aanwezigheid duiden kon.

Toen zij op hun doorgezweten sokken het laddertje weer afslopen, had vrouw Sanna de smerige lappen van Filippo's arm geknipt en was zij druk bezig een schoon wit verband aan te leggen.

Gianni schrok, toen hij de dodelijke bleekheid van Filippo's gelaat zag. De gesloten oogleden waren blauw in het weifelende kaarslicht en uit zijn half open mond scheen geen adem meer te komen. „Gaat hij... dood?" stamelde Gianni ontdaan. „Nog in geen dertig jaar," snoof de heks, „onkruid vergaat niet." Zij knikte naar een flesje met drabbig groen vocht, dat op een stoel naast het bed stond, „ik heb hem zolang buiten westen gemaakt," verklaarde zij trots, „een rund behandel je ook niet, zolang 't je kan doodtrappen." Zij verbond met vaardige vingers de gewonde arm en ze was zeer spraakzaam onder de bewonderende blikken van de jongen. „Zo'n kogelwond ziet er griezelig uit, maar 't valt soms mee. Dwars door zijn bovenarm gegaan en een grote splinter bot meegenomen. Maar gelukkig net niet de scharnier geraakt. Met een week of zes kan hij weer genezen zijn als alles meezit, al zal de arm wel stijf blijven, voorlopig." Zij snoof minachtend naar de vuile, bloeddoordrenkte lappen op de vloer. „Het ergste is dat smerige hemd, dat jullie om de open wond hebben gedraaid, dat geeft zo'n vuile troep, dat ie nog wel dagen kan blijven rammelen van de koorts. Maar daar heb ik m'n kruidendrank voor. Ik heb al wat tussen z'n kiezen gegoten, eer ik hem buiten westen hielp, en morgen moet ie er wéér aan geloven, arme schooier, maar dóód gaan? Zo'n sterk rund, hij overleeft Marcano en al z'n strontjonkers, let op mijn woorden!" Zij stiet een kelende lach uit. „Zo'n mooi sterk lichaam, en dat ligt daar moedernaakt in m'n nest. God mag me kraken, maar een oud wijf zou er nog van bekoord worden." Zij sloeg een slordig kruis. „Driemaal heb ik de kleine Filippo levend gemaakt, de vierde keer zal 't mij ook nog wel lukken, al is hij nou een mooie grote reus geworden."

Gianni stond er maar zo'n beetje doezelig bij te knikken en

likte voortdurend het bloed van zijn lip. Hij kon niet veel moois zien aan Filippo, maar de heks had beloofd hem te genezen. Nu viel de ergste spanning van Gianni af, en voelde hij pas goed hoe uitgeput hij was.

Ignazio zat tegen de muur zachtjes te snurken; die had dan ook de halve kruik canonau leeggedronken en zich tegoed gedaan aan brood en salami.

„Vooruit! Naar boven jullie!" snauwde de heks. „Maak dat snurkende zwijn wakker en zorg dat hij zich daar op de vliering rustig houdt. Als ze mij komen halen, kan ik wel doen alsof ik braaf alleen thuis ben, maar als ze hem horen zagen, geef ik jullie geen schijn van kans. Bovendien wil ik zelf nog even slapen, als 't God belieft."

Gianni brak er zich het hoofd niet over, waar de heks dan wel wilde slapen, nu Filippo in haar bed lag. Hij schopte Ignazio wakker, die in paniek naar zijn geweer zocht. Daarna strompelden zij het laddertje op naar de vliering, waar 'De Jankerd' zich in zijn schepersmantel draaide en meteen weer insliep. De wind rende in woeste vlagen nog een paar maal over het lage dak en deed de grauwe leien rammelen. Daarna viel plots de stilte die de purperen geboorte van een nieuwe dag aankondigt op het gevloekte eiland.

Later gaf ook Gianni zijn verweer op en tuimelde in een diepe, dromeloze slaap. Hij schoot niet eens wakker in de morgen, toen twee slome carabiniëri vrouw Sanna kwamen sommeren om voor Signor Commissario te verschijnen... Slechts de katten zetten een hoge rug en blaasden naar de indringers. Vrouwtje Sanna was in een wip gereed en ging gretig mee, wat al te gretig, misschien, maar de agenten waren te duf om daar iets achter te zoeken. Zij trok zachtjes de deur achter zich in de klink en draaide demonstratief de sleutel om in het loze slot. „Er valt hier niet veel te halen," giechelde zij, „maar ik woon hier zo afgelegen, en je hoort een boel rare dingen, tegenwoordig."

Toen volgde zij de brave dienders naar ondercommissaris Cuchedda, die zij nog van de dauwworm genezen had...

HOOFDSTUK 8

Bakker Devaddis...
Sluwe, stomme Tonio in cel 5.
En Caterina Sorighe...
Mooie Caterina in cel 3.
Wat is er tussen die twee...?
De konkelende clan der Barresi's dicht een gruwelijk verhaal rond de mooie meid en de stomme baas. Want zij is de dochter van Pasquale de schapendief, die eens uit hun bezit heeft gestolen... Twintig jaren is een lange tijd, maar de Barresi's hebben een feilloos geheugen. En nu is er wéér uit hun bezit gestolen; Tonio de reus heeft zijn vroom wijfje gewurgd. Die mooie meid zal hem daar wel toe hebben aangezet. Waarom houdt de ondercommissaris haar anders gevangen, samen met de moordenaar...?
De Barresi's weten niet hoe zwaar zij kolonel Marcano heeft gegriefd. Zij denken alleen aan vrome Pina, en aan haar geld, en aan het schaap dat Pasquale Sorighe eens van hun heeft gestolen.
Dus mooie Catarina lag onder één deken met haar baas...!
Misschien verwacht zij wel een kind van hem en dáárom moest die arme Pina worden vermoord...
Zowaar er een rechtvaardige God in de hemel is, die twee geile monsters zullen boeten, allebei! Die mooie teef zal wensen nooit geboren te zijn, laat dàt aan de Barresi's over...!
Heilige moedermaagd, bid voor ons! Heilige Maria Goretti, bid voor ons! Heilige Pina Barresi, bid voor ons...!

Caterina is zo mooi niet meer, sedert kolonel Marcano zich met haar ging bemoeien. Zij mist een paar van haar parelwitte tanden, haar lippen zijn gezwollen en haar wangen besmeurd met bloed en driftig weggeveegde tranen. Eens was zij het prachtstuk van Orgosolo, waar de jongemannen achteraan liepen, hunkerend naar wat haar lichaam uitstraalde. Zij gingen haar pas uit de weg, toen Giuseppe Parera haar ontdekte. Tegen de zoon van een grootgrondbezitter moet je het niet opnemen op dit feodale eiland.
Later werd hij een moordenaar en een prijsvarken, maar dat maakt geen geen verschil; haar schoonheid speelde nog slechts een rol in hun zwoele dromen en bakker Devaddis lag er van wakker naast zijn giftig wijfje.

Tonio de reus vertrouwde zijn begeerte en zijn haat toe aan de blinde muur naast zijn bed, en hij luisterde naar het gekraak van het ledikant op de vliering. Daar wist hij die mooie, wilde meid in de armen van haar duistere geliefde, de vrijer zonder gelaat, die hij hevig benijdde. Het deed Tonio pijn in heel zijn sterk lijf, die twee daar bezig te horen vlak boven zijn hoofd, en zelf naast het schrale wijfje te liggen, dat hem weerstond. In zijn gedachten werd mooie Caterina steeds opwindender en zijn wijfje met haar eeuwige rozenkrans een nachtmerrie.

Maar nu is kuise Pina dood en de Barresi-clan zal haar gaan begraven, hun martelares, waardig tot de eer der altaren verheven te worden, omdat zij haar reinheid verdedigde tegen het wilde beest dat haar verkrachtte. Heilige Pina Barresi, bid voor ons...

Nu heeft de Barresi-clan de eed van de faïda gezworen en Tonio Devaddis zal zijn dood niet ontlopen, al zit hij opgesloten in cel 5. De wet van het eiland is genadeloos...

Sa manchia chi hat fattu a s' eridade solu su sabene sou la trattenit. *

En die meid van Sorighe in cel 3, welk aandeel heeft die in de moord...? Ze sluiten je niet voor niets op in de cellen van Orgosolo! Zij had het natuurlijk voorzien op Pina's juwelen, en op het geld dat die brave vrouw zo zuinig bijeenschraapte... op het geld, dat bij ontstentenis van een stamhouder eens aan de Barresi-clan zou vervallen...

Het schaap dat haar vader eens gestolen had, eer de meute een eind aan zijn ellendig leven maakte, was het bezit van de oude Matteu Barresi. Zijn dood wiste z'n misdaad uit; er was voldaan aan de wet van de faïda. Maar nu gaat zijn dochter de faïda weer oprakelen en moet de gevolgen er dan ook maar van dragen.

Nu voelt Caterina Sorighe zich een oud wijfje, dat slist tussen haar verloren tanden.

Nu heeft zij met het leven afgerekend, maar het leven nog niet met haar... De Barresi's zullen haar weten te vinden, gelijk met Tonio Devaddis, of wat later misschien... of wat vroeger...

In de kelder onder het café van stamvader Matteu Barresi zijn de mannen bij elkaar gekomen; alleen de mannen, want de faïda is hùn zware verantwoording.

* *De smet, die de moordenaar op de familie werpt, kan slechts door bloed worden uitgewist.*

In de kelder van de oude Matteu hebben zij na lang beraad het lot geworpen en het is gunstig gevallen. Het lot heeft Narciso Manca aangewezen, Narciso 'Muizetand', een kleinzoon van stamvader Matteu. Mooier kon het niet – en daaraan zie je maar weer dat de rechtvaardige God aan de kant der Barresi's staat – want Narciso 'Muizetand' is geen familievader, hij laat geen vrouw en kinderen achter, als de blauwe baretten hem ooit gaan vinden. 'Muizetand' is een vrijgezelleknaap van even in de twintig, en hij heeft nog geen kudde verzameld, waarvoor hij de verantwoording draagt. Niets bezit hij, dan zijn onverteerde haat jegens de mooie meid, waar hij vroeger vergeefs achteraan gelopen heeft, die hem heeft uitgelachen omdat hij zo lelijk was.

Nu gaat hij wéér achter haar aan, maar met de opdracht om te doden, en met de zegen van stamvader Matteu.

Gelukkig dat hij niets ànders te verliezen heeft, dan zijn haat.

Nu kan hij zich geheel inzetten voor de eer van de Barresi's en met weinig spijt zijn eigen leven offeren, als Marcano hem gaat vinden...

Ja, het lot is toch wel gunstig gevallen.

Agent Podda.

Iedereen noemde hem een zak.

Iedereen lachte altijd om hem, behalve de goede God, die hem uitkneep als een citroen.

Andrea Podda was nu eenmaal niet voor het geluk geboren en niemand was van zijn domheid dieper overtuigd dan hijzelf. Hij verachtte zichzelf nog meer dan de mensen het al deden, alleen kon hij er niet om lachen.

Hij slofte moedeloos van het bureau naar huis en zijn gedachten waren bij mooie Caterina, die hij zo deerlijk gehavend in cel 3 had moeten achterlaten. Caterina Sorighe, die misschien wel zijn dochter had kunnen zijn, als hij zich maar niet de kaas van het brood had laten gappen door die gemene Pasquale de schapendief...

Hij dacht aan kolonel Marcano en hoe die zich aan het meisje had vergrepen. Daaruit trachtte hij de moed te putten om de dingen te gaan doen, die hij Caterina beloofd had, maar, God, hij was zo bang, hij had nooit zo'n zwaar besluit genomen: verraad plegen aan de dienst... verraad aan zijn superieuren.

Dat vraagt moed.

Hij liep te zweten in zijn verschoten tuniek.

146

De namiddagzon hing nog over de lage huizen te branden en de hitte weerkaatste van de goorwitte gevels.

Twee kleine jongetjes speelden poedelnaakt bij de pomp op het pleintje voor het café van Matteu Barresi. Zij schepten met hun vuile handjes water uit de vergaarbak en wierpen het naar de makke duiven, die koerend een eindje verder trippelden. De duiven waren nog te lui om te vliegen. Iedereen was loom op dit late middaguur.

De oude vrouwen, in hun lange bruine rokken en zwart wollen omslagdoeken zaten in de schaduw voor hun huisjes gehurkt. Zij bespraken de dood van vrome Pina en de razzia op het huis van bakker Devaddis.

Het schijnt dat hij Pina eigenhandig gesmoord heeft – de Heer hebbe haar ziel – en die mooie meid van Sorighe, die het met de vogelvrijen hield, die is ook in 't gevang gezet. Ze zeggen dat ze samen in bed lagen, toen de blauwe baretten met de honden kwamen... Had je dàt nou achter die slome Tonio gezocht...? Stille waters hebben diepe gronden. Arme Pina! Ze was zo'n vrome vrouw...

De oude wijfjes bekruisten zich, terwijl zij over Pina spraken. De Heer hebbe haar ziel... Zij was presidente van de Sint Anna congregatie en zij ging alle dagen naar de Mis. Zij zal zeker goed aanlanden, al moet ze wèl op een poosje vagevuur rekenen voor haar kwade tong... Vagevuur...? Regelrecht naar de hémel gaat ze! Is zij per slot van rekening niet een soort martelares...?

Een van de wijfjes stiet opeens een kakelende lach uit. De anderen keken haar vanonder hun omslagdoeken verontwaardigd aan. Wat valt daar nou om te lachen...? Maar het wijfje lachte al niet meer. Zij keek beschaamd voor zich heen en deed er verder het zwijgen toe. Je kunt tenslotte niet altijd zeggen wat je denkt, zeker niet als het over een dode gaat. De Heer hebbe haar vrome ziel, al droop het gif van haar tong, toen zij nog leefde. Requiescat in pace...

Andrea Podda wilde nog niet naar huis, waar hij zijn zieke vrouw achter de gesloten blinden wist liggen. Het stonk er deze dagen naar zweet en urine en ongeluchte bedden. Zijn half idiote dochters konden de moeder niet verzorgen. Zij waren niet eens bekwaam om zichzelf proper te houden. God had een bittere grap uitgehaald met agent Podda, die eens van een mooi wijf en een goede post op het bureau had gedroomd.

Andrea slofte langs de konkelende wijfjes en hij kreeg het café van Matteu in het oog, waar de mannen samendromden in de koele schaduw rond de tapkast. Allemaal mannen van de clan der Barresi's. Ze konden er wel bijeen zijn voor een familieraad ... Dan ineens herinnerde hij zich dat vrome Pina, het wijfje van bakker Devaddis, ook een Barresi was en hij begreep dat zij daar bij elkaar waren gekomen om de begrafenis te bespreken, die morgen moest plaatsvinden.

Nu aarzelde hij om naar binnen te gaan, maar de oude Matteu, nog zo'n krasse duivel voor zijn zesentachtig jaren, zat in een rieten leunstoel bij het kralen gordijn en liet zijn felle oogjes op hem rusten.

„Wel, als dat agent Podda niet is, die daar uit zijn tuniek loopt te smelten! Kom binnen, Andrea, en drink een canonau van mij!"

Andrea aarzelde. De oude had iets te luid en veel te vriendelijk gesproken. De donkere blikken van een paar kerels taxeerden hem, alsof zij iets van hem verwachtten. Alleen de herrieschoppers rond de tapkast hadden Matteu's opmerking niet gehoord. Andrea dacht aan zijn bedompte huisje en wat hem daar te wachten stond. Daarom ging hij toch maar naar binnen en zette zich naast Matteu Barresi aan het tafeltje met het marmeren blad en peuterde het bovenste knoopje van zijn tuniek los. Hij wist niet of hij de oude nu moest condoleren met de dood van zijn dochter, of gewoon over de warmte en over de dingen van alledag praten.

Hij werd zich pijnlijk bewust van de stilte, die plots door het café sloop, en hij voelde de donkere blikken van de mannen op zich rusten. De oude Matteu schraapte een paar maal zijn keel en zuchtte diep. Toen bracht zijn zoon Carlo de kroes koele wijn, die hij met een plof voor Podda op het tafeltje neerzette, alsof de dronk hem niet gegund was.

Andrea grijnsde verlegen en hief zijn kroes naar de oude man. „Saluta e vita!" zei hij. Toen schrok hij hevig en wilde zijn tong wel afbijten, want zij dronken op een dierbare dode, op vrome Pina Devaddis, die geen salute en geen vita meer beschoren was.

Matteu zuchtte eens en Andrea schudde meewarig het hoofd. „Het kan raar lopen." zei hij somber, zomaar om tenminste de pijnlijke stilte te verbreken, en om voorzichtig Matteu's bedoelingen af te tasten.

„Zeg dat wel, Andrea," zuchtte de oude Barresi, „zeg dat wel... het kan raar lopen."

Toen viel weer het stilzwijgen, dat Andrea Podda niet verdragen kon. Hij zweette tot onder zijn haarwortels, maar de warmte had daar weinig mee te maken. De mannen bij de tapkast fluisterden wat onder elkaar en wierpen steelse blikken op hem.

„Tja..." zei agent Podda, „wie had dat gedacht..."

„Wat?" vroeg de oude man achterdochtig.

Andrea zette de beker canonau aan de mond en dronk, om zijn gedachten te ordenen. Hij dronk veel te gulzig. Hij wilde dat hij hier maar niet was binnengegaan.

„Dat eh... van vrouw Devaddis," zei Andrea, „ik bedoel... van Tonio de bakker... Wie had dat achter hem gezocht?"

Hij zag dat al de mannen hem nu met intense aandacht bekeken, en hij ledigde zijn kroes in één teug. De koele, straffe dronk zette zijn maag in lichterlaaie en het zweet brak hem aan alle kanten uit. Hij wilde opstaan, maar Carlo Baressi zette met een plof een nieuwe kroes wijn voor hem neer, alsof hij hem verplichten wilde, hier korte metten mee te maken.

„We hebben altijd geweten dat hij een vuile hond was en een hoerenjager," zei Carlo grof, „we hadden hem allang in de gaten met die geile teef van Sorighe, maar dat ze onze Pina daarom zouden vermóórden, zie je, da's God geklaagd!"

Agent Podda kromp ineen, alsof hij in het gezicht geslagen was. Dat zij Caterina met de dood van vrouwtje Devaddis in verband zouden brengen, was niet in zijn domme hoofd opgekomen. Hij staarde Carlo Barresi met grote ogen aan, maar hij weerstond de donkere blikken niet, die de mannen op hem gericht hielden. Hij sloeg de ogen neer en zuchtte diep.

„'t Is een rare wereld waar wij in leven," zei hij schor. En in zichzelf schreeuwde hij wanhopig: „Lafaard! Verdomde lafaard! Zeg hun dat ze naar de bliksem kunnen lopen! Dat Caterina er niets meer te maken heeft, smerige kleine lafbek!"

„Een heel rare wereld," beaamde de oude Matteu zalvend, „waar moet het naar toe, als een kerel zijn vrouw zomaar vermoorden kan omdat hij genoeg van haar krijgt... omdat hij zijn oog laat vallen op de meid, en met haar naar bed wil...?"

Agent Podda zocht zijn heil bij een ferme teug uit de wijnkroes. Het duizelde hem. Caterina schreeuwde hem toe, dat hij haar zo laf niet in de steek mocht laten, dat hij, als man van gezag, nu voor haar in de bres moest springen en haar verdedigen tegen de smerige aantijgingen van de Barresi-clan. Als man van gezag... ha! Hij moest opeens bitter lachen om die dwaze gedachte, en tegelijk zat hij over de wijnkroes bijna te huilen van onmacht.

„Ik dacht niet..." aarzelde hij, „ik bedoel... ik kan niet geloven dat dat meisje van Sorighe..."

„Wat weet jij daarvan?" brieste Carlo Barresi hem in het gelaat, eer hij zijn standpunt had kunnen uiteenzetten, „ben je soms óók al een van die verdomde smeerlappen, die onze Pina nog na haar dood willen bekladden? Durf jij soms beweren dat die hoer voor niets zit opgesloten...?"

Andrea keek met schichtige blikken de kring van dreigende gezichten rond. De Barresi's stonden om hem heen gedrongen, staarden hem aan met openlijke vijandigheid. Hij durfde niets meer te beweren, dan wat de horde wenste. Hij verschool zich achter de wijnkroes en ledigde die in een teug.

„Ik beweer niets," sprak hij benepen, „je zal wel gelijk hebben, Carlo, ze sluiten iemand niet voor de lol op, en Tonio Devaddis zal zijn straf niet ontlopen, vanzelf. Dat is juist wat ik zeggen wou, wie had zoiets nou achter zo'n stomme reus gezocht."

„We hebben het nu niet over een stomme reus!" onderbrak Carlo hem, met zijn fonkelende ogen vlak voor zijn bezweet gelaat, „we spraken over die meid van Sorighe! Heeft zij, ja of néé, Tonio aangezet om Pina te vermoorden?"

„Hoe... hoe kan, kan ik dat weten?" stotterde Andrea, „ik ben toch zeker de ondercommissaris niet? Die heeft Tonio onderhanden genomen, en daar ben ik niet bij geweest. Kolonel Marcano zelf heeft die meid van Sorighe verhoord, maar alléén in verband met de vogelvrije, die ze gisteren hebben neergeschoten op de Oliena, die eh... die jongen van Parera; daar had zij verkering mee."

De stilte na zijn woorden was beklemmend.

Van buiten klonk het gewauwel van de konkelende wijfjes tot hen door, en de kreten van de blote jochies die de duiven aan het pesten waren.

De mannen keken elkaar veelbetekenend aan en de oude Barresi bestelde met een afwezig handgebaar nog een kroes wijn voor agent Podda. Die had ongewild een domper gezet op hun enthousiasme. De naam Parera was gevallen en achter de gedode bandiet doemden zijn makkers Filippo Bianchi en de wrede Ignazio Testa op, en heel de bende van Graziano. Met de vogelvrijen valt niet te spotten, zelfs niet door de clan der Barresi's, en als het waar was, dat Marcano haar persoonlijk had verhoord in verband met de gedode bandiet...

De derde kroes canonau werd niet met een klap voor agent Podda gedeponeerd en de gezichten stonden opeens minder dreigend. Een paar van de mannen trokken zich weer rond de tapkast terug. Zij wilden met de bende van Graziano niets te maken hebben, en als het waar was, dat mooie Caterina de bescherming van Graziano genoot...

„Heb ik dat goed verstaan, agent Podda...?" vroeg Matteu Barresi suikerzoet. Hij legde een magere hand, de klauw van een oude gier, op Andrea's arm. „Heeft kolonel Marcano haar zèlf verhoord?"

Podda voelde de plotse verandering in de sfeer. Bovendien begon de straffe canonau hem naar het hoofd te stijgen en de angst viel van hem af als een lastig pak.

„Zou ik dat beweren, als ik er zelf niet was bij geweest?" pochte hij. „Wie denk je dat op het bureau de rapporten schrijft...?"

„Jij...?" vroegen Matteu's ogen vol ontzag.

„Ik!" knikte agent Podda met een klap op zijn doorgezweten tuniek, „ik, Andrea Podda, en niemand anders! Salute e..." Hij hief zijn derde kroes, maar slikte het laatste woord toch in, uit piëteit jegens de overledene, die al niet meer zo zwaar op zijn schouders drukte. „Salute!" herhaalde hij, en hij nam een diepe teug van de canonau, die nu eens geen bittere bijsmaak had. Hij had de Barresi-jongens door...! Dachten hèm een beetje de stuipen op het lijf te jagen. Maar zie ze daar nu in hun schulp kruipen nu hij eindelijk de juiste woorden heeft gevonden...

„Salute, amico..." zei de oude Barresi met een lichte neiging van zijn vogelkopje, en hij nipte peinzend aan zijn kroes. „Dus jij bent tegenwoordig de man die de rapporten schrijft..." liet hij er vol ontzag op volgen, „heb je Tonio Devaddis niet verhoord...?"

Nu overdreef hij toch wat. Dat drong zelfs tot Andrea Podda door. „Verhoord!" lachte hij, „je wil mij op de kast jagen, Matteu! Ik heb nooit gezegd dat ik de mensen verhoor, maar ik schrijf de rapporten. We hebben Devaddis aan de ondercommissaris overgelaten, zoals ik al zei, maar Caterina Sorighe hebben we zèlf... heeft kolonel Marcano zèlf verhoord, waar ik bij was. Hij heeft haar geen woord gevraagd over de... over de dood van vrouw Devaddis, God hebbe haar ziel, maar we hebben urenlang doorgezaagd over haar relaties met de bende van Graziano, en wat we daarover aan de weet gekomen zijn – het is natuurlijk ambtsgeheim, en ik ga dat hier niet aan de grote klok hangen – maar dat zou je de haren in je nek doen overeind

staan van schrik..."
De mannen van Barresi merkten dat hij dronken begon te worden. Zij begrepen dat hij zijn eigen rol in het verhoor schromelijk overdreef, maar toch luisterden zij met enig ontzag en stijgende teleurstelling naar hem. Dronken kerels en kleine kinderen spreken de waarheid, daar waren zij diep van overtuigd, en als die stomme idioot hier zat te beweren dat hij het verhoor van Caterina Sorighe had bijgewoond, dan moesten zij hem geloven... Kolonel Marcano was naar het eiland gekomen voor de jacht op de vogelvrijen, niet om ondercommissaris Cuchedda bij te staan in het ontrafelen van dorpsschandaaltjes. Dat hij Caterina Sorighe had verhoord, bewees dat zij gróót wild was; dat zij tot de bende van Graziano behoorde...
„Waarmee je dus maar wilt zeggen: handen af van Caterina Sorighe," sprak Carlo Barresi gedempt.
„Handen af van Caterina Sorighe..." herhaalde agent Podda met dronkemansplechtigheid, „ja, zo zou ik het willen stellen, Carlo. Je hoeft natuurlijk helemaal niet naar ouwe Andrea te luisteren, maar als ik je met mijn ervaring, een goeie raad mag geven..."
„We hebben jouw goeie raad helemaal niet nodig!" deed Carlo nijdig, „niemand heeft beweerd dat wij iets van plan waren, dus zet dat maar uit je hoofd."
„We dachten alleen..." aarzelde de oude Matteu, „dat zij Tonio kon hebben aangezet tot de moord op Giuseppina."
„Geen sprake van!" zei Andrea bars, „als jullie wat te vereffenen hebben, is het met Tonio Devaddis, maar Caterina Sorighe staat onder bescherming; 't is maar dat je gewaarschuwd bent!"
Hij kwam wat duizelig, maar zeer voldaan overeind en geen van de Barresi's probeerde hem te weerhouden. Zij wisten het nu; die slet van Sorighe, schuldig of niet, genoot de bescherming van 'koning' Graziano en zijn bende... De Barresi's konden zich voorlopig maar beter met Tonio Devaddis bemoeien, Tonio de stomme reus, die zijn vrouwtje had vermoord...
„En bedankt voor de dronk," zei agent Podda hautain, terwijl hij aan de knopen van zijn tuniek friemelde. Hij legde een hand op Matteu's schouder. „Het blijft natuurlijk allemaal onder ons..." mompelde hij, „je weet, hè... ambtsgeheim... ik heb jullie maar willen waarschuwen..."
Niemand reageerde op zijn woorden. Hij was gewoon weer de stomme zak, die zich liet uithoren voor een koppige dronk, ze hadden hem verder niet meer nodig.

Maar Andrea Podda verliet het café met blij gemoed. Het waren allemaal prachtmensen, die Barresi's... Zij luisterden tenminste naar de raad van een man die het goed met hen voor had...

Hij stond op het pleintje onder de magnolia's en hij boerde behaaglijk. „Caterina," monkelde hij, „Caterina, mijn dochter, hoe heb ik hem dat gelapt...? Ik ben voor je in de bres gesprongen en zij schijten in hun broek van angst."

Toen zag hij de blote jochies bij de pomp en hij joeg ze met barse stem naar huis. Waren hier notabene onder de ogen van het gezag de duiven aan 't treiteren!

De kinderen renden gillend een eindje weg, en gingen hem achter een boom staan uitlachen. Iedereen kende agent Podda toch zeker...?

„Vervloekte stomme zak!" gromde Narciso 'Muizetand', die hem door het kralengordijn nakeek, „denkt òns een beetje in de boot te nemen met zijn verhaaltjes over Marcano! Ik geloof er geen barst van!"

De jongen voelde zich in zijn eer aangetast. Was hij niet door het lot aangewezen om de wreker van de clan der Barresi's te zijn? Daarstraks in de kelder hadden al de mannen vol ontzag naar hem opgekeken: Narciso Manca, de gekozen wreker... de man van de faïda... En daar komt me die kloot van een Podda zijn plannen doorkruisen. 'Handen af van Caterina Sorighe', durfde dat grote rund te zeggen, alsof hij iets te vertellen had! Maar Narciso 'Muizetand' was niet van plan, zich iets van het dreigement aan te trekken... bescherming of niet, als die slet van Sorighe voor de bijl moest, dan ging zij voor de bijl, en als Tonio Devaddis er alléén voor moest opdraaien..."

„Dat is dus afgesproken," zei de oude Matteu, die zijn gedachten scheen te raden, „jij bemoeit je voorlopig alléén met Tonio Devaddis..."

Er viel een stilte in het café. De mannen keken spottend naar Narciso 'Muizetand', die zijn mond al open deed om te protesteren, maar Carlo Barresi legde een zware hand op zijn schouder.

„Als babbo zegt dat het alleen om Tonio Devaddis gaat, heb je je daaraan te houden," beet hij de jongen toe, „en verder, basta!"

„Maar de raad heeft mij..."

„Babbo is het hoofd van de raad," onderbrak Carlo hem; hij keek dreigend de kring rond en ontmoette niets dan goed-

keurende blikken, „en als soms iemand het daar niet mee eens
is..."
Er gonsde een instemmend gemompel in het café. Natuurlijk,
zij waren het met hem eens, babbo had gesproken, 'Muizetand'
had maar te gehoorzamen, wat verbeeldde dat jong zich wel?
Dat hij de held van de clan was? Helden en martelaren moeten
eerst dood zijn, en daarna vallen ze vaak nòg tegen...

Diep onder de indruk van zijn overwachte belangrijkheid slenterde agent Podda door de broeihete straatjes op huis aan. De
kakelende wijfjes in de schaduwstreep langs hun huisjes gehurkt, groette hij met een hautain knikje en de apotheker in
zijn deurpost salueerde hij met een vinger aan de klep van zijn
pet. Daar ging Andrea Podda, gezagdrager in Orgosolo. Hij
rechtte zijn afgezakte schouders en trachtte enige zwier aan
zijn gang te geven, want niet alleen de koppige wijn was hem
naar het hoofd gestegen, maar meer nog het respect waarmee
de geduchte Barresiclan naar hem geluisterd had.
'Handen af van Caterina Sorighe...!'
De oude Matteu had vol ontzag zijn vogelkopje geknikt en
zelfs Carlo, die ruige beer, had hem niet durven tegenspreken,
zodra hij de bende van Graziano in het geding bracht.
''t Is maar dat je gewaarschuwd bent... Caterina geniet bescherming!' Hij had het gezegd, alsof hij zèlf die bescherming
verleende, doch de Barresi's waren er niet minder om geïm-
poneerd.
Agent Podda voelde zich opeens erg gewichtig; hij had het
keerpunt in zijn leven bereikt en zou zich voortaan niet meer
laten afblaffen door ondercommissaris Cuchedda, en zelfs niet
door de braniejongens van brigadier Tosca. Kolonel Marcano,
de vuile smeerlap, ging zijn trekken thuis krijgen. Dio mio, om
een onschuldig meisje aan te randen en zo zwaar te mishan-
delen onder het mom van een streng verhoor...!
Maar bij de gedachte aan Caterina, die een goed deel van haar
schoonheid kwijt was en de helft van haar tanden, zakte zijn
juichstemming af, om van lieverlee plaats te maken voor de
oude neerslachtigheid. Wanhopig poogde hij nog de haat te
voeden jegens de bonzen die zijn volk onderdrukten, maar in
zijn bitter gemoed overheerste alweer het besef van zijn onmacht. Hij wist zich nu eenmaal een laffe hond, voorbestemd
om de hielen te likken van de baas die hem schopte. Het oude
beest kon de moed niet meer opbrengen om naar de strenge

meester te bijten; dat had hij vroeger moeten doen, toen de baas een baasje was en de hond nog niet zo afgetobd. Nu sloop hij vals grommend rond, met een hart vol bitterheid, maar te laf om zijn meester aan te vallen.

Eer agent Podda zijn huisje bereikte, zakte hij alweer door in de schouders, en toen hij aan de achterlijke dochters dacht, die Vader God hem als een bittere grap had toegeschoven, moest hij vechten tegen zijn dronkemanstranen. Zij waren ruimschoots volwassen en mochten bekwaam geacht worden om in de wijngaard van Corraine te werken, of Tanteddu te helpen bij de olijvenpluk. Maar zij brachten hun dagen giechelend en zingend in huis door, altijd even vrolijk, smerig, hongerig en lui. Achter de geblindeerde vensters van het slaapvertrek lag vrouw Podda op de trage dood te wachten. Zij wachtte al jarenlang, zonder ongeduld, maar in zijn opstandige buien vroeg Andrea zich wel eens af waarom de Heer van leven en dood zo lang treuzelde.

„Ben je daar, Andrea?" vroeg zij met klagende stem, zodra ze zijn stappen in de gang hoorde, „wat ben je laat, vandaag, je weet toch dat ik op je lig te wachten..."

De bedompte bedlucht sloeg hem tegen, toen hij het schemerdonkere kamertje binnen kwam. In de keuken kirden en kakelden de meisjes. Andrea dacht dat dat hij zou gaan overgeven. Het klamme zweet parelde op zijn voorhoofd en de canonau scheen worgend omhoog te wellen in zijn keel.

„Wachten...! wáchten!" gromde hij, „je hóeft op mij niet te liggen wachten met zo'n stel volwassen meiden in huis! Ze konden minstens je bed verschonen, het stinkt hier als de hel!"

Hij wilde de vensterluiken openen, maar zij weerhield hem met haar zeurende klaagstem. „Geen luiken open, in Godsnaam, Andrea, je wéét dat ik dat felle licht niet verdraag... toe, kom nou es even bij mij zitten en hou m'n hand vast. Hoe was het op 't bureau, of heb je buitendienst gehad? Voel es hier, Andrea, ik ben helemaal doorgezweten."

Met twee, drie onzekere stappen was hij het kamertje uit, nog juist op tijd om in de gootsteen te gaan braken. De dikke meisjes stoven uit de keuken, terwijl zij schrikgilletjes slaakten en elkander zenuwgiechelend in de zij porden.

„Hij 's dronken! hij 's dronken!" kirden zij tegen de vrouw in het bed, „babbo is in de lorum, van je hihoha!"

Zij dansten op hun blote voeten rond het ledikant en tenslotte bleven zij aan het voeteneind zitten, grootogig luisterend naar babbo, die zich leeg kotste en daarna driftig de pompzwengel liet krijsen.

Wat later, in zijn hemdsmouwen, kwam hij toch weer het kamertje binnen, nog wat bleek om de neus, maar kennelijk opgelucht.

„Ik ben niet bezopen," bulderde hij, „maar 't is die rotstank hier, die een fatsoenlijk mens over de nek doet gaan! Schámen jullie je niet, luie misbaksels, om je moeder te laten omkomen in haar eigen vuil? Luie varkens die jullie zijn, ik zal de nonnetjes van Sant Anania weer es vragen of er al plaats voor jullie is in het gesticht!"

Maar de luie varkens schaamden zich niet. Zij kropen schreiend op het bed en de moeder sloeg beschermend haar armen om hen heen.

„Stil maar... stil maar m'n duifjes, babbo doet toch niet wat ie zegt. Stil nou maar... ze nemen jullie niet in 't gesticht, jullie zijn m'n schatten."

De schatten grijnsden en droogden hun tranen met de zoom van een smerige onderrok. Zij kenden het spel. Babbo had het lied al zoveel jaren gezongen, maar zij wisten hem machteloos. Eenmaal, toen de oudste zestien was, had hij werkelijk een non uit het gesticht weten te bewegen om naar zijn dochters te komen zien, maar toen hadden vrouw Podda en de dochters in koor het hele straatje bijeen gekrijst. De buren kwamen er aan te pas, de ontaarde vader kon een pak op z'n donder krijgen en de non vluchtte met fladderende rokken naar de naaste bushalte. Later kreeg hij een breedvoerig attest van de medico: zijn dochters waren niet idioot genoeg voor het gesticht, maar ruimschoots bekwaam om eenvoudig werk te verrichten...

Nu deed Andrea het eenvoudige werk. Hij stroopte zijn hemdsmouwen op en joeg de dikke meiden naar de keuken, waar zij zich tegoed gingen doen aan een schotel ravioli, en hij tilde kreunend zijn kwijnende vrouw uit het bed, een kleffig dood gewicht in zijn armen. Toen hij haar voorzichtig in een leunstoel had laten zakken, begon zijn dagelijkse taak van bed verschonen, vrouwtje wassen – pas op voor de doorgezwete plekken – talk op de bibs, kamferolie op de ontstoken hielen, kuiten en billen, en tenslotte het kreunende vrouwmens weer in bed sjouwen.

Daarna zat hij een tijdlang uit te hijgen op de stoel naast het ledikant en nu hield hij haar hand vast. Nu sprak hij de troostende woorden, waar zij de hele dag naar had liggen hunkeren. Loze beloften, maar zo aangenaam om naar te luisteren. „Je gaat nu gauw beter worden, m'n lief... Ik sprak laatst de medico, en hij zegt dat je toch wel wat vooruit gaat... Een paar maanden misschien nog, dan kun je het bed uit en weer alles zelf doen... Weet je dat ìk nu de rapporten voor kolonel Marcano schrijf...? Misschien word ik wel bevorderd, dit jaar, en dan gaat m'n tractement met sprongen omhoog. Dan kan je een paar maanden gaan kuren in dat hospitaal aan de Costa Paradiso, en helemaal gezond terugkomen..."

Zij glimlachte slechts. Haar donkere ogen waren vochtig ontroerd en ze streelde zijn ruwe hand; de hand die de rapporten schreef voor kolonel Marcano. Zij wist wel dat hij zat te fantaseren, dat die bevordering nooit zou komen en dat zij de kuur aan de Costa Paradiso niet meer nodig had. Maar het was toch aangenaam, zo dicht bijeen te zijn en de dingen te dromen die nooit gingen gebeuren. Jarenlang had hij van zijn bevordering gesproken. Nu was hij een verlopen vijftiger en nog gewoon agent. Andrea Podda, de duvelstoejager van het bureau, de zak, waar iedereen een loopje mee nam. Zij wist het wel, al was zij al jaren buiten het leven gesloten en zij had meer meelij met hem, dan met zichzelf. Andrea de dromer, die allang ondercommissaris had moeten zíjn, als de lieve God zijn kaarten maar niet verkeerd geschud had en hem steeds in een hoekje trapte.

Vanuit de keuken klonk het onbezorgde gelach van de dochters tot hen door. Hier, in de veilige omslotenheid van het schemerduister, zat Andrea Podda zijn eindeloos verhaal te breien, en de zieke vrouw luisterde naar hem met een weemoedige glimlach om de mond. Dríe domme kinderen ging zij achterlaten wanneer het einde van haar beproeving aanbrak, maar alleen deze grote, domme jongen zou zijn eenzaamheid beseffen. Hij zou zijn klankbord missen en niemand meer vinden, die zelfs wilde veínzen in zijn sprookjes te geloven.

„Als die promotie nog een poosje uitblijft..." sprak zij moeilijk, „dan moet je het je niet al te zwaar aantrekken, Andrea..." Maar hij viel haar driftig in de rede.

„Jij óók al? Jullie geloven verdomme geen van allen in mij! Als ik je toch zeg dat ik nu al de rapporten schrijf! Als kolonel Marcano mij toch zèlf nodig heeft om..."

Zijn stemgeluid zakte weg, alsof een gecapitonneerde deur langzaam werd dicht getrokken en zij zag hem met zijn hoofd in zijn grote handen zitten, alleen de grijze haren boven de

ruwe handen uit. Hij zag zichzelf weer voor het bureau van brigadier Tosca staan, een hond die een schoen van zijn baas likt, eer hij geschopt wordt.
'De kolonel is vertrokken, agent, die heeft wel wat beters te doen. En wat deze... aantekeningen betreft, agent, die zijn onleesbaar en dienen nergens toe...' 'Zeker, brigadier. Tot uw orders, brigadier! Zal ik ze maar in de prullebak gooien...?' „Je moet niet huilen, Andrea, mijn lief," zei ze teder, „ik zal altijd in je blijven geloven... Ik... zal je promotie nog meemaken, als de lieve God ons nog een beetje tijd geeft..."
Toen voelde hij haar tranen warm op zijn knie en met de wanhoop groeide in hem de haat als een kankergezwel.

HOOFDSTUK 9

Hoe lang hadden zij, overmand door de genadige slaap, op de duffe vliering gelegen....

Terwijl vrouw Sanna haar sluw spelletje speelde met ondercommissaris Cuchedda, snurkten Gianni en Ignazio de zomermorgen te barsten, alsof de honden en de jagers hen niet deren konden. Zij sliepen nog toen mooie Caterina een deel van haar tanden verspeelde en werd opgesloten in cel 3... Maar de slaap geneest je niet van de angst, die met eindeloos geduld op de loer ligt.

Gianni werd wakker van het gegil, dat als een steen door de ruit van zijn onbewustzijn rinkelde. Hij schoot heftig overeind met de angst als een beest op zijn schouders.

Ze waren er, de jagers en de honden!

De beesten verscheurden Filippo, die weerloos beneden lag. Maar eer hij zijn geweer had kunnen vinden, legde Ignazio een vuile hand op zijn mond. „'t Is niets!" fluisterde 'De Jankerd', zelf nog bevend van schrik, „'t is Filippo maar... ik denk dat het ouwe wijf hem weer onderhanden neemt... ik ben me ook 'n beroerte geschrokken..."

Zij zaten gehurkt onder de lage binten en luisterden naar het gekerm van hun makker beneden. Zij wreven zich de slaap uit de ogen en verwonderden zich over het vale licht, dat door het dakraampje sijpelde. Was het nog zo vroeg, of hadden zij een half etmaal verslapen...?

Testa rekte zich behaaglijk uit en besloot dat het avond moest zijn, de avond van de volgende dag, wat deed het ertoe, zolang de jagers hen niet vonden?

Gianni betastte voorzichtig zijn onderlip, die lelijk gezwollen was. Die verwenste rotkat! Zijn wangen zaten vol geronnen bloed.

Weer kreunde Filippo en zij besloten eens te gaan zien of het oude wijf hem niet te zeer mishandelde, en of er nog iets te eten was, want zij rammelden van de honger. Zij slopen naar het trapgat. Ignazio boog zich langs de ladder en kon het keukentje overzien. Op de morsige tafel stond nog de wijnkruik en het restje brood, precies zoals zij dat de vorige nacht hadden achtergelaten. Maar een van de smerige katten deed zich tegoed aan 'n stuk salami en dat wekte Ignazio's achterdocht. Misschien was de oude vrouw toch niet thuis en werd Filippo door de jagers afgetuigd...? Wat deed die rotkat aan de worst,

159

als de heks hem in zijn nekvel kon grijpen?

Hij gebaarde naar Gianni dat hij de zaak niet vertrouwde, maar na lange minuten van ademloos wachten, besloten zij het er toch maar op te wagen. Op hun blote voeten slopen zij achter elkaar het laddertje af. De kat zette een hoge rug en staarde met valse ogen naar de mensen die hem zijn buit zouden kunnen betwisten, doch die hadden voorlopig andere zorgen aan hun hoofd.

Toen er vanuit het nevenvertrek geen ander geluid tot hen doordrong, dan het nu ingehouden gekreun van hun makker, trapten zij de deur open en wachtten tegen de muur gedrukt, de pistolen in aanslag, op de actie die niet kwam.

Er was er maar één die hevig schrok; Filippo, die met puilende ogen naar de deuropening lag te staren en vergeefs met zijn gave arm naar een wapen tastte, doch hij was naakt en weerloos. Zijn sterk lichaam glom van het zweet; hij was even tevoren gillend ontwaakt uit de nachtmerrie die nu werkelijkheid ging worden.

„Wíj zijn het maar, Filippo," zei de schim die het kamertje binnensloop, „verdomd, je hoeft niet zo te schrikken, waar is vrouw Sanna?"

Filippo kroop rillend overeind, drukte zich tegen de muur en staarde vol afgrijzen naar het pistool. De man daarachter herkende hij niet en de woorden bleven buiten zijn begrip. Toen een tweede schim binnen sloop, begon hij zacht te janken als een weerloze hond, een hond in doodsnood. Tenslotte hadden de jagers hem dan toch gevonden... Nu gingen zij het vuur door zijn naakte lichaam jagen... Twee kleine gaten, misschien, als bij Giuseppe... Maar de jagers maakten er een wreed spel van. Zij hadden de tijd. Zij staken hun wapens weg en ze bromden gonzende woorden, die hij niet verstond.

„Kind van Maria..." stamelde hij, „jullie zíen toch dat ik ongewapend ben... dat ik me overgeef... misschien komt alles nog goed..."

„Je moet gaan liggen!" De jager het dichst bij zijn bed werd nu verstaanbaar. „Verdomme, je moet blijven liggen; waar is het ouwe wijf?"

Maar liggend kun je je niet overgeven, en een prijsvarken gaat niet liggen eer het de genadestoot krijgt... Rillend van koorts drukte Filippo zich vaster tegen de muur en staarde naar de twee gestalten, die zich zwart aftekenden tegen het deurgat. Een van de twee had iets vaag bekends, iets kinderlijks.

'Wist niet dat er zulke jonkies bij de jagers waren', flitste het door zijn koortsig brein, 'kind van Maria... jagerskind, maar even gevaarlijk.'

„Word nou toch wakker!" zei Gianni nerveus, „zie je dan niet dat wíj het maar zijn? Filippo! Je dróómt nog!"

„Geef me over!" jankte de zieke man, „geef me over! Niet schieten! Geef me over!"

„De rotschoft!" zei Ignazio vol minachting, „dat had ìk eens moeten zeggen toen de blauwe baretten achter ons aan zaten, en zie hem daar nou zitten bibberen!"

„Hou je kop!" grauwde Gianni, „zie je dan niet dat hij rammelt van de koorts?" En, zich tot zijn makker overbuigend: „Filippo, kameraad, je moet niet bang zijn... wíj zijn het immers maar, Gianni en... en Ignazio."

Op dat ogenblik werd het nevelgordijn voor zijn geest even weggeschoven en met een zucht van verlichting herkende Filippo de stem. „Gianni," zei hij schor, „Gianni... Jesumaria, ik dacht dat de jagers er waren... Geef me water, ik sterf van de dorst; het ouwe wijf laat me verrekken."

Gianni aarzelde even. Hij had geen verstand van kogelwonden, nog niet, en hij wist niet of hij de patiënt mocht laten drinken. Maar Ignazio was al naar de keuken gelopen en kwam met een kroes water terug. Filippo dronk gulzig.

„Méér," hijgde hij, „ik sta in brand! Waar is vrouw Sanna?"

„Als jíj 't weet, weet ík 't," deed Ignazio onverschillig, „we zijn zelf net wakker geschrokken omdat je zo tekeer ging. We hebben de hele dag verslapen."

„Misschien is de heks op wat voer uit," meende Gianni.

„Of ze is ons verkopen!" smaalde 'De Jankerd', „Filippo is tien miljoen waard; die kan ze met haar zwarte kunst nooit verdienen."

Als om zijn achterdocht meteen te logenstraffen, klonk achter het geblindeerde raam de stem van de oude vrouw: „Poes, poes, poes! Waar zíjn m'n brave poesjes dan? Hier is 't vrouwtje! Vrouwtje is helemaal alleen en er zijn geen stoute honden in de buurt..."

De katten stoven gretig naar de deur, waar zij haar mauwend opwachtten. Zij waren zeker niet gewend, zo uitvoerig gewaarschuwd te worden, maar het bekende stemgeluid was hun genoeg.

„'t Is voor òns dat zij zich zo uitslooft," zei Gianni opgelucht, maar Ignazio Testa had toch zijn pistool getrokken en bleef op

161

zijn hoede tot zij na enig gemorrel voorzichtig de deur geopend had. De katten drongen zich spinnend tegen haar rokken en rekten zich naar de boodschappentas, die zij aan haar arm droeg, doch zij schonk geen aandacht aan de beesten.

„Als je mij iedere keer met dat schiettuig opwacht," beet zij 'De Jankerd' toe, „dan kom ik hier niet meer terug! Ik heb jullie toch zeker gewaarschuwd dat ik alleen ben? Hoe is 't met die arme Filippo?"

Zij zette met een bons de zware tas op tafel, schopte een paar katten uit de weg en liep meteen door naar het slaapvertrek. „Welja! Ga erbij zitten!" snauwde zij, „heb ik nog geen zorgen genoeg aan m'n hoofd? Als jij voorlopig niet rustig blijft ligen, geneest die wond nog in geen jaar!"

„Hij had een nachtmerrie, vrouw Sanna," trachtte Gianni haar te sussen, „wij schrokken wakker omdat hij zo tekeer ging enne ... we hebben 'm wat water gegeven, is dat goed?"

„Een oplawaai was éven goed geweest, als hij zo'n kabaal schopt," mopperde het wijfje, „'t is dat ik zo ver van 't dorp woon, maar als jullie zelf om de carabiniëri gaan liggen schreeuwen, dan kan ik evengoed gelíjk terug gaan naar 't bureau." Intussen had zij het zweetnatte kussen gekeerd en Filippo met zachte drang achterover gestrekt. „En blijf van m'n spullen af!" beet zij Ignazio toe, die zich al van haar tas had meester gemaakt en gretig naar voedsel zocht, „ik ben nog altijd baas in m'n eigen huis, en zo gauw als ik met deze lummel klaar ben, krijgen jullie wat te eten."

'De Jankerd' gromde een verwensing, maar liet de tas verder met rust. Zij keken gefascineerd toe, hoe de oude vrouw voorzichtig het verband rond Filippo's arm en schouder ververste, na de ontstoken wondranden met een vette zwarte zalf te hebben besmeerd. Filippo kneep zijn ogen stijf dicht en knarsetandde van pijn.

„Dat spul stinkt naar rotte vis," zei Gianni bedenkelijk, maar de heks verklaarde trots dat er helemaal geen vis aan haar recepten te pas kwam. Wel iets van rattelever en de halve testikels van een jonge bok; een moufflon zou nog beter zijn, natuurlijk, èn het duivelskruid niet te vergeten. Zij had die zalf al jaren geleden gemengd, en er was niets beters tegen wondkoorts! Intussen lag Filippo te klappertanden en het zweet droop hem bij straaltjes in zijn baard. Zij liet hem nog wat van haar kruidendrank slikken, daarna dekte zij hem toe met de paardedeken.

„Rust... rust..." mompelde zij hoofdschuddend, „maar ik weet niet of Marcano hem zoveel rust gaat gunnen. Vanmorgen bij de commissaris heb ik mij er aardig uit weten te kletsen, voorlopig, Cuchedda is zo'n grote sufferd, bleef maar doorzagen over de dood van Pina Devaddis. Heb ik jullie al verteld dat die stomme reus zijn schijnheilig wijfje gesmoord heeft...?"

„Je hebt zoiets gezegd, vannacht," bromde Ignazio, en achterdochtig: „was dat àlles, waarvoor je bij Cuchedda moest komen? Heeft hij het niet over Giuseppe gehad, of over ons?"

„Bij alle heiligen in de hemel niet," stelde de heks hem gerust, „Cuchedda denkt niet verder dan zijn grote neus lang is. Nog een geluk dat ik niet bij Marcano geroepen ben; die weet àlles uit een mens te krijgen, ze zeggen dat ie met je met een nijptang de nagels uittrekt, als je niet praten wil."

De jongens knikten somber. Zij wisten niet waartoe Marcano in staat was, zij hadden hem nog niet ontmoet, er worden zovéél fabeltjes geweven rond de boze weerwolf. Voorlopig waren zij gerustgesteld, dat vrouw Sanna slechts door de ondercommissaris verhoord was. Misschien waren zij betrekkelijk veilig hier en kreeg Filippo de tijd om te herstellen.

Zij vielen gretig op het voedsel aan, dat de heks voor hen klaar maakte, brood en salami, en ravioli uit blikjes.

„Jullie gaan het mij wel eens terugbetalen," zei ze zakelijk, „want ik kan zulke grote vreetzakken uit mijn eigen beurs niet onderhouden. Ik ben de halve middag bezig geweest om allerlei winkels af te sjouwen, daarom ben ik zo laat, want als ik alles bij Mario Rubano koop, dan vraagt ie mij of ik m'n hele familie uit Arzachena op bezoek heb."

„Je bent een slim wijfje," grijnsde Ignazio tevreden, „aan jou zal het niet liggen, als de blauwmutsen ons te pakken krijgen."

Nee, aan de heks zou het niet liggen.

Maar toen zij hun grote honger gestild hadden en de avond over de Barbagia begon te dalen, nam de onrust weer bezit van hen. Dit werd de tweede nacht, sedert Giuseppe op de Sopramonte was neergeschoten en de blauwe baretten zouden met man en macht achter Filippo heenzitten, die zij gewond in de bergen hoopten te vinden.

Toen met het vallen van de duisternis de ponente over de bergflank begon te grommen, zaten zij in grootogig luisteren in de keuken bijeen, als kinderen met een slecht geweten. Ieder gerucht was in staat om de jongens angstig te doen opspringen en naar de wapens grijpen.

De oude vrouw had Filippo wat frue en zure pap gevoerd. Nu sliep hij een onrustige slaap en vrouw Sanna zat zo'n beetje te soezen in de rieten leunstoel, vermoeid van een doorwaakte nacht. Soms schokte zij op uit haar halfslaap en keek oogknipperend naar de twee daar in de kaarseschijn. Die Gianni is nog maar een kind, peinsde zij, of noemen ze dat al mannen tegenwoordig...? Ik ben zo'n oud mirakel... maar, barmhartige God, dat kind is toch óók al door het leven getekend... wat kunnen de mensen elkaar aandoen... Nee, het zijn allebeí nog kinderen, al zitten zij in de luizenbaard en doen ze stoer met dat wapentuig...

Zij ving Gianni's angstige blik en zij knikte hem bemoedigend toe, maar in het weifelende licht van de kaarsstomp wist de jongen niet of zij weer zat te knikkebollen. Nee... haar koolzwarte ogen vingen een glimp van licht... Zou het waar zijn, dat zij de mensen doorschouwde...? Wat kon je geloven van het boze oog, en haar contract met de duivel...? Als alle vrouwen van het eiland liet zij de kralen van haar rozenkrans rinkelen.

„Hoe oud ben jij nou helemaal...?" Haar stem kraste plots in de lome stilte. Gianni schrok op uit zijn gepeins.

„Negentien," zei hij, „bijna twintig, geloof ik."

Ignazio Testa lachte schamper.

„Je zal er wel een paar jaren van liegen; 't is tegenwoordig net een kakschool bij ons. Er loopt er één mee van vijftien! Had 'n schaap gestolen, en je mag me geloven of niet, vrouw Sanna, maar verdomd, de capitano liet hem blijven!"

De oude vrouw keek hem met onverholen minachting aan, zij mocht 'De Jankerd' niet, met zijn gemene tronie. Een wreed, laf beest, constateerde zij bij zichzelf, tot elke rottigheid in staat, zolang hij zich maar gedekt weet door de andere beesten.

„En jij, grote flinkerd, hoe oud ben jíj dan wel?"

De wind ritselde in het struikgewas. Zij luisterden gespannen, seconden lang. Daarna vond Ignazio het nodig, haar te antwoorden.

„Ik zou 't verdomd niet weten. Ergens achter in de twintig misschien. Ik loop al jaren mee, moet je rekenen; als de capitano een paar betrouwbare kerels nodig heeft, voor een lastig karwei..."

„Je bent niet eens een vogelvrije," onderbrak Gianni hem schamper, „al wat jij gedaan hebt, is óók maar..."

Hij zweeg abrupt om de gespannen uitdrukking op Ignazio's

gelaat. Testa was opgeveerd en greep zijn pistool. Een van de katten kromde zijn rug en blies met gesperde bek en blikkerende scherpe tanden. De anderen, minder agressief, bleven rond de oude vrouw liggen, maar wendden hun koppen luisterend naar de deur, hun groene ogen waakzaam.

„Naar boven!" fluisterde vrouw Sanna scherp, „gá dan toch, idioten!"

Met twee treden tegelijk nam Gianni het laddertje naar de vliering. Ignazio volgde hem op zijn blote voeten in de val, waaruit geen ontsnappen mogelijk was.

„Goed dat we niks te roken hadden..." flitste het door zijn hoofd, „nou stinken alleen die rotkatten en 't ouwe wijf..."

Boven het trapgat, waar het schijnsel van de kaars niet reikte, bleven zij ineengehurkt zitten, hun zenuwen tot het uiterste gespannen. Zij neigden het hoofd in scherp luisteren. Zij trachtten het gerucht te herkennen, dat Ignazio bevend had doen opveren. Het kraken van een tak...? Het behoedzaam sluipen van een jager rond het huis...? Maar het geluid herhaalde zich niet. Zij vernamen slechts het donker geraas van de aanwakkerende wind, die van de Sopramonte kwam aangerend, en in hun slapen pulseerde bonzend het bloed. Zij hielden de pistolen gereed om de kerels van Marcano een warm onthaal te bereiden. Wie anders zou de heks bezoeken op dit late uur?

Toen de wind even de adem scheen in te houden, klonk onmiskenbaar het geluid van voetstappen rond de hut.

„Eén..." dacht Gianni, „dat lijkt er maar één...! Welke gek haalt het in zijn hoofd..."

Maar de gek klopte, en dat doen de blauwe baretten niet. Een bescheiden klopje tegen het vensterluik. Geen gebas van honden; geen gebulder in naam van wet en gerechtigheid...

„Wíe daar...?" de kakelstem van vrouw Sanna, „Jesumaria, is dàt een oud mens laten schrikken in 't holst van de nacht! Ik ga juist naar bed...!"

De leunstoel kraakte. Zij slofte kreunend naar de deur. Buiten lachte een man, maar het klonk alsof hij geen plezier had.

„Holst van de nacht! Sinds wanneer ga jij met de kippen op stok, vrouw Sanna...? Je hoeft niet te schrikken; ik ben 't maar, Andrea Podda... Ik wou je even spreken, als 't kan."

Op de duistere vliering hielden de jongens hun adem in.

Agent Podda...!

Tóch politie, al waren het niet de mannen van Marcano.

Of... stuurden zij die stomme Podda vooruit, om de eerste

stoot op te vangen... om met een rotsmoes de deur open te krijgen...?

Ignazio boog zich over het trapgat en richtte zijn pistool, maar Gianni legde bezwerend een hand op zijn arm. Beter dan 'De Jankerd' kende híj Andrea Podda, de clown van Orgosolo; de commissaris zou hem nooit het betere werk toevertrouwen. „Heeft een ziek wijf!" fluisterde hij Ignazio in het oor, „komt om de heks, misschien..."

Maar vrouw Sanna was er blijkbaar niet zo gerust op. Zij aarzelde met haar hand aan de deurklink en wierp een waarschuwende blik omhoog, naar de jongens boven het trapgat.

„Dio mio!" jammerde zij, „ik heb de halve dag met Cuchedda gekletst, en nou jíj nog es? Moet ik soms wéér op het bureau komen?"

Zij schoof de grendel terug en lichtte de klink. „Ik heb hem toch gezègd dat ik met de dood van Pina Devaddis niets te maken heb?"

Toen zij zuchtend de deur open trok, woei de kaars uit, maar het maanlicht droop in een schuine baan over de keukenvloer. Daarin stond de groteske schaduw van Andrea Podda getekend. Ignazio kon hem met één welgericht schot uit zijn droomwereld helpen, doch zijn vinger aarzelde aan de trekker. Agent Podda wàs alleen. Er stormden geen braniejongens achter hem binnen en de honden begonnen niet in koor te bassen...

„'t Is dáár niet dat ik voor kom, vrouw Sanna," bromde de agent deemoedig, „ik wou je maar even gesproken hebben, onder vier ogen, om 't zomaar es te zeggen." Hij lachte als een halfzatte vent. „Mag ik er in komen?"

„Je bènt er al in," zei de heks nors, „als het niet te lang duurt, mag je nog even gaan zitten ook." En intussen vroeg zij zich radeloos af, of zij zich daarmee niet versproken had... of zij hem snel genoeg weer de deur uit zou kunnen werken, eer de zieke man in het nevenvertrek zou beginnen te ijlen... Of de jongens op de vliering zich wel doodstil zouden weten te houden...

„Ik zou juist naar bed gaan," klaagde zij, „'t is laat genoeg voor een oude vrouw. Wacht, blijf daar staan, ik zal eerst de kaars aansteken."

Zij slofte zenuwachtig heen en weer in het duister, deed alsof zij de lucifers niet kon vinden en peinsde zich gek op een middel om hem buiten te laten. Maar politie is tenslotte politie,

zelfs al heet hij maar Andrea Podda... Jesumaria, hoe had zij zo stom kunnen zijn om de deur voor hem te openen! Filippo Bianchi zou vast en zeker beginnen te kreunen, als de pijn hem weer uit zijn verdoving deed ontwaken...
Dezelfde gedachte hield de jongens op de vliering bezig. In het maanlichte deurgat zagen zij Andrea Podda staan met afgezakte schouders. Meer dan ooit leek hij de slome goedzak, die zelfs door de heks nog moest worden afgeblaft. Maar de idioot wist zelf niet hoe gevaarlijk hij was... hoe hij, voor het eerst in zijn leven misschien, met de dood speelde...
Als hij alleen is, kunnen wij het zonder kogel af, dacht Ignazio; hij stak zijn pistool weg en greep naar zijn mes.
Vrouw Sanna slofte terug naar de keukentafel. Ze hadden gehoord hoe zij de deur naar het slaapvertrek sloot. Daarna duurde het nog trage seconden, eer zij de lucifers gevonden had en met bevende vingers de kaars aanstak.
„Doe nou eerst dat gat achter je dicht," kakelde zij, „het tocht hier als de hel."
„Ik heb altijd gedacht dat er in de hel alleen vuur en solfer was," zei Podda met dikke tong, maar hij sloot de deur achter zich en schoof er de roestige grendel op.
De twee op de vliering volgden verbaasd en achterdochtig al zijn bewegingen. Kon het mogelijk zijn dat agent Podda zèlf bang was voor indringers...? Zij zochten voorzichtig een wat gemakkelijkere houding en bleven hem scherp in het oog houden, tot hij zich met een zucht op de stoel neerliet, waarop Gianni de hele avond had gezeten. Hij stommelde meteen weer overeind en lachte dwaas: „Scussi! ik zit op jouw stoel, geloof ik, hij is nog warm..."
Hij mekkert als een geit, maar hij is toch niet zo bezopen als ik dacht, peinsde Gianni bezorgd, maar de heks redde de situatie voor het ogenblik. „Dat is van die rotkat, die er altijd op ligt!" bitste zij, „als je niet bang bent voor je mooie uniform, kan je gerust gaan zitten, en anders blijf je maar staan. Het is zeker voor Maria dat je mij komt roepen?"
En zij bad de lieve God dat het waar mocht zijn, dat zij snel met Podda het huis kon verlaten... „Hoe gaat het nou met haar? Wacht, ik doe m'n omslagdoek om en ga gelijk met je mee, Andrea! Gewoon een schandaal, dat ik zo lang niet bij je vrouw ben wezen kijken!"
Maar de lieve God liet zich niet vermurwen. Andrea Podda bleef log bij de tafel staan en probeerde haar aan het verstand

te brengen dat hij helemaal niet om hulp voor zijn vrouw gekomen was, dat hij haar alleen maar even dringend wilde spreken.
Toen gaf Sanna het op. Zij liet zich vermoeid in de leunstoel
neer en de katten vlijden zich weer aan haar voeten. Alleen de
valse met de blikkerende tanden blies nog een paar maal, toen
Andrea de stoel bijna omstoote, eer hij tegenover de heks aan
de tafel plaats nam.
De jongens op de vliering vervloekten hem, maar zij moesten
toegeven dat vrouw Sanna genoeg geprobeerd had, de zak buiten te krijgen. Nu bleef er niets meer over, dan hem in de gaten
te houden en te handelen naar de behoefte van het ogenblik.
Podda steunde zijn zwaar hoofd in de handen en zat een poosje
te zuchten, eer hij traag begon te spreken.
„Nee, met Maria is het nog altijd hetzelfde, vrouw Sanna... 't
Loopt zachtjes af, dat weten we allemaal, dat weet ze zelf ook.
Maar 't kan evengoed nog wel een tijdje duren, zegt de medico." Hij boerde, zei 'scussi!' en liet zijn hoofd op de borst zinken.
„De medico!" schamperde vrouw Sanna, „die vent weet van
voren niet dat ie van achteren leeft! Hij heeft van leven en
dood geen snars verstand. Een afgestudeerde charlatan, met al
z'n pillen en poedertjes van de fabriek! Ik dacht heus dat je
voor Maria kwam, want als de mensen geen baat vinden bij de
medico, komen ze naar de heks, die het altijd nog eens met haar
duivelskunsten kan proberen."
Het bleef akelig lang stil na haar giftige uitval. Agent Podda
scheen wel in slaap gesukkeld, of... was hij tòch niet zo dronken en luisterde hij scherp naar een licht geschuifel boven zijn
hoofd, naar een zacht gekreun van Filippo misschien? Ignazio
tastte naar zijn pistool en Gianni hield de adem in.
„Je hebt heel wat gedronken, eer je hierheen kwam," constateerde vrouw Sanna, „ik ruik de canonau over de tafel heen!" En
milder liet zij er op volgen: „Heeft Cuchedda je weer te kakken
gezet, of zijn het die luie hellevegen van dochters, die je treiteren?"
Andrea Podda schudde het hoofd.
„Ik ben niet bezopen, vrouw Sanna; goed, ik... de Barresi's
hebben me vol gegoten in de kroeg van Matteu, wilden mij een
beetje uithoren over de dood van Pina Devaddis, en thuis ben
ik over m'n nek gegaan, en eer ik de moed had om jou te
komen zeggen wat ik je zeggen moet, heb ik nog een paar
sambucca's genomen, want ik ben bang... Maar ik ben níet bezopen, als je dat soms denkt!"

Hij kruiste zijn armen op de tafel en liet er zijn duizelig hoofd op rusten.

De jongens bogen zich ademloos over de trap, om zich niets van Podda's woorden te laten ontgaan. Zij hadden vaker een ontredderd mens gezien en 'De Jankerd', altijd op de grens van zijn zenuwen, huilde gemakkelijk. Maar zij wisten niet dat dit ook een vent in uniform kon overkomen. Jagers huilden niet; die waren zo ongenaakbaar ...

„Goed, je bent niet dronken," zei de oude vrouw zacht, „je hebt het alleen te kwaad met jezelf ... Ik weet het maar al te goed, Andrea ... ik ken je al zo lang ..."

Andrea Podda haalde een grote zakdoek te voorschijn en snoot luidruchtig zijn neus.

„Jij kent iedereen," zei hij schamper, „maar níemand kent Andrea Podda ..." Hij tikte met een dikke wijsvinger tegen zijn slaap. „Niemand weet wat hier binnen bij mij omgaat, vrouw Sanna. Heb ik niet altijd aan de kant van recht en orde gestaan?"

„Daar ben je een diender voor," zei de oude vrouw stroef, „stel je voor, dat je aan de andere kant stond."

„Ja ... stel je eens voor ..." zuchtte Andrea, „stel je dàt es voor, vrouw Sanna ..."

De wind deed een nieuwe aanval op het struikgewas, zoefde om het huis en deed de leien op het dak klepperen. Daar maakte Ignazio gebruik van om even zijn pijnlijk gekromde rug te strekken. Er was misschien geen gevaar bij die dronken clown daar beneden, zolang Filippo zich maar rustig hield, meende hij.

„Ik heb vorige nacht maar een hazeslaapje gedaan," klaagde vrouw Sanna, terwijl zij zich aan de tafel steunde om overeind te komen. Zij was opeens vastbesloten hem tot elke prijs de deur uit te werken. „Ik ben kruiden gaan zoeken, omdat de maan en de wind goed waren. Daarna heb ik Devaddis geholpen om Pina af te leggen – God hebbe haar schijnheilige ziel – en vanmorgen vroeg werd ik alweer opgehaald om door de commissaris verhoord te worden." Zij geeuwde met haar tandeloze mond wijd open. „Dus je begrijpt wel, Andrea, dat ik niet tot morgenochtend naar je verhalen kan luisteren. Ik moet naar bed, amico, zeg mij wat je te zeggen hebt, en laat mij niet ieder woord uit je mond moeten trekken."

Maar Andrea Podda was tezeer van zijn eigen zorgen vervuld, om op de duidelijke wenk in te gaan. Misschien was hij er ook te dronken voor. Hij bleef met het hoofd in de handen gesteund aan tafel zitten en zuchtte diep. „'t Is allemaal zo moeilijk, vrouw Sanna, als je je leven lang aan de kant van recht en wet hebt gestaan..."

Zij wierp een achterdochtige blik op hem. „En als ik het goed begrijp, wil je het nu eens aan de andere kant proberen? Nou begin ik werkelijk te geloven dat je dronken bent, Andrea Podda! Zou je maar niet naar huis gaan en je roes uitslapen, eer je zulke dwaze dingen gaat zeggen?"

Zij slofte naar de deur en legde haar hand op de klink.

„Goeie God, laat ie weg gaan, laat hem nou asjeblíeft weg gaan!" bad zij, maar Podda was met een boodschap gekomen en martelde zijn botte hersens af om de moeilijke woorden te vinden.

„Ik bèn niet bezopen!" gromde hij koppig, „ik weet best wat ik zeg, en aan die andere kant hoor ik ook niet thuis, dat weet ik wel, ben er te stom voor en te laf." Hij sloeg dreunend met zijn vuist op de tafel. „Maar je zal ervan staan te kíjken, vrouw Sanna, als ik je vertel wat die grote meneer Marcano, die steunpilaar van recht en orde, met Caterina Sorighe heeft uitgehaald!"

De twee jongens op de vliering veerden op.

Vrouw Sanna bleef met de deurklink in haar handen staan, verstijfd van schrik. Zij meende een gekreun van Filippo gehoord te hebben in het aangrenzend vertrek, en als Andrea Podda zo bleef schreeuwen, zou hij hem zéker wakker maken. Zij trok de deur voor hem open en deed een stap terzijde om hem te laten passeren. De kaarsvlam begon te flakkeren, wierp grillige schaduwen op de wanden en tegen de zoldering. Maar de wind rende voorbij en het vlammetje leefde weer op.

Toen hij, met beide handen op de tafel steunend, overeind kwam, won de nieuwsgierigheid het toch even van haar angst. „Hij zal haar verhoord hebben," zei ze laconiek, „en daarna in de cel gestopt omdat zij niet praten wou; dáár ken ik Caterina Sorighe wel voor."

Agent Podda, geheel vervuld nu van zijn missie, deed een paar onzekere stappen in haar richting, doch was geenszins van plan om te vertrekken. „Verhóórd?" brulde hij, „verhoord, zei je...? Aángerand heeft ie haar, en toen ze zich verweerde, heeft de ellendeling haar al de tanden uit haar mond geslagen!"

Het bleef secondenlang stil na zijn wanhopig geschreeuw. De heks stond hem wezenloos aan te staren.

Op de vliering grijnsde Ignazio 'De Jankerd' en stelde zich de scène voor.

Gianni voelde een kille haat in zich opstijgen. Hij beefde van woede. Hij dacht aan zijn dode vriend, en aan Caterina Sorighe, mooie Caterina, waar Giuseppe zo trots op was geweest, en hij vloekte. Hij zwoer bij alle heiligen in de hemel dat hij Marcano eigenhandig zou afslachten, al moest hij er zelf het leven bij inboeten.

Op dat ogenblik gebeurde wat zij de hele avond gevreesd, en in de opwinding na Podda's beschuldiging vergeten hadden: in het nevenvertrek begon Filippo te kermen...

Vrouw Sanna verstijfde van schrik en agent Podda liet in stomme verbazing zijn mond open vallen tot een groot, zwart gat. Hij wendde zijn hoofd langzaam naar de slaapkamerdeur en staarde daarna de heks aan. „Wa... wa's dàt?" stamelde hij, „wie gaat daar zo te keer? Wie heb jíj nou in huis?"

Vrouw Sanna haalde moedeloos de schouders op. Nu alles opeens verloren scheen en de zieke Filippo maar doorging met kermen, schoot haar sluwheid tekort. Nu moest de goede God het ook zelf maar uitzoeken; zij had hem fel genoeg gesmeekt om dít niet te laten gebeuren... Zij slofte bevend naar haar stoel en snikte haar opgekropte zenuwen uit...

Het wàs de goede God niet, die het uitzocht.

Ignazio 'De Jankerd', het lafste, wreedste zwijn uit Graziano's stal, had bliksemsnel de situatie overzien en vond dat hij nu maar moest ingrijpen. Daar beneden stond een bezopen vent, nog laffer dan hij... Die kon gillend op de vlucht slaan en de jagers gaan waarschuwen. Ignazio's eigen leven was in gevaar. Met één schot kon hij Podda voor altijd het zwijgen opleggen, maar de jagers zouden het horen, of de honden misschien... Eer Gianni het initiatief kon nemen, had Ignazio hem met een fikse duw tegen de borst achteruit doen deinzen. „Eén is genoeg voor die klootzak!" siste hij hem toe, „hou je gedrukt!"

Toen dook hij met één sprong door het trapgat naar beneden, veerde door de knieën en was met de volgende sprong bij de buitendeur, die hij dicht trapte. Terwijl hij zijn pistool op de verbijsterde agent gericht hield, tastte hij achter zich naar de grendel en schoof die op de deur. Het ging allemaal zo snel, dat Podda geen schijn van kans kreeg om naar zijn revolver te grijpen, zelfs al was dat in zijn beneveld brein opgekomen.

Vrouw Sanna kwam bevend overeind en sloeg een hand aan

haar voorhoofd. Zij bleef halverwege het kruisteken haperen, toen zij door een waas van tranen de duivel zelf tegen de deur geleund zag. Moordlust gloeide in Ignazio's ogen. Jesumaria! hij ging die arme Andrea in haar eigen huisje dood schieten! Bleef hem wel een andere keus, nu hij zich verraden had?

De flakkerende kaarsvlam wierp groteske schaduwen op de muur. Daarin danste de schim van Andrea Podda, alsof hij kronkelde in doodsnood. Doch het bleek slechts een schimmenspel, want toen de tocht langs de vloer was weggevaagd en de vlam weer helder optrok, stond agent Podda nog even verbijsterd als op het ogenblik dat hij de zieke man had horen kermen. Alleen had hij nu zijn armen als om erbarming smekend ten hemel geheven en staarde hij in het kleine zwarte gat, waaruit de dood kon losbranden op bevel van Ignazio Testa. Het bleek allemaal zo simpel; de knaap met het pistool nam geen enkel risico, en de bange man wilde zo graag nog wat in zijn droomwereld blijven rondtobben. Op een hoofdknik van Testa draaide hij zich om en steunde zijn geheven handen tegen de muur. Hij wist wat er van hem verlangd werd... hij had dertig trage jaren aan de veilige kant van de vuurmond gestaan. In gezelschap van andere jagers had hij bandieten ontwapend, al was hij zelf geen held. Nu voelde hij de loop van Testa's pistool in zijn lende en hij wist dat hij aan de verkeerde kant stond... dat een droom ook te vlug in vervulling kon gaan. Hij liet zich de zware dienstrevolver uit de holster nemen. Er werd geen woord bij gesproken. Agent Podda had geen verweer tegen het leven, als hij het nog maar een poosje mocht behouden, om zijn dromen te dromen... *Je moet niet huilen, Andrea, mijn lief... ik zal je promotie nog meemaken, als de lieve God ons nog een beetje tijd geeft...*

Wie huilde daar achter zijn rug? Maria toch niet? Nee, het was de heks, die hysterisch begon te snikken omdat zij dacht dat Podda aan de beurt was voor de dodendans. Maar Andrea mocht zich nu omdraaien, hij kreeg nog wat uitstel, misschien, en de jongen met het harde gezicht joeg de heks het keukentje uit.

„Weg, jij! Ga zien waarom hij zo ligt te kermen, en vertoon je hier niet eer ik je roep. Hou op met je gesnotter, vrouw Sanna! Als dit rund zijn stomme verstand gebruikt en een beetje meewerkt, mag hij blijven leven voor mijn part!"

Nu pas trok Gianni zich geruisloos terug van het trapgat. Hij was gerustgesteld en begon het optreden van 'De Jankerd' te bewonderen. En het rund daar beneden deed gedwee wat hem werd opgedragen, want het wilde blijven leven... goeie, lieve God, Andrea Podda hechtte zozeer aan het leven, dat hem altijd misdeeld had, dat hem tot de clown van Orgosolo had gedegradeerd toen hij van promotie droomde... dat hem had opgescheept met een zieke vrouw en twee half idiote dochters ... Hij zou zijn verstand gebruiken en meewerken. Had hij niet altijd braaf meegewerkt met iedereen die hem afblafte?

Vrouw Sanna was de keuken uitgegaan en had de deur achter zich dichtgetrokken. Gianni, die met zijn oor tegen de zoldervloer gedrukt lag, hoorde haar in het nevenvertrek zacht praten, als een moeder tegen haar angstig kind. Nu zweeg ook de zieke man. Misschien was zijn angst heviger dan de pijn... Nu ging het nog slechts tussen die ene met het pistool en de ander met niets meer dan zijn dromen...

„Ga zitten, klootzak!"

Andrea Podda ging zitten, zijn handen op de tafel gespreid. Ignazio Testa bleef bij de deur staan; hij speelde een sadistisch spelletje met het pistool. Hij voelde zich oppermachtig, een god, heer van leven en dood. Hij hoefde de trekker maar over te halen, want nu stond híj eens aan de veilige kant van het zwarte gaatje, waar die andere zijn bolle angstogen niet van kon afwenden.

„Dus de dappere Marcano heeft mooie Caterina verkracht!"

Agent Podda knikte slechts. Zijn keel was droog. Zijn ogen volgden star de vuurmond, die speels heen en weer bewoog in Testa's hand... heen en weer... een klein eindje maar...

„En al de tanden uit haar smoel geslagen."

Andrea knikte.

De jongen grijnsde, maar agent Podda zag het niet. Hij volgde het zwarte gat. Op en neer nu. Een klein eindje op en neer. Van zijn voorhoofd naar zijn buik...

Andrea Podda had eens een kerel horen gillen die in zijn buik geschoten was... De jonge god stond nu achter het zwarte gat, en het bleef gestadig op zijn buik gericht. Hij dacht dat hij ging overgeven. Het zweet droop hem tappelings langs het gelaat. Het droop in zijn ogen, maar die moest hij wijd open houden om naar de vuurmond te staren...

Ignazio Testa genoot intens. „Hoe voel je je nou, klootzak, met een levensgroot pistool op je dikke pens gericht?"

Andrea Podda slikte een paar maal, eer hij spreken kon. „Ik... ik zal meewerken... ik was gekomen om alles aan de heks, aan

vrouw Sanna te vertellen..."
„Wàt te vertellen?"
„Van... van Caterina... van Marcano, bedoel ik... wat hij met haar gedaan heeft..."
„Jaloers, hè? Je was er liever zelf op gekropen!"
Voor het eerst wendde Podda zijn ogen van het wapen af. Hij begreep de jongen niet. Hij staarde hem wezenloos in het wrede gelaat. „Caterina Sorighe heeft mij gestuurd... Ze zei dat ik naar vrouw Sanna moest gaan om te vragen dat zij het Filippo Bianchi zou..." Hij zweeg abrupt toen hij 'De Jankerd' plots zag verstarren.
„Hoe weet... Wàt wil jij beweren?" schreeuwde Ignazio met overslaande stem. Paniek besprong hem. Als Caterina Sorighe wist dat Filippo hier was... Als zelfs de stomste agent van Orgosolo erin gekend werd, zouden de jagers het dan níet weten...?
Podda staarde naar het pistool. Hij peinsde wanhopig wat hij verkeerd kon hebben gezegd. „Ik beweer niks... ècht niet!" stamelde hij in doodsangst. „En niemand weet dat ik hierheen ben gegaan, mijn eigen vrouw niet eens! Maar Caterina Sorighe zei dat ik alles aan vrouw Sanna moest vertellen... dat Bianchi het dan ook wel aan de weet zou komen..." En wanhopig kermde hij: „Zie je dan niet dat ik mij tegen de wet gekeerd heb? Dat ik alles riskeer om Marcano kapot te krijgen?"
„Ik zal het Bianchi weten te vertellen als ik hem ooit tegenkom," zei vrouw Sanna rustig. Zij had Filippo gekalmeerd en daarna achter de deur staan luisteren. Nu kwam zij de keuken binnen, zonder zich van Ignazio's woedend protest iets aan te trekken. „Je hebt gelijk, Andrea, ik hèb soms contact met de vogelvrijen; een oud wijf als ik heeft niets van hen te vrezen, en Caterina weet dat. Filippo Bianchi zal het zeker waarderen, als ik hem je boodschap kan laten overbrengen." Zij liet haar donkere blik op Testa rusten. „Dat zal mij wel lukken, denk ik, en Filippo zal Marcano weten te vinden, in naam van Giuseppe Parera!"
Boven op de vliering knikte Gianni goedkeurend. Maar Testa vervloekte de heks, die hem zijn prooi ontnam. Hij had een tijdje met de doodsangst van agent Podda gespeeld en er hevig van genoten. Hij wilde zijn spelletje nog wat voortzetten, maar dat ouwe rotwijf ontnam hem zijn speelgoed.
„Allo, geef die man nu zijn schietmachine terug, anders staat hij morgen voor schut." Zij slofte naar de deur, bevend van angst,

maar al half overtuigd dat zij gewonnen had. „Ik laat je uit, Andrea, je hebt je tegen de wet gekeerd en niemand op het bureau zal dat ooit weten, maar de vogelvrijen zullen je zeker dankbaar zijn en die ellendeling van 'n Marcano weten te vinden op z'n tijd..."

Testa kookte van woede, maar hij trachtte zijn teleurstelling te verbergen. „Verdomd," zei hij, alsof dat nu pas goed tot hem doordrong, „die klootzak heeft zich tegen zijn baas gekeerd, hij is 'n Judas geworden!"

Hij wierp de zware dienstrevolver voor Andrea Podda op de tafel, zonder hem zelfs te ontladen. „Maak dat je weg komt en laat niemand je zien! Als hier iets van uitlekt, zal ik jóu weten te vinden, vergeet dat niet!"

Nee, Andrea de dromer zou deze nachtmerrie nooit vergeten ... Hoe kon de jongen daaraan twijfelen?

Hij graaide zijn revolver van de tafel en liep vrouw Sanna bijna omver terwijl zij de deur voor hem open hield.

De wind sprong binnen en blies de kaars uit.

Einde van een episode...

Agent Podda - dertig jaren trouwe dienst, maar nooit beloond - had zich tegen de wet gekeerd. Hij stond nu aan die andere kant en was daar even harteloos ontvangen.

Loop niet te grienen, zak, het zijn dronkemanstranen!

Om clowns wordt alleen maar gelachen...

HOOFDSTUK 10

VROME PINA.

Zij mocht twee dagen langer dan de gewóne stervelingen boven aarde staan. Totdat zij begon te stinken.
De pleureuses hadden zich schor geweend en de bloemen lagen
te verwelken op haar kist.
Al dat uitstel zat hem in de wijze waarop zij om het leven was
gekomen. „Om hals gebracht..." zeiden de Barresi's, doch kolonel Marcano geloofde daar niet meer in. Toch kon hij maar niet
besluiten Tonio Devaddis naar de begrafenis te laten gaan...
Misschien beter hem nog een tijdje vast te houden, tot de gemoederen gekalmeerd waren en de Barresi's hun martelares
met de nodige tam-tam hadden begraven...
Heilig vrouwtje Devaddis! Zij was altijd met zo'n zuur gezicht
door het leven gegaan, had zevenmaal per week vooraan in de
kerk geknield, de Lieve Jezus in haar hart ontvangen en dertig
jaar lang haar goedzak van 'n vent getreiterd. Nu ging zij van
haar eeuwige rust genieten.
Nu lag zij, in een smetteloos engelengewaad gehuld en met een
kroontje van witte bloemen in het haar, opgebaard in de kist
met het glazen deksel, opdat ieder die zich aan haar voorbeeld
stichten wilde, haar nog eens kon komen bekijken...
En heel Orgosolo wilde dat wel. Het was vooral die eerste dag
– toen iedereen nog dacht dat zij morgen begraven zou worden
– een komen en gaan van sensatiebeluste dorpers. Want iedereen wilde de kamer zien, waarin de moord gepleegd was,
nou ja, èn het lijk van vrome Pina, natuurlijk, want een echte
martelares krijg je niet elke dag te zien.
De mare was als een lopend vuurtje door het dorp gegaan. De
clan der Barresi's had daarvoor gezorgd.
De bewoners van het verdoemde eiland hebben het lachen wel
verleerd in de loop der eeuwen, maar huilen doen zij vlot en vol
overgave. Er was dan ook veel geween en geweeklaag die dag
in het huis van bakker Devaddis, niet alleen door de beroeps-
pleureuses die de Barresi's hadden afgehuurd, maar ook door
menigeen die haar kortgeleden een schielijke dood had toegewenst.
Zij kwamen in groepen.
Eerst de vrouwen van de Sint Annacongregatie onder leiding
van Signora Petta, die wel gauw presidente zou worden, nu

vrome Pina het niet meer waar kon nemen... Zij droegen een krans mee van aronskelken en die legden zij aan het voeteneind van de kist. Zij weenden hartstochtelijk, zonder uitzondering. Hun overleden presidente lag er zo mooi bij, met een fonkelnieuwe rozenkrans tussen haar wassen vingers gestrengeld en een zilveren crucifix op haar borst. En dan te bedenken dat zij nog vermoord was óók... Zij zou wel spoedig tot de eer der altaren verheven worden... Heilige Pina bid voor ons!

Daarna kwamen de huwbare dochters van de Agnescongregatie. Die brachten een bos rode rozen mee, om Pina's martelaarschap te onderstrepen. Was zij per slot van rekening niet vermoord om haar eerbaarheid? De rozen deden het heel goed in een groene vaas tussen de walmende kaarsen. De meisjes schuifelden in een lange rij de voordeur binnen, maakten hun rondje om de kist, wierpen meewarige blikken op het nog altijd stuurse gelaat van heilige Pina, sloegen hun kruisjes en begonnen in koor te wenen. Toch ging het niet zo van harte als bij de vrouwen van de Sint Annagroep, waarvan sommige op jarenlange ervaring konden bogen.

De meisjes van de Mariacongregatie, onder leiding van zuster Deodata, huilden helemáál niet; die hielden er een vrije dag aan over, omdat het nonnenkoor de solemnele rouwmis moest repeteren, dus wat viel er nou te grienen? Zij kwamen in hun zwarte schortjes vol eerlijke nieuwsgierigheid de winkeldeur binnen, verdrongen elkaar rond de kist en kregen hun eerste zondige afkeer van al wat 'heilig' was. Zij wierpen gretige blikken in de moordkamer, poogden hun giechelstuipjes verborgen te houden voor het alziend oog van zuster Deodata en wisten niet hoe zij snel genoeg door de achterdeur weer buiten konden geraken, want nu begon de zonnige vrije dag! Nee, aan de schoolkinderen viel voor de Barresi's geen eer te behalen; hadden gewoon geen eerbied voor een heilig lijk.

De oude ventjes, en de wijfjes die nergens meer bij hoorden omdat zij al waren afgeschreven, deden het beter. Zij kwamen na de georganiseerde groepen. Zij condoleerden fluisterend de aanwezige Barresi's die bij toerbeurt de wacht betrokken om ervoor te waken dat geen enkele Devaddis het huis zou betreden... De oudjes toefden lange tijd in de rouwkamer en staarden gefascineerd naar wat zij zelf spoedig zouden zijn: een versierd lijk, keurig verpakt en wachtend op transport. Zij staarden met droge ogen, want zij hadden al hun tranen al

verdaan aan ergere dingen, en evenals de kinderen stonden zij
sceptisch tegenover Pina's heiligheid.
Misschien dachten zij aan Tonio Devaddis, die zij allemaal gekend hadden als een goeie lobbes, die geen vlieg kwaad zou
doen...
Misschien schouwden zij door Pina's engelengewaad en zagen
de gretige wormen aan hun maal beginnen.
Zij namen tenminste rustig de tijd om voor Pina Devaddis te
bidden, die best een ruggesteuntje zou kunnen gebruiken bij het
forceren van de hemelpoort. Daarna sloften zij op huis aan,
weer wat meer naar de aarde gebogen, die hen weldra zou
ontvangen. Hodië mihi, cras tibi... Vandaag zure Pina, morgen
ik misschien...
Pas tegen de avond van die eerste, glorievolle dag begon de
belangstelling wat te tanen. Orgosolo had de heilige onder het
glas bezichtigd, in groepsverband of persoonlijk. Er waren em-
mers tranen vergoten en het hele huis stonk naar het kaarsvet.
De clan der Barresi's kon tevreden zijn: zíj hadden een martelares en de Devaddis-clan zat met een moordenaar opgescheept. Er was weer eens een nieuwe 'faïda' geschapen: oog
om oog, tand om tand... hetgeen hier vertaald wordt door lijk
om lijk...
En de clan Devaddis was maar zo klein. Er had er niet één zich
in de moordwoning durven vertonen. Zij zouden Tonio wel
offeren, als het gerecht hem onverhoopt vrij liet. Zij waren niet
van de dappersten...

De volgende dag begon de onrust het dorp te besluipen. Niet
om de nieuwe familievete, want dat was een zaak tussen de
Barresi's en Tonio Devaddis. Maar waarom luidden de klokken
niet...?
De vrouwen van de Sint Annacongregatie hadden voor dag en
dauw het werk aan kant en liepen in hun paasbeste spullen
zenuwachtig door het huis. Moesten zij hun presidente niet de
laatste eer gaan bewijzen? Hun nieuwe patrones misschien...
Maar om halfnegen werd als alle dagen de school geopend. De
nonnetjes hadden van de pastor vernomen dat zij geen requiem
hoefden te zingen; vandáág toch niet...
En in de vesting van Tonio Devaddis, waarin zalige Pina haar
bitter einde had gevonden, bleven deuren en luiken stijf gesloten. Daarachter hadden zich de Barresi's verschanst. Zouden zij
tòch de kleine clan der Devaddis vrezen...?

Nee, er moest een andere oorzaak zijn. Misschien vroeg de begraving van een heilige meer voorbereiding dan die van een gewone sterveling, of... misschien had zure Pina reeds haar eerste wonder gewrocht en moest Rome er aan te pas komen! Orgosolo gonsde van de tegenstrijdige geruchten.

De Heilige Vader had per slot van rekening al zo lang een bezoek aan Sardinië beloofd en, wie weet, nam hij dan meteen wel even de zaligverklaring van Pina Devaddis waar, maar dan moest hij wel opschieten!

Al sedert gisteravond hing tegen de kerkmuur en aan de gevel van het sterfhuis de metergrote rouwbrief geplakt, waarop de Barresi's aankondigden dat de begraving vandáág zou plaats vinden, maar de pastor trok zich daar niets van aan. Er waren orders van hogerhand gekomen om nog een dagje te wachten, verklaarde hij eenvoudig.

Van hogerhand.

Boven de pastor heb je Mijnheer de Deken, en boven de Deken zetelt Monseigneur de Bisschop. Hoger kun je al niet gaan, of je komt in Rome terecht, en kon het bergnest Orgosolo die eer te beurt vallen?

Later op de dag, toen de vrouwen van de Sint Annacongregatie teleurgesteld hun mooie spullen weer hadden uitgetrokken, ging plots het nieuws als een lopend vuurtje door het dorp, dat er inderdaad een priester regelrecht uit Rome was gearriveerd om Pina's begraving luister bij te zetten.

Nu ja, luister... Eigenlijk vormde hij wel een anticlimax na al die hooggestemde verwachtingen. Als dàt de vertegenwoordiger van de Heilige Stoel moest zijn, dan hielden zij er daar in het Vaticaan wel jonkies op na, tegenwoordig. Hij zag er ondervoed en niet al te snugger uit, met een zwartomrande uilebril op een kindergezicht, maar daar kun je je soms lelijk op verkijken...

Zelfs de Barresi's ontvingen de slungelige jongeman met de nodige achterdocht, toen hij in zijn zwarte soutane en met een versleten koffertje aan de hand, van de bushalte naar het sterfhuis stapte, waar hij zich aandiende als neef Giacobbe, die tante Pina kwam helpen begraven.

De oude Matteu, stamvader van alle Barresi's, herkende hem niet eens, (hij kon er godbetert wel een van de clan der Devaddis zijn...!) maar zijn zoon Carlo wist hem tenslotte aan het verstand te brengen dat het dat joch van Francesco Rubano moest zijn, de zwager uit Arzachena die daar schaapherder was en een vrouw uit de Barresiclan had getrouwd. Toen dat allemaal bleek te kloppen, maakten zijn zwarte soutane en het feit dat hij helemaal van Rome kwam toch wel indruk op de verzamelde Barresi's, die best wat kerkelijke steun konden gebruiken, nu meneer de pastor botweg geweigerd had om Heilige Pina de laatste eer te bewijzen.

Neef Giacobbe – héér neef noemden zij hem nu – was een jaar of tien geleden uit hun gezichtsveld verdwenen. Hij was naar het continent gestuurd om voor pater te gaan studeren, en hier stond hij nu opeens levensgroot in hun midden, nog wel geen complete priester, maar toch al in ver gevorderde staat van eerwaardigheid, want hij had de lagere wijdingen al ontvangen verklaarde hij trots.

Nu het eindelijk tot de vrouwen begon door te dringen welk een voornaam familielid zij bezaten, was niets meer goed genoeg voor zijne eerwaarde. Zij troonden hem mee naar de pronkkamer en maakten een plaats voor hem vrij aan het hoofd van de tafel, om hem eens lekker te verwennen, want heerneef zou wel honger hebben na zo'n lange reis. Nu, dat viel in goede aarde; hij rammelde inderdaad van de honger en een onlesbare dorst had hij ook! Wacht, hij zou alvast een goed glas wijn aanvaarden, maar daarna wilde hij allereerst de rouwkamer zien en een gebed storten voor de zielerust van tante Pina...

Er viel een ijzige stilte na zijn woorden. De Barresi's keken hem aan, alsof hij gevloekt had bij Pina's open graf. Bidden voor haar zielerust...? Maar wist heerneef dan niet dat tante Pina een zuivere, onvervalste heilige was...? Hadden ze hem daar in Rome niet eens verteld dat zij gesuccumbeerd was bij het verdedigen van haar eerbaarheid?

Heerneef keek hen aan met ogen vol afschuw. Nee, al die lugubere details kende hij niet, en hij vroeg in stilte af of het wel met zijn ambt en staat overeen te brengen was, daar dieper op in te gaan. Hij had gewoon bericht ontvangen dat tante Pina overleden was, en aangezien oom Devaddis... nu ja, tante Pina dus, heel zijn studie had bekostigd – o, wisten jullie dat niet? – had hij de laatste trein naar Civita-Vecchia en de nachtboot naar Sardinië genomen, in de hoop dat hij tenminste de begraving nog kon opluisteren.

Zó eenvoudig was dat allemaal.

Geen hoge vertegenwoordiger van Rome dus, al kwam hij daar wel vandaan. Niet eens een afgestudeerde priester, die hun eigenwijze pastoor eens goed de les kon gaan lezen... Terwijl twee van de tantes heerneef naar de rouwkamer bege- leiden, zaten de mannen somber bijeen in de pronkkamer en berekenden mompelend hoeveel dat jonkie de Barresi's in die tien jaren al gekost moest hebben. Allicht dat hij daar iets te- genover stelde...

Dat deed heerneef dan ook. Hij ging energiek aan de slag om de Barresi's te tonen dat zij niet voor niets een priester in de clan hadden. In de rouwkamer gekomen boog hij zich vol pië- teit over het glazen deksel en trachtte door de beslagen ruit tante Pina's zalige trekken te onderscheiden. Toen hem dat niet meer lukte, snoof hij met trillende neusvleugels en besloot dat die kist nódig dicht moest. Hij zou er straks gelijk eens met de oude Matteu over spreken. Maar eerst knielde hij devoot neer en stortte een lang gebed voor de zielerust van tante Pina, hoé heilig zij dan ook aan haar eindje mocht zijn gekomen. Daarna bad hij voor oom Tonio, die volgens de tantes altijd al een stiekeme schuinsmarcheerder was geweest, maar van wie híj nooit anders dan goedheid had ervaren.

Driemaal per jaar had de bakker trouw zijn studierekeningen betaald, en als neeflief door het trimester nog eens op zwart zaad zat, had hij altijd aan zio Tonio om geld durven schrijven, nooit aan vrome Pina... Ook een gebedje dus voor zio Devad- dis, die zo diep in de poel der zonde gevallen was...

Toen heerneef zijn gebed beëindigde, want zijn maag begon nu toch heus te knorren, ontdekte hij pas de drie oude wijfjes, die in een hoek van de rouwkamer neergehurkt zaten. Zij hadden zich stil gehouden zodra hij binnenkwam, want zij werden er- voor betaald te wenen als niemand meer tranen had, en met groot misbaar het eeuwenoude lied van de faïda te reciteren. Zodra hij aanstalten maakte om het vertrek te verlaten, begon- nen de wijfjes met schorre stemmen te lamenteren en luid te huilen, als hadden zij een dierbaar kind verloren. Zij rukten aan hun haren en deden alsof zij zich de kleren van het lijf gingen scheuren. In vloeiende verzen riepen zij Gods wraak af over de moordenaar, die in de hel mocht branden, maar eerst nog mes en kogel en wurgtouw zou vinden op zijn weg naar het eeu- wige vuur... Zij krijsten het lied vol overgave en kronkelden zich in allerlei bochten, want zij wilden tonen dat zij hun geld waard waren: duizend lire per dag...

Giacobbe stond een ogenblik verbijsterd die vertoning aan te zien. Tussen de walmende vetkaarsen en de praalkist van zalige

Pina geleken zij drie oude heksen in hun verfomfaaide vodden en met die verwarde haarklissen om het gelaat. Hij kende het verboden lied nog uit zijn kinderjaren. Was hij geen jongen uit de Barbagia? Maar hij had tien jaar in Rome gestudeerd, binnen de veilige omslotenheid van het seminarie geleefd. Daar hadden zij er het bijgeloof wel uitgezift en hem een fanatieke afkeer bijgebracht jegens de heidense praktijken van zijn voorvaderen. Hij wist niet eens hoe welig de oude misbruiken hier in het binnenland nog tierden; zelfs in Orgosolo had hij dit niet meer verwacht.

Nu begreep hij opeens waarom de pastor het huis van vrome Pina niet wilde bezoeken en de plechtige requiem tot nader order had uitgesteld. Hij ontvluchtte de rouwkamer, blozend alsof daar een zedeloze film werd vertoond, en hij kon zich nauwelijks beheersen om de deur niet met een slag achter zich dicht te knallen.

De Barresivrouwen liepen bedrijvig heen en weer tussen de keuken en de pronkkamer, waar de stamvader en zijn zonen rond de welvoorziene dis geschaard zaten. Zij keken hem allemaal aan, alsof hij er een van de vijandige clan was.

„Goeie genade!" hijgde Giacobbe, „wie heeft die... dat hiernaast verzonnen...? Jullie maken mij toch niet wijs dat meneer de pastor hier van weet?"

De tantes wisselden een snelle blik en de oude Matteu legde met een klap zijn vork neer.

„De pastor!" schamperde Carlo, „wáár zou de pastor van moeten weten, als hij nog te bedonderd is om met babbo over de rouwmis te komen praten? Weet je wel dat die stijfkop hier nog geen poot over de drempel gezet heeft omdat wij geen Devaddis toelaten? Moeten wij dat tuig hier soms..."

„Daar heb ik het nu niet over," onderbrak Giacobbe hem fel, „al weet u evengoed als ik dat dit het huis van zio Devaddis is, en dat we zijn familie niet aansprakelijk mogen stellen voor wat híj misdaan heeft!"

Zijn woorden werden overstemd door honende kreten van de Barresimannen. Wat verbeeldde dat jong van Rubano zich wel? Dat hij een missionaris was, die hier de nieuwe leer kwam preken? Wat wist híj van de wet van de faïda?

Maar heerneef liet zich door hun geschreeuw niet van de wijs brengen. „Ik vroeg wie de komedie met die heksen op touw gezet heeft! Of weten jullie soms niet dat dergelijke praktijken al sedert lang door de kerk verboden zijn?"

In de geladen stilte na zijn woorden klonk het valse gezang van de wijfjes in de rouwkamer tot hen door.

> *Sas lacrimas a nois lassade;*
> *a bois su piantu non cumbenit!*
> *Sa mancia chi hat fattu a s'eridade*
> *solu su sabene sou la trattenit...* *

Pas daarna, alsof hij de betekenis van het lied goed tot zijn clan wilde laten doordringen, stond Matteu Barresi op, om Giacobbe van antwoord te dienen.

„Die komedie hiernaast, waarde heerneef, is de laatste eer die wij onze doden bewijzen, die door geweld om het leven kwamen! En wou jíj, die van Pina's geld gestudeerd hebt – en God weet hoe geleerd geworden bent – soms beweren dat haar die eer niet toekomt? Zij is vermóórd, en haar bloed schreeuwt om het bloed van de moordenaar!"

„Maar de kerk verbiedt..." protesteerde Giacobbe wanhopig.

„De kerk verbíedt?" sneerde de oude, „de kerk hééft hier niets te verbieden, zolang zij niet kan voorkomen dat onschuldigen worden vermoord en de schuldigen ongestraft blijven! Wij kennen van eeuwen her ons eigen recht en onze eigen wetten, en als jij die niet erkent, wat doe je dan hier? Niemand heeft méér reden dan jij, om Pina's nagedachtenis te eren, en als die verdomde pastor morgen nog weigert haar de kerkelijke begraving te geven, met alle eer die haar toekomt, dan verwachten wij dat jíj die verzorgt, zowaar als je tot de clan der Barresi's hoort! Begrijp je dat góed, heerneef?"

Nee, heerneef begreep er geen barst van, maar hij zag zich omringd door vijandige gezichten en hij was geen ijzervreter als de oude Matteu. Heerneef begon bakzeil te halen; hij trachtte zich uit de netelige situatie te redden door te stamelen dat hij nog geen volledige priester was, dat hij immers pas de lagere wijdingen had ontvangen en dus geen requiemmis kon gaan opdragen enzo. Maar hij zou natuurlijk, in overleg met de pastor...

„Hier wordt nìks overlegd met de pastor!" onderbrak de oude hem. „De pastor heult met de clan der Devaddis en hij wil dat

---

* *Laat de tranen aan óns over; u past het niet te wenen! De smet die de moordenaar op de familie werpt, kan slechts door bloed worden uitgewist. (Fr. Cagnetta: 'Bandits d'Orgosolo')*

183

wij die beesten in de kerk toelaten. Komt niks van in!"
„Dan zal er van een kerkelijke begrafens weinig terecht komen," antwoordde Giacobbe verslagen, „en hoe moet dat dan met tante Pina's heiligverklaring...? Hoe zal ik zelfs het proces der záligverklaring in Rome aanhangig kunnen maken, als er geen kerkelijke begrafenis is geweest, en als de pastor ons daar gaat tegenwerken...?"
Dat was een smerige streek van heerneef, waarmee, hij zijn eigen huid trachtte te redden. Als enige van de clan der Barresi's begreep híj dat zure Pina geen schijn van kans maakte tot de eer der altaren verheven te worden', mèt, of zònder Devaddis aan haar open graf. Maar de Barresi's waren even uit het lood geslagen. Zij zagen zich hun 'heilige' al door de neus geboord en de vrouwen begonnen opgewonden onder elkaar te fluisteren.
Tante Agostina liet haar tranen de vrije loop; zij was notabene secretaresse van de Sint Annacongregatie en het had allemaal zo mooi geleken, gisteren, met al die bloemen en de wenende vrouwen om Pina's kist. O, zij kon heerneef wel verscheuren, nu hij haar met de neus op de feiten drukte. Géén heilige dus in de familie...? Zij keek smekend naar de oude Matteu, die nu ook danig verlegen zat met zijn figuur. Alle Barresi's rekenden op hem. Hij had de clan groot gemaakt, gehaat en gevreesd in heel Orgosolo. Hij was een van de zeven clanvaders, die met onbeperkt gezag heersten over hun grote families. Matteu's woord was wet en zelfs Carlo, zijn oudste zoon die rechts van hem aan het dodenmaal zat, durfde hem niet tegenspreken, al wist hij dat babbo de klok soms wel heel ver terugdraaide. Carlo's woord zou pas wet worden zodra babbo Matteu zijn sluwe oogjes voorgoed gesloten had, maar voorlopig scheen hij daar nog geen aanstalten toe te maken.
Of heerneef moest hem vandaag een hartinfarct bezorgen met zijn gedonder...? Narciso 'Muizetand' hóópte daar eigenlijk op. Die zat aan het uiterste einde van de dis zijn zenuwen te verbijten, want hij had als kleinzoon helemaal geen stem in het kapittel. Het was voor het eerst, dat Narciso Manca met zijn vader en de ooms aan een dodenmaal mocht aanzitten en dat voorrecht had hij slechts aan het lot te danken dat hem als de dubbele wreker van de clan had aangewezen... Nu vreesde hij dat er van zijn pas verworven importantie niets meer zou overblijven. Eerst was die zak van 'n Poddą in het café gekomen om Caterina Sorighe vrij te pleiten en die ouwe sok van 'n Matteu

had het verhaaltje geslikt, of tenminste aangenomen dat mooie Caterina de bescherming van de vogelvrijen genoot... En nú stond die halve pater hier nog eens met de heiligheid van tante Pina te goochelen, in de hoop dat hij de Barresi's zou bewegen de hele faïda te vergeten...!

Doch babbo Matteu scheen dat zelf ook te begrijpen. Hij wist aller ogen op zich gericht en besloot de geit èn de kool te sparen. Hij zou Rome zo ver mogelijk tegemoet komen, want de vrouwen eisten hun heilige... Maar hij moest het spelletje sluw spelen, want de mannen eisten de faïda...

Eer de stilte te pijnlijk werd en men hem van zwakheid kon verdenken, begon Matteu toch te spreken. Hij was altijd een goede komediant geweest. Hij zuchtte diep, alsof hij na lang peinzen tot een zwaar besluit gekomen was.

„Je hebt misschien toch ergens gelijk, heerneef... wij hebben je laten studeren en je weet daardoor heel wat meer van kerkelijke zaken en van al de franje die er bij hoort, dan je grootvader..."

Er groeide een verontwaardigd gemompel onder de mannen, maar Carlo smoorde dat met een klap op de tafel.

„Silenzio, als babbo spreekt...!" Hij zou dat jong van Rubano, priester of geen priester, wel eens laten vóelen hoe voornaam een stamvader was.

Het gemompel verstomde op slag en heerneef begon zich af te vragen waar hij de moed vandaan haalde, om het tegen deze oude havik op te nemen.

Matteu wierp hem een spottende blik toe en keek dan ernstig in het rond. „Wij moeten niet vergeten, m'n jongens, dat de geleerdheid van heerneef terugstraalt op de clan der Barresi's, die nu al een heilige en een priester bezit..." De vrouwen knikten ontroerd, de mannen hulden zich in mokkig zwijgen. „Heerneef," zei Matteu plechtig, „heerneef, ik heb snel maar diep over je woorden nagedacht, en ik moet je tot op zekere hoogte gelijk geven... wij mogen Pina's zaligerklaring en haar plechtige begraving niet in gevaar brengen omwille van een vete die ik met die lummel van 'n pastor heb."

De mannen grijnsden elkaar over de tafel toe; zij begonnen te begrijpen waar de oude vos op aan stuurde, maar heerneef trapte blindelings in de val.

„Dat wist ik niet eens..." zei hij schuchter, „ik wou alleen maar protesteren tegen die... de heidense vertoning van die vrouwen daar in de rouwkamer, en..."

„Een oud en onschuldig ritueel," sprak Matteu zalvend, „maar als de kerk daar bezwaren tegen heeft, dan zal ik die wijven persoonlijk de deur uit zetten! En jíj, heerneef, jij gaat naar meneer de pastor en je zegt hem dat Matteu Barresi voor een keer zijn harde kop gebogen heeft, en dat wij de uitvaart van je tante Pina op morgenochtend elf uur willen stellen. Op geld wordt niet gekeken en de Barresi's zullen geen heibel maken."

„Zelfs niet... als de Devaddis..." aarzelde Giacobbe. Hij werd de donkere blikken van de mannen gewaar en hij huiverde. Doch de oude Barresi scheen opeens besloten zijn rol van vrome bekeerling verder te spelen. Hij legde het er bijna te dik op, toen hij gul beloofde: „Zèlfs als de Devaddis het lef hebben om naar de kerk te komen, zal hun niets gebeuren, zeg dat maar uit míjn naam."

Hij slofte naar de deur van de rouwkamer en greep intussen naar zijn beurs om de jammerwijfjes tenminste het overeengekomen loon uit te betalen.

Giacobbe deed vol respect een stap opzij.

„En nou kom je eerst eens aan tafel, heerneef!" beval Carlo, die begreep dat babbo geen verdere concessies ging doen, „je moet zo onderhand wel uitgehongerd zijn en wíj willen dit goeie maal ook niet laten koud worden."

Nou, dat liet heerneef zich geen twee keer zeggen. Al de spanning viel opeens van hem af. Hij verkeerde in de zalige overtuiging, zijn clan en de kerk een grote dienst te hebben bewezen. Zouden ze dáár in Rome even van opkijken! De ware missionaris begint met de heidense gebruiken van zijn voorvaderen uit te roeien...

Op een hoofdknik van Carlo werd een plaatsje voor hem vrijgemaakt tussen neef Narciso en een zwager die hij helemaal niet kende. Daar ergerde hij zich wel aan, want de tantes, smeltend van verering, hadden hem een halfuur geleden nog de plaats aan het hoofd van de tafel toegewezen. Maar de tantes hadden hier niets te vertellen en in een halfuur was er veel veranderd... Nu ja, ten góede, troostte hij zichzelf. Hij had de wraakgierige clan der Barresi's met de banvloek van Rome gedreigd en dat had zo'n diepe indruk gemaakt, dat babbo Matteu nu hoogst persoonlijk die heidense vertoning daar in de rouwkamer was gaan beëindigen.

Neef Giacobbe was zeer tevreden met zichzelf en nam met een toegeeflijke glimlach de nederige plaats in, die zio Carlo hem had toegewezen. De tantes trachtten dit kleine incident te verbloemen, door hem met gepaste eerbied te bedienen. Zij hadden hem zojuist als eerste in de clan de stamvader zien weerstaan en het wonder der bekering verrichten... zij twijfelden er niet aan, of hij zou ook het wonder der zaligverklaring van zus Pina wel voor zijn rekening nemen. Was heerneef per slot van rekening niet kind-aan-huis bij de Heilige Vader...? Giacobbe maakte een zorgvuldig uitgetimed kruisteken en bad met stijf gesloten ogen, eer hij begon te eten. Hij zag de triomfantelijke blikken niet, die de ooms elkaar over de tafel toewierpen. De oude vos had zijn komedie maar weer eens prachtig gespeeld en deze bekakte zieltjesjager was er stomweg ingetrapt.

„Bon pranzo!" wensten zij hem, toen hij zijn gebed gesproken had en 'Muizetand' sloeg hem op de schouder dat het klatste. „Nooit geweten dat ik een echte, onvervalste hemeldragonder in m'n familie had!" grijnsde hij. „Laat 't je smaken, neef, want je ziet er uit alsof het daar in 't Vaticaan óók geen vetpot is!" Al de kerels lachten luid.

„Ik ben nooit in het Vaticaan geweest en de paus heb ik maar eenmaal vanuit de verte gezien," meende Giacobbe te antwoorden, maar hij wilde de tantes niet teleurstellen en evenmin zijn aureool verspelen, daarom blaatte hij mee met de schapen rond de welvoorziene ruif en keek 'Muizetand' geringschattend aan, alsof hij hem nu pas voor het eerst opmerkte. „Jij bent anders ook geen geweldenaar, zo te zien, en in Rome hebben wij nu eenmaal andere eetgewoontes dan hier," zei hij als tegen een dom kind.

Nu lachten al de ooms bulderend om een mop die hij niet begreep en naast hem verviel Narciso 'Muizetand' in een mokkend stilzwijgen. Heerneef kon niet weten hoe hij de jongen juist met deze opmerking griefde. Hier zat hij notabene náást de geweldenaar van de clan, door het lot aangewezen om de dood van tante Pina te wreken, en hij zette hem voor schut waar alle mannen bij waren.

'Muizetand' koelde zijn woede op de spijzen die door de tantes in overvloed werden aangedragen en nam zich voor, die zieltjesjager zijn kunsten af te leren, eer hij weer naar het continent vetrok. Een vent kon hier overal een poot breken, of per ongeluk een stuk rots op zijn hersens krijgen, en een manke hemeldragonder was nooit zo'n plechtige verschijning, zelfs al had hij in Rome gestudeerd... 'Muizetand' grijnsde in zichzelf en gedroeg zich zo onbeschoft mogelijk naast heerneef met

187

zijn fijne manieren. Hij graaide met zijn volle hand in de vleespot, kauwde met vette smakgeluiden en boerde luidruchtig na iedere dronk. Heerneef ergerde zich daar geweldig aan, maar het viel de anderen niet op, omdat zij in tafelmanieren nauwelijks voor 'Muizetand' onderdeden.

De stemming onder de kerels werd er intussen steeds beter op, vooral toen babbo met een sluw lachje uit de rouwkamer kwam gesloft en zijn plaats aan het hoofd van de tafel weer innam. De tantes sjouwden af en aan om het manvolk te bedienen en deden zich tussen de bedrijven door in de keuken tegoed aan de vetste brokken, rijkelijk besproeid met de straffe canonau, en zo werd het na een aarzelend begin toch nog een ouderwets gezellig begrafenismaal.

De vrouwen in de keuken zongen eenparig de lof van heerneef, die in Rome de zaligverklaring van Pina aanhangig ging maken. De mannen bewonderden de wijsheid van babbo Matteu, die zo handig tussen alle roomse en Sardische klippen had weten door te zeilen. Dat was waarachtig geen geringe verdienste voor een man van zijn jaren.

In de rouwkamer heerste na het vertrek van de jammerwijfjes nu de stilte die bij een dode past, maar in de pronkkamer werd de stemming steeds luidruchtiger. Zelfs Carlo Barresi, die meestal met een even zuur gezicht als zijn zuster-zaliger door het leven ging, grijnsde breeduit bij elke nieuwe dronk, en de oude Matteu begon nu over de hele lengte van de tafel zijn vragen naar heerneef te schreeuwen omtrent de procedure van zo'n heiligverklaring, en of dat veel geld ging kosten, en of het wáár was, dat er zelfs voor een zaligverklaring al drie echte wonderen nodig waren...

Giacobbe vond het heel pijnlijk, al die domme vragen en dat geschreeuw over tante Pina. Hij had veel liever even naast de clanvader plaats genomen, om hem op beschaafde toon van antwoord te dienen. Maar niemand scheen bereid daar aan het hoofd van de tafel een plaatsje voor hem vrij te maken en zo was hij genoodzaakt, de oude met éven luide stem te antwoorden, want nu Matteu niet sprak als hoofd van de clan, mochten alle Barresimannen er doorheen schreeuwen zoveel zij verkozen. Heerneef voelde zich ellendig. Hij begon te transpireren in zijn zwarte toog, maar ook dat viel niet op, want àl die kerels met hun opgestroopte hemdsmouwen zweetten overvloedig terwijl zij de vette zwijncoteletten verorberden en elkander met volle mond toeschreeuwden.

Alleen Narciso de wreker scheen zijn ergernis te merken, maar díe genoot ervan.

„Je zal wel gelijk hebben, neef," grinnikte 'Muizetand' hem toe, „we hebben hier andere eetgewoonten dan jullie daar bij de paus, maar ik wed bij de zaligheid van tante Pina, dat jullie daar nooit zulke lekkere zwijntjes te vreten krijgen!" Hij veegde met de rug van zijn hand het vet uit zijn stoppelbaard en hief de wijnkroes: „Salute e vita, héérneef!"

Giacobbe trachtte hem te negeren, maar zo gemakkelijk liet Narciso zich niet afschepen. De canonau begon hem naar het hoofd te stijgen en hij had een kwade dronk over zich. „Je voelt je toch zeker niet te voornaam om met je volle neef te klinken?" treiterde hij. „We zitten hier allebei maar aan het eind van de tafel, al denk je dat jij meer bent dan ik. Als het er op aankomt, heb jíj jezelf maar genodigd, terwijl ìk door de raad gekozen ben om..."

Hij zweeg abrupt. Misschien was hij toch niet zó dronken.

„Om, wàt?" vroeg heerneef, terwijl hij hem laatdunkend bekeek.

„Val dood!" zei Narciso gesmoord, „krijg de eeuwige pesttiefus, verwaand stuk sekreet!"

De disgenoten hadden niets van de ruzie bemerkt, want iedereen trachtte zijn overbuur te beschreeuwen, of diens volmondig antwoord te verstaan. Maar nu was babbo Matteu tot de conclusie gekomen dat hij niet voldoende antwoord op zijn vragen had gekregen en hij vond dat heerneef ze maar eens moest komen toelichten. Met een nors gebaar wenkte hij Giacobbe om naast hem te komen zitten. Er ontstond wat geduw en geschuifel en tenslotte was er een plaatsje vrij gemaakt tussen de clanvader en Carlo Barresi.

Met een hautain lachje kwam heerneef overeind, nam zijn bord en wijnkroes mee en fluisterde Narciso de wreker honend toe: „Vriend... ga hogerop!" Hij ging zijn plaats innemen naast stamvader Matteu en begon minzaam met de oude man te keuvelen.

Als het Barresi's bedoeling was geweest, de faïda in zijn eigen clan te doen oplaaien, dan had hij niet effectiever kunnen handelen...

Narciso 'Muizetand' voelde zich ten overtaan van al de mannen in zijn hemd gezet. Hij dacht dat hij ging barsten van nijd, nu hij Giacobbe daar aan het hoofd van de tafel zag zitten in geanimeerd gesprek met babbo Matteu, die hèm geen blik waardig keurde... Zelfs de ooms hadden nog geen zinnig woord tot hem gesproken en tante Agostina maakte de maat vol, door hem met haar zuurzoet lachje te komen vragen hoe híj, als enige neef, bij het dodenmaal verzeild was geraakt. Narciso stoof op, alsof hij in zijn oor gebeten was. „Als enige neef?" brieste hij, „en wat zit daar dan naast babbo?"

„O, maar dàt is onze priester," zei tante Agostina met een smeltende blik op Giacobbe, „daarom zit hij juist naast babbo; hij gaat de belangen van de Barresi's in Rome behartigen, wìst je dat niet eens?"

Zij schonk verder geen aandacht meer aan hem; de vrouwen hadden het zo druk met het bedienen van de familievaders, en daar hoorde 'Muizetand' niet bij. Wat wisten zij van de zware taak die het lot op zijn schouders had geladen? De jongen mocht er niet eens mee opscheppen en moest lijdelijk toezien hoe heerneef door de tantes met alle zorg omringd werd, terwijl de clanvader vol aandacht naar hem zat te luisteren.

„Een gebroken poot..." besloot 'Muizetand', „of een stuk rots op zijn gezalfde kop... het een of andere souvenir zal ik hem zeker meegeven naar de paus. Als ìk ben aangewezen om namens de hele clan tante Pina's dood te wreken, dan hebben ze mij met méér eerbied te behandelen, dan hem!" En intussen peinsde hij zich suf naar een middel om zich te wreken, zonder dat hij tegen de lamp zou lopen.

Het dodenmaal verliep traag. Het duurde verscheidene uren. Pas toen de wijn uit Tonio's kabinet alle mannen slaperig gemaakt had en de oude Matteu voldoende was ingelicht omtrent het moeilijke proces der zaligverklaring, gaf hij het teken waar Narciso vol ongeduld op gewacht had: heerneef stond recht; hij mocht hardop het dankgebed spreken voor al de goede gaven die de Barresiclan van God's goedheid had ontvangen.

De tantes, in de keukendeur, luisterden ontroerd.

Giacobbe begon in het Latijn, maar aarzelend vond hij het Sardisch dialect van zijn kinderjaren terug en toen luisterden zelfs een paar van de mannen.

Hij achtte het een grote eer, door de clanvader te zijn afgevaardigd om de vrede met meneer de pastor te gaan voorbereiden en de plechtige uitvaartdienst voor morgenochtend te bespreken, en hij zou...

„Amen!" zei zio Carlo bot, „en dan mag je nou wel es verdomd hard opschieten heerneef, want het loopt alwéér tegen de avond en zo lang als onze Pina, heeft er bij mijn weten nog nooit iemand boven aarde gestaan!"

„Heiligen vergaan niet!" beweerde tante Agostina lichtzinnig.
„O nee?" smaalde Carlo, „dan moet jij maar es met je neus
boven die kist gaan hangen!"
Er werd door al die brooddronken kerels hardop gelachen en
de oude Matteu die met de handen om zijn buik gevouwen zo'n
beetje was ingedommeld, keek verwonderd om zich heen. „Dat
is dus afgesproken," mompelde hij, „Giacobbe zal het allemaal
wel regelen met de pastor..."
Giacobbe sloeg een zorgvuldig kruis en trok zich met een
wrange glimlach terug. Hij liet zich in de keuken nog wat af-
borstelen eer hij naar de pastorie ging en tante Maria ver-
wijderde met een warme doek nog gauw een paar vetvlekken
uit zijn toog, want zó kon hij zich toch niet aandienen als de
vertegenwoordiger van de clan der Barresi's?
In de pronkkamer trokken de mannen hun laarzen uit en maakten de bovenste knopen van hun broek los. Daarna strekten zij
hun kousevoeten op de tafel, vouwden hun handen over de buik
en volgden babbo's voorbeeld. Het duurde niet lang, of een
veelstemmig gesnurk vulde het vertrek.

Narciso Manca, de wreker.
Het lot had de Barresi's geen ijveriger beulsknecht kunnen toewijzen, want in de hele clan was niemand zo gefrustreerd als de
lelijke, schriele knaap, die eens door Caterina Sorighe was afgewezen en nu door heerneef belachelijk gemaakt. 'Muizetand'
vergat nooit een belediging!
Hoewel hij zich rond en dik gegeten had en de canonau hem
naar het hoofd was gestegen, volgde hij de ooms niet in hun
late siësta. Narciso 'Muizetand' had wel wat anders te doen en
als hij de kans nu niet waarnam, zou hij heerneef zijn getreiter
misschien nooit meer betaald kunnen zetten. Morgenochtend
de begraving. Daarna zou de hemeldragonder wel weer gauw
naar Rome vertrekken, nagewuifd door de ontroerde tantes en
met de zegen van babbo Matteu. Maar nú begon de avond over
het dorp te dalen en als heerneef terug kwam van de pastorie,
zou het misschien intussen donker zijn...
Narciso 'Muizetand' hield van het donker.
Toen hij langs de keuken naar de bakkerij sloop, zag hij tante
Maria voor Giacobbe geknield liggen, maar echt niet om zijn
zegen te vragen. Narciso betwijfelde trouwens of zo'n half vol-
tooide priester wel zegenen mocht; hij was niet zo thuis in
kerkelijke zaken.

Tante Maria was bezig de vetvlekken uit heerneefs toog te vegen, want hij had er maar een, en tante Giovanna poetste zingend zijn schoenen, want hij hàd geen andere. Giacobbe liet het allemaal met zijn hautaine glimlachje gebeuren. Hij stond op zijn zwarte kousen midden in de keuken en sprak op minzame toon tegen de vrouwen over de stappen die hij in Rome ging ondernemen om het proces der zaligverklaring zoveel mogelijk te bespoedigen...

Vuile huichelaar! dacht Narciso, je staat die stomme wijven alleen maar stroop te smeren in de hoop dat zij je beurs zullen spekken! Toen zag hij dat tante Giovanna met onzekere bewegingen de blinkend gepoetste schoenen in het gangetje op de onderste tree van de vlieringtrap deponeerde, en dat bracht hem op een lumineus idee.

De tantes hadden al bedisseld dat Giacobbe wel in de kamer van de meid kon overnachten, als hij dat niet te bezwaarlijk vond. Caterina zat toch in 't gevang en zij hadden de lakens ververst, een schone sloop om de peluw gedaan en al de rommel opgeruimd die de meid had achtergelaten. Zo kreeg heerneef een kamer voor zich alleen, zoals dat bij zijn waardigheid paste. De tantes zouden dan wel om beurten een paar uren in het bed van zalige Pina slapen en de mannen moesten zich maar naast babbo Matteu op de vloer van de pronkkamer strekken, als na deze sïesta de slaap hun nog te machtig zou worden.

Op 'Muizetand' was niet gerekend; die kon best in de stal bij de ezel slapen, als hij persé wilde blijven.

Narciso wilde niet blijven. Hij kwam met verongelijkt gezicht de keuken in en zei dat hij maar naar huis ging tot morgenochtend. Ze zouden hem op de begraving wel zien.

„Nou, tot morgenvroeg dan, neef," zei Giacobbe neerbuigend, „en zie dat je je niet verslaapt, want ik ga de mis op elf uur stellen."

„Als meneer de pastor het góed vindt, zeker!" hoonde 'Muizetand', „want jij mag daar in Rome een hele meneer zijn, maar bij onze pastor heb je geen pest te vertellen!"

Onder verontwaardigde kreten van de tantes trok hij de keukendeur hard achter zich dicht en ging fluitend door de bakkerij naar buiten. In het gangetje onderaan de trap zag hij nog kans, vlug de blinkend gepoetste schoenen van heerneef onder zijn vest te stoppen. Zou die hemeldragonder even opkijken, als hij straks op zijn kousen naar de pastor moest! En wíe kon bewijzen dat híj de schoenen had gestolen? Ze zouden hem er wel van verdenken, natuurlijk, maar bewijzen was een andere zaak.

Voor het eerst sedert zijn kennismaking met Giacobbe was 'Muizetand' weer vrolijk gestemd. Met een wijde boog slingerde hij de schoenen in de gierput achter Tonio Devaddis' huis. Daarna verschool hij zich in de macchia, van waaruit hij de bakkerij en het vensterluik op de vliering in het oog kon houden. Hij lachte zich ziek; van zijn kwade dronk was niet veel meer over dan een lichtzinnig plezier om de poets die hij heerneef gebakken had. En dit was nog maar het begin!... Giacobbe Rubano ging zijn trekken thuis krijgen... Narcisco zou hem weten te vinden, de schijnheilige opschepper!

Hij hoefde niet eens lang op het spektakel te wachten. Nauwelijks lag hij goed en wel verborgen in het dichte struikgewas, of hij hoorde de schelle kijfstem van tante Agostina.

„Die schoenen kunnen er toch zeker niet uit zichzelf vandoor gaan!... Giovanna is zeker in de lorum, dat zij nu al niet meer weet waar zij ze gelaten heeft... Allo! zóek nou toch, slons, want heerneef moet nodig naar meneer de pastor!..."

Tussen het geruzie van de vrouwen klonk de geforceerd vrolijke stem van Giacobbe. Hij zou zelf wel even meezoeken; hij kon best begrijpen dat de tantes een beetje van de kook waren na al die drukte van de afgelopen dag. „Maar ik heb ze híer neergezet, en ik ben níet in de lorum!" krijste Giovanna, „en 'n slons heb je mij helemáál niet te noemen, versta je dat? Versta je dat góed, Agostina?..."

Ja, de tantes verstonden elkaar uitstekend. Zelfs 'Muizetand' kon de hooglopende ruzie woord voor woord volgen en hij genoot intens. Even later werd het luik van de meidenkamer opengegooid en hij zag heerneef zoekend door het vertrek gaan.

„Daar zíjn ze niet!" de stem van Giovanna beneden. „Ik weet toch zeker best dat ik ze onder aan de trap heb neergezet!" En plots kreeg zij een helder ogenblik. „Narcisco Manca! Dat rotjong is daarstraks nog in de keuken geweest; hij zal ze toch niet meegenomen hebben?..."

Maar tante Maria nam het voor hem op. „'Muizetand'...? Stel je niet aan! Wat moet díe nou met lage schoenen beginnen? Ze zouden hem trouwens veel te klein zijn ook."

En heerneef zuurzoet: „Verkopen, misschien? Ik zie die lummel er best voor aan... hij heeft op mij een zeer onsympathieke

193

indruk gemaakt, dat mogen jullie gerust weten..."
De rest van het gesprek viel niet meer te volgen, want Giacobbe ging naar beneden. De tantes doorzochten mopperend het hele huis. Zij durfden de mannen niet uit hun siësta te wekken, maar tante Agostina kwam op het idee, Giacobbe de zondagse schoenen van Tonio Devaddis te lenen, hoge stiefels weliswaar en zeker vijf maten te groot, maar tenminste keurig gepoetst. Heerneef mocht zijn bezoek aan meneer de pastor trouwens niet langer meer uitstellen; het liep al tegen de avond en er viel nog van alles te regelen, als zus Pina morgen begraven wilde worden.
Zo slofte de eerwaarde heer Giacobbe Rubano een kwartiertje later de deur uit, plechtstatig in zijn zwarte toog, maar met veel minder zelfvertrouwen dan de tantes konden vermoeden.
'Muizetand' keek hem grijnzend na. Hij was snel rond de stal geslopen toen hij de voordeur hoorde sluiten en loerde nu om de hoek van het huis. Hij aarzelde nog even of hij de branieschopper meteen zou volgen, maar dan besloot hij dat het nog veel te licht was om iets te ondernemen. Als heerneef een poot moest breken, ging dat beter in het donker; een mens struikelt zo licht in de hellende straatjes van Orgosolo.
Narcisco sloop terug naar de achterzijde van het huis en verborg zich weer in het dichte struikgewas. Toen viel zijn oog op het vensterluik, dat Giacobbe had laten open staan en zijn kleine oogjes begonnen te fonkelen. Hij wachtte nog even of alles veilig was. Vanuit de keuken hoorde hij het gerinkel van vaatwerk en de kijfstemmen van de tantes, die in mineurstemming aan de afwas waren. De mannen hielden hun snorkende siësta en zo stond niemand hem in de weg bij het dwaze plan, dat bij stukjes en beetjes in hem begon te rijpen. Hij moest wel voortmaken, want het zou spoedig gaan schemeren en hij kon in Caterina's kamer geen licht maken.
Hij kroop uit de macchia te voorschijn en sloop naar de muur van de bakkerij. Hij klauterde op het lage afdak en luisterde gespannen aan het open vensterluik, eer hij geruisloos binnen klom. In Caterina's kamertje stond hij lange tijd stil en loerde met nieuwsgierige blikken rond. Een hevige opwinding deed zijn hart bonzen. Dit was dus het liefdesnest waarvan hij koortsig had gedroomd, waarin Caterina Sorighe de vogelvrije had ontvangen... mooie Caterina, die hèm had afgewezen omdat hij te lelijk was, en te schriel, en te arm om het tegen de zoon van de machtige Parera op te nemen... Narcisco Manca kon tal

van redenen opsommen, waarom die mooie meid hem indertijd de bons had gegeven, maar geen enkele was steekhoudend in zijn ogen. Elke reden had zijn haat en zijn afgunst verhevigd, tot hij tenslotte één bonk machteloze verbittering was. Maar door de gewelddadige dood van zure Pina was het lot hem plotseling te hulp gekomen en hier stond hij nu, de aangewezen wreker... de fret, die op de bulldog was losgelaten èn op de mooie teef die hij zo hevig begeerde. Alleen de bulldog was overgebleven, nadat agent Podda met zijn praatjes over de vogelvrijen was gekomen, maar het fretje was niet van plan, zich een deel van zijn prooi te laten ontnemen. Eenmaal op jacht zou hij doorvechten tot zij allemaal zijn scherpe tanden hadden gevoeld: het lompe beest, dat hij de strot ging afbijten op bevel van de clan... het mooie diertje, dat hij voor zichzelf wilde behouden... het schijnheilige beest, dat hij alleen maar treiteren wilde... Stuk voor stuk zou hij ze weten te vinden! Narcisco Muizetand beefde van wraakzucht.

Toch was het een ander beven dat hem doorzinderde, toen hij voorzichtig de deur van het kamertje gegrendeld had en de muurkast opende, waarin Caterina Sorighe de intieme dingen bewaarde waarvan hij in zijn koortsige dromen bezit genomen had, om jankend van nijd te ontwaken in het besef dat de mooie meid hem nooit zou toebehoren. Nu graaide hij met begerige vingers in keurige stapeltjes ondergoed. Hier had hij een schamel deel van zijn dromen in handen. Maar een hond is met de kruimels al tevreden, en een fretje verscheurt zijn prooi met venijnige tanden. Een fretje was hij. Hij beet, en scheurde, en rukte alles aan flarden wat hij op de kastplanken vond. Hij wist niet waarom de tranen hem in de ogen brandden, waarom hij snotterend naar de ravage staarde die hij had aangericht. „Caterina," snikte hij, „dit is het begin nog maar, ik zal je weten te vinden!..."

Hij bedacht dat hij geen vrijbrief meer had van babbo Matteu, maar de vrijbrief was er geweest, toen het lot hem had aangewezen als de dubbele wreker. Hij was niet van plan, daar iets van terug te geven.

Nu dacht hij aan die andere, die hem ook had vernederd en gehoond, en koortsig zocht hij naar het armzalige valiesje, waarmee heerneef was komen aansjouwen. Hij vond het op een stoel naast het bed. Een versleten kartonnen koffertje met een leren riem er omheen. Hij rukte de riem los en tilde het deksel op. Twee paar zwarte kousen, heerneef had zweetvoeten. Twee schone onderbroeken, een hemd, een gestreepte pyama, een wit overhemd zonder boord maar met gesteven manchetten, een doosje met toiletartikelen en een dik gebedenboek, goud op snee.

Narcisco 'Muizetand' strooide alles op het bed uit en begon het koffertje vol te proppen met Caterina's verscheurde lingerie. Jammer dat hij niet schrijven kon. Hij had obscène woorden willen kladden in Giacobbe's gebedenboek, opdat de hemeldragonder in Rome nog zou blozen bij de herinnering aan wat hem in Orgosolo was aangedaan. Nu stelde hij zich tevreden met hier en daar wat blaadjes uit het gebedenboek te scheuren, niet te veel, zodat het ongeschonden leek. Veel lolliger als heerneef het pas in Rome zou ontdekken, in de kerk van de paus misschien, of waar hij zijn gebeden placht te lispelen. Hij legde het boek terug in de koffer en stond een ogenblik in beraad wat hij nu verder nog kon doen om Giacobbe te vernederen. Wacht, hij zou zijn onderspullen meenemen en straks in de gierput smijten bij z'n zondagse schoenen. Hij sloot zorgvuldig het valies, gespte de riem dicht en legde het weer op de stoel naast het bed. Hij wierp een weemoedige blik door het kamertje en kon het niet helpen dat zijn gedachten afdwaalden naar Caterina Sorighe, zoals hij haar in zijn stoutste dromen had gezien. Hij vloekte. Waarom kon hij nu niet brullen van de lol? Misschien was de canonau wel uitgewerkt. De mop leek opeens zo leuk niet meer. Hij graaide Giacobbe's spullen van het bed en knoopte alles tot een bundeltje bijeen. Dan ging hij voorzichtig de grendel van de deur schuiven en kroop door het vensterluik naar buiten.

De blauwe schemer begon over het dal te dalen en ver weg, langs de kruin van de Sopramonte zoefde een eerste windvlaag, die de cicaden even deed verstommen.

Misschien was hij tòch nog een beetje dronken...

Toen hij van het lage afdak in het karrespoor dook – een sprongetje van niets – kwam hij zo ongelukkig terecht, dat hij het bijna uitgilde. Pijn schoot vlammend door zijn linker enkel, vlijmde omhoog tot in zijn knie.

Het bundeltje met heerneefs bezittingen rolde door tot in de macchia. 'De wrekende God!' flitste het door zijn hoofd. 'Die ligt altijd op de loer...' Maar hij verbeet knarsetandend de pijn en hij kreupelde overeind. Hij vloekte zacht voor zich heen. De wrekende God uit zijn kinderjaren mocht hem geen angst meer inboezemen, nu hij zelf een volwassen wreker was geworden.

Hij vloekte hartstochtelijk en tartte de Wreker hem neer te bliksemen. Daarna wachtte hij secondenlang, zwetend van angst en pijn. Maar de bliksem kwam niet; God had misschien wel even weinig zin voor humor als Narcisco Manca, die nu naar het bundeltje ondergoed strompelde het in de gierput smeet achter de bakkerij.

Nee, het was niet lollig meer... Narcisco 'Muizetand' had bitter weinig plezier toen hij door de smerige stegen en straatjes van Orgosolo ging, waar de mensen verkoeling zochten op de dorpels voor het huis. Bij elke stap vlijmde een pijnscheut door zijn enkel, die zo begon te zwellen dat hij zijn veter moest losmaken.

Toen hij bij het kerkplein kwam, begon het al donker te worden, maar er speelden toch nog wat kleine jongens, die later wel op hun donder zouden krijgen als zij eindelijk thuis kwamen. Zij waren in twee groepen verdeeld, die elkaar met stenen gooiden en beschoten met stokken, of zomaar met de gestrekte wijsvinger: Pieuw!... pieieuw!... Er was een groep blauwe baretten en een stelletje vogelvrijen.

„Mi chiamo Mesina, di nome Graziano, e sono fugito da San Sebastiano," * zongen de bandieten, terwijl zij achter de steunberen van de kerk wegdoken en dapper terug schoten: Pieuw ...! pieieuw...!

De bendeleider was nog steeds geweldig populair bij de kinderen van Orgosolo; de meesten wilden Graziano Mesina zijn. Maar sedert de succesvolle jacht op Giuseppe Parera waren er ook wel een paar die voor kolonel Marcano wilden spelen, of zelfs voor brigadier Tosca. Misschien gingen de blauwe baretten het toch nog winnen op de lange duur...

'Muizetand' vermeed de spelende kinderen en strompelde naar de kerkhofmuur, vanwaar hij ongezien de pastorie in het oog kon houden. Hij was nog niet klaar met zijn strafexpeditie, zéker niet nu hij zelf een verstuikte enkel had opgelopen, die hem hevig kwelde. Hij hoopte maar dat meneer de pastoor niet te veel tijd aan Giacobbe zou verspillen, want als deze naar buiten kwam eer de kinderen hun spel gestaakt hadden, wilde hij graag een beetje mééspelen... Als alle herdersjongens had 'Muizetand' geleerd een afdwalend schaap op grote afstand met een steen te raken.

* *Ik heet Graziano Mesina, ontsnapt uit San Sebastiano. (Dit is de gevangenis van Sassari, waaruit de bendeleider op 11 sept. '66 wist te ontvluchten, nadat hij voor diverse vendetta-moorden tot 42 jaar celstraf veroordeeld was.)*

Aan de voet van de kerkhofmuur verzamelde hij een aantal scherpe stenen en wachtte ongeduldig zijn kans af. Als die verdomde pastor nu maar geen fles wijn te voorschijn haalde om de bekering van babbo Matteu te vieren.

Maar dat viel mee. De jongetjes waren nog volop in hun veldslag verwikkeld, toen de pastoriedeur openkierde en een baan gelig licht over het donkere kerkplein wierp. Meneer de pastor liet zijn gast zelf uit met een handdruk en een schouderklopje.

„Tot morgenvroeg dus, m'n jongen, zeg maar dat we niet langer mogen uitstellen. En je zorgt dat de ouwe Barresi geen duivelse streken meer verzint, of het feest gaat niet door, begrepen?"

Heerneef mompelde onderdanig dat hij het begrepen had... Meneer de pastor moest niet vergeten dat hij zich zèlf een ongeluk geschrokken was bij die vertoning rond het lijk...

Doch reeds tijdens zijn uitleg schoof de deur voor zijn neus dicht. De eerwaarde heer Rubano had blijkbaar niet zo'n geweldige indruk op de pastor van Orgosolo gemaakt. Die liet niet met zich sollen, zeker niet door een halve heiden als babbo Matteu...

Giacobbe draaide zich om en slofte op zijn grote stiefels het kerkplein over.

In het duister naast de kerkhofmuur kwam 'Muizetand' gespannen overeind. Hij wachtte tot zijn neef de spelende kinderen passeerde. Juist voor hij bij de kerktoren de hoek omsloeg, slingerde 'Muizetand' een steen, die Giacobbe rakelings langs zijn oor suisde. De tweede trof hem met grote kracht tegen het achterhoofd. Giacobbe wankelde, stuikte door de knieën als een gedolde stier en zat verbijsterd naar de grond tussen zijn handen te staren.

Een van de knapen die juist een steentje naar de tegenpartij had gegooid, meende dat híj die man had getroffen en ging er gillend vandoor. De anderen keken ontdaan naar het slachtoffer van hun wilde spel, fluisterden wat onder elkaar en zetten het eveneens op een lopen.

Narcisco Manca grijnsde. Hij loerde in het rond, maar het kerkplein lag nu geheel verlaten. In de verte hoorde hij het geschreeuw van de vluchtende kinderen. Hij had wel graag nog een paar stenen gegooid, maar toen hij zag hoe Giacobbe op handen en knieën terugkroop naar de pastorie, vond hij dat een mens niet moest overdrijven.

Zelfs een wreker moet soms tevreden zijn...

HOOFDSTUK 11

De begrafenis van zalige Pina is toch niet zo plechtig verlopen als de Barresi's hadden gehoopt... Misschien was dat wel haar eigen schuld en precies wat zij verdiende, maar Cosi 'de Neet' viel óók niet helemaal vrij te pleiten. En dan was er nog die ene kraai, die geen geur van heiligheid verdragen kon...

Nog diezelfde avond – heerneef was juist in de zondagse schoenen van de moordenaar naar de pastorie geklost – kwam Cosimo Pisano 'de Veelzijdige' aan de achterdeur kloppen. Cosi 'Duizendpoot' werd hij genoemd, vanwege zijn vele functies; ook wel Cosi 'de Neet', omdat hij even klein als hardnekkig was.

Deze keer kwam hij in zijn kwaliteit van parochiale doodbidder, om het glazen deksel van Pina's kist door een houten te vervangen, eer de wormen met haar aan de haal gingen. De tantes weenden uit volle borst toen zij een laatste blik op hun zalige zuster mochten werpen, en de oude Matteu, opgeschrikt uit zijn siësta, wilde de ceremonie uitstellen tot Giacobbe terugkwam van de pastorie. Maar Cosi, met een certificaat van de medico en een bevelschrift van de commissario in zijn zak, bleef onverbiddelijk; zij konden trouwens zelf wel ruiken wie er gelijk had.

Eergisteren reeds had hij de rouwbrieven opgesteld en de tekst naar de drukker gebracht. Daarna had hij met een touwtje de maat genomen voor Pina's kist en eigenhandig het gat gegraven, waarin zij zou komen te rusten.

Cosi 'de Neet' hield een vinger in de pap bij alles wat met leven en dood te maken had. Hij stelde de bidprentjes op met toepasselijke teksten uit het evangelie en à raison van dertig lire per rijmende regel maakte hij er de mooiste gedichten bij, want Cosi was een geletterd man. Had hij niet acht jaren voor missionaris gestudeerd, eer pater provinciaal tot de conclusie kwam dat hij met zijn halve bult en zijn lelijk kopje nooit tot boven de altaartafel zou uitkomen? Zo'n mismaakte dwerg kon je niet eens naar de missie bij de Pygmeeën sturen, daar was niets eerwaardigs aan te zien.

Een beetje teleurgesteld maar blakend van ijver was Cosi in zijn geboortedorp terug gekomen en, om toch enigszins in het vak te blijven, koster-organist en doodbidder geworden. Doch de zaken floreerden niet; hij moest er van alles bíj verzinnen om de honger buiten zijn kotje te houden. Want met dezelfde

toewijding waarmee hij vroeger het celibaat beoefend had, was hij vervolgens een omvangrijke clan gaan stichten.
Om zijn achterstand in te halen, trouwde hij hals over kop een struise weduwe, die met vijf peuters was achtergebleven. Cosi woekerde met zijn pas ontdekt talent en wist het aantal in vier jaren te verdubbelen. Toen zijn Carina in het kraambed stierf, bleef híj achter, bedroefd maar niet verslagen. Hij had haar eigenhandig gekist, de rouwbrieven aangeplakt, het doodsprentje opgesteld, en de klokken geluid, want alles wat met leven en dood te maken had, ging hem ter harte ... Tijdens de rouwmis bespeelde hij het harmonium en zong met vloeiende uithalen de requiem, want dat was het enige gáve aan Cosi 'de Neet', zijn mooie volle bariton, waar de dorpers graag naar luisterden. Het liefst had hij zijn Carina ook nog zelf de absolutie verleend en ter aarde besteld, maar meneer de pastor meende dat er voor hèm ook iets moest overschieten.
Kort na de begrafenis ging Cosi 'de Veelzijdige' op zoek naar een goede moeder voor zijn tien kinderen en die vond hij in het bergnest Oniferi. Maristella was wel wat lelijker dan de vorige, maar Cosi-met-de-bult was zelf ook zozeer geen Adonis en als weduwman met zoveel mondjes te vullen mag je niet kieskeurig zijn. Maristella beweerde dat zij alleen maar verliefd was op zijn mooie stem, al had hij blijkbaar wel wat meer te bieden. Het praatje ging, dat hij vaak zong in bed omdat de kinderen overdag zo'n lawaai maakten, en het resultaat was, dat Maristella hem in recordtempo zes nieuwe loten aan zijn stam schonk.
Toen was zij moe en doof en gaf de geest. Zij werd toegevoegd aan de talloze heiligen die Sardinië produceert en Cosi had het er maar weer druk mee.
Zijn derde vrouw was niet eens verliefd op zijn stem, maar zij kwam gewoon zijn zorgen verlichten omdat zij zoveel van kinderen hield. Zij schonk hem er nog acht bij, toen puilde zijn kotje uit.
Cosi begon nu zelf oud en moe te worden en hij had het trouwens te druk om nog veel te zingen in bed. Hij kon tevreden zijn; in nauwelijks twintig jaar had hij drie vrouwen verworven en twee dozijn kinderen en zóveel functies als een duizendpoot maar vervullen kan. Daarom was het wèl altijd haastwerk ...
Met stijgende ergernis keken de verzamelde Barresi's toe, hoe hij rap, de verflenste bloemen van Pina's kist veegde, het glazen deksel tegen de muur zette en met een klap het houten deksel

boven haar zalig hoofd liet vallen. De tantes verstijfden van ontzetting en zagen de heiligschennis met grote ogen aan. „Piano! Piano!" kefte babbo Matteu, die er kritisch bij stond, „kan dat niet wat plechtiger? Dit is niet de eerste de beste dooie!"

„Nee, m'n tweehonderdzesenvijftigste om precies te zijn," antwoordde Cosi opgewekt, terwijl hij met geroutineerde bewegingen het deksel begon dicht te schroeven, „ik heb ze allemaal bijgehouden in m'n boekje, maar geenéén heeft er zo lang boven aarde gestaan. Enfin, Pina is nooit van 't meegaande soort geweest, dus waarom zou zij híeraan meewerken?" Hij lachte al zijn rotte tanden bloot, doch de Barresi's konden het mopje niet waarderen.

„Onze Pina is een heilige dood gestorven!" kreet tante Agostina, „en heiligen mogen zo lang boven aarde staan als zij willen."

„Ja, tot de medico bepaalt dat het niet langer verantwoord is," lachte Cosi, „en dan gaan zij in geur van heiligheid de grond in." Hij snoof nadrukkelijk, terwijl hij zijn gereedschap opborg. „Morgenochtend om negen uur ben ik met de kraaien hier."

„Om negen uur?" bulderde Carlo, „wie heeft je dàt wijs gemaakt? De pastor soms? Wij hebben een afspraak gemaakt voor elf uur!"

Cosi keek het vijandige kringetje rond, doch dat maakte niet de geringste indruk op hem. „Je kunt zovéél afspraken maken," teemde hij, „maar de pastor heeft hier niets meer in te vertellen. Ik heb mijn opdracht van de commissario; om negen uur komen wij de kist halen en zonder omweg naar 't kerkhof, het heeft al te lang geduurd."

Nooit is Cosi 'de Neet' zo dicht bij zijn eigen begrafenis geweest.

De tantes hieven een veelstemmig gehuil aan en rukten zich de haren uit het hoofd. Stel je voor! Zalige Pina de grond in zonder praalmis! Zonder kaarsen en wierook en requiem...!

Carlo Barresi greep de dwerg bij de strot. Hij ging die verdomde 'Neet' fíjnknijpen! Maar het was een dappere kleine Cosi, die Carlo's knuisten van zich afschudde en koppig volhield: „Als jullie klachten hebben, ga dan naar signor commissario, of desnoods naar kolonel Marcano, die de zaak zo lang heeft opgehouden vanwege het onderzoek, maar laat mij in vrede m'n werk doen. Ik had óók liever een plechtige uitvaart geregeld, daar verdien ik heel wat meer aan dan aan een buitenkerkelijke begraving zonder poespas..."

„Buitenkerkelijk!" schreeuwde Giovanna hysterisch, „horen jullie wat 'de Neet' zegt, hóren jullie dat?"

„Nuja, het hóeft niet buitenkerkelijk," suste Cosimo met fladderende handgebaartjes, „als jullie maar zorgen dat alles om negen uur achter de rug is. Meneer de pastor wil misschien best om acht uur nog een korte requiem houden, of om zeven uur zelfs een lange, wat kan hèm dat schelen? Maar lang of kort, morgenochtend om negen uur, vóór de grote hitte, gaat op politiebevel de kuil dicht. En wie het daar niet mee eens is, moet bij de commissario zijn, niet bij de pastor of bij mij."

Cosi 'de Neet'.

Zij lieten hem begaan, zonder hem te wurgen, in elkaar te trappen of te vierendelen. In zijn dappere kleinheid bewees hij hoe onbelangrijk de clan der Barresi's was in de ogen van de wet, en hoe volkomen waardeloos zalige Pina in de ogen van de kerk... Dat stemde tot nadenken en grote bitterheid.

Giacobbe, die een uurtje later met een knots van een buil op zijn achterhoofd kwam binnenstrompelen, moest de storm opvangen en dat werd er voor hem niet beter op, toen hij aarzelend zijn verhaal deed. Nee, die eigenwijze pastor was helemaal niet onder de indruk geraakt van babbo Matteu's plotselinge bekering en hij was nog steeds woedend om die vertoning met de klaagvrouwen... Hij had zich na de grootste moeite laten overhalen tot een sobere requiem morgenvroeg om zeven uur, mits de Barresi's zich als zoete jongens zouden gedragen en ook de Devaddisclan toelaten tot de rouwmis en op het kerkhof. De politie ging daarop toezien... Nee, een mis-met-drie-heren was uitgesloten, en op dertig koorknaapjes viel helemaal niet te rekenen. De vrouwen van de Sint Annacongregatie mochten wel in groot ornaat verschijnen, als zij daar prijs op stelden, maar dan moesten de Barresi's die zelf nog maar gaan waarschuwen, vannacht. En dan was er echter nóg iets...

Giacobbe durfde er bijna niet mee voor de dag te komen, maar meneer de pastor had het hem nadrukkelijk opgedragen... Er bestond een goede kans dat Tonio Devaddis de begraving van zijn vrouw zou bijwonen, want na ruggespraak met de medico zag de commissario geen reden meer om aan te nemen dat zio Tonio schuldig was aan...

Verder kwam heerneef voorlopig niet met zijn boodschap. Er ontstond in het huis van de zalige dode zo'n heidens geschreeuw, gevloek en getier, alsof alle duivelen uit de hel waren losgebroken. Carlo wilde de hemeldragonder te lijf en de vrouwen begonnen weer aan hun haren te rukken. De oude Matteu sloeg met zijn stok op de tafel om aller aandacht op te eisen, maar de orkaan woedde nog minutenlang.

De buren in het straatje grendelden bevend hun luiken, overtuigd dat de Devaddisclan was binnengevallen om de Barresi's uit te roeien.

Heerneef had nooit zoiets verschrikkelijks meegemaakt; hij staarde bleek van schrik naar al die afschuwelijk schreeuwende gezichten om zich heen. Zio Carlo had hem bij de toog gegrepen en schudde hem door elkaar als een kleine jongen die zijn boodschap heeft verknold. Zia Agostina scheurde rats haar rouwjapon vaneen en toonde een paar obscene borsten, waar hij huiverend de ogen voor sloot. De zusters doorliepen diverse stadia van hysterie en hun kerels schreeuwden hem allerlei liederlijkheden naar het hoofd.

Arme Giacobbe... Hij had zich te lichtzinnig opgeworpen als pleitbezorger van de Barresi's: híj zou daar in Rome tante Pina wel even laten zaligverklaren... Nu bleek hij niet eens in staat om met de pastor van Orgosolo te onderhandelen over een feestelijke begrafenis, en als klap op de vuurpijl sprak hij het onschuldig uit over de moordenaar, waar alles om draaide! Zonder moordenaar geen heilige martelares en zonder martelares geen recht op de faïda... Met één zwaai had heerneef kans gezien de tantes èn de ooms hun liefste speelgoed te ontnemen, en nu vond hij het nog gek, dat zij hem wilden lynchen!

Zover kwam het toch niet. Het gekletter van babbo's stok drong eindelijk tot de schreeuwers door en onwillig luisterden zij naar hem. Het rijk van de oude vos wankelde, maar niemand was zich daar méér van bewust, dan Matteu zelf. Als hij nu wéér het hoofd boog voor de kerk, zouden de mannen hem laten vallen als een baksteen en Carlo tot hun leider kiezen. Boog hij níet, minstens in schijn, dan werden de hysterische vrouwen te schielijk van hun illusie beroofd, en het een zou even fatale gevolgen hebben als het ander.

Hij besloot tussen twee klippen door te zeilen en de woede van de mannen niet langer te riskeren. Mannen maakten de wet, het vrouwvolk kon op dromen leven. Daarom keek hij heerneef spottend aan en prees hem ten overstaan van de verzamelde Barresi's om zijn bemiddeling, die werkelijk buíten verwachting was verlopen... Het sarcasme droop er af en Giacobbe voelde zich even onzeker als de ooms, die zich grommend afvroegen waar de ouwe nou weer op aanstuurde.

„Met die plechtige begrafenis morgenvroeg kunnen wij het hélemaal eens zijn," teemde Matteu, „wij waren daar trouwens al een beetje op voorbereid, omdat wij Cosi 'de Neet' daarstraks op bezoek hadden, die het óók zo aardig met onze brave pastor weet te vinden. Goed, morgenvróeg dus de begraving, en als de moordenaar zelf in de voorste bank wil knielen... des te beter voor ons allemaal. De rest van die bank zullen wij vrij houden voor de carabiniëri, die hem toch niet zijn leven lang kunnen blijven beschermen..."

De tantes keken grootogig naar de oude vos en zij huiverden. De ooms gromden instemmend, maar in Giacobbe kwam de missionaris weer boven.

„Als zio Tonio onschuldig is..." flapte hij er uit.

Een daverende klap op de tafel deed hem van schrik de adem inhouden. „Silenzio als babbo spreekt," bulderde Carlo, „en dat geldt voor iedereen!"

Er viel een geladen stilte, waarin slechts de stem van de oude kraste. „Als jouw brave zio Tonio onschuldig is, dan zijn wij allemaal gek," sprak hij met een vernietigende blik op Giacobbe, „dan ligt hier dus géén martelares in de kist, en dan heb jíj, misschien alleen maar om een nieuwe geldbron aan te boren, je tantes wijsgemaakt dat jij daar in Rome voor Pina's heiligverklaring kon zorgen... Dus, òf je bent een smerige leugenaar, òf Pina is een martelares, en dan is Tonio Devaddis haar moordenaar! Wat heb je hierop te antwoorden, heerneef...?"

„Dat ze... dat ik geen leugenaar ben!" stamelde Giacobbe met hoogrood gelaat, „ik heb helemaal niet... ik heb nooit aan Pina's heiligheid getwijfeld, maar ik meende... meneer de pastor zegt, dat het een ongeluk geweest kan zijn... dat heeft hij van de commissario gehoord. Zio Tonio heeft haar misschien per ongeluk, eh... nu ja, hij is zo'n reus en zia Pina was maar zo tenger, het kàn een ongeluk geweest zijn en dan hoeft zia Pina daar niet minder heilig om te zijn."

De tantes, helemaal bij hun zalige zuster in haar laatste, heldhaftige strijd, begonnen onderdrukt te snikken, maar al hun tranen waren reeds vergoten. De ooms mompelden onder elkaar en wierpen dreigende blikken op Giacobbe, die zich er weer mooi onderuit probeerde te kletsen. Maar daartoe kreeg hij toch geen kans, deze keer.

„Daar zullen wij het dan maar op houden," smaalde babbo Matteu, „dan loopt er voor het eerst op Sardinië een onschuldige moordenaar rond, en die zal 't lot niet kwalijk nemen als hij éven 'per ongeluk' aan zijn einde komt..." Hij ging zitten. De clanvader had gesproken. De zaak was voor hem afgedaan en niemand zou het meer wagen, hem tegen te spreken.

Er viel een beklemmende stilte na zijn oordeel. Alleen de ooms waren tevreden; babbo had hun hun liefste speelgoed niet ontnomen.

De tantes slopen naar de keuken. Zij mochten niet gehoord, niet begrepen hebben wat de clanvader besloten had. Vrouwen worden verondersteld, horende doof, en ziende blind te zijn. Zij mochten hun droom weer gaan koesteren, of zich alvast leren schikken in het groeiend besef dat déze droom in een nachtmerrie ging ontaarden... Zalige Pina zou de eer der altaren niet verwerven, want zij was de inzet geworden van een ordinaire faïda, en Tonio Devaddis, zojuist opnieuw ter dood veroordeeld, ging een vreselijk einde vinden. Zij hadden geen medelijden met hem; hun harten waren vol wrok. „Non dobbiamo avere pietà degli assassini..." Monseigneur de bisschop was hun zelf hierin voorgegaan: geen medelijden met moordenaars... Mochten zij van de oude Matteu verwachten dat hij milder zou zijn dan een bisschop?

Heerneef was bij de mannen achtergebleven, verward, vernederd. Hij sloeg de handen voor het gelaat, toen de uitspraak van de clanvader tot hem doordrong en hij bad God om verlichting van zijn verstand, om voor één keer de juiste woorden te mogen vinden, waarmee hij door het harde pantser kon dringen dat deze heidenen omgaf. Maar God liet hem smeken en zijn theatraal gebaar maakte op de mannen niet de minste indruk. Hij was een clown, die niet eens met de pastor van Orgosolo kon onderhandelen; hoe wilde hij bemiddelen tussen de Barresi's en vader God...? Zij zagen hem niet meer staan, heerneef de paljas. Hij was hun van geen enkel nut en met die bemiddeling in Rome moest hij de vrouwen maar paaien, vrouwen geloven in sprookjes. Giacobbe deed een laatste wanhopige poging om het pantser te doorbreken. „Moet ik werkelijk aannemen..." stotterde hij, en zijn stem klonk schril in de ijzige stilte, „dat jullie een man veroordelen, die door het gerecht is vrijgesproken...?"

De ponente loeide om het huis. Daar luisterde Matteu naar, eer hij zijn verveelde blik op Giacobbe richtte als op een lastig kind.

„Heb jij iemand horen veroordelen, heerneef?" Hij keek de kring van zijn zonen rond. „Hebben jullie iemand horen veroordelen?"

Zij grijnsden slechts en niemand nam de moeite, hem te antwoorden: zij wisten dat er geen antwoord van hen verlangd werd.

„Gods wegen zijn wonderbaar," teemde de oude, „maar niet altijd even goed geplaveid... Een vent loopt zóveel gevaren, hier op dit eiland. Je voet glijdt uit, en je dondert in een ravijn ... of je gaat gewoon op jacht, en je wordt getroffen door een verdwaalde kogel... De kleine Mario Petella is vorig jaar door de honden verscheurd, terwijl hij niets gedaan had... Er zijn zo wel duizend dingen die je kunnen treffen, als God niet met je is..."

Hij keek Giacobbe oplettend aan, alsof hij hem nu pas goed opmerkte. „Er zit bloed op je boordje, en ik zie een knots van een bult op je achterhoofd. Jóuw voet is toch niet toevallig uitgegleden, heerneef...?"

„Een ongelukje," moest Giacobbe toegeven, „een stel kinderen die nog op het kerkplein speelden en elkaar met stenen bekogelden, een verdwaalde steen..."

„Tja... Gods wegen zíjn wonderbaar," knikte de oude peinzend en heerneef begreep niet waarom al de ooms plots in bulderend gelach losbarstten. Hij was moe en ontgoocheld, hij was te schielijk van zijn voetstuk gevallen.

„Ik ga nu maar naar m'n kamer," zei hij schor, „ik heb een vermoeiende reis achter de rug en geen siësta gehouden, en morgen moeten wij allemaal vroeg op voor de mis." Hij keek de kring van spottende gezichten rond. „Kan ik nog iets doen, in verband met de begrafenis?"

„Nee, jij hebt al meer dan genoeg gedaan," sprak zio Carlo met nauw verholen spot, „de rest kun je aan Cosi 'de Neet' overlaten, die wordt ervoor betaald en is bedreven in die dingen. Zeg alleen nog even tegen Agostina dat ze ons koffie brengt." Hij geeuwde met wijd gesperde mond en rekte zich behaaglijk uit.

Giacobbe Rubano trok zich beschaamd terug. Hij ging de order aan de tantes in de keuken doorgeven. Vanmorgen pas had hij hier met groot vertoon zijn entrée gemaakt, heerneef uit Rome, die de zaken wel eens even regelen zou. Nu was hij boodschappenjongen: koffie voor de mannen van de Barresiclan, die hun eigen recht spreken.

De tantes zaten fluisterend bijeen en keken nauwelijks op toen hij binnenkwam. Zij wensten hem mompelend goede nacht. Ook voor hen had hij veel van zijn aureool verloren. Hij moest maar naar bed gaan, ze zouden hem wel op tijd wekken voor de begrafenis die Cosi 'de Neet' ging regelen. Had Giacobbe nog iets nodig? De plee was achter de bakkerij en drinkwater stond in een kruik naast de lampetkan...

Nee, Giacobbe had niets meer nodig, buona notte!

Op de zware schoenen van de moordenaar, die misschien tòch geen moordenaar was maar evengoed zijn lot niet zou ontgaan, kloste hij de trap op. God, wat was hij moe. De buil op zijn achterhoofd bonsde hevig, zijn voeten brandden.

Waarom had hij de juiste woorden niet gevonden om deze barbaren te bekeren? Het had allemaal zo mooi geleken toen hij de duivelswijfjes had uitgebannen, die rond tante Pina's kist jeremieerden, en door de clanvader was afgevaardigd om te bemiddelen bij meneer de pastor. Maar de oude pastor van Orgosolo was helemaal niet onder de indruk geweest van zijn missie en had hem als een kwajongen behandeld. Hij had de Barresi's de wet gespeld en heerneef mocht de boodschap overbrengen: ophouden met al dat heidense gedonder, of zure Pina komt helemáál mijn kerk niet meer in; zij is trouwens toch al twee dagen te laat. Een martelares? Laat mij niet lachen! Tonio Devaddis zou nog geen vlieg kwaad doen en morgen komt hij vrij, dat heb ik altijd geweten, ik ken die jongen toch zeker vanaf zijn jeugd! En zeg maar aan die koppige ouwe Matteu dat hij zich morgenvroeg heel christelijk gedraagt, of ik zet hem eigenhandig uit m'n kerk, hèm en heel zijn heidense bende...!

De pastor had hem als boodschappenjongen gebruikt.

De straatjeugd gooide hem met stenen.

Zio Carlo liet hem koffie bestellen in de keuken.

Niets was er overgebleven van het aureool dat hem bij zijn aankomst overstraald had.

Hij ging kreunend op het bed zitten en begon de zware schoenen los te rijgen. Met een bons vielen zij op de planken vloer. God, wat was hij moe. Moe en teleurgesteld. Hij zou zo wel achterover willen vallen en slapen, alles vergeten wat ze hem hadden aangedaan. Maar hij wilde de propere lakens niet bevuilen, hij moest eerst zijn zweetvoeten wassen in de waskom, en zijn zondagse toog in de plooi hangen, opdat hij er morgen niet als een schooier uit zou zien.

Beneden hoorde hij de ooms bulderend lachen, alsof er geen lijk boven aarde stond. Misschien lachten zij wel weer om hem ... Natúúrlijk lachten zij om de schertsfiguur die zich steeds weer door babbo Matteu in de luren liet leggen. De oude vos had hem behandeld als de eerste de beste snotneus; gewoon geen respect voor toog en priesterboord.

O ja, hij moest zijn boordje verwisselen, daar zat geronnen bloed aan. Rotjongens! Hij hoopte maar dat hij een schone boord in zijn valiesje had, anders zou hij deze nog moeten wassen. Rotjongens! Rotfamilie! Roteiland! Wat had hem in godsnaam bewogen zijn laatste zakgeld in de reis naar Sardinië te steken. De hoop op een klein legaatje, misschien...? Zio Tonio zou hem minstens zijn reisgeld terugbetaald hebben. Maar inplaats van de gemoedelijke reus had hij heel de Barresiclan hier aangetroffen, zwelgend en zuipend alsof er een bruiloft gevierd werd, de Barresi's, die hem verweten van Pina's geld te hebben gestudeerd.

Wie zou hij morgen om tienduizend lire voor de terugreis durven vragen...? Zelfs de tantes hadden geen verering meer voor hem, nu hun droom in rook bleek te vervliegen...

Van zorgen vervuld sloop Giacobbe op zijn blote voeten door het kamertje. Zijn toog hing zorgvuldig geplooid over een stoelleuning. Hij waste zijn voeten in de waskom. Hij rook zijn zweet. Hij zou zich maar verschonen en het overhemd met de gesteven manchetten klaar leggen voor morgenvroeg. Driftig rukte hij aan de riem van zijn armoedig valiesje; die zat zo strak dat hij de gesp bijna niet los kreeg. Toen het hem eindelijk lukte, barstte het deksel open en de inhoud puilde over de rand. In ongelovige verbazing staarde hij naar de stapel verscheurde vodden. Dio mio! Dat... daar was niets van hem bij...! Dit kon gewoon niet waar zijn...! Wie kon in godsnaam deze smerige grap hebben uitgehaald...? Hij keerde zijn hele valiesje om op het bed. Hij haalde de kaars naderbij om beter te kunnen zien.

Beneden klonk weer het bulderend gelach op van de zuipende Barresi's, die zo'n eigenaardig gevoel voor humor bezaten.

Giacobbe Rubano viel op zijn blote knieën voor het bed neer en sloeg een kruis. Hij wilde bidden maar hij was te verward. Hij kon het niet helpen dat zijn tranen op de vodden drupten. Hij riep Vader God ter verantwoording, hij wilde opstandig weten waaraan hij dit alles verdiend had...

Maar God gaf geen antwoord. De wind kreunde langs het huis

en de Barresi's lalden in dronkemansplezier.
Misschien bestònden er geen heiligen...
Misschien was Giacobbe Rubano wel als paljas geboren...

Tonio Devaddis.
Tonio de reus.
Hij was nooit zó klein geweest, en zo bang...
Twintig eindeloze jaren had hij zich door zijn nietig wijfje laten
judassen en treiteren tot het hart hem uit zijn lompe korpus
wilde barsten, maar hij had zich stil gehouden en al zijn haat
aan de blinde muur toevertrouwd. Eénmaal was zijn hazehart
dapper gaan slaan, toen het plots tot hem doordrong dat de
vrijer-zonder-gelaat niet meer bestond en hij niemand te vrezen had. Toen was het beest in hem losgeslagen en hij had zijn
giftig wijfje getemd. Misschien is zij van nijd gestorven. Misschien had Vader God van eeuwigheid tot amen beslist dat zij
op dit uur haar einde zou vinden bij het vervullen van een te
vaak verzuimde plicht.
Tonio wist het niet, hij durfde er niet meer aan denken. Hij had
gebeden in zijn cel en geen troost gevonden. Hij had gekermd
en gevloekt. Toen wist hij dat hij verdoemd was. De wreker
had hem prijsgegeven aan het gepeupel, dat daar buiten om
zijn smerige huid schreeuwde.
Later had hij de honden gehoord en de carabiniëri die het plein
schoonveegden. In de nacht bleef hij alleen met zijn angst en
zijn vertwijfeling. De cel stonk naar zijn uitwerpselen. Ze hadden hem schone kleren gebracht, de volgende dag, en commissario Cuchedda had vaderlijk met hem gesproken, bijna alsof
hij geen moordenaar wàs.
De medico was er ook aan te pas gekomen met geleerde
verklaringen die hij niet begreep. Voor de ene moord die zij
van zijn schouders wilden afwentelen, drukten er duizend op
zijn geweten.
Samen met de blinde muur had hij duizend moorden beraamd
op het kleine stuk venijn, dat onverstoorbaar prevelend aan
zijn zijde lag. Daarom zei hij nu: „Ik ben schuldig, ik heb mijn
vrouw vermoord..."
Maar de medico begon weer met zijn betoog en de commissario verklaarde dat hij vrijuit ging, dat hij alleen maar bang
was voor de wraak der Barresi's.
„Dat óók," zei Tonio de reus, „want ik heb m'n lieve vrouw
vermoord, die een dochter van Matteu Barresi was. Breng mij

209

astublieft voor de rechter! Stuur mij door naar San Sebastiano, daar zullen ze mij niet vinden! Heus, ik ben een moordenaar, ik heb haar met deze twee grote handen de keel afgeknepen en ik heb haar hoofd tegen de muur geslagen! Samen met de witte muur heb ik haar vermoord. Zij was een heilige! Ik heb mij aan een heílige vergrepen, sluit mij nu astublieft weer op!"

De medico schudde zijn wijze hoofd. Hij lachte fijntjes en onderhield zich in een hoek van het vertrek fluisterend met commissario Cuchedda, die even wijs knikte, en deed alsof hij er alles van begreep. De medico had geen sporen van geweld en geen enkele beschadiging op het lijk kunnen vinden. Pina's keel wàs niet afgeknepen en haar hoofd niet beurs geslagen tegen de muur. Haar longen hadden het begeven, dat wel, maar daar had de medico zijn verklaring voor, want als hij het uitzonderlijk fysieke verschil van de beide partners in aanmerking nam...

Uh... ja! De commissario begreep het wel. Hij wierp een zijdelingse blik op de reus en stelde zich het kleine vrouwtje Devaddis voor. Nou, óf hij het begreep, de medico moest nou niet denken dat hij hem alles behoefde voor te kauwen, Salvatore Cuchedda was geen domme jongen...! En dan was er bovendien nog het getuigenis van vrouw Sanna, die de éérste versie van Tonio's verhaal had gehoord, en van brigadier Tosca, die hem poedelnaakt achter de bakkerij had aangetroffen. Nee, Tonio Devaddis moest vooral niet denken dat hij Salvatore Cuchedda om de tuin kon leiden, die wist donders goed wanneer hij met een misdadiger, of met en simulant te maken had! De reus was bang voor de wraak der Barresi's, goed, dan had hij recht op bescherming tot de gemoederen waren gekalmeerd. Zelfs de Barresi's moesten inzien dat een moordenaar niet op vrije voeten gesteld werd, en dat iemand die was vríjgelaten, geen moordenaar kon zijn...

Commissario Cuchedda was een kei in rechtlijnig denken. Hij dacht een hele poos na, diep en rechtlijnig... Tenslotte kwam hij tot een goede oplossing: hij zou agent Podda meesturen naar die begrafenis, hij zou hem tot Tonio's lijfwacht benoemen voor die héle dag, of een paar dagen langer, misschien...

Zalige Pina.
Heilig vrouwtje Devaddis.
Zo recalcitrant als zij heel haar leven geweest is, hebben ze haar tenslotte toch onder de grond gekregen en Cosi 'de Neet'

verdiende er weer een schrale boterham aan.

's Morgens in alle vroegte begon hij de klok te luiden, zodat heel het dorp zei: „Hoor! Vandaag gaat het dan toch gebeuren ...” Een enkele kwezel voegde er aan toe: „Zalige Pina, bid voor ons.” Maar Cosi 'de Neet' zei: „Het zure kreng had er allang ònder moeten liggen!” Toen spoog hij in zijn vereelte handen en klom wat hoger in het touw, omdat zijn bult bij elke opwaartse zwaai van de grote klok tegen de balustrade van het zangkoor beukte en dat deed gemeen zeer.

Sommige dames van de Sint Annacongregatie kleedden zich voor de gelegenheid in groot gala, doch de meesten geloofden niet meer in een nieuwe patrones. Zij hadden te veel tijd tot nadenken gekregen en het martelaarschap van Pina werd niet meer zo algemeen aanvaard.

Narciso 'Muizetand', de wreker, schoot met een vloek overeind op het luiden van de klok. Hij dacht dat hij zich verslapen had, maar de blikken wekker op de schouw wees pas zes uur, en de begrafenis was immers tegen de middag besteld. Of, zou die hemeldragonder zijn boodschap verknold hebben...?

'Muizetand' begon zich omstandig te krabben. Tenslotte kwam hij tot de conclusie dat hij voort moest maken, want Cosi 'de Neet' had nog nooit verkeerd geluid, altijd precies een uur voor de rouwmis, dus de pastor wilde er zeker vaart achter zetten. Oók een rotstreek van de Barresi's, om hem niet even in te lichten! Was hij de aangewezen wreker, of niet? Dan hoorde hij ook vooraan in de kerk te zitten.

Hij kroop zijn bed uit. Hij zette natuurlijk juist zijn verstuikte voet het eerst op de grond en vloekte van de pijn. Zijn linker enkel was zeker tweemaal zo dik als normaal en hij kon nauwelijks op zijn benen staan. Jankend als een jonge hond kreupelde hij door de hut, tot hij op een plank in het keukentje de pot spenenzalf vond, het wondermiddel van de kleine boer. Je smeerde het niet alleen op de ontstoken uiers van de geiten, het was even heilzaam voor moeders zwerende borst, al moest je er dan wel wat warme koemest aan toevoegen. Je genas er soms een ontstoken eikel mee, als je geluk had, en paddepissers, strontogen en zwerende vingers. De hele huisapotheek van de herder bestond uit een pot spenenzalf. Waarom zou het niet helpen voor een verstuikte enkel? Stom, dat hij daar gisteravond niet aan gedacht had, maar toen was hij te duf geweest en met een zwevend hoofd in bed gekropen. Niet dat hij nú erg

helder was. Hij had een vúile smaak in de mond en in zijn achterhoofd hamerde iemand op een aambeeld. Dat zou Cosi 'de Neet' wel zijn met z'n verdomde klok.
Besluiteloos zat hij naar de pot wonderzalf te staren. Er stond wat grijze schimmel op en een cicade had in de vettige smurrie zijn trage dood gevonden. Die rotklok galmde door zijn hersens. Hij stelde zich de kleine bultenaar voor: op... neer... op.. neer, bungelend aan de klokkezeel. Zo moest Tonio Devaddis eenmaal hangen aan de hoge eik, wiegelend op de wind. Nee, dat kreeg hij nooit voor elkaar. Tonio de reus moest zijn stiletto maar proeven, of een doodsmak maken in het ravijn. Er waren duizend manieren.
Daarna kwam Caterina Sorighe aan de beurt. Met háár had hij andere plannen. Zijn apemaskertje vertrok tot een wrede grijns. Hij zou er heel lang over doen. Zij moest alle tijd krijgen om te weten wie de wreker was, en wat hij met een mooie meid kon doen. Zij zou hem smeken. Ze zou zich aanbieden, maar kun je aanbieden wat je al ontnomen is...? Daarna zou hij haar lachend van zich aftrappen, zoals zij hèm verstoten had en gehoond.
Hij schrok van de stilte die ineens over het dorp viel. De klok had opgehouden te luiden. Dan was het nog maar drie kwartier eer de mis begon.
Met zijn wijsvinger veegde hij de cicade en de schimmel opzij en begon zijn enkel in te vetten. Hij scheurde een schoteldoek aan repen, daarmee zwachtelde hij zijn gezwollen enkel. Hij jankte van de pijn. Narciso de wreker was even wreed als kleinzerig.
Op een schoen en een sandaal kreupelde hij wat later de deur uit. Misschien kwam hij nog op tijd voor zijn ereplaats achter het lijk. Heilige Pina, zure Pina, klein stuk venijn, nou gaan wij je onder de grond stoppen, drie meters diep, want Cosi 'de Neet' heeft een nieuwe kuil gegraven, opdat Tonio de reus er bovenop kan als zijn tijd gekomen is...

Cosi 'de Neet' hing opnieuw in het klokketouw toen de stoet de kerk binnenschuifelde. Zes kraaien droegen de kist met Het Lijk. Daarna kwamen de Barresimannen, twee aan twee. De oude Matteu liep zo krom alsof hij het leed niet meer dragen kon en zijn stok tikte op de plavuizenvloer. Carlo moest hem ondersteunen in zijn zware gang. Toen kwamen de tantes, die verschrikkelijk tekeer gingen achter hun zwarte sluiers. Daarna de nichten zonder tranen en tenslotte de dames van de Sint Annacongregatie. Ook die plengden een enkele traan, maar het ging niet meer zo van harte en de groep was lang niet compleet. Zij schuifelden de banken in, rechts en links, zij bekruisten zich en bleven staan tot de kraaien de kist op de katafalk hadden geplaatst, midden voor het altaar en recht onder de blik van God, die alles doorschouwt en zich niets laat wijsmaken.

Cosi 'de Veelzijdig' liet de klokkezeel los en liep snel naar het harmonium. De klok galmde nog wat na in een paar buitelende klanken en inmiddels begon Cosi met rappe vingers te preludiëren in afwachting van meneer de pastor, die zich koppig nog wat in de sacristie ophield.

Nee, het ging allemaal niet van harte op deze begrafenis, precies alsof de hemel geen ondergeschoven heilige aanvaarden wilde; de pastor talmde met het aantrekken van zijn kazuifel, de vrouwencongregatie was voor meer dan de helft thuis gebleven, de Devaddisclan, die toch óók vrije toegang was beloofd, hield zich gedrukt en de vrijgesproken moordenaar kwam evenmin opdagen...

Alleen heerneef was volop in actie. In zijn witte albe ging hij bedrijvig heen en weer tussen de sacristie en het hoofdaltaar. Hij droeg de miskelk aan en de ciborie met de hosties, hij haalde de ampullen met water en wijn, hij frunnikte wat aan de altaardwaal en keek intussen bezorgd de halflege kerk rond.

„Kijk," fluisterde Signora Petta achter haar kanten sluier, „dat is de heerneef uit Rome, hij gaat daar Pina's proces aanhangig maken, Agostina heeft 't mij zelf verteld."

„Welk proces?" fluisterde haar buurvrouw gemeen, „ik heb daarstraks gehoord dat die goeie sul van 'n Tonio is vrijgesproken, en dan heeft Pina geen poot meer om op te staan!"

„Mama mia! kijk es àchter je!" siste vrouw Carta ontzet.

Er klonk opeens geroezemoes van alle kanten en iedereen draaide zich om. Geklos van zware schoenen over de plavuizen, en daar kwam Andrea Podda door het middenschip gesjokt, in vol ornaat met koppelriem en pistoolholster, maar met een gezicht alsof híj veroordeeld was. Met afgezakte schouders en gebogen hoofd ging hij tussen de rijen door naar de voorste kerkbank. Hij dacht dat hij spitsroeden liep, maar hij was abuis. Ze hadden alleen maar oog voor de reus die achter hem aan sloop. Tonio Devaddis, de moordenaar. Hij was te groot om zich achter de rug van Het Gezag te verbergen, en te bang om troost te putten uit het feit dat zes van zijn broers hem volgden. Zes dapperen uit de Devaddisclan, allemaal in stemmig zwart en door Commissario Cuchedda bij elkaar getrommeld om hun broer te steunen in zijn zware gang. Zij hadden allemaal een groot lijf waarin een hazehart klopte. Zij schuifelden op een gebaar van agent Podda in de voorste kerkbank, die zij vulden met hun angst en hun zweetlucht.

Andrea Podda sloot de rij. Hij bekruiste zich en knielde naast Tonio neer. Hij smeekte God dat hij niet zou hoeven in te grijpen en dat ze voor een keer es niet om hèm zouden lachen. Eer het verontwaardigde gemompel van de Barresi's in tumult kon ontaarden, barstte de sacristiedeur open en een kleine oude man ging met driftige stapjes de altaartreden op. Hij was van God en van de duivel niet bang, omdat hij de Een zijn leven lang gediend had en de ander miskend met hautaine verachting. Pastor Buesco, die al de zonden van zijn volk kende, maar er nooit van onder de indruk kwam, omdat hij Gods liefde mateloos wist. Hij dreigde soms met de Wreker en het helse vuur, want hij kende die grote kinderen; je moet de boeman achter de hand houden opdat zij niet al te baldadig worden... Nu keek hij verbolgen het kerkje rond en liet zijn stem galmen over de Barresiclan.

„Wie hier gekomen is om heibel te schoppen, zet ik eigenhandig aan de deur! Dit is toevallig het huis van God, waar ìk alleen de baas ben, en ik zal hier ontvangen wie ìk wil! Hebben jullie dat allemaal goed begrepen?"

Het gemompel verstomde op slag en milder voegde hij er aan toe: „Wij zijn hier bijeengekomen om een dierbare overledene de laatste eer te bewijzen en God te smeken haar ziel genadig aan te nemen, want zonder uitzondering zijn wij zondige schepselen. Wensen jullie voor Pina Devaddis - geboren Barresi een kerkelijke begrafenis? Gedraagt u dan als christenen in Gods huis! Of zijn er soms bij die op de vuist willen? Oók al goed! Maken jullie dàn dat je buiten komt, en neem je dierbare dode mee...!"

Hij wendde zich om en wenkte de verbluffte koorknaapjes naderbij. Hij hoefde geen antwoord af te wachten, want niemand zou het wagen in zijn kerk de vrede te verstoren. Zij luisterden naar de mooie volle stem van Cosi 'de Veelzijdige', die de requiem inzette en naar de nonnetjes, die aarzelend volgden met hun ijl gezang.

Het kwam de Barresi's toch wel goed uit, dat de moordenaar

van zalige Pina nu vrij rondliep; in de kerker van San Sebastiano zou de wreker hem niet zo gemakkelijk te pakken
hebben gekregen...

Narciso 'Muizetand'. Hij zat op een bescheiden plaatsje achter
de ooms en hij hield zijn ogen op de brede rug van Tonio
Devaddis gericht. Zijn gelaat had de vrome uitdrukking die bij
de gelegenheid paste maar achter zijn lage voorhoofd woelden
koortsig de gedachten.

„Dies irae, dies illa..." kweelden de nonnetjes, en Narciso de
wreker bepeinsde hoe hij zijn opdracht kon vervullen. Hij had
geen haast, het zou het beste zijn wanneer het een ongeval leek
... Zo had babbo Matteu het ook bevolen: een ongeluk voor de
man die per ongeluk mijn dochter vermoordde...

En het lot had 'Muizetand' aangewezen.

Zijn blik dwaalde af naar agent Podda, die stram naast Tonio
Devaddis zat. Die ellendeling had hem de helft van zijn opdracht ontnomen...

*'Handen af van Caterina Sorighe... zij staat onder bescher-
ming; 't is maar dat je gewaarschuwd bent...!'*

'Muizetand' grijnsde. Podda, de zak! Dacht zeker dat Narciso
Manca zich het lekkerste deel van de koek liet ontnemen! Hij
zou die mooie slet evengóed weten te vinden, wat later misschien, want zelfs de Barresi's mochten het niet vermoeden,
maar vìnden zou hij haar. Waar zou zij nu zijn...? Hield Marcano haar nog altijd vast in verband met de vogelvrijen...?

Zijn blik viel op heerneef, die met plechtige gebaren de pastor
assisteerde. Hij mocht nog niet eens een kazuifel dragen, maar
hij deed zo voornaam alsof hij de bisschop zelf was. 'Muizetand'
lachte zich rot om die buil op zijn eerwaarde knerp. Dat was
toch een mooie voltreffer geweest! En hoe zou de hemeldragonder wel gekeken hebben toen hij Caterina's onderspullen in
zijn valiesje vond...?

De rouwmis sleepte zich traag naar het einde. De tantes snot-
terden alsof hun hart ging breken, de nonnetjes kweelden, Cosi
'de Neet' martelde het harmonium en agent Podda dweilde
voor de zoveelste keer zijn nek uit. Meneer de pastor maakte
zich gereed om de communie te gaan uitreiken en Giacobbe
knielde devoot op de altaartree, zijn knots van 'n buil naar het
publiek gewend.

Meneer de pastor hief de witte hostie. Domine non sum dignus
ut intres sub tectum meum... Wie van hen zou zich wèl waardig achten...?

215

Babbo Matteu was de eerste die Ons Heer op zijn tong ontving. Daarna volgden al de Barresimannen, ook Narciso de wreker. Toen stond agent Podda op, om de moordenaar door te laten en heel de kerk hield de adem in. Ja, waarachtig, hij struikelde naar de communiebank en stak zijn tong uit…! Zonder aarzelen legde meneer de pastor de hostie op zijn tong en Tonio Devaddis donderde niet dood neer! Waar bleef de toorn van de wrekende God…?

Nog verbijsterd over zoveel heiligschennis zat Narciso 'Muizetand' dat alles aan te zien, hoe ook de broers van de moordenaar ter Heilige Tafel gingen en daarna de snikkende tantes, de dames van de Annacongregatie en de rest van het kerkvolk. Zelfs Ada Sanna, de heks, kwam Ons Heer in haar hart ontvangen, hoewel iedereen wist dat zij soms met de duivel sliep … Zij had zich niet eens op het feest gekleed; ze droeg dezelfde vodden waarin de dorpers haar sinds jaar en dag gekend hadden en slofte als laatste terug naar haar plaats achter in de kerk.

Nu ging de pastor driemaal rond de katafalk met de kist en Het Lijk. Hij bekruiste zalige Pina met de wijwaterkwast, opdat zij voor het helse vuur gespaard mocht worden, en heerneef volgde hem eerbiedig met het wierookvat waaruit de geurige walm opkrinkelde.

De zes kraaien kwamen weer in actie. Zij tilden de kist op hun schouders en droegen Pina de kerk uit.

Cosi 'de Neet' rende van het harmonium naar de klokkezeel, spuugde in zijn handen en begon het lijk uit te luiden.

„In paradisum, deducant te angé-héli!" kweelden de zeven nonnetjes, doch hun ijl geluid werd overstemd door het gebeier van de grote klok, en het wáren niet eens engelen, die zalige Pina naar het paradijs begeleidden… Want direct achter de kist dacht agent Podda te volgen met de kersverse weduwnaar aan zijn zijde, maar nog in het kerkpad trad Carlo Barresi hem bruusk in de weg. „Eerst mensen, dàn beesten!" gromde Carlo en hij duwde babbo Matteu naar voren om zijn plaats achter de baar in te nemen.

Agent Podda, de clown van Orgosolo, hij knipperde met de ogen, hij liep rood aan, maar hij stapte terzijde en samen met Tonio Devaddis wachtte hij gelaten tot al de Barresimannen hun clanvader gevolgd waren. Zo liepen er twee kreupelen achter elkaar: Narciso de wreker, die de rij der Barresi's sloot, en Tonio de reus, die het rijtje Devaddis opende. Zijn kapotgestoken teen was gaan etteren en herinnerde hem bij elke stap aan die nacht, toen hij voor het eerst van zijn leven dacht vrij te zijn en zijn eigen weg te gaan... Nu was hij wéér vrij, maar het gerecht begeleidde zijn onzekere stappen, en voor hem uit kreupelde de jager op een sandaal en een schoen. Achter de jager en het wild schuifelden de ouwe mannetjes van Orgosolo, die geen begrafenis wilden missen om alvast hun eigen uitvaart te repeteren. Daarna kwam het vrouwvolk in bonte verscheidenheid.

Cosi 'Duizendpoot' bleef nog twintig slagen aan de klokkezeel bungelen, toen rende hij de kerk uit, want zijn alomtegenwoordigheid werd nu aan de open groeve vereist. Hij snelde langs de trage stoet en langs de zes dragers, die de kist als een verbondsark hoog op hun schouders torsten. Niemand ergerde zich aan de hollende dwerg, want zij wisten dat 'de Neet' overal tegelijk moest zijn.

Het wit ommuurde kerkhof van Orgosolo is in drie aflopende terrassen tegen de berghelling aangelegd. De stoet moest driemaal elf treden afdalen om bij de put te komen, die Cosi met spade en pikhouweel zo keurig had opengelegd.

Alles ging goed. Tót de derde trap.

Wat bezielde trage Pina, zo haar nog wat bezielen kon? Kreeg zij na al haar getalm nu opeens haast om haar eeuwige rust te verwerven?

De voorste kraai had misschien niet gegeten eer hij van huis ging, of Pina's geur van heiligheid werd hem te machtig. Hij werd plots door een duizeling bevangen. Hij wankelde even en struikelde over de bovenste tree. Hij stuikte door de knieën en viel op zijn gezicht.

„Pas óp!" schreeuwde Cosi, die juist hijgend bij de kuil was aangekomen, maar zijn klein geluid sloeg verloren in het algemeen tumult, want de kist duikelde naar de kant die plots geen steun meer bood, gleed van de doorgezweten schouders van de kraaien en donderde met oorverdovend lawaai de elf granieten treden af.

De echos galmen lang na in de bergen van de Barbagia... Tot in het nest van de vogelvrijen moet het geraas vernomen zijn, waarmee zalige Pina zichzelf aan de schoot der aarde toevertrouwde. Zij was altijd zo recalcitrant geweest; zelfs de láátste eer moest zij nog dwarsbomen. En daar stond zij nu op haar kop, op haar zalige hoofd in de diepe kuil, terwijl de mannen zich bekruisten en het vrouwvolk een hysterisch gehuil aanhief.

Het hielp niets dat meneer de pastor nog snel drie kruisen met de wijwaterkwast over de open groeve maakte, nòch dat heerneef heftig het wierookvat zwaaide; het decorum viel niet meer te redden. Giuseppina Devaddis stond op haar kop en twee kraaien moeten in de kuil afdalen om haar met gepaste eerbied horizontaal te plaatsen zoals het een dode betaamt. Daarna duurde de plechtigheid niet lang meer.

Ze hebben er maar gauw zand over gedaan, want de kist was nogal gebarsten hier en daar. Zand en keien, de slechte, schrale grond van het gevloekte eiland. Er was niemand die nog blijven wilde.

Alleen Cosi 'de Neet'. Die schepte zich een ongeluk, maar hij plengde zijn zweet met grimmige voldoening.

„'t Zure kreng!" sakkerde hij in zichzelf. „Drie dagen te laat op het appèl verschijnen... en dan nog zo'n rotstreek uithalen! Als er één heilige op Sardinië rondloopt, dan is het die sul van 'n vent, die het twintig jaar lang met haar heeft uitgezongen..."

Hij veegde het zweet van zijn voorhoofd, hij snoot zijn neus tussen duim en wijsvinger en rustte even op de spade. Hij staarde de rouwstoet na, die als een opgejaagde kudde het kerkhof ontvluchtte.

Tonio de reus strompelde achteraan de rij en naast hem ging agent Podda met afgezakte schouders in zijn doorgezweten tuniek. Hij zag er niet krijgshaftig uit en hij gevoelde zich gewoon de dwaas die hij was.

Maar voor één keer hadden de dorpers niet om hèm gelachen...

HOOFDSTUK 12

De bandieten werden steeds driester, dat jaar.
Besefte 'koning' Graziano misschien dat zijn kleine rijk ten
einde liep? Dat hij lang geen Corbeddu was, en zelfs geen
Carta...? Moest hij door stunt op stunt bewijzen dat hij kolonel Marcano niet vreesde. Of was hij slechts een 'manodopera',
een schertsfiguur die danste naar het pijpen van een brein-
achter-de-schermen...?
Er werden nu op klaarlichte dag rijke grondeigenaren ontvoerd
en pas weer vrijgelaten, nadat hun clan vijftig miljoen lire los-
geld had bijeengebracht. Anderen werden met messen doorsto-
ken, aan bomen gehangen of in de nek geschoten.
Zoiets pàst niet meer in de zeventiger jaren, zelfs niet onder de
inboorlingen van het gevloekte eiland.
De kolonisten begonnen zich eraan te ergeren; het stuurde
soms hun transacties in de war, héél vervelend! Want de kranten op het continent waren zo flauw om er stukjes over te
schrijven, die een anti-reclame vormden voor „Uw Onbezorgde
Vakantie op Zonnig Sardinië..."
Prins Karim, die immers aan de Costa Smeralda zijn 'Nieuw
Aards Paradijs' aan het scheppen was, had zich al eens gruwelijk kwaad gemaakt en om betere bescherming voor zijn luxe
gasten gevraagd. Aristoteles Onassis - tóen nog niet met Jacky
Kennedy getrouwd - had met de grootste spoed het eiland
verlaten en Rome zag zich genoodzaakt, de beste bandietenjager van het continent naar de Barbagia te sturen.
Dergelijke maatregelen had Rome al vaker getroffen en telkens met opmerkelijk resultaat...
De oude Corbeddu, 'koning van de vogelvrijen', had dertig jaar
lang met onbeperkte macht geregeerd in de dichte wouden
rond Oliéna en Orgosolo. Hij was de schrik van de feodale
landheren, die hij brandschatte en tot de bedelstaf bracht, doch
de kleine herder lag in die dagen niet te rillen op zijn bussel
stro; hij had van Corbeddu en zijn rovers niet te vrezen. Maar
toen in 1899 het aantal gesneuvelde carabiniëri tot 79 was opgelopen, ging Rome er iets aan doen. Men stuurde een strafexpeditie en de dappere kapitein Petella roeide het bandietendom
op Sardinië uit, grondig en voorgoed!... Tweehonderd tot
wanhoop getreiterde herders gaven zich over. Zij vroegen niet
eens om een eerlijk proces, nòch om bescherming tegen de
bloedzuigers die hen tot hun terreurdaden hadden gedreven. Zij

wilden alleen niet afgeslacht worden, zoals Corbeddu en zijn mannen; zoals de gebroeders Sanna, of Giuseppe Lovicu, die welgeteld twee en twintig kogelgaten in zijn donder kreeg. Zij droomden van een menswaardig bestaan, brood voor hun kinderen en, misschien zelfs, een rechtvaardiger behandeling door de rijke landheer... Konden zíj weten dat het feodale tijdperk nog lang niet voorbij was...?

In 1917 zag Rome zich genoodzaakt door een monsterlijk proces de vendetta te beslechten, waarin de clans van Corraine en Cossu elkander systematisch aan het uitmoorden waren. Slechts zeventien doden deze keer, waaronder twee gewurgde kinderen. Maar tóen was het dan ook uit met het banditisme, volledig en voorgoed...!

Kon Rome weten dat ook Sarden reeds in 1917 als mensen behandeld wilden worden? Waar haalden die achtelijke herders de brutaliteit vandaan, om de klok zo ver vooruit te willen zetten! Zij hàdden niet eens klokken; alléén rotswoningen vol hongerige kinderen.

Nauwelijks drie jaar later vormde zich in de Barbagia een nieuwe bende, onder leiding van Onoratu Succu. Hij en zijn trawanten werden in maart '29 met kogels doorzeefd. Heel Orgosolo rouwde om 'Onoratu de held...'

Maar nú waren de laatste echte bandieten toch wel uitgeroeid, want mèt Onoratu was ook zijn broer Giovanni neergemaaid, en Tanteddu, en Carta, en nòg een paar van die opstandige rechtzoekers...

Het verhaal zou eentonig worden, als er niet zoveel doden vielen. Moord en doodslag, ontvoering en afpersing vormen nog altijd interessant nieuws, zolang het niet op je eigen drempel gebeurd, maar toch vlàk bij je deur. Zoals op zonnig Sardinië, anno domini 1950. En zevenentwintig nieuwe vendettamoorden tussen 1950 en '55.

Doch Rome had, zoals altijd, 'de zaak onder controle'.

Zelfs ná die verloren wereldoorlogen moet er toch nog ergens een laatste kolonie zijn...?

'Krachtiger optreden van de politie!' adviseerde ene Dr. Scribano, 'desnoods de vlammenwerpers erop...!'*

Zó drastisch wilde Rome toch niet met de Sarden omspringen. Daarna werden alleen maar zo'n twintig bandieten uit het bergnest Orgosolo tot levenslange dwangarbeid veroordeeld

---

* 'Messagero' 29 nov. '53.

en twee en dertig andere gedeporteerd, naar Terraferma, naar Ustica. Welk een weldadige opruiming in zo'n klein dorp, waar slechts wat radeloze vrouwen met hun kinderen achterbleven. Als dàt nog niet helpt...

Het hielp niet, want de bandieten van Orgosolo hadden bij al hun misdadige bedrijvigheid ook nog de liefde gepleegd. Zij hadden tussen de bedrijven door nog kans gezien om een bende kinderen te verwekken.

De jonge welpen van de Barbagia zogen de vergiftigde moedermelk; de ouderen groeiden op met hun misdadige instincten. Maar het kon geen kwaad; zij werden bewaakt door achthonderd carabiniëri. Wáár zij het oog richtten, zagen zij de wapens blinken van de staat. En zij dachten aan hun vaders, die zij nooit zouden zien. Zij hoorden de verhalen van onderdrukking en verzet. Over de politiepetten dwaalden hun blikken naar de dichte wouden, naar de bergen waar zich dit alles had afgespeeld, en zij begonnen te dromen. Jongensdromen...

De jongens werden groot.

Er verdwenen er een paar in de ondoordringbare bossen rond Orgosolo en Oliena, waar de blauwmutsen de weg niet weten en de carabiniëri zich niet durven wagen, tenzij ze met tweehonderdvijftig zijn, als in 1950, of met meer dan vijfhonderd, als in '60. Die jongens kwamen niet terug, zij werden niet weergevonden. Toen verdwenen er nog wat, een handjevol, en niemand ging ze zoeken. Zij bereikten het niemansland, over het ravijn van Cossedu, en zij wisten zich veilig. Zij bereikten de onherbergzame Sopramonte, vanwaar zij konden neerzien op het dorp zonder mannen, en zij vertelden elkander trots dat zíj nu de mannen waren.

Hoog in de bergen vonden zij de grotten en holen terug, waar Onoratu Succu en de Cartas hun voorraden hadden opgeslagen, munitie en wapens en voer. Tot hun verbazing troffen zij daar nog mànnen aan, die de grote razzia's van '50 en '60 overleefd hadden, en zij sloten zich bij hen aan.

Zo vormde zich een nieuwe bende van rechtzoekers, oude en heel jonge mannen, die alleen maar vrij wilden zijn en bereid waren, dat recht met geweld van wapenen te verdedigen.

Er waren ook anderen.

Graziano Mesina was veertien, toen hij wegens beroving tot zeven maanden gevangenisstraf werd veroordeeld. Hij ontsnapte natuurlijk, doch zijn moeder stuurde hem terug; zij was bang, zij had al zoveel meegemaakt... Graziano zat die zeven maanden maar uit; hij had nog een heel leven voor zich. Toen hij achttien was, vermoordde hij een van de feodale landheren, die anno 1960 nòg niet wisten dat overal in Europa de slavernij was afgeschaft. De slaven van de Barbagia juichten, maar niet lang. De landheren werden nu goed beschermd door achthonderd carabiniëri in het territorium van Orgosolo. Door twee, door drieduizend in de provincie Nuoro... Door duizenden op heel het gevloekte eiland, want de laatste kolonie is een kostbaar bezit.

Ze zouden met z'n allen de jonge Graziano niet te pakken hebben gekregen, de hele Barbagia beschermde hem als een kostbaar bezit. Maar een cafébaas in Orgosolo wilde wat bijverdienen en wees de carabiniëri waar Graziano Mesina zat ondergedoken. Die cafébaas dacht misschien een gemakkelijk leven te gaan leiden van zijn judasloon, maar het feest ging niet door. Graziano ontsnapte weer eens aan zijn achtervolgers en kwam de verrader op klaarlichte dag achter zijn eigen tapkast neerschieten.

Deze keer vingen ze hem en hij werd veroordeeld tot zestien jaar opsluiting. Hij maakte een noodsprong uit de trein die hem naar de gevangenis in Sassari vervoerde en werd zwaar gewond naar een ziekenhuis gebracht.

Jonge dieren laten zich zo gemakkelijk niet kooien. Zij likken hun wonden en zoeken weer de vrijheid. Nauwelijks genezen, wist Graziano uit het ziekenhuis te ontsnappen en zich bij de nieuwe bende te voegen, die zich in de krochten en spelonken van de Sopramonte steeds beter begon te organiseren. Hij werd er met gejuich ontvangen door de jonge kerels uit Orgosolo, waaronder zijn broer Giovanni, en de oudere jongens Rubano Campana, Filippo Bianchi en Ignazio Testa, die 'De Jankerd' werd genoemd. Zijn faam was hem vooruitgesneld tot op de flanken van de oliena: Graziano Mesina, pas negentien jaar oud, maar een geboren wreker... Had hij niet de rijke landheer vermoord, die zijn slaven te zeer treiterde...? Bovendien had hij een verrader neergeknald, die met de blauwe baretten heulde! Meer dood dan levend had hij de honden en de jagers weten af te schudden en de weg gevonden naar het nest der vogelvrijen. Zijn kennis van de Sopramonte moest formidabel zijn! Misschien was hij wel een geboren leider...

Enkele jaren later wàs Graziano Mesina de leider van de vogelvrijen, maar de oudere mannen, die de razzia's van '50 en '60 overleefd hadden, waren er toch niet zo gelukkig mee. Zíj hadden gestreden voor de vrijheid en hun rechten; Graziano, met meer zakenmanstalent en veel minder eergevoel dan de oude leiders, maakte een lucratieve beweging van het banditisme op Sardinië. Hij liet grondeigenaren en kleine fabrikanten ontvoeren, zonder dat er van enige wraakoefening sprake was, uit louter winstbejag. Wie de losprijs niet kon betalen, werd lafhartig vermoord. Dit druiste in tegen de eeuwenoude wet van de faïda en maakte voor het eerst in de geschiedenis van het eiland, de bandieten gehaat bij hun eigen volk. Graziano streed niet tegen onrecht en uitbuiting zoals de oude Corbeddu, als de Carta's of Onoratu Succu... Hij was een verachtelijke gangster geworden en zijn eigen dorpsgenoten verdachten hem ervan, te werken voor een syndicaat dat veilig achter de schermen bleef. Steeds minder werd hij de gevierde held, al vereerden de straatjongens hem nog wel in hun spel. Hij was een legende die zichzelf overleefd had...

Al spoedig viel de troep in twee kleine bendes uiteen: de oude vogelvrijen onder Battista Liandru, waarmee alle Sarden nog konden sympatiseren, en de jonge bandieten onder Graziano, die slechts op buit belust waren.

Graziano Mesina, de ijdele capitano, die zich door journalisten in zijn kamp liet interviewen, kreeg nu de schuld van alle terreurdaden die in de Barbagia bedreven werden en tenslotte waren zelfs de inwoners van Orgosolo niet meer bereid, hem tegen kolonel Marcano en zijn blauwe baretten te beschermen. Toen zij, na een nieuwe ontvoering en gruwelijke moord, de 'omertà' verbraken en de carabiniëri op zijn spoor zetten, waren zijn dagen geteld. Niemand zag dit beter in dan de bandietenleider zelf.

Wel regeerde hij nog met harde hand over een dertigtal jonge durvers, die hij wreed strafte voor de minste ontrouw en hij had de dood gezworen aan Filippo Bianchi, aan Ignazio 'De Jankerd' en aan Giovanni Campus, die gedeserteerd waren... maar in het diepste geheim bereidde hij zelf zijn veilige uitlevering voor. Liever wilde hij zich op genade of ongenade aan Rome overgeven, dan Marcano en zijn blauwe baretten nog langer te trotseren.

'Koning' Graziano werd opgevreten van de zenuwen bij de gedachte aan een laatste treffen in de bergen. Hij was nauwelijks zesentwintig; hij had een genadeloze terreur uitgeoefend en tal van moorden gepleegd, maar zelf wilde hij niet van kogels doorzeefd op de flank van de oliena of in het ravijn van Cosseddu eindigen...

Kort na de desertie van Filippo en zijn vrienden stuurde hij zijn broer Pietro naar Rome, om samen met zijn advocaat te onderhandelen omtrent de overgave aan een minder schietgrage politie dan Marcano en zijn troep.

Maar de onderhandelingen verliepen traag en Marcano, bang dat het opgedreven wild zou ontsnappen, stelde een ultimatum: 'Geef je binnen drie dagen over, of ik kom je halen! Ik hoef er de Sopramonte niet meer voor ondersteboven te keren, want ik beschik over goede gidsen uit je eigen kamp'.

Grootspraak van Marcano, maar de bendeleider trapte er in. Onbetrouwbaar als hij zelf was, geloofde hij dat Filippo Bianchi en Ignazio 'De Jankerd' hem aan Marcano verkocht hadden; zij kenden zijn laatste toevluchtsoord. Graziano Mesina kwam...

Hij had zelf nog plaats en uur mogen bepalen. Hij mocht zijn laatste volgelingen nog om de tuin leiden door een schijngevecht te ensèneren, opdat niemand zou kunnen zeggen dat de dappere Mesina zich vrijwillig had overgegeven. Hij koos een stille zomeravond, op de holle weg van Mamoiada naar Orgosolo, waar hij na wat loze schoten de armen in de lucht stak en zich braaf de handboeien liet omdoen.

Sardinië had zijn zoveelste bandietenkoning verspeeld.

Bandietenkoning...? De oude Corbeddu, dertig jaren lang de schrik van de feodale landheren, zou zich honend omdraaien in zijn graf, als hij deze schertsopera had zien opvoeren. De Carta's, de Sanna's, Onoratu Succu en die andere opstandige rechtzoekers zouden spuwen op de karikatuur van een hoofdman, die zich eerloos overgaf; die zijn strijdmakkers in de val liet lopen om zijn eigen huid te redden.

Het groteske banditisme op Sardinië was voorbij.

Hetgeen niet zeggen wil dat er in de zeventiger jaren geen lugubere moorden meer gepleegd worden...

Na de gevangenneming van 'koning' Graziano scheen de rust weer te keren in de Barbagia. Alle kranten, tot ver op het continent, hadden een stukje frontpagina aan hem gewijd, maar hij was alweer vergeten eer hij goed en wel in San Sebastiano zat. Zelfs in Orgosolo werd nog slechts weinig over hem gesproken en toen Marcano een deel van zijn keurtroepen van het eiland terugtrok, beschouwde men het tijdperk van het banditisme op Sardinië als afgedaan...

Dat had Rome al vaker verkondigd: in 1899, toen de oude

Corbeddu en zijn kerels waren afgeslacht. In 1917, toen de Corraines en de Cossus na zeventien vendetta-moorden elkaar de hand reikten. In 1929, toen Onoratu Succu en zijn bende werd uitgeroeid. In 1950, in '55, in '60, de jaren van de grote razzia's, toen de meeste mannen van Orgosolo werden gedeporteerd... Maar nú was het eiland dan toch van bandieten gezuiverd, volledig en voorgoed... Nu ja, er werden nog wat van de oude vogelvrijen gearresteerd door losse patrouilles, doch die boden nauwelijks weerstand; de mensen waren zich vrijwillig komen melden in die eerste dagen na de val van Graziano.

Ook de oude Battista Liandru, die de razzia's van '50 en '60 had overleefd. Ook Filippo Bianchi, die men dood gewaand had na het treffen met de blauwe baretten op de Sopramonte. Hij kwam zich bij ondercommissaris Cuchedda melden, te ziek om op zijn benen te staan. Wat heeft zo'n vent met een verrotgeschoten arm nog in de bergen te zoeken! Een wonder dat hij zich zo lang in leven heeft weten te houden, zonder medische verzorging...

Filippo Bianchi, die een prijsvarken was, werd onder strenge bewaking naar het hospitaal in Sassari vervoerd, eer hij in San Sebastiano zijn straf kon gaan uitzitten. Honderdduizend lire voor de kop van een prijsvarken van minder allooi... een miljoen voor Battista Liandru... Filippo Bianchi stond voor tien miljoen genoteerd en niemand ging ze verdienen, omdat de zak zichzelf had gemeld.

Nu liepen er geen echte prijsvarkens meer rond. Sardinië bezat geen grote bandieten meer... Een vreemde leegte op het gevloekte eiland, dat eeuwenlang vernederd en geknecht was en waar de kolonisten nu in alle gemoedsrust een complete uitverkoop van gronden hielden.

'Uw Onbezorgde Vakanties op Zonnig Sardinië...! Kom dat zien! Kom dat zien! Kijken is kopen! Nog enkele hectaren gronds aan vijftig franc per vierkante meter! Drieguldenvijftig! Drei Mark fünfzig! Wij aanvaarden elke munt, liefst zwart... Vijf kronen voor een meter grond op Zonnig Sardinië! Zeshonderd lire slechts! En Sardinië is nu vrij van alle gespuis...!' De kolonisten begonnen het waarachtig te geloven.

En de rijke toeristen geloofden het.

De inboorlingen zèlf begonnen het te geloven, toen er maandenlang geen opzienbarende moord gepleegd werd. Toen de laatste bandieten zich gedwee kwamen melden op een van de vijftien politieposten die het territorium van Orgosolo telt.

Zo verliep de zomer met zijn lange, hete dagen, en er gebeurde niets meer. Alleen de Deense dog van Tonio Devaddis lag op een morgen dood in de bakkerij, met een klodder groenig schuim voor de bek en wijd starende glazen ogen. Dat gaf Tonio een schok. Hij was erg aan het dier gehecht. Hij had de hond aangeschaft, direct na Pina's begrafenis, toen hij zijn eenzame woning weer betrok. Samen met de hond deelde hij de lange avonden, waarin niemand kwam om tegen hem te praten. Hij voerde geen gesprekken meer met de witte muur; zij hadden elkaar niets te zeggen, sedert Pina's lang verbeide dood. Soms staarde hij met beschuldigende blik de witte muur aan, eer hij zich op het bed uitstrekte, en soms vloekte hij overluid. Hij vertrouwde zijn gedachten niet meer aan de muur toe.

Later was er de hond, waartegen hij praten kon. De hond begreep hem. Hij had trouwe bruine ogen, die hij op zijn meester richtte wanneer die sprak van zijn wroeging, en van zijn angst voor de wraak der Barresi's.

'Je hoeft geen angst te hebben zolang ik bij je ben', zei de hond en hij toonde zijn blikkerende tanden, 'ik verscheur ze allemaal, die je wat willen aandoen...'

Ze deden hem niets. Ze meden hem als de pest en ook de klanten spraken niet meer met hem. De vrouwen haalden het brood en zij legden gepast geld op de toonbank. Zij ontweken zijn blik. Ze stuurden vaak de kinderen, maar ook die hadden geen woorden voor Tonio de reus, de griezelreus, die in het gevang had gezeten... Hun vrolijke stemmetjes klonken luid genoeg in de zomerdag, maar als zij de winkel binnenkwamen, fluisterden zij hun boodschap en legden het geld voor hem neer. Ze meden zijn blik. Ze vluchtten de winkel uit.

Tonio kon zich de tijd niet herinneren dat hij een gesprek met iemand had gevoerd.

En nu was de hond dood, dat was vreemd. Nu moest hij zijn zware gedachten weer aan de witte muur toevertrouwen, 's nachts, als hij wakker lag... Soms meende hij ineens de kralen van Pina's rozenkrans te horen ritselen, maar dat was verbeelding, zijn huis was een dode vesting geworden, waar je alleen de ponente kon horen en het geritsel van de ratten op de vliering. Voor dag en dauw stond Tonio op en hij werkte tot laat in de avond, want Caterina Sorighe was niet teruggekeerd om hem te helpen in de winkel of in de bakkerij en hij kon geen knecht of meid vinden die bij hem wilde werken. In de winkel kon hij het trouwens best alleen af; er bleven steeds meer klanten weg en bakker Monari, die zo'n klein zaakje op de Piazza dreef, had er onlangs een knecht bij genomen.

Het werd nu wel erg stil rond Tonio Devaddis.

Jammer van de hond... die had misschien wel van het rattegif gevreten, dat Tonio had uitgestrooid in de bakkerij en op de vliering. Hij zou daar voortaan voorzichtiger mee zijn en eens uitzien naar een nieuwe hond, een herder misschien, of een bouvier. De eerste de beste bastaard was ook goed, als je er maar tegen praten kon, als je maar niet het gevoel had van levend dood te zijn in een dorp vol mensen, tussen de vier wanden van je cel, achter de vergrendelde luiken van je kleine vesting... Met een hond kun je praten; hij verstaat de klanken van je trage stem en hij spitst zijn oren op elk geluid dat niet van de zoevende wind komt. Maar eer hij zich een nieuwe hond had aangeschaft, kreeg Tonio Devaddis tóch nog gezelschap, en hij kon zelf niet zeggen of hij er blij mee was. Het wekte een onrust in hem en een zoet verlangen. Het belastte zijn schuldig geweten met duizend nieuwe zonden; het deed de angst worgend naar zijn keel kruipen.

Het was een van die sombere, kille herfstavonden, die de cicaden doet sterven in de macchia. De mist hing als een grauwe sluier tegen de bergflank en over het dal, over de wijngaard van Corraine achter Tonio's huis. De mist smoorde ieder gerucht. De kleine vesting was nu een grafkelder. Daarin zat de bange man zijn eenzaamheid te verduren, grootogig luisterend naar de stilte en naar het bonzen van het bloed in zijn slapen. Zelfs de ratten weerden zich niet.

Tonio dacht aan de Deense dog, en hoezeer hij zijn gezelschap miste. Hij besloot niet langer te wachten; morgen zou hij naar Nuoro gaan en een hond kopen, om het even wèlke, als hij maar luisteren wilde naar het lange verhaal dat moest worden uitgesproken. Alleen maar een beest dat luisteren wil...

Toen was er plots een klein gerucht in het karrespoor achter het huis. Tonio voelde zijn huid samentrekken, zijn nekharen stonden overeind van schrik. Hij probeerde scherp te luisteren, maar het bonzen van zijn hart overstemde het gerucht daar buiten. Hij keek rond met de blik van een opgejaagd beest. Wàs hij geen beest, en kwamen de jagers hem nu vinden...? Hij dacht voor het eerst aan een wapen om zich te verdedigen. Maar er was geen wapen dan het keukenmes en de Deense dog was er niet meer om met zijn woedend gebas de indringers af te schrikken. De hond was vergiftigd, wist hij opeens, en dít was

227

het ogenblik waarop hij al maanden had zitten wachten! De Barresi's waren er om Pina's dood te wreken... Het was te wreed, om zo lang te wachten, zijn zenuwen waren allang verscheurd...

Maar de Barresi's zouden niet aan het vensterluik kloppen, wel ... wel...? Hoe dóen de wrekers...? Tonio wist het niet. Hij dacht dat ze zouden binnenspringen met veel geweld. De deur intrappen, en gewoon binnenspringen, zoals de vogelvrijen hadden gedaan wanneer zij een verrader kwamen likwideren... Nu was er een stem, die de bange reus verrast het hoofd deed wenden. Een zachte, wanhopige stem, die hem riep! Hij was mischien tóch niet de enige bange..! Je kunt soms troost putten uit elkanders angst...

Tonio Devaddis kwam bevend overeind. Hij sloop door 'de keuken naar de bakkerij en hij aarzelde nog, eer hij de grendels terug schoof van de deur. „Ben jij dat werkelijk, Caterina Sorighe...?" Zijn stem klonk als een rasp; hij was het praten tegen mensen ontwend. „Ben je... alleen...?"

Hij beefde over al zijn leden. Hij had plots grote haast om de deur te openen. Zij glipte binnen en schoof er zelf de roestige grendel weer op. Nu stonden zij tegenover elkaar in het duister van de bakkerij. De geur van brood. De vertrouwde geuren van de bakkerij, en de dingen die zij langzaam begon te herkennen, al duurde de droom nog voort. Er gloorden wat sintels onder de oven, het was alles zo vertrouwd en zo ver. Zijn donkere stem, onvast van emotie: „Caterina...! Dio mio, Caterína, dat je er bent...! Dat je naar de ouwe Tonio bent gekomen...! Ik heb je nooit meer gezien sedert..."

Hij legde een zware hand op haar schouder. Zij schudde hem af, nukkig als een verwend kind. Hij nam haar bij de hand en trok haar mee, de keuken in, waar de olielamp brandde. Nu stond zij tegenover hem en hij poogde de schrik in zijn ogen te verbergen. Was dìt slechts over van mooie Caterina...? Kunnen de mensen elkaar dàt aandoen...? Zij ving zijn onthutste blik en zij grijnsde naar hem met een bijna tandeloze mond.

„Schrik maar niet, Tonio Devaddis," sprak zij bitter, „je bent er zelf óók niet op vooruitgegaan..."

Zij legde een bundeltje kleren op een stoel en zij deed haar mantel af. Zij ging aan tafel zitten, ze keek rond als een oud wijfje dat de dingen herkent. „Alles nog hetzelfde," sliste zij, „alleen de bazin is er niet meer."

Tonio blikte op het meisje neer. Hij leunde tegen de deur en zijn hart schreide om wat de mensen dit kind hadden aangedaan, om mooie Caterina, waar geen jongen meer naar fluiten zou. Haar haren hingen in verwarde klissen om haar grauw gelaat en zij had donkere wallen onder haar ogen. Het was vooral de smalle mond, die hem verbijsterde; hij herinnerde zich zijn zwoele dromen, hij dacht aan de vrijer-zonder-gelaat, die in zijn eigen huis bezit van mooie Caterina genomen had... „Alles nog hetzelfde," echode hij, „nee, hier is niets veranderd, Caterina... ik ben een spook van mezelf geworden," hij sloeg op zijn ingevallen buik, „en jij... Jesumaria, wat hebben ze met jóu gedaan, Caterina...?"

Zij zweeg. Zij zat met haar kin in haar handen gesteund en zij staarde met doffe blik naar iets in de verte. De stilte woog tussen hem. Tonio ging tegenover haar aan de tafel zitten. Hij stond weer op. Hij ging naar het kabinet in de pronkkamer en kwam terug met een fles grappa en twee glazen.

„Dit zal je goed doen," zei hij schor. Zijn hand beefde zo, dat hij morste bij het inschenken. Zij staarde naar zijn hand die de fles hield en er speelde een scheve grijns om haar tandeloze mond. Hij wilde salute zeggen terwijl hij het glas hief, doch zijn ogen vingen haar koele blik en hij zweeg. Hij ledigde zijn glas in één teug, Caterina nipte nauwelijks aan de drank. Hij kuchte, en veegde zijn mond af met de rug van zijn hand.

„Dio mio," verzuchtte hij, „wat kunnen de mensen elkaar aandoen...!"

„De mensen!" sneerde het meisje, even opverend uit haar onverschilligheid, en met vlakke stem vervolgde zij: „De mensen laten mij koud, bakker Devaddis... Ze kunnen mij niets meer doen, wat ze niet reeds gedaan hebben..." Zij keek naar hem op, haar mooie ogen stonden dof. „Ze hebben Giuseppe vermoord. Ze hebben míj vermoord. Alleen wat ìn mij leeft, wil maar niet dòod, het is sterker dan ik, het vreet mij van binnen op en ik sterf van de honger."

Tonio wierp haar een schuwe blik toe. Hij wilde de handen wel kussen, die zij beschermend op haar buik legde, maar hij wendde zich af en was nu druk doende bij de provisiekast.

„Ik zal brood voor je klaarmaken," zei hij, „ik wil alles voor je doen, Caterina. Ik ga koffie zetten en, en je neemt maar waar je trek in hebt..."

Hij vloekte zacht voor zich heen. Waarom kon hij nooit de juiste woorden vinden? Was hij dan zo'n rund? „Je kunt hier blijven, als je wilt. Ik... je zou je kamertje boven weer kunnen hebben, als je niet... als je niet bang bent voor de mensen, voor de opspraak, bedoel ik."

„Opspraak!" schamperde Caterina. Zij begon te giechelen, zij hield er even schielijk weer mee op. „Ik ben vier maanden thuis geweest, in Mamoiada... Al die tijd ben ik binnengebleven, om opspraak te vermijden, om m'n mama niet in verlegenheid te brengen. Maar vandaag kwam die kerel van haar er achter dat ik... dat het kind in mij groeit, en hij gedroeg zich precies als de andere beesten." Zij boog het hoofd. „Ik kon daar niet langer blijven... Omdat ik zijn dochter niet ben, omdat ik een kind draag, dacht de viezerik dat ik voor iedereen te krijgen was." Toonloos vertelde zij haar verhaal, alsof het een ander betrof en Tonio luisterde met gebogen hoofd. „Ik heb het broodmes genomen... Als hij het gewaagd had, had ik 'm afgemaakt, de vuile smeerlap!"

Er kraakte iets, boven op de vliering, er ritselde iets...

„We hebben meer ratten dan vroeger," zei Tonio om maar iets te zeggen. „Ik heb klemmen gezet. Dat vergif was toch te gevaarlijk, heeft mij m'n hond gekost... Als je niet bang bent, voor de ratten bedoel ik..."

Hij wist niet of ze hem verstaan had, zij zat zomaar voor zich heen te staren met die bittere trek om haar eens zo mooie mond, een vroeg oud kind, een kind dat een kind droeg en daarom als een goedkope hoer werd beschouwd.

„Ik kon daar niet blijven," herhaalde zij dof. „Toen hij zijn zin niet kreeg, heeft hij mij buiten gesmeten, maar ik moet toch èrgens heen, niet voor mijzelf, maar..."

„Je kan hier blijven!" zei Tonio gul. „Je mag blijven zo lang je wilt. De mensen kunnen allemaal doodvallen voor mijn part! Ik ben van niemand meer bang, als jij hier blijft, Caterina!"

Zij keek hem aan, zoals hij daar stond in het lamplicht. Een reus onder de lage zoldering. Een goedige, domme reus met een hazehart. Zij at plichtmatig van het brood dat hij voor haar bereid had, want de kleine parasiet in haar moest gevoed worden, Giuseppe's zaad, dat nu hevig in haar leefde.

Zij dronken de sterke koffie. Tonio zat peinzend tegenover haar. Zij luisterden samen naar de stilte tussen de trage woorden. Zij wisten niet dat de dood meeluisterde.

„Of... of we zouden kunnen weggaan van hier..." aarzelde Tonio, „niet voor het een of ander, maar, gewoon omdat ze mij niet meer lusten in Orgosolo... Ik zou ergens opnieuw willen

230

beginnen, in Cagliari misschien, of zelfs op het continent. Ik heb geld, en ik zou de boel hier nog kunnen verkopen en..."
„Reken niet op mij!" zei Caterina stroef. „Ik heb je gezegd dat de mensen mij koud laten. Jij evengoed, Tonio Devaddis. Ik zit hier louter omdat ik honger heb, en geen onderdak. Ik ga er niets tegenover stellen."
De reus keek haar aan met zijn gepijnigde blik. Hij voelde zich betrapt in zijn diepste gedachten.
„Ik heb je niets gevraagd," zei hij schor, „ik wou je alleen..."
„Beschermen tegen de mensen?" spotte zij. Tonio steunde zijn zwaar hoofd in de handen. Hij durfde haar blik niet meer te ontmoeten.
„Misschien," zuchtte hij, „misschien zou ik dat durven. Je weet niet waartoe een bange vent in staat in, als hij... als hij iets heeft om voor te vechten."
„Jij hebt niets meer om voor te vechten," sprak het meisje bitter, „wíj hebben niets meer om voor te vechten, bakker Devaddis, verbeeld je dat maar niet." Zij stond op. „Ik ben hierheen gekomen omdat er geen andere plaats was. Ik zal er niet eens 'dank je' voor zeggen. Zo gauw ik iets beters bedenken kan, vertrek ik weer, al weet ik op het ogenblik echt niet waarheen..." Zij keek neer op de reus, die nog met gebogen hoofd aan tafel zat, en zij kon het niet helpen dat zij toch mededogen voelde met de domme vent, die nooit zijn jongensdromen te boven gekomen was. Zij legde vluchtig haar hand op zijn schouder,* eer zij de keuken uit ging. „Haal je geen dwaze dingen in je hoofd," sprak zij mild, „je hebt te lang gedroomd..."
Hij luisterde gespannen hoe de smalle trap kraakte onder haar voetstappen. Later hoorde hij haar op de vliering. Zij schoof resoluut de grendel op de kamerdeur.

Dat met die hond, dat was knap werk geweest, vond Narciso 'Muizetand'. Zolang de mensen honden houden, begin je niets tegen ze.
Je kan een vent zó vermoorden dat het een ongeluk lijkt. Als je geduld hebt, kun je hem altijd blijven volgen, steeds maar op een veilige afstand volgen, tot hij zich op zekere dag vergaloppeert en te dicht langs het ravijn loopt. Of, het kan op zelfmoord lijken bij een vent als Devaddis, die door de hele gemeenschap is doodverklaard. Zo'n sul heeft niets meer om voor te leven, en de politie weet dat; hij neemt vroeg of laat vergif. Rattegif, misschien... het werkt snel en afdoende. Je kan het in

zijn koffie mengen, of in het slechte voer dat hij vreet, en wie zal bewijzen dat hij het niet zelf heeft gedaan ...?

Maar dan moet er géén hond in huis zijn. Honden zijn de beroerdste vijanden, omdat zij je beste vrienden kunnen zijn. Daarom was 'Muizetand' zich eerst met de Deense dog van Tonio Devaddis gaan bemoeien. Het vroeg geduld, maar hij had eindeloos de tijd. Maandenlang had hij de reus geobserveerd, hij kende heel zijn doen en laten, hij bracht dagen en halve nachten door in de macchia achter Tonio's huis. Daar achter lag het ravijn, en dan kwam het dal met de wijngaard van Corraine. Niemand had hem daar ooit opgemerkt en als hij gezien werd, zou geen mens daar iets achter zoeken.

Alleen Tonio Devaddis mocht het niet weten. Toch niet te vroeg ... De reus mocht hem zien in zijn laatste ogenblik, als hij een trap in zijn lende kreeg aan de rand van het ravijn, of wanneer hij het rotsblok niet meer ontwijken kon. Wanneer hij, als de hond, het schuim op de bek kreeg en zich reddeloos verloren zou weten ... Narciso droomde ervan, dat de stomme reus hem in zijn laatste ogenblikken zou zíen. Hij droomde veel; hij had er de tijd voor, die hele broeihete zomer verborgen in het dichte struikgewas. En hij had een engelengeduld, het geduld van een wraakengel.

Met de hond was het erg meegevallen. Het stomme beest was dol op ossehart en 'Muizetand' had hem er met kleine stukjes tegelijk verlekkerd op gemaakt. Devaddis had het toch te druk in de bakkerij en de hond was alleen 's avonds waakzaam, als hij met de baas zat opgesloten in het huis waar de angst tastbaar werd. Daar buiten had hij geen reden om een zwervende herder aan te vallen, hij was geen politiehond. Hij ontmoette de herder op ongeregelde tijden en altijd kreeg hij een stukje ossehart. Tenslotte liet hij zich grommend even achter de oren krauwen, eer hij terugging naar het huis van de baas. De laatste keer was het een heel hart ... Hij vrat er zich een ongeluk aan. Hij vrat zich hartstikke dood. En die stomme Tonio maar denken dat het van 't rattegif kwam ...

Ja, met die hond was alles vlot verlopen.

Toch begreep Narciso Manca wel dat hij nu voort moest maken, want een bange kerel als Devaddis zou zich natuurlijk vlug een nieuwe aanschaffen, misschien wel twee ... Hij werd roekelozer in die dagen na de Deense dog. Hij waagde zich soms op het afdak achter de bakkerij, als hij Tonio in de winkel wist. Op een avond wrikte hij het luik van de meidenkamer open en bracht de hele nacht op de vliering door, luisterend naar het onrustig gesnork van Devaddis. De volgende morgen moest Tonio naar de mulder en 'Muizetand' sloop door zijn huis alsof hij geen angst kende. Hij zag de vrijgezellebende in de keuken en hij kwam op het idee van mollegif... Dat was beter, misschien, want je kocht het in een rode poeder, die uitmuntend zou combineren met spaghetti en paprika. Als hij die rotzooi in de keuken bekeek, zou vieze Tonio het niet eens proeven.

Zo liep de wreker met zijn jachtige plannetjes rond in die dagen na de Deense dog. Eén obstakel had hij keurig uit de weg geruimd, maar de tijd begon te dringen. De hete zomer liep ten einde en hij hoopte ook nog met Caterina Sorighe af te rekenen. Dat was een ander probleem. Dat moest zéker op een ongeluk lijken, want voor haar had hij geen mandaat. Mooie Caterina was een persoonlijke kwestie en de clan zou hem weten te vinden, als zij vermoedden dat hij tegen de bevelen van babbo Matteu in was gegaan.

Zo had Narciso Manca het maar moeilijk op die eerste stille herfstavond, in de kille mist die over het dal gespreid lag en hem tot op de huid verkleumde. Hij had gezien hoe Devaddis de luiken sloot. Later hoorde hij hem de grendels op de deuren schuiven. Hij dacht erover om naar huis te gaan, de reus zou zich toch niet meer vertonen, hij zou zich in het donker zéker niet tot aan de rand van het ravijn wagen... Nee, het moest toch maar mollegif worden, eer hij zich weer een stel honden aanschafte...

Terwijl hij zo met zijn zorgen bezig was, werden ze plots door God weet welke lugubere speling van het lot van zijn schouders genomen. Nog draalde hij in de struiken, toen behoedzame voetstappen klonken in het karrespoor achter het huis. 'Muizetand' greep zijn stiletto, op zelfverweer bedacht. Hij drukte zich in de macchia en zijn hazehart begon fel te bonzen. Was zijn schuilplaats ontdekt, en gingen de blauwmutsen hem voor een vogelvrije verslijten? Die kerels waren zo snel met het pistool! Barmhartige God, ze knalden je neer, eer je had kunnen roepen dat je maar een onschuldige schaapherder was! Ze hoefden maar te dénken dat je wat in het schild voerde en de blauwe vlammetjes knetterden los... 'Muizetand' beefde over al zijn leden. Hij wilde opspringen. Hij wilde schreeuwen: Ik ben het, Narciso Manca! Niet schieten, ik heb met de vogelvrijen niet van doen...! Maar hij was te laf.

Hij lag in de struiken zijn angst te ondergaan en hij bad de God van zijn jeugd, hem genadig te zijn, en dat er geen honden mochten komen... de honden gingen zijn angstzweet ruiken! De honden waren er niet bij.

Hij kon zijn oren niet geloven, toen hij het meisje aan Tonio's venster hoorde kloppen. Hij jankte zacht, van opgekropte zenuwen en van begeerte, toen hij haar stem hoorde. „Devaddis, doe open... ik ben het, Caterina..." Door een waas van tranen onderscheidde hij Tonio, die even later het meisje binnenliet. Hij veegde zijn tranen weg met de rug van zijn hand en hij lag zich te verwonderen over de snelle keer van het lot, dat hem die twee tegelijk in handen speelde. Want een zo gruwzaam plan rijpte in hem, dat hij er zelf even van huiveren moest, eer hij het aanvaardde als een geschenk van het lot...

„Dat met die hond," gniffelde hij, „dat is m'n sterkste stunt geweest. Als die rothond er nog was, kon ik dit nooit voor elkaar krijgen."

Hij had het luik eindelijk open en sloop het kamertje binnen. Zijn schoenen had hij op het afdak achtergelaten en op zijn kousevoeten bewoog hij zich nu over de vliering. Even kraakte een plank en hij hoorde die twee beneden het gesprek staken. Hij stond bewegingloos naast Caterina's bed, bevroren in ademloos luisteren. „We hebben meer ratten dan vroeger," bromde Tonio verontschuldigend, maar het meisje antwoordde niet. Misschien had zij geen angst voor ratten... Misschien vreesde zij alleen de mensen, die veel wreder kunnen zijn. Het gesprek sleepte zich traag voort. Later waren er de geluiden van een stoel, die verschoven werd over de plavuizenvloer, en het gerinkel van eetgerief. Caterina Sorighe nuttigde haar galgemaal.

De rat sloop door het vertrek en zocht zich een geschikte schuilplaats. Hij grijnsde zijn felle tandjes bloot. Hij was het lot zo dankbaar, dat hem deze dubbele kans in handen speelde. Was hij niet de dubbele wreker, al had hij slechts een enkel mandaat...?

„We zouden kunnen weggaan van hier..." zei Devaddis. Maar het meisje ging op zijn voorstel niet in. Mooie Caterina wist dat zij het lot niet ontlopen kon met een ouwe vent die evenzéér veroordeeld was, en de rat op de vliering begon zich te verbazen over de samenloop der dingen. Twee vliegen in één klap, en niemand die hèm zou kunnen betichten... Was het beest niet plotseling opgestaan in de goedmoedige reus, en had hij toen zijn nietig wijfje niet verkracht...? Was hij niet vrijgelaten bij gebrek aan bewijs...? Maar de clan der Barresi's spreekt niemand vrij en Narciso Manca vergeeft geen enkele belediging. Hij betastte de snede van zijn stiletto, een prachtig nieuw mes, dat nauwelijks sporen achterlaat... Stom, dat zo'n mooie meid geen stiletto bij zich droeg... Zij kon zich dan de honden van het lijf houden. Als zure Pina een stiletto, inplaats van haar eeuwige rozenkrans mee naar bed genomen had, zou het beest in Tonio Devaddis nooit zijn opgestaan... Misschien droeg Caterina Sorighe tóch wel een stiletto op haar dikke buik. Misschien hàd zij niets te vrezen van Devaddis...

Narciso de wreker besloot dat mooie Caterina een stiletto bij zich droeg, en dat de stomme reus haar wilde bezitten. Hij zou haar de kamer wijzen, misschien, dan kon het meteen gebeuren. Of, zij zou alléén naar boven gaan, zij wist hier goed genoeg de weg. Dan moest hij een manier bedenken om Tonio Devaddis naar boven te lokken. Dat zou niet moeilijk zijn; die kerel was natuurlijk zo geil als een rat...

De rat verschool zich in de nis naast het bed en hij wachtte geduldig. Hij had de tijd. Hij had een eindeloze lange nacht de tijd... Maar zo lang duurde het niet.

Weer verschoof een stoel krijsend over de plavuizenvloer.

„Ik ben hierheen gekomen omdat er geen andere plaats was," zei het meisje.

'Muizetand' geloofde het best. Je plaats is, waar het lot je voert, mooie Caterina! Je plaats is eindelijk in de armen van de wreker, want het uur is gekomen... dag en uur zijn bepaald door een macht die het allemaal voorziet. Nu bonsde zijn hart in z'n keel en zijn lippen trokken wit weg van zijn tanden, tot een starre grijs. Zijn mond was droog. Nu zou het erom gaan, of eerst de reus, of eerst het meisje aan het onherroepelijke punt kwam vanwaar geen terugkeer mogelijk is...

Maar het meisje kwam alleen.

Hij hoorde haar voeten op de vlieringtrap en hij vroeg zich af, of zij licht zou maken... of ze sterker kon blijken dan een rat, en of het lot hem wel gunstig bleef...

Hij drukte zich diep terug in de nis naast het bed; hij was één met de duisternis. Toch onderscheidde hij vaag haar gestalte, toen zij in de deuropening stond. Er gloorde wat gelige schijn van de lamp beneden, maar zij sloot de deur en schoof er de grendel op. Zij sloot het goedige beest buiten, dat zich misschien zou kunnen vergeten.

Op de tast vond zij haar weg naar het tafeltje, waarop vroeger de gipsen Madonna had gestaan en de blaker met de kaars. Hij hoorde haar een lucifer aanstrijken. Het vlammetje flakkerde op, het wierp haar groteske schaduw op de muur, dan knisterde de kaarsevlam en voor het eerst in al die maanden zag Narciso 'Muizetand' wat er van Caterina Sorighe geworden was... Hij zag het in de kleine spiegel, waarheen zij zich overboog, en hij vroeg zich verbijsterd af of hij dáárvan steeds gedroomd had ... Een vroeg oud vrouwtje, dat haar bitter gelaat bekeek. Zij betastte haar gezwollen tandvlees. Zij kon bij het kaarslicht nauwelijks zien, het was meer een gewoontegebaar. Toen ging zij met een kreun op het bed zitten en begon zich uit te kleden. De schoenen ploften op de planken vloer. Zij trok het jak over haar hoofd en Narciso keek met bonzend hart toe. De droom kwam terug, ongeschonden. Haar blote armen vingen het licht van de kaarsvlam. Haar ronde schouders glansden. Zij wàs geen oud wijf...! Zij zat met de rug naar hem gekeerd, maar hij kon nog wachten...

Zij stond weer overeind. Haar rok viel ritselend op de vloer. Zij strekte haar lenig lichaam en streek bezorgd met een hand over haar buik. „Stil maar," zei ze zacht, „ik moest je haten als de pest, maar ik kan het niet... Je hebt om het leven niet gevraagd, maar ik zal het je geven..."

Zij staarde naar de spiegel met de karikatuur van een glimlach. „Giuseppe..." zei ze, en dat was haar laatste woord, want haar ogen verstarden toen zij in het glas een beweging meende te ontwaren, die niet van haar was uitgegaan.

Nu moest de rat toch snel handelen! Hij was met één sprong achter haar en klemde zijn sterke vingers rond haar hals. Zij was te verbijsterd om weerstand te bieden. Misschien ook trachtte zij in de spiegel het gelaat te herkennen van het fatum, dat haar terug gedreven had naar de plaats waar zij de liefde gekend had... Het kind sprong wild op in haar schoot, maar zij kon het niet meer beschermen, zij kon het leven niet schenken, dat zij zo lichtzinnig had beloofd. Haar eigen leven vloeide weg in de verstikkende greep van de wreker. Haar ogen staarden nog in wijde ontzetting, toen hij haar later op het bed strekte. Zij moet hem zeker herkend hebben. Zij moet geweten hebben dat het Narciso Manca was...

Later, toen hij definitief met haar afgerekend had, werd het tijd om Tonio naar boven te lokken. De dwaze reus kon niet weten dat hij verwacht werd. Hij zat met zijn gedachten alleen en hief verbaasd het hoofd, toen hij resoluut de grendel hoorde wegschuiven van haar kamerdeur. Hij hief het hoofd in gespannen luisteren. Zij klopte zachtjes tegen de wand. Lokkend, misschien...? Wie kan zo'n jonge vrouw doorgronden...? Had zij niet in een liefkozend gebaar haar hand op zijn schouder gelegd, eer zij naar boven ging...? Het hart bonsde Tonio in de keel bij die gedachte. Hij was verward, beschaamd, maar bovenal bereid te hopen op het wonder. Kon het geluk ook hèm niet eens tegenlachen...?

Hij hoorde hoe zij de deur van haar kamertje op een kier zette. Hoe zij weer klopte, plagend, lokkend.

„Dio mio!" verzuchtte Tonio, „Dio mio... mocht het waar zijn ... Zo'n klein beetje geluk... ach Jesumaria, laat ze mij niet uitlachen..." Hij ging beschroomd de krakende trap op.

„Caterina," zei hij zacht, „Caterina... ìs er iets...?"

Toen stond hij in de kamerdeur. Hij moest zijn hoofd buigen om haar te kunnen onderscheiden in het weifelende licht van de kaarsstomp. Zoals zij daar op het bed gestrekt lag...

Toen het tot hem doordrong wat zijn ogen aanschouwden, schoot een vlijmende pijn door zijn hart en de wereld scheen over hem ineen te tuimelen.

Hij greep met beide handen naar zijn borst. Hij wankelde. Hij struikelde naar het bed en viel met gespreide armen over Caterina heen, alsof hij haar tòch nog wilde beschermen tegen de mensen...

De volgende dag hebben ze die twee gevonden, de reus, in wiens lichaam het beest weer was opgestaan, en het meisje dat een dood kind onder haar hart droeg. Zij moet zich heftig verweerd hebben, want zij had een stiletto in haar hand geklemd en het smerige zwijn bloedde uit vele wonden. In zijn doodstrijd moet hij nog kans gezien hebben haar de keel af te knijpen, zoals hij het zalige Pina had gedaan.

Je kùnt een moordenaar niet vrij laten rondlopen wegens gebrek aan bewijs.

Heilige Pina, bid voor ons!

Bid voor de laatste kolonie, die nu gezuiverd is van de bandieten, maar er sneuvelen nog wat inboorlingen zo af en toe op dit verrukkelijke, duizendmaal verdoemde eiland...

De kolonisten hebben daar geen schuld aan. Die nemen slechts het land van de herder en verkopen het voor vijftig frank de meter...